ANIMAUX FRAGILES

Le Temps de la colère, Belfond, 2001 ; 10/18, 2004
Retour à Coal Run, Belfond, 2004 ; 10/18, 2007
Le ciel n'attend pas, Belfond, 2007 ; 10/18, 2009

TAWNI O'DELL

ANIMAUX FRAGILES

*Traduit de l'américain
par Bernard Cohen*

belfond
12, avenue d'Italie
75013 Paris

Titre original :
FRAGILE BEASTS
publié par Shaye Areheart Books, une marque
de Crown Publishing Group, une division de
Random House Inc., New York.

Si vous souhaitez recevoir notre catalogue
et être tenu au courant de nos publications,
vous pouvez consulter notre site internet
www.belfond.fr
ou envoyer vos nom et adresse,
en citant ce livre,
aux Éditions Belfond,
12, avenue d'Italie, 75013 Paris.
Et, pour le Canada,
à Interforum Canada Inc.,
1055, bd René-Lévesque-Est,
Bureau 1100,
Montréal, Québec, H2L 4S5.

ISBN 978-2-7144-4303-8

À Tirzah et Connor, mes fragiles animaux

PROLOGUE

Le Tout-Tranquille

Villarica, Espagne. 24 juin 1959

MANUEL OBRADOR SAVAIT QU'IL ÉTAIT MORT. Il comprenait aussi qu'il n'en avait pas fini de mourir.

Il reposait dans une brume de poussière dorée, sur un tapis de sable scintillant sous le disque chauffé à blanc du soleil des étés espagnols. Le ciel était du même bleu à la fois vibrant et tendre que celui de son enfance passée ici, et le même encore qu'au début de l'après-midi, quand il avait laissé les hommes de sa *cuadrilla* tirer béatement sur leur cigarette après un excellent déjeuner au restaurant pour retourner à l'hôtel faire sa sieste. Poisson frit, perdrix froide, côtelettes d'agneau, fromage *manchego* durci par le temps et le sel, gâteau, glace, et une quantité non négligeable de bouteilles de *tinto* pour ses aides et lui. Alors que nombre de toreros se sentaient incapables d'avaler quoi que ce soit avant d'entrer dans l'arène, il avait toujours faim à quelques heures d'une corrida, comme si l'attente aiguisait son appétit. Sur le moment, il n'avait pas soupçonné que ce serait son dernier repas, et s'il l'avait su, il aurait sans doute commandé exactement le même.

Calladito s'était montré un taureau éblouissant ; l'un de ces taureaux que tout matador espère pouvoir affronter un jour dans l'arène. Manuel avait senti qu'il présentait toutes les qualités du « *toro bravo* » la première fois où il l'avait aperçu à la *finca* de Carmen del Pozo, plus d'un an auparavant. Il se tenait au milieu d'un groupe de cinq futurs taureaux de *lidia* dans un champ de lavande en fleur qui s'étendait à perte de vue, le noir brillant de son pelage se moirant de reflets bleutés lorsque le moindre de ses muscles se tendait. Il faisait facilement plus de cinq cents kilos, une masse tout en puissance sur des pattes qui, par comparaison, semblaient fines et délicates : un boxeur poids lourd qui aurait eu la grâce et la vélocité d'une danseuse étoile.

Dans la jeep à l'arrêt, Manuel et les autres avaient gardé une immobilité complète pour ne pas attirer leur attention. Malgré tout, Calladito les avait remarqués. Tandis que les autres bêtes continuaient à brouter en balançant paresseusement le toupet de crins soyeux au bout de leur queue, il avait levé la tête et humé l'air, les muscles imposants de son cou roulant sous la peau. Soudain, il s'était mis à trotter en direction du véhicule, ses pattes très raides dans les hautes herbes, puis il avait baissé le museau vers le sol et envoyé un coup de corne à quelque ennemi invisible avant de s'arrêter net.

Ce n'était pas seulement la taille du taureau qui avait impressionné Manuel, ni sa force ou sa majesté, mais aussi ses yeux. D'habitude, il trouvait ceux d'un taureau indéchiffrables ; fixes, noirs et sans fond comme une mare dans la nuit. Tous les toreros s'accordaient à dire qu'un taureau était doué de pensée, mais aucun d'eux n'aurait pu dire *à quoi* il pensait. Les yeux de Calladito, pourtant, avaient une lumière bien à eux. Ils n'exprimaient pas exactement l'intelligence, mais quelque chose de plus instinctif, plus profond : le savoir.

Sa main, qu'il gardait posée sur l'épaule nue de Candy, s'était déplacée pour parcourir la courbe émouvante de son cou. Sous ses doigts, il sentait le pouls de la jeune femme accéléré par la peur tandis qu'elle regardait l'animal, elle aussi, qu'elle essayait de deviner ce qu'il allait faire et qu'elle se rendait brusquement compte qu'il produirait le même effet qu'une collision avec un camion s'il se décidait à charger la jeep, mais un camion doté de cornes acérées, aussi épaisses qu'un avant-bras d'homme adulte, et de l'instinct de survie.

« *Éste es para mí, y yo para él* », avait-il murmuré à son oreille, oubliant qu'elle ne comprenait pas encore bien l'espagnol, à cette époque. « Celui-ci est pour moi, et moi je suis pour lui. »

Où es-tu maintenant, Calladito ? se demanda-t-il.

Selon les lois régissant la *fiesta nacional*, un autre torero aurait dû assumer la responsabilité de tuer le taureau, puisque Manuel n'en était plus capable, mais la corrida de ce jour-là avait été un *encierro* comportant un seul matador, une fête spéciale donnée en son honneur à Villarica, sa ville natale, à la veille de son trentième anniversaire. Il avait été la seule épée présente.

Au lieu de la conclusion traditionnelle, le taureau allait être attiré dans un petit corral où il serait exécuté avec un couteau à manche d'argent et lame fine, le *verduguillo*, « le petit bourreau ». Il serait privé de la gloire de mourir dans l'arène ainsi qu'il le méritait, abattu dans l'anonymat avant d'être envoyé à la boucherie.

Il tenta de tourner la tête, cherchant Calladito du regard, mais son corps ne réagissait plus, à l'exception de sa gorge gargouillante qui luttait pour lui donner un peu d'oxygène et éviter que son propre sang ne l'étouffe. Son ouïe était encore bonne, cependant, et il distinguait des gémissements, des cris, des hurlements, les lamentations de quelques femmes. Mais ses yeux l'abandonnaient : les gens massés autour de lui, au-dessus de lui, n'étaient plus qu'une confusion d'ombres indistinctes s'agitant sur le bleu intense du ciel.

Quand il était tombé la première fois et que ses aides s'étaient précipités à son secours, il avait été capable de reconnaître certains visages. Celui qui avait accouru le plus vite devait être son principal banderillero, Paco, un homme mince et tanné comme une lanière de fouet, d'une agilité rare et d'un âge indéfinissable, qui ne parlait et ne souriait qu'en des circonstances exceptionnelles mais dont le dévouement envers Manuel était une évidence. Dans sa *cuadrilla*, il était le seul qui l'avait accompagné depuis le tout début de sa carrière.

S'agenouillant, Paco avait placé sa main ouverte sur la blessure. En redressant un peu la tête, Manuel avait vu son sang écarlate jaillir entre les longs doigts parcheminés. Il avait senti

11

la pression de la main, mais pas de douleur. Même au moment où la corne de Calladito avait pénétré sous ses côtes, il n'y avait pas eu de souffrance.

Il voyait toujours dans son esprit les traits ridés de Paco penché sur lui, crispés par une angoisse tellement forte que l'on aurait pu la confondre avec de la joie.

« Maestro… » Le mot était sorti de sa gorge comme un sanglot sec. « *Manolo mío.* »

C'est alors que ce qu'il avait jusqu'ici supposé était devenu une certitude. Dans l'arène, la combinaison de ce titre honorique et de l'utilisation affectionnée de son prénom ne pouvait se présenter qu'à un moment de désespoir absolu. La dernière chance laissée à un soldat de s'adresser à son commandant tombé, les mots de réconfort impuissant qu'un vieil homme adressait au jeune héros qu'il aimait. Paco avait dit encore : « Mon prince… Mon fils… »

Ils n'allaient pas pouvoir le sauver. Dès qu'il était parvenu à ce constat silencieux, il avait presque eu envie de rire. C'était le soulagement exaltant de se retrouver soudain partie prenante d'un secret particulièrement savoureux.

Pour la plupart des humains, la mort est une peur indéfinie qui ne cesse de leur mordre les talons. Leur perspective de trouver la fin est d'autant plus préoccupante et obsédante qu'il y a dix mille manières possibles de mourir. Pour un torero cependant, il n'y en a que deux : dans l'arène, ou en dehors.

Désormais, Manuel connaissait son sort et il était satisfaisant, même s'il s'était présenté à lui trop tôt. C'était la seule certitude qu'il serait en mesure d'avoir quant à sa mort. Il n'allait jamais connaître la cause précise du décès que les journaux du monde entier disséqueraient et commenteraient dans les jours suivants, l'accompagnant de la photo où on le verrait étendu sur l'échine du taureau colossal, la tête énorme de ce dernier enfoncée dans son giron, comme si l'homme était en train de donner une accolade maladroite à la bête. Le grand matador Manuel Obrador, dit « El Soltero », victime du taureau Calladito ; la corne droite de ce dernier fracturant une côte, perforant un poumon… La mort avait été instantanée, répéteraient les quotidiens espagnols afin d'honorer sa mémoire et d'inciter leurs lecteurs à se concentrer sur l'homme et ses prouesses plutôt que sur les détails sanglants de son décès, sachant que les gens auraient souhaité une telle mort pour lui. Sauf que les récits des témoins directs de la corrida se répandraient comme une traînée de poudre, que la presse internationale relayerait ces descriptions du drame, et que bientôt tous les Espagnols ne parleraient plus que de cette version des faits.

De comment le sang avait giclé de ses narines et de sa bouche, bouillonné hors de la longue déchirure zigzaguant dans sa veste chamarrée d'or alors qu'il cherchait désespérément de l'air. De comment il avait prodigieusement réussi à se remettre debout lorsque d'autres capes avaient détourné le taureau, et de comment il avait plaqué ses deux paumes sur sa bouche pour essayer de contenir le sang, bientôt secoué par une quinte de toux qui avait provoqué un saignement encore plus abondant. De comment il était à nouveau tombé, le corps entier agité de spasmes avant de céder à une rigide immobilité.

À ce moment même, il était toujours vivant. Et il l'était maintenant encore. Si quelqu'un lui avait alors dit que c'était bien là ce que les gens appelaient une mort instantanée, il aurait répliqué que dans ce cas ce n'était pas une fin aussi désirable que ce que l'on *croyait*.

À ce stade, il avait perdu la vue. Il arrivait à capter du bruit, mais non des sons précis. Le sang continuait à noyer sa gorge, à l'étouffer toujours plus. Il suffoquait, et son cerveau, sevré d'oxygène, commençait à le priver d'idées cohérentes.

Il aurait voulu se remémorer la première fois où il avait vu Calladito, « le Tout-Tranquille », la première aussi où il avait emmené Candy chez un éleveurs de taureaux, la seule également où il ait jamais proposé à une femme de l'y accompagner.

Ceux qui le connaissaient avaient été surpris par cette décision. Faisait-elle simplement partie de l'entreprise de séduction d'une belle étrangère ? S'agissait-il de l'impressionner en lui montrant la taille et la force sauvage d'animaux qu'il allait

13

bientôt tenter de dominer rien qu'avec un bout de tissu et un habit de lumière ? Non, avaient-ils conclu. Ses raisons devaient être autres, puisqu'elle avait déjà assisté à l'une de ses meilleures corridas, à Séville, qu'elle avait pu non seulement mesurer sa bravoure et son talent mais aussi s'imprégner de la solennité et du raffinement de l'une des arènes les plus prestigieuses du pays, entendre les vagues de « Olé ! » de la foule, ces exclamations incantatoires qui gagnaient chaque fois en intensité extasiée, tels les répons liturgiques.

Aurait-ce pu être tout simplement qu'il appréciait sa compagnie et ses indiscutables charmes féminins, au point de vouloir passer le plus de temps possible avec elle ? Certes, mais il avait courtisé – et été poursuivi par – un nombre incalculable de femmes ensorcelantes sans jamais éprouver le besoin d'en convier une seule à visiter une ferme isolée dans la fournaise, à se laisser bringuebaler dans une vieille jeep sur des chemins de terre poussiéreux dans le seul but d'observer des animaux qui présentaient toujours le risque de vouloir les attaquer.

Il n'avait pas coutume de laisser une femme pénétrer dans le cercle intime de son existence. Pour cela, il méritait amplement le sobriquet qui lui avait été donné : *El Soltero*, le Célibataire.

La véritable raison était toute simple : parmi toutes les femmes – Espagnoles ou autres – qu'il avait aimées, aucune n'avait compris et apprécié comme Candy la lutte de l'homme et du taureau. Une jeune Américaine à la peau laiteuse et aux boucles cuivrées, dont la fortune personnelle provenait de mines de charbon qu'elle accusait son frère d'avoir volées, son frère qu'elle disait avoir laissé convalescent dans une clinique privée après qu'il avait survécu in extremis à l'incursion dans son bureau d'un mineur affamé pendant une grève particulièrement longue et brutale. Tout en s'exprimant comme une fille de bonne famille, elle avait un esprit des plus frondeurs, voyageait avec une amie qu'elle affirmait à peine connaître et faisait l'amour avec une application attendrissante qui rappelait à Manuel la passion que lui avait inspiré l'art tauromachique au cours de ses années de formation, quand il n'était encore qu'un *novillero*. Et même s'il la taquinait en disant que leurs siestas torrides étaient précisément cela, l'apprentissage d'une novice, il avait souvent l'impression que c'était lui qui était en train d'apprendre quelque chose de nouveau.

Contrairement à la plupart de ses concitoyens américains ou d'autres Anglo-Saxons qu'il avait pu croiser dans le passé, elle ne considérait pas la corrida comme un sport, une compétition ou un divertissement cruel qui aurait justifié un rejet dégoûté. Elle avait immédiatement succombé au plaisir et à l'horreur presque physiques qu'inspirait la vision d'un homme solitaire parvenant à maîtriser par le seul usage d'une élégance retenue une créature en position de le tuer, à transformer la peur et la colère combinées de l'homme et de l'animal en une manifestation de beauté solennelle et, l'espace d'un fulgurant moment, à conférer de l'héroïsme aux deux protagonistes. Elle avait compris qu'il s'agissait d'une danse, d'une danse à mort.

Par Luis, il avait appris que les rumeurs étaient fondées : Candy se trouvait bien sur les gradins, assise avec Carmen del Pozo, l'éleveuse de Calladito. Elle était revenue à lui. Elle était de retour en Espagne.

Quand elle l'avait quitté, il s'était juré qu'il l'obligerait à le supplier à genoux de la reprendre si jamais elle réapparaissait dans sa vie, mais cet après-midi-là, lorsque Luis l'avait pris par le bras et lui avait dit quelques mots tout bas avant sa parade dans de l'arène, il lui avait suffi d'entendre son nom pour que toute la peine et la solitude des derniers mois se dissipe. Sa fierté blessée, son désir de vengeance, la désolation qu'il avait portée en lui tout ce temps parce qu'il savait ne pas avoir été juste avec elle, se blâmant de lui avoir demandé de consentir un sacrifice dont lui-même n'aurait jamais été capable, rien de tout cela ne comptait, soudain. Il allait avoir une deuxième chance.

Les arènes de Villarica étaient chères à son cœur parce que c'était là qu'il avait assisté à sa première *fiesta de toros*. Son père l'y avait conduit très souvent dans son enfance. Quand ils ne pouvaient pas y aller, le jeune Manuel s'arrêtait au milieu de ses occupations et tournait les yeux en direction de l'édifice lorsque les échos de la fanfare lui parvenaient, les exclamations ou les huées de la foule, et il se disait que c'était ainsi qu'un homme devait vivre : dans l'excès. Il fallait être adoré, ou détesté, jamais simplement toléré.

Ces arènes comptaient parmi les plus remarquables d'Espagne, par leur ancienneté plus que par la splendeur de leur architecture. Elles étaient réputées pour l'auvent en tuiles bleues, jaunes et blanches qui couvrait depuis des siècles les gradins en pierre les plus élevés, supporté par des colonnes en stuc rose, ainsi que pour la texture et la teinte particulières de leur sable, venu d'une carrière située à quelques kilomètres de la ville, sur la rive occidentale du Tage. Quand Manuel travaillait dans le champ le plus élevé de son père sur les collines, la ville lui apparaissait comme une ruche de minuscules maisons en terre orange qui se pressaient autour des arènes, les habitations les plus récentes ne s'en éloignant qu'à regret. Juste derrière, l'église en pierres pâles s'élevait sur un promontoire et, les soirs d'été, le soleil couchant l'éclairait d'une couleur corail particulièrement vive. Comme si Dieu avait voulu qu'elle paraisse en fête à ce moment de la journée pour plaire à ses deux créatures favorites, l'homme et le taureau.

À son entrée dans ces mêmes arènes tout à l'heure, il avait été envahi par des souvenirs du passé et des espérances d'avenir. Jamais encore il ne s'était senti aussi capable d'atteindre les extrêmes qu'il recherchait depuis toujours. Il allait trouver le succès avec cette femme et ce *toro*, connaître ainsi l'amour et l'admiration, ou échouer et ne rien connaître d'autre que l'abandon et la honte. Dans un cas comme dans l'autre, la Mort allait se tenir près de lui, une présence aussi familière que la chaleur du soleil, mais dont il avait appris très tôt à ignorer les interférences tout comme il n'écoutait plus les vieilles voisines de son enfance lorsqu'elles poussaient les hauts cris en le voyant passer dans la rue nu-pieds, lui ordonnant d'aller mettre ses chaussures.

Il avait prévu de dédier à Candy le dernier taureau de la soirée, une bête à la robe d'une teinte peu habituelle, noisette

16

cuivrée comme les cheveux de la jeune femme. Plus tard, il lui demanderait à nouveau de l'épouser, mais cette fois il le ferait un genou à terre, dans son habit de lumière, et il lui promettrait qu'ils se rendraient un jour ensemble sur cette terre de Pennsylvanie qu'elle aimait et d'où elle avait pourtant un tel besoin de s'échapper.

Il crut entendre sa voix l'appeler, sa voix brisée par les larmes. « Manuel ! »

Il sentit un poids sur son épaule et il sut que c'était elle. Sa chevelure tomba sur sa joue, se prit dans le masque gluant dont le sang avait couvert son visage.

« ¡ *Manuel, no !* » Son souffle dans son oreille. « Manuel. » Plus de larmes, maintenant. Elle s'efforçait de retrouver son calme. Elle pensait qu'elle l'empêcherait de mourir si seulement elle arrivait à lui parler raisonnablement.

« J'ai été stupide. Tellement aveugle… »

Rendue plus aiguë par le chagrin, tremblante, vacillante, sa voix parvenait pourtant à formuler quelque chose de cohérent alors qu'autour de lui il ne percevait plus que des pleurs, rien que des pleurs. Les hurlements et les glapissements s'étaient tus. Plus personne n'appelait à grands cris le médecin, puisque c'était désormais inutile. Il ne leur restait que les pleurs. Les hommes qui pleurent : le son de la pire défaite sur terre.

« Je t'en prie. Ne me laisse pas. Je ne peux pas… »

Le reste de ses paroles se perdit. Il se rendit compte que l'on essayait de le soulever. Il tenta de dire non, non. Il ne voulait surtout pas mourir sur un lit blanc et dur dans une infirmerie glaciale, encerclé par des instruments de chirurgie en acier. Son désir était de mourir ici, sur le sable, dans le soleil déclinant.

Dans son effort pour parler, il fut pris d'une toux visqueuse qui projeta un dernier geyser de sang sur Candy et sur lui, consumant ses ultimes réserves de vie mais lui laissant aussi quelques secondes de conscience supplémentaires.

En pensée, il revit une dernière fois les yeux de Calladito. Le moment où le taureau avait compris qu'il y avait un homme derrière la cape. Le moment où le mineur de charbon s'était rendu compte que, derrière cette porte, se tenait un homme riche et puissant qui refusait de lui payer son dû. Moment de compréhension fatale pour l'un des deux protagonistes.

« Par pitié, laissez-le en vie ! » sanglota la femme. Elle le répéta en espagnol : « ¡ *Por favor, ruego que lo deje en vida !* »

Il crut qu'elle priait Dieu de l'épargner. Il fut ému par cet amour qu'elle lui portait, et par sa conviction d'Américaine que le destin d'un homme pouvait être modifié.

Les Espagnols allaient porter son deuil des semaines durant. Ils patienteraient dans des files interminables pour assister à ses obsèques grandioses, composeraient des poèmes et des chansons en son honneur, mais pas un seul d'entre eux n'aurait pensé supplier Dieu de le laisser en vie, parce que d'une certaine façon ils préféraient savoir qu'il était mort ainsi. Vivant, il avait été un grand matador, un artiste et une célébrité. En mourant dans l'arène, il parvenait à encore plus que cela : il réalisait la destinée du torero et devenait la conclusion idéale de ce conte de fées qu'était l'Espagne.

Il ignorait qu'elle et tous ceux qui se pressaient autour de son corps savaient déjà qu'il était mort. Elle ne priait pas pour sa vie. Elle implorait que l'on épargne celle du taureau qui venait de le tuer.

I

MUERTE
EN EL ACTO

1

KYLE

J'ESPÈRE QU'IL ÉTAIT BOURRÉ. Bon, ce n'est sans doute pas ce qu'il y a de mieux à souhaiter à son père quand il est au volant, j'imagine, mais c'est comme ça. S'il était soûl, il devait être content, ou furax. Ou bien il fredonnait en accompagnement de la radio de country western qu'il écoutait tout le temps en pensant aux filles des pubs pour bière et à l'avenir de Klint, ou bien il jurait dans la nuit noire, pestant contre le dernier coup de vache que la vie lui avait réservé, mais dans un cas comme dans l'autre il n'aura pas vu ce qui allait lui tomber dessus.

Les gens commencent à s'en aller, enfin. Je les entends parler à voix basse devant ma fenêtre, puis faire crisser le gravier de notre allée sous leurs pneus avant de s'engager sur la route. Le mur de ma chambre reflète un instant des éclairs rouges et bleus quand le policier du coin met en route son véhicule de patrouille. Plus tôt, il m'a dit que Papa serait peut-être encore en vie s'il avait mis sa ceinture de sécurité, ce qui est d'après moi pareil que d'affirmer qu'il aurait pu être meilleur au basket s'il avait fait une tête de plus.

Il n'a pas voulu me dire s'il était soûl ou pas. Ce n'était pas important, il a dit, et j'aurais voulu lui gueuler en pleine figure : « C'est le *seul* truc qui importe ! », mais alors tous les gens présents dans la pièce auraient pensé que j'étais devenu dingue. Le chagrin lui fait perdre la boule, ils auraient dit, quand ça aurait été simplement très logique de réagir comme ça.

Des pas s'arrêtent dans le couloir. Je ferme les yeux pour faire croire que je dors. La porte s'ouvre, se referme. Les pas s'éloignent. Je garde les paupières closes, non parce que je suis fatigué mais parce que tout ce qui m'entoure me rappelle Papa. Nous n'avions pas grand-chose en commun. Les rares trucs qui nous intéressaient également, c'était les ailes de poulet sauce piquante et Klint. La plupart des affaires auxquelles je tiens, je les ai eues malgré lui, pas grâce à lui : mes livres, une maquette géante de la tour Eiffel en bois que j'ai construite quand j'avais huit ans et que je n'ai jamais démontée depuis, mon matériel de peinture et mes cahiers de croquis, les esquisses et dessins qui traînent un peu partout, plus ou moins inachevés, et puis tous les cailloux sympas, les plumes d'oiseaux, les feuilles mortes, les insectes desséchés, les os et les bouts de verre qui m'ont attiré l'œil et que j'ai ramassés pendant mes balades dans les bois, ce fouillis que Papa appelait « ton bric-à-brac écolo », ou encore les cartes à jouer décorées de tableaux de Van Gogh que je m'étais achetées quand ma classe avait visité le Carnegie Art Museum de Pittsburgh, en sixième.

Tous ces trucs appartenaient jusqu'ici à un garçon qui avait un père. Ils sont toujours là, autour de moi, mais lui n'est plus là. Ce matin, j'avais un paternel. Il y a seulement quatre heures, encore… Comment quelqu'un peut s'en aller comme ça ?

Il avait des projets. C'est ce que je n'arrête pas de me répéter. Pas des plans grandioses, rien d'ambitieux, de compliqué, de remarquable. Rien de ce qu'on pourrait appeler un « but ». Ses besoins étaient basiques, ses désirs encore plus.

Prenons aujourd'hui, par exemple. Une fois que Klint et moi aurions été partis à la ferme des Hamilton pour le barbecue d'automne qu'ils organisent chaque septembre, nous savions qu'il avait prévu de prendre sa caisse et d'aller au Rayne Drop Inn pour la soirée « Wings à volonté ». Là, il aurait retrouvé deux ou trois de ses potes et ils se seraient empiffrés d'ailes de poulet baignant dans de la sauce ultra-piquante. Il aurait joué quelques parties de billard, espéré comme toujours rencontrer une femme sans jamais y arriver. Ensuite, il comptait se jeter à nouveau dans la nuit d'encre de la campagne, au volant de son pick-up, très fier des cornes de chevreuil en chrome qu'il venait d'installer sur la grille du radiateur, confiant dans son aptitude à se rendre sans encombre là où il allait même s'il était incapable de se rappeler où il allait, ni pour quelle raison il avait décidé de quitter l'endroit où il se trouvait. Il prévoyait de dormir jusqu'à midi le lendemain, puis de regarder un match des Steelers à la télé. Ensuite, il prévoyait de retourner le lundi à un boulot qu'il détestait mais qui permettait de payer les factures. Mais le plus important, c'est qu'il prévoyait de continuer à vivre.

Quel sens ça a, de faire des plans qui peuvent être réduits à néant en une seconde ? À quoi ça rime, juste de quitter son pieu le matin ?

Je remonte les genoux contre mon menton, et j'essaie de me rouler en une boule aussi compacte que possible. Mon jean sent la terre humide et le feu de bois. Mes mains gardent l'odeur de la saucisse que j'ai mise à rôtir pour Shelby Jack il y a à peine quelques heures.

Je renifle mon tee-shirt pour vérifier s'il a attrapé un peu de l'odeur de Shelby. Elle sent toujours bon. Je ne sais pas si c'est à cause du savon dont elle se sert, ou de son shampooing, ou d'un parfum, ou si c'est complètement naturel. Je ne pourrais pas la décrire parce que je ne vois pas à quoi la comparer. Cette senteur, c'est *elle*, purement et simplement.

À propos de plans : j'en avais pour ce soir, moi aussi. Rester assis à côté d'elle sur une bûche, nos épaules l'une contre l'autre, face à la brûlure du feu, celle de l'air dans notre dos. Elle, son rire, son sourire et son odeur shelbylicieuse.

Il m'a fallu un effort surhumain pour ne pas toucher ses cheveux. Ce n'est pas que je sois un obsédé sexuel, ou que je ne respecte pas les filles ou je ne sais quoi encore. Mes doigts sont attirés par eux exactement comme ils vont instinctivement se poser sur le museau velouté des vaches laitières de la ferme Hamilton. Ils sont longs, brillants, très sombres et dans la lumière du feu de camp certaines mèches semblaient rougeoyer comme si elles couvaient des braises.

Je comptais l'embrasser et caresser enfin ses cheveux. Pendant un moment, ça a été un fantasme et puis j'ai décidé d'en faire un but, quelque chose à préparer pas à pas et à atteindre coûte que coûte, parce que je me sentirais trop minable si j'y renonçais avant de le réaliser.

Qu'elle ait un faible pour Klint ne me tracassait même pas. Toutes les filles d'ici sont dingues de mon frère. Elles n'arrêtent pas de se pavaner devant lui en jeans moulants ou jupes super-courtes, de faire semblant de trébucher en passant dans le couloir du bahut pour s'affaler sur lui pendant qu'il sort des affaires de son casier, de téléphoner à ses copains pour essayer d'apprendre s'il compte aller à la teuf d'un tel ou d'une telle, ou s'il sera au match de football du vendredi, ou quel soir il prévoit de se rendre à la foire du comté – c'est toujours le même, depuis toujours : celui réservé à la compétition des bagnoles customisées. Elles peuvent essayer tout ce qu'elles veulent : elles ignorent ce que je sais, moi, et si je le leur racontais elles croiraient que j'exagère. Les gens disent que les curés ne baisent pas parce qu'ils sont mariés à l'Église. Eh bien, Klint, il est marié au base-ball.

Ça ne veut pas dire qu'il *aime* le base-ball. À mon avis, l'amour l'a déjà quitté de la même manière que celui-ci abandonne la grande majorité des mariages, visiblement. Mais ça n'a pas l'air de le gêner. Il lui a juré fidélité pour le meilleur et pour le pire, demain et tous les jours de sa vie, jusqu'à ce que la mort ou la deuxième base les séparent.

Ce soir-là, j'étais prêt à passer à l'action avec Shelby. Je lui avais grillé le hot-dog idéal, parfaitement doré avec quelques bandes de roussi, la peau commençant à craquer juste pour libérer un peu de jus. Je lui ai demandé si elle voulait un petit pain mais elle a répondu que non, qu'elle voulait le manger comme ça, sur la pointe en bois. Quand j'ai remarqué que c'était aussi comme je l'aimais, elle m'a lancé un drôle de regard et elle a dit :

« Je sais, Kyle. Je te connais depuis toujours. »

J'ai bien aimé le ton sur lequel elle l'a dit. Et aussi que ce soit vrai.

J'étais sur le point de lui proposer de marcher un peu, parce que le feu devenait vraiment trop chaud, mais c'est à ce moment que Bill est arrivé dans son pick-up, a pilé devant la grange et mis pied à terre. Il pleurait.

Quittant mon lit, je vais à la fenêtre et je cherche des yeux Mister B. Il est évident qu'il va ne pas se montrer dans les parages, avec toutes ces allées et venues, mais j'aimerais quand même bien le voir.

Un reflet sur la moquette retient mon œil. Je m'arrête et je me baisse. Comme c'était avant la chambre de ma petite sœur, il m'arrive de retrouver un petit souvenir chatoyant de sa présence. Souvent, c'est une perle tombée d'un collier qu'elle s'était fabriqué, ou une étoile détachée d'une de ses « robes de princesse », ou une trace de colle pailletée. Cette fois, je ramasse un minuscule escarpin à talon haut argenté de Barbie. Je le glisse dans ma poche, je continue jusqu'à la fenêtre, je pousse l'écran antimoustique, je me penche dehors et j'essaie de faire le vide dans ma tête.

Je suis conscient de ne pas me comporter comme je serais censé le faire.

Je n'ai pas encore prié pour le salut de l'âme de Papa. Je n'ai même pas pensé au paradis, et je ne me suis pas demandé si c'est là qu'il est maintenant, au cas où ça existe, allongé sur un canapé de nuages, buvant sa bière dans une chope en or massif et racontant des conneries avec Roberto Clemente. Ou bien si c'est le genre de paradis où les canapés, la bière et le base-ball ne comptent plus, où il lui suffit de flotter dans les airs, heureux. Je n'ai pas essayé de me consoler en me forçant à croire en ce paradis-là ou en l'autre, et à me dire que je le rejoindrais quand je mourrai à mon tour.

Je n'ai pas encore pleuré, non plus.

Klint, si. Il a chialé comme un gosse. Je ne voulais pas voir ça. J'ai quitté la pièce, parce que je savais que j'aurais fait pareil si j'étais resté, mais alors j'aurais pleuré parce que mon frère pleurait, pas parce que mon père était mort, et ça ne me paraissait pas bien.

Je ne me suis pas permis de penser à ce qui s'était passé, en fait. Les vraies questions, je refusais de me les poser : quand il a manqué le tournant et qu'il a perdu le contrôle du pick-up, est-ce qu'il a compris qu'il allait mourir ? Quand le bahut est tombé sur le flanc de la montagne en faisant des tonneaux, est-ce qu'il a eu le temps de se rendre compte de ce qui lui arrivait ? Est-ce qu'il a eu peur ? Est-ce qu'il a été triste ? Est-ce qu'il a pensé à nous ? S'est inquiété de ce que nous allions devenir ? Est-ce que sa vie a défilé devant lui en un quart de seconde, comme on dit que ça se passe ? Un film entier dans sa tête où il était d'abord un petit garçon que Grandma Bev venait border dans son lit, puis le jeune homme qui avait épousé maman, puis un père rempli d'orgueil regardant Klint recevoir sa première coupe en ligue des débutants ?

Est-ce qu'il a souffert ? Le flic a dit qu'il est mort instantanément. Tout de suite après avoir reçu le coup du lapin. Mais avant ça ? Ou « pendant » ? Comment savoir si ce qu'il a éprouvé en dernier n'a pas été la panique, la souffrance et la sensation d'être seul au monde ? Si c'est le cas, il n'aura plus jamais l'occasion d'éprouver quoi que ce soit d'autre...

Toutes ces questions, je ne me les suis pas encore posées. Je n'arrive à penser qu'à ses plans. Il en avait plein, mais il n'avait pas de but. C'était un sujet de dispute entre Maman et lui, ça, mais comme ils s'engueulaient pour tout et pour rien je n'y ai jamais accordé une importance particulière. J'aurais peut-être dû.

À mon entrée en sixième, je me souviens que nos nouveaux profs nous ont donné un questionnaire du genre « faisons connaissance » à remplir à la maison. Quelle est ta matière préférée ? Es-tu inquiet d'entrer dans un établissement plus grand que ce que tu as connu ? Quels sont les buts que tu t'es fixés pour ce cycle ? J'étais en train de lire tout ça à Maman dans la cuisine pendant qu'elle essayait d'ouvrir un sac de frites congelées sans se casser un ongle et sans laisser tomber sur le comptoir la cendre de sa cigarette – un exploit qui demandait beaucoup de talent, je trouvais – lorsque Papa et

Klint sont entrés par la porte donnant sur le jardin. Papa avait un grand sourire, ce qui prouvait que Klint s'était bien comporté au base-ball.

Ayant entendu la dernière question, il m'a fait un clin d'œil, m'a ébouriffé les cheveux en passant près de ma chaise pour aller prendre une bière dans le frigo, et il a commenté : « Les buts ? C'est un terme de hockey, ça ! »

Ma mère s'était résignée à attaquer le sachet avec les dents. Lançant à mon père un regard mauvais par-dessus l'emballage rouge vif des frites Ore-Ida, elle l'a retiré de sa bouche juste assez longtemps pour lui déclarer que ce n'était pas parce qu'il était un raté sans buts dans la vie qu'il devait essayer de rendre ses gosses pareils que lui.

Il a claqué la porte du réfrigérateur assez fort pour faire trembler la vaisselle dans les placards. Ma mère a fait mine de lui envoyer le sac de frites congelées à la figure mais elle s'est ressaisie, préférant mordre à nouveau dedans tandis qu'il repartait dehors.

Sur le moment, je n'en ai tiré aucune conclusion. Mes parents avaient l'habitude d'être bruyants et violents l'un envers l'autre même quand ils ne se disputaient pas. Des fois, ils se montraient bruyamment et violemment amoureux, et Papa courait après Maman dans toute la maison en beuglant qu'il était le plus heureux des hommes, et puis il l'attrapait et elle poussait des cris de souris pendant qu'il lui donnait des claques sur les fesses ou de gros baisers baveux, jusqu'à ce que mon frère et moi les voyions enfin s'en aller ensemble pour faire la tournée des bars afin de continuer à fêter la chance incroyable qu'avait Papa de s'être trouvé une telle femme. Quelques heures plus tard, avant l'aube, ils nous réveillaient en se cognant aux meubles tandis qu'ils regagnaient leur chambre d'un pas titubant.

Le reste du temps, c'était aussi bruyamment et violemment qu'ils ne s'aimaient pas. Maman lui jetait des objets à la tête, hurlait qu'il était un minable incapable même de bander ; Papa balançait des coups de pied dans les murs, la traitait de salope, de bonne à rien, et affirmait que ses seins commençaient à pendre.

Quelques jours après cet échange à propos des buts, Maman a pris notre petite sœur, Krystal, et elle est partie vivre dans l'Arizona avec un type dont nous n'avions jamais entendu parler. Je ne sais pas si c'était lié aux buts ou pas, si ce bonhomme en avait, lui, et s'ils étaient du genre à plaire à Maman. Ou bien si elle avait ses propres buts que nous l'empêchions d'atteindre.

Le questionnaire, je ne l'ai jamais rendu. La seule fois où j'y ai jeté encore un coup d'œil, je me suis dit qu'ils auraient dû ajouter une question : Te sentiras-tu capable de t'habituer à ta nouvelle école si ta mère s'en va ?

— Mister B ? – Je l'appelle tout doucement. – Où tu es ?

Par une nuit comme celle-là, je connais la réponse : il est dehors en train de tuer quelque bestiole, et même si la mort est l'une de ses préoccupations favorites celle d'un humain n'a aucun sens pour lui.

On frappe à ma porte. Je referme la fenêtre et je retourne m'asseoir en vitesse sur mon lit.

— Kyle ? Tu dors ?

C'est Bill.

— Non.

— Tu peux venir à la cuisine une minute ? Ta tante Jen est sur le point de partir.

— Tous les autres sont partis ?

— Oui, il n'y a que nous.

J'entrouvre le battant juste assez pour découvrir Bill debout dans le couloir. Il prend soin de ne pas croiser mon regard. C'est un homme grand et fort, épais mais sans graisse, avec une tignasse poivre et sel, un large visage plat et de petits yeux verts tellement enfoncés dans les plis et les rides qu'on ne les remarque généralement pas. Cependant ils se mettent parfois à briller comme deux émeraudes abandonnées au fond d'une ravine de chair.

Il s'appuie lourdement sur sa canne. Lors d'un éboulement dans la mine il y a six ans, sa jambe a été brisée en mille morceaux et elle ne s'est jamais ressoudée correctement, au point que certains jours il ne peut pas du tout marcher. La plupart du temps, pourtant, il évoque avec tendresse son ancienne compagnie, les Houillères J&P, et il rêve tout haut de retourner au travail avec les gars de son quart. Il boit tous les jours. Il dit que ça dissipe la douleur ; moi, je crois que c'est pour lutter contre l'ennui autant que contre sa patte folle qui le lance.

C'est notre voisin depuis que je suis au monde. Avant tout à l'heure, je ne l'ai vu que pleurer que deux fois : le jour où Jerome Bettis a lâché le ballon dans les dernières minutes d'un match crucial des Steelers contre les Colts deux ans plus tôt, et celui où il a ri à en avoir les larmes aux yeux quand mon père s'est coupé le haut du petit doigt gauche en fixant ses fameuses cornes de chevreuil en chrome sur sa bagnole. Ils ont déposé la partie amputée dans la chope à bière de mon père et l'ont apportée aux urgences, mais il s'est avéré impossible de la recoller, alors Papa l'a rapportée à la maison, l'a mise dans une tasse à café qu'il a laissée sous le porche de l'entrée et a décrété que ce serait un bon sujet de conversation avec les visiteurs.

Et, en effet, les gens ont accouru de partout pour mater le moignon. Papa racontait son histoire avant de fourrer le reste de son petit doigt dans l'une de ses narines, où il disparaissait complètement, et à cette vue les copains de Klint prenaient des airs dégoûtés, les filles glapissaient d'horreur en rigolant.

Ça n'a jamais fait rigoler Klint, pas une seule fois. Lui et Papa ont eu quelques méchantes engueulades à cause de ce petit doigt idiot. Klint lui a balancé qu'il ne trouvait rien de marrant à laisser les gens penser qu'il avait la caboche tellement vide qu'il pouvait mettre un doigt entier dedans mais, comme à chaque fois qu'ils se chamaillaient, ce qu'il essayait vraiment de dire était : s'il te plaît, arrête de boire.

Dès que j'ai vu Bill sortir de son pick-up chez les Hamilton, j'ai compris qu'il s'était passé quelque chose de terrible. Pire que les larmes qui coulaient sur ses joues, il y avait le fait qu'il avait retiré sa casquette de base-ball et qu'il l'agrippait des deux mains sur son ventre imposant. Pleurer, c'était une chose, mais je ne l'avais encore jamais vu enlever sa casquette.

« C'est votre père », a-t-il déclaré.

Nous n'avons pas eu besoin de plus de précisions. J'ai regardé Klint, il m'a regardé et je me suis vu dans son expression. La pire des peurs. La chute libre. Pas moyen d'y échapper ni de revenir en arrière. Pareil que d'être poussé hors d'un avion.

Nous devinions les mots qui allaient suivre.

Si Papa s'était cassé une jambe, avait été arrêté par les flics ou viré de son travail, Bill aurait eu un grand sourire. Même s'il était tombé dans le coma, son copain nous l'aurait annoncé avec une vanne. Il n'y avait qu'une chose qui puisse lui tirer des larmes et l'amener à enlever sa casquette.

Je regardais toujours Klint quand ses lèvres se sont mises à trembler et que les larmes ont rendu ses yeux vitreux. Klint, un gars qui pouvait entrer sur la plaque avec un compte complet à rattraper, deux retraits, un joueur sur base, un *tying run* en jeu, et balancer un triple par-dessus la tête du type du champ droit aussi tranquillement que s'il était en train de s'entraîner à la batte avec mon père dans le jardin ; un gars qui pouvait disputer quatre rencontres de sélection d'affilée par un samedi caniculaire sans se plaindre une seule fois ni commettre une seule erreur ; un gars qui avait eu avant ses quatorze ans le nez et le pouce gauche cassés, une sale foulure au pied et une fracture de fatigue à l'épaule, lui que chaque blessure semblait rendre plus fort, était sur le point d'éclater en sanglots.

Je me suis bouché les oreilles, j'ai fermé les yeux et j'ai reculé. Voir Klint s'effondrer était plus effrayant que d'attendre ce qui allait sortir de la bouche de Bill.

« Il a eu un accident. Avec son pick-up.

— Non, a murmuré mon frère.

— Je... Je sais pas comment vous le dire.

— Non, non, non, a répété Klint plus fort en secouant la tête.

— Je suis désolé, les gars.

— Non ! – Il a crié, cette fois. – Non ! »

Et là, il s'est mis à pleurer pour de bon pendant que je me précipitais sur la route pour rentrer en courant chez nous.

Bill tend une main, la pose sur mon épaule, toujours sans me regarder. Il s'adresse au sol :

— Tu te sens un peu mieux ?

— Non.

— Bien sûr que non. C'était une question idiote. J'voulais dire que... tu as dormi un peu ?

— Je vais bien.

Je l'ai dit surtout pour qu'il se sente mieux, et apparemment ça a marché. Avec un soupir, il lâche mon épaule et retourne au salon en boitant. La pièce est vide, maintenant, à part Klint assis dans le fauteuil de Papa. Les coudes sur les genoux, doigts croisés, il regarde droit devant lui comme s'il écoutait avec attention la confession d'un être invisible. Ses yeux sont rouges à force d'avoir pleuré, avec des cernes tout gris, mais il semble être redevenu le Klint de toujours et je me sens emporté par une vague de soulagement. Je voudrais le serrer dans mes bras, me convaincre qu'il est bien là par un contact physique, mais mon frère ne fait jamais ça. Même après une victoire au base-ball, il refuse les accolades. Il est comme ça depuis des années. Papa et moi, nous avons appris facilement à nous contenter de lui donner une tape dans le dos après une bonne partie, mais pour Maman ce changement a été plus difficile et elle a continué à l'entourer de ses bras alors qu'il était évident qu'il ne répondrait jamais à ces marques d'affection.

Son regard se pose sur moi.

— Ça va ? me demande-t-il.

— Ça va. Et toi ?

— Ça va.

Je découvre Tante Jen debout dans un coin, en train de fumer. C'est la sœur de Maman. Elle est toute notre famille, par ici, et j'imagine que c'est gentil à elle d'avoir accouru si vite un samedi soir, d'autant plus qu'elle n'a jamais apprécié Papa, sauf quand elle avait essayé de le reconquérir au temps où il faisait la cour à Maman.

La seule famille proche de Papa consiste en un demi-frère beaucoup plus vieux que lui et qui vit de l'autre côté du pays, en Californie, où il a un poste du genre « manager junior » même s'il a plus de cinquante ans. Il ne boit pas, tous ses enfants sont allés à l'université et sa femme, d'après Papa, croit que sa merde sent la rose. Adultes, ils se sont peu vus, pas à cause d'une aversion profonde mais plutôt par déception réciproque.

Les parents de Papa sont morts. Il a été un enfant tardif, comme sa mère a été une épouse tardive pour son père. Mon grand-père est mort avant ma naissance et Grandma Bev quelques mois avant que Maman s'en aille avec Krystal.

Du côté de Maman, son père les a largués quand elle avait dix ans. À chaque fois qu'elle parle de lui, ses yeux deviennent effroyablement vides, comme si elle était obligée de ne pas penser à lui lorsqu'elle se force à en parler. Sa mère est morte l'année de ma naissance, d'un cancer particulier aux femmes. Ce sont les seules précisions que Maman et Tante Jen nous aient jamais données, même s'il leur arrivait de s'asseoir ensemble et de vider une bouteille de Tequila Rose en commentant la maladie de notre grand-mère dans des chuchotements passionnés qui duraient des heures et qui se terminaient en embrassades sanglotantes, jusqu'à ce que, sous l'effet de l'alcool, elles commencent à se rappeler toutes les rivalités et les rancunes qui les avaient opposées depuis le collège, et alors elles se mettaient à se disputer.

Tante Jen est jolie dans le style maigre et dur. Son visage serait beau s'il s'y trouvait un seul élément de douceur ou de gentillesse. Elle me fait penser à une vipère que j'ai vue au zoo de Pittsburgh pendant une sortie scolaire ; avec sa peau aux motifs géométriques brillamment colorés, je l'avais trouvée belle jusqu'à ce qu'elle se réveille et me fixe de ses yeux ronds comme des billes, où je n'avais vu que l'instinct de conservation et le venin.

— Bon, je crois qu'il va falloir que j'appelle votre mère, annonce-t-elle entre deux bouffées de cigarette, à moins que l'un de vous deux ait envie de le faire…

Klint tourne lentement la tête et la fixe de ce regard bleu et pénétrant qui suffit à faire trembler dans leurs chaussures à crampons tous les *pitchers* des équipes lycéennes à trois cents bornes à la ronde. Ce qui le rend effrayant, c'est la sérénité qu'il y a derrière la fixité. Chacun sait qu'à l'instant où il entre sur le marbre il est là pour remplir sa mission, qu'il va frapper la balle et l'envoyer loin.

Je me demande ce qu'il pense de Tante Jen, à ce moment – est-elle la balle dans cette situation ?

Je tente de la voir à travers les yeux de mon frère. Il ne la comparerait pas à un serpent mortel et plaisant au regard, lui ; son corps anguleux et la couleur mauvais café de son bronzage lui font sans doute penser à une araignée.

— Y a pas de raison de l'appeler, dit-il.

Oubliant sa cigarette, elle regarde mon frère avec une insistance comparable, mais ce duel silencieux n'a pas l'air de trop l'intéresser. Elle s'approche de la table basse et écrase son mégot dans le couvercle d'une vieille boîte de tabac à chiquer Skoal qui sert de cendrier.

— Bien sûr qu'il y a une raison. C'est votre mère. Le seul parent qui vous reste.

— Ça veut dire quoi ? réplique Klint. Qu'elle va bien vouloir de nous maintenant que Papa est mort ?

— Elle a toujours voulu de vous ! Elle est partie à cause de votre père, pas à cause de vous.

— Elle est partie parce que c'est une salope.

Tante Jen volte pour lui faire face. Ses yeux vipérins lancent des éclairs.

— Tu parles pas comme ça de ta mère, mon petit.

— Elle a raison, intervient Bill, du canapé sur lequel il s'est effondré. Tu ne devrais pas parler de ta mère comme ça. – Klint émet un grognement qui exprime une surprise dégoûtée – J'ai pas dit que tu avais tort, s'empresse de compléter Bill, juste que tu devrais pas le dire tout haut.

— Ah, tu prends le parti de Carl ! s'énerve Tante Jen, détournant sa colère sur Bill. Remarque, tu l'as toujours fait.

— Il est mort, Jen ! explose-t-il. Bon Dieu, tu comprends pas ? Tu peux pas le laisser en paix une minute ?

Son éclat fait taire Tante Jen et le vide de toutes ses forces, apparemment, parce que sa tête tombe entre ses larges épaules et, à mon avis, il risque de recommencer à pleurer.

Je ne veux pas voir ça. Je vais à la porte d'entrée, que quelqu'un a laissée entrouverte, peut-être pour renouveler l'air après toutes ces visites et ces cigarettes. Comme je me suis rapidement réfugié dans ma chambre, je ne sais pas très bien ce qui s'est passé. J'étais pas là quand le coach de Klint, M. Hill, est passé. Je plains Klint d'avoir eu à endurer ça : rien ne pouvait être pire pour lui que de se montrer à son coach dans cet état hormis d'apprendre que Papa venait de se tuer en voiture. Moi, je suis sûr que l'entraîneur est venu seulement parce qu'il pensait que c'était son devoir. Pour prouver qu'il est un type bien intentionné qui admet, même s'il a du mal à le comprendre, que ses joueurs ont une vie et des sentiments en dehors du terrain de base-ball.

Il s'est même peut-être dit que Klint aurait besoin de lui, non pour un soutien affectif mais simplement pour lui rappeler par sa seule présence qu'il y a des choses plus importantes que la vie et la mort : la prochaine saison de tournois, par exemple.

Je ne suis resté au salon assez longtemps que pour revoir Shelby. Je savais qu'elle allait arriver tout de suite, fonçant sur la route entre la ferme Hamilton et ici dans la décapotable que son père vient juste de lui offrir.

Elle n'a qu'un an de plus que moi – elle est en seconde –, mais elle a déjà son permis et bien qu'elle n'ait théoriquement pas le droit de conduire sans être accompagnée par un adulte elle le fait et elle s'en fiche puisque son père est Cam Jack, le « J » des « Houillères J&P ». Dans notre coin, il n'y a pas un flic qui oserait coller une amende à la fille de Cam Jack.

Elle ne vit pas ici, va à l'école ailleurs, mais elle aime passer la plus grande partie de ses étés et plusieurs week-ends chez sa tante Candace, qu'on dit être l'une des vieilles les plus riches, les plus bizarres, les plus laides et les plus méchantes de l'histoire de l'humanité. Mais Shelby, qui appelle notre petite ville pourrie son « bol d'air frais », prend toujours la défense de sa tante en prétendant que les gens ne la comprennent pas. Elle est capable de voir de la grandeur dans de petites choses et de la beauté dans le gâchis. C'est pour ça que je l'aime.

Elle n'est restée que quelques minutes mais elle a pleuré tout le temps. Elle avait l'air plus bouleversée que moi. Parce que la mort de mon père ne me semble sans doute pas encore réelle. Il est encore trop facile de me dire que je vais le revoir demain pour notre brunch du dimanche matin : œufs-saucisse, bacon, steaks de jambon, galettes de pommes de terre et encore des œufs. C'est moi qui fais le cuistot mais Bill apporte toujours la charcuterie et Papa s'occupe du café. Comme d'habitude, Klint engloutira tout ce qui sortira de ma poêle, en plus d'un bol de céréales et de deux bananes, et Papa blaguera encore en le traitant d'obsédé de la forme juste parce qu'il aura mangé un fruit, mais il le fera avec une étincelle de fierté dans ses yeux. Après, Papa et Bill iront digérer en prenant la voiture pour aller acheter une caisse de bière et on passera le reste de la journée à regarder le football à la télé, jusqu'à ce que j'annonce que je dois faire mes devoirs. En fait ils seront déjà terminés, c'est juste que j'aurai envie d'être seul un moment pour dessiner, et Papa lancera en rigolant que je suis un nouveau foutu Rembrandt, sauf que cette fois il n'y aura aucune étincelle dans ses yeux.

Oui, j'aurais pu croire que tout allait se passer comme avant s'il n'y avait pas eu Shelby. Parce qu'elle voyait tout, elle, comme si elle était en train de regarder un film dont elle connaissait déjà l'histoire. Elle savait que demain ne serait pas un dimanche comme les autres, pour moi ; que je n'aurais plus jamais un dimanche comme les autres.

— Eh bien, c'est moi qui vais appeler votre mère, déclare Tante Jen.

Malgré moi, cette perspective me remue un peu. Maman va devoir venir à l'enterrement. Voilà plus de deux ans que je ne l'ai pas revue. Après son départ, elle n'est passée qu'une seule fois nous voir et sa visite a été une catastrophe. Je lui parle au téléphone de temps en temps mais ce n'est pas la même chose que de l'avoir en face de moi. Au téléphone, elle est toujours distraite.

Peut-être qu'elle va revenir pour de bon. Que nous allons revivre avec elle.

Je traverse la pièce pour me placer devant Tante Jen. C'est la première fois de la soirée que je suis aussi près d'elle. L'odeur combinée de son parfum trop sucré et de la cigarette me retourne l'estomac.

— J'imagine qu'elle va vous ramener avec elle en Arizona, poursuit-elle.

Mon cœur s'arrête de battre. Ma gorge serrée laisse échapper une protestation :

— Comment ça ? Klint est en première. Des recruteurs vont venir le voir jouer, on va lui proposer une bourse sport-études, on va…

— Et alors ? me coupe-t-elle. En Arizona aussi, on joue au base-ball.

Klint me lance un regard stupéfait. Je sais qu'elle aurait pas pu l'halluciner plus en lui proposant de jouer au base-ball sur Mars.

— Tu ne comprends pas, tu…

Bill vient à ma rescousse :

— Ils viennent de perdre leur père, Jen. C'est un peu tôt pour parler de les faire partir de la maison qu'ils ont toujours connue. Ils ont leur école, tous leurs amis…

Je complète à la place de Klint :

— Et l'équipe.

Quand elle fait un pas vers moi, je capte une odeur de sueur aigre derrière celle du parfum et de la fumée.

— Vous croyez quoi, vous deux ? Que vous allez vivre ici tout seuls ?

— Pourquoi pas ?

— Vous êtes que des gamins.

— Klint va avoir dix-sept ans dans deux mois. L'an prochain, il en aura dix-huit. Ce sera un adulte.

Elle rejette en arrière ses mèches teintes en blond et me considère d'un œil incrédule.

— Et vous allez vivre de quoi ? Il va arrêter l'école et prendre un boulot ? Ou toi ?

Je n'ai pas de réponse. Tout ce que je sais, c'est que je ne peux pas abandonner mes études et je ne peux pas déménager. J'ai des buts, dans la vie. Je veux embrasser Shelby Jack. Je veux aller à l'université, même si je ne l'ai jamais dit à quiconque. Je veux étudier la peinture, pas seulement y penser. Je veux voyager, découvrir d'autres endroits, mais l'Arizona n'en fait pas partie.

— C'est votre mère qui va décider, tranche Tante Jen. Vous, vous n'avez pas votre mot à dire.

Je plonge la main dans ma poche. Mes doigts tombent sur la petite chaussure de la Barbie de Krystal. Je voudrais que ma sœur revienne, mais pas au détriment de mon frère. Klint se lève.

— On va nulle part, annonce-t-il. Tu peux lui dire ça, si tu lui parles. Et maintenant, pourquoi tu ne t'en vas pas ?

— Quoi, tu me mets à la porte ?

— C'est ma maison.

Elle jappe un petit rire.

— Elle sera à la banque dans quelques jours.

— Mais d'ici là, c'est la mienne.

Elle attrape son sac, le brandit en direction de mon frère avant de le passer sur son bras osseux et marron.

— Tu as pas mal de toupet pour me parler sur ce ton, mon garçon !

Sans réagir, Klint reste à sa place et la regarde sans la voir. Elle ne va pas se battre avec lui. Klint dégage quelque chose de très fort, l'assurance justifiée de ceux qui ont été injustement condamnés. Tout le monde perçoit ça et le respecte, sans savoir d'où ça vient. Moi, je sais. Depuis toujours, il est prisonnier d'une force autrement plus rare et implacable que les plans chimériques de Papa ou que mes buts débiles : une destinée.

2

C'EST MON PREMIER ENTERREMENT. La raison est que je n'ai encore jamais connu quelqu'un de mort, hormis ma grand-mère Bev, qui est partie quand j'avais onze ans.

J'aurais sans doute dû aller au sien mais ça n'a pas été le cas. Klint avait un tournoi, ce week-end-là, et même si Papa a tout essayé pour retarder la cérémonie il a dû finalement s'incliner. Comme lui a dit Bill alors qu'ils s'envoyaient quelques bières sur le perron de la maison, « on peut pas se battre contre la nature ».

Papa m'avait fait partir avec Klint, qui y allait dans la voiture des parents de son meilleur ami, Tyler. Comme je n'avais manqué aucun des parties de mon frère, son insistance n'était pas vraiment étrange. Il m'avait dit de ne pas avoir mauvaise conscience si je ratais l'enterrement de Grandma Bev, qu'elle-même aurait voulu que j'accompagne Klint : il était important de lui montrer qu'il y avait toujours un représentant de la famille parmi ses supporters. Quand il a dit ça, j'ai failli éclater de rire mais j'ai vu qu'il était très sérieux. En fait, Klint se fichait complètement que quiconque d'entre nous assiste à ses prouesses. Je suis sûr que la plupart du temps il ne prêtait aucune attention à qui se trouvait sur les gradins. Si Jessica Simpson s'était pointée devant le rectangle des frappeurs et avait soulevé son tee-shirt pour lui montrer ses nichons, il lui aurait dit : « Dégage. » Mais enfin, Papa voulait que j'y aille et je ne pouvais pas refuser. La mort de Grandma Bev l'avait beaucoup touché. Qu'il manque le tournoi pour assister à ses obsèques était l'une des preuves d'amour les plus impressionnantes que je connaisse. Même Maman avait été émue par ça.

Elle est là, Maman. Elle est arrivée hier soir. J'avais pensé qu'elle viendrait nous voir tout de suite, à la maison, mais elle s'est contentée de débarquer à l'enterrement. Quand je me suis approchée d'elle, elle a souri, m'a pris dans ses bras, m'a passé la main dans les cheveux comme elle le faisait toujours et m'a dit que c'était incroyable comme j'avais grandi. Je m'attendais à ce que ça soit un moment agréable mais le contact de ses doigts sur mon crâne a éveillé des frissons de souffrance le long de ma colonne vertébrale. Je n'ai pas pu m'empêcher de me rappeler la dernière fois où je l'avais vue avant son départ. C'était un matin, j'allais partir attraper le bus de ramassage scolaire. Mon sac à dos à l'épaule, je m'étais approché pour l'embrasser et elle avait levé sa cigarette dans une main, sa tasse de café dans l'autre, en essayant de ne pas me saupoudrer de cendre.

« Je ne peux pas croire que tu veuilles encore me faire un câlin tous les matins, avait-elle remarqué. Bah, il faut sans doute que j'en profite, parce que dans un an tu seras un ado et tu m'éviteras comme la peste. »

Je ne pense pas qu'elle ait eu raison. Si j'avais pu, j'aurais continué à l'embrasser toute ma vie. Mais même si j'avais voulu arrêter, ça aurait été cool que ce soit moi qui le décide.

Elle n'a pas cherché à engager la conversation, ne m'a pas posé de questions sur l'école ni sur rien. Elle voulait juste fumer, et comme elle devait aller dehors pour le faire je l'ai suivie. Elle a perdu du poids, alors qu'elle était déjà très mince. Ses cheveux sont plus blonds et moins raides que dans mon souvenir, et à la place de son rouge à lèvres rose habituel elle s'est mis quelque chose d'une teinte orangée assez inquiétante. Quand je lui ai dit qu'elle avait l'air en forme, elle a encore souri, passé ses paumes sur ses hanches serrées dans une jupe noire courte et elle a dit qu'en Arizona il faisait trop chaud pour manger, de toute façon.

Nous sommes restés devant le salon funéraire un moment. C'est le bâtiment le plus classe de la ville, ce qui ne veut pas dire grand-chose puisque la plupart des autres sont abandonnés, et leurs fenêtres condamnées. Papa racontait qu'au temps où il était gosse, avant que Lorelei, la mine numéro cinq de J&P ne ferme, c'était un endroit très vivant, avec des magasins, un restaurant et même un cinéma, une banque avec des poignées en cuivre et des sols en marbre. Maintenant, il ne reste plus que deux bars, une vieille église blanche dont les vitraux n'ont pas été nettoyés depuis perpète, un Kwiki-Mart et ces pompes funèbres imposantes.

Bon, au premier abord elle n'a l'air de rien, cette ville, mais moi j'essaie toujours de voir derrière les apparences. Ici, tout est solide et calme, solidement construit en bois et en briques mais avec une touche artistique par-ci par-là, comme l'aigle à tête blanche gravé dans la pierre au-dessus de l'entrée de la banque désertée ou les chevrons festonnés d'une ancienne boutique de tailleur qui font penser à de la dentelle déchirée. Tout ce qu'il faudrait pour qu'elle retrouve de l'allure, c'est un coup de propre et la sensation de servir à quelque chose.

Les gens ont commencé à arriver. En passant devant Maman et moi, ils se sont tous arrêtés pour me dire quelques mots. Les hommes m'ont serré la main, les femmes ont fondu en larmes et m'ont serré contre elles, les gars du bahut qui me connaissent ont marmonné un « désolé » en tentant un geste de consolation, que ce soit un petit coup de poing à l'épaule ou un bref toucher sur l'avant-bras. Ceux qui ne me connaissent pas sont quand même venus pour le spectacle, et pour rater les cours le lendemain, histoire de passer la journée à verser des larmes de crocodile dans la salle de réunion avec un psychologue spécialiste du deuil.

En survêtements noirs d'après-match, les coéquipiers de Klint se sont montrés lugubres et respectueux, tous me disant que mon père était un type super et qu'il allait leur manquer, même Brent Richmond, qui aurait probablement préféré que Papa se tue en pleine saison juste pour que les performances de Klint s'en ressentent et qu'il prenne sa place de premier frappeur. Ce sont eux qui m'ont le plus secoué : en groupe, je ne les avais vus que portant leur tenue de sport, échangeant des vannes, crachant des giclées de chique et me traitant de pédé ou de tête de nœud.

Personne n'a adressé la parole à Maman. Évidemment, c'était une situation gênante pour elle mais elle devait s'y attendre. C'était l'enterrement de Papa, après tout, avec les gens qui l'avaient connu et apprécié, qui savaient tous comment elle l'avait traité, et même s'il y en avait pour dire comme Tante Jen qu'il l'avait bien mérité presque personne ne pensait qu'elle s'était comportée correctement avec lui.

Son départ avait été une surprise totale pour moi, mais je crois que Papa l'avait encore moins vu venir. Je savais que le mariage de mes parents n'était pas parfait, mais il durait. Papa buvait, mais pas plus que la plupart des autres. Il avait un boulot. Il n'avait jamais frappé Maman. Quand il ne se disputait pas avec elle, il était super-amoureux, lui rapportait des fleurs sans que ce soit son anniversaire ni rien, lui disait qu'elle donnait un sens à sa vie… Je n'ai jamais compris ce qui avait pu se produire pour qu'elle décide tout d'un coup qu'elle ne pouvait plus rester. À moins que l'autre type lui ait proposé quelque chose de tellement bien qu'elle n'avait plus vu de raisons de rester ?

Mais pourquoi ne pas en avoir discuté ? Pourquoi ne pas avoir donné un seul avertissement ? Et même si elle avait voulu plaquer Papa, pourquoi nous avoir laissés, Klint et moi ? Qu'est-ce qu'on avait pu faire de si mal, nous deux ?

Tout en recevant les poignées de main et les mots creux de la troupe d'endeuillés qui défilait devant moi, je n'ai pas cessé de lui jeter des coups d'œil pendant qu'elle tirait sur sa clope et faisait semblant de s'en battre que tout le monde l'ignore, et moi de me demander pourquoi je n'avais jamais pu lui poser toutes ces questions qui me tournaient dans la tête, surtout la dernière.

Quand je la regarde encore une fois, elle n'est plus là. Elle a dû en avoir assez de se faire dévisager méchamment et elle est partie voir ailleurs. Ça ne me préoccupe pas trop, parce que voilà Shelby Jack. Elle est en robe et talons hauts noirs, avec des lunettes de soleil énormes, les cheveux tirés dans une queue-de-cheval retenue par un chouchou, noir aussi.

Je me dis que les riches ont la tenue idéale pour chaque occasion. Elle possède sans doute celle qu'il faut pour les déjeuners d'organisations caritatives, et pour les tournois de tennis, et donc il est logique qu'elle soit équipée pour les enterrements. Elle doit assister à ceux de plein de vieux richards. Je me rappelle que sa famille est allée à celui de Ronald Reagan. Il y a eu dix millions de gens à faire pareil, mais les Jack étaient invités, eux.

Je n'étais pas sûr qu'elle viendrait. Il a fallu qu'elle manque l'école pour être là. Elle apparaît en bas des marches, me découvre planté là et s'approche en retirant ses lunettes noires. Elle a encore pleuré.

— Kyle...

Elle jette ses bras autour de moi et m'enlace très fort. Je laisse mes mains effleurer son dos, ses cheveux. La vache, je donnerais cher pour pouvoir faire ça sans qu'il y ait besoin que quelqu'un meure.

— Comment tu te sens ? m'interroge-t-elle après m'avoir lâché.

— Ça va.

Elle prend ma main, la serre dans la sienne.

— Bon... C'est vraiment idiot de demander ça à quelqu'un à l'enterrement de son père.

— Non, je comprends.

— Où est Klint ?

Bien sûr. Toujours Klint.

— Quelque part avec Tyler. Il sera là quand il faudra.

Elle ne lâche pas mes doigts.

— J'ai vu ta mère, dit-elle en fronçant les sourcils.

Elle est au courant de tout ce qui s'est passé et elle déteste Maman, carrément. Elle n'acceptera jamais d'excuser une femme qui a abandonné ses enfants. Et soudain je me rends compte que ce que je ressens avec la mort de Papa ressemble étonnamment à ce que j'ai éprouvé quand Maman est partie. Sauf que pour Maman, j'ai pleuré. Tous les jours pendant un mois.

— Tu lui as parlé ? me demande Shelby.

— Un peu.

— Et ?

— On avait pas grand-chose à se dire.

— Et Klint ?

— Il est parti avec Tyler dès qu'il l'a vue.

Elle hoche la tête d'un air entendu. Je sais : elle pense que Klint a réagi comme il fallait, pas moi.

— C'était comment ? De la revoir ?

— Bien.

Je ne mens pas complètement. C'est le genre de truc que je ne peux expliquer à personne. Je pensais que je serais heureux de la revoir, et c'est ce qui est arrivé, mais c'est une joie bizarre, comme ce que doit ressentir un soldat blessé qui sort du coma et s'aperçoit qu'il va rester en vie, mais sans ses jambes.

— Pourquoi elle est venue, au juste ?

— Je ne sais pas.

J'ai répondu honnêtement. Je devine ce qu'elle essaie d'apprendre, et mon cœur bat plus vite quand je repense à ce que Tante Jen a dit, que Maman allait vouloir nous emmener en Arizona. Je lève les yeux sur le joli visage de Shelby, puis les collines derrière elle. Le vert de l'été a commencé à ternir, bientôt les vives couleurs de l'automne le remplaceront par des taches orange, rouge et jaune. Il flotte dans l'air une odeur de terre mouillée et de feuilles mortes, à la fois chaude et fraîche comme un souffle.

Qu'est-ce que je connais de l'Arizona ? C'est chaud. C'est un désert. J'imagine inhaler un air tellement brûlant qu'il me cuit à l'intérieur. Une immensité désolée, sans arbres, avec un gros soleil blanc écrasant de minuscules maisons blanches, de la poussière rouge au lieu de l'humus noir et moite, des horizons qui s'éloignent de vous à l'infini au lieu de vous accueillir, des montagnes érodées qui vous emprisonnent.

— Vous allez devoir partir ? chuchote-t-elle.

— J'espère que non.

— Qu'est-ce qu'il en dit, Klint ?

Je lâche un soupir énervé.

— Il dit rien, Klint ! Il a passé les deux derniers jours avec le pick-up de Papa à la décharge de Sledzik. Bill dit que la bagnole est tellement esquintée qu'on ne peut plus dire que c'était une caisse. Hier soir, Klint est arrivé chez nous avec les défenses de chevreuil en chrome. Il s'est mis les mains en sang pour les enlever.

— Il a du chagrin, explique Shelby. On fait des drôles de trucs, quand on est triste.

Ses yeux me dissuadent de répliquer. Des larmes brillent à nouveau dedans. Je me rends compte que je viens de lui en dire plus en deux minutes qu'à tous les autres en deux jours. Je suis gêné, d'abord, mais je me dis qu'elle ne peut pas le savoir. Je réponds seulement :

— Ouais, faut croire…

Après une dernière pression, elle abandonne ma main et entre dans le bâtiment des pompes funèbres. Quelques minutes après, Bill arrive. Bill en costume-cravate et sans casquette : c'est une vision tellement aberrante que j'arrive presque à me convaincre que tout ça est un mauvais rêve, mais quand il ouvre la bouche et qu'il prononce mon prénom je comprends que c'est la réalité, parce qu'une tristesse pareille ne peut pas s'inventer.

Je le suis à l'intérieur et je m'installe à côté de lui, au premier rang. C'est lui qui s'est occupé des formalités, de tout. Hier soir, dans sa cuisine, pendant que je chipotais dans l'assiette de francforts et de haricots qu'il avait préparés, il m'a déclaré d'une voix un peu honteuse qu'il aurait voulu que nous venions vivre avec lui, Klint et moi, mais qu'il ne voyait pas comment il arriverait à nourrir deux adolescents. Mon frère n'était même pas là. Il tenait compagnie au pick-up esquinté de Papa. Quand je lui ai répondu que nous aurions aimé ça, nous aussi, parce qu'il était presque comme un père pour nous, il a rabaissé la visière de sa casquette sur le visage, a contemplé ses fayots un moment, puis il s'est levé et il est allé devant l'évier en me tournant le dos.

Pour la première fois depuis la mort de Papa, j'ai mesuré quelle perte c'était pour Bill aussi. Ils faisaient tout ensemble, des cuites aux parties de pêche. Ils se retrouvaient pour regarder le football et les courses de NASCAR, ils allaient toujours aux matchs de Klint, mais le plus important, sans doute, c'était qu'ils passaient presque toutes les soirées ensemble quand mon père rentrait du travail. Qu'il pleuve des cordes, qu'il gèle à pierre fendre ou qu'il fasse une chaleur de four, ils s'installaient sous le porche à l'arrière de la maison de Bill, buvaient des bières, racontaient des conneries et se plaignaient de la vie avec la bonne humeur des lascars qui ne détestent pas les problèmes parce que les surmonter leur donne de quoi occuper leur temps.

Le pire, quand quelqu'un meurt, c'est son absence éternelle. Je ne reverrai plus jamais mon père. Je ne lui parlerai plus. À partir de maintenant, j'aurai un trou dans ma vie que personne ne pourra vraiment combler. Peut-être qu'avec le temps j'oublierai ses traits, son odeur et sa façon de parler, de même que je commence à oublier Maman, mais je n'arriverai jamais à oublier qu'il aurait dû être encore là.

Tout ce cérémonial du deuil, les gens super-sapés qui nous apportent des tourtes et des gratins à la maison avant de rester debout les bras ballants, nous couvant de regards apitoyés et chuchotant dans notre dos, tout ça n'a aucun sens pour moi. Ça n'a rien à voir avec la réalité de la mort de Papa. Même le cercueil qui est maintenant à trois mètres de moi n'a pas de rapport. Je sais que le corps de Papa est dedans, mais pas lui. Ce n'est pas un homme que cette boîte renferme, juste un cadavre.

On ne nous a pas laissé le voir. Qui a pris cette décision, je ne sais pas, mais Bill s'y est plié. Personne ne le reverra plus. C'est un cercueil scellé. D'après ce que nous avons compris, pendant qu'il mourait sur le coup son pick-up a continué à faire des tonneaux à flanc de montagne et il est parti à travers le pare-brise. La tête la première.

C'est le genre de détail que Papa aurait adoré entendre, si c'était arrivé à quelqu'un d'autre.

Le directeur du salon funéraire vient dire quelques mots à Bill. Il demande où est Klint. En tournant la tête pour le chercher, j'aperçois Tante Jen qui entre en tenant une petite fille par la main. Il me faut deux secondes pour me rendre compte que c'est Krystal. En deux ans, ma sœur a énormément changé. Elle est plus grande, plus fine, et ses cheveux, qu'elle portait en tresse descendant bas dans le dos, sont maintenant plus clairs et coupés aux épaules, avec des petites mèches plus courtes.

Elle a une robe bleu marine. J'ai envie de l'appeler et de me moquer d'elle, puisqu'elle détestait les robes, dans le temps, mais elle marche avec une telle gravité, très droite et le visage levé avec un air un peu pimbêche, que j'en viens à penser qu'elle ne hait pas cette robe-là. Dans la main que Tante Jen ne tient pas, elle serre l'anse d'un sac assorti.

Je lui fais signe en souriant. Elle me répond par un regard stupéfait, puis elle plisse les yeux comme si elle essayait de découvrir qui je suis, et enfin elle condescend à un petit sourire, pas du genre que j'espérais mais on est tout de même à un enterrement... Je me demande comment elle prend la mort de Papa. Quand nous parlions au téléphone, au début, elle bavardait un peu avec lui, mais au bout d'un an elle n'a plus été disponible. C'est exactement comme ça que Maman l'a présenté : « Krystal n'est pas disponible. » Comme si elle était un banquier super-important et occupé au lieu d'une fillette de neuf ans avec des taches de rousseur.

Juste au moment où elles retrouvent Maman et s'asseoient à côté d'elle, Klint et Tyler font leur apparition. Alors que le second va s'installer avec le reste de l'équipe, Klint descend la travée sans se presser et sans regarder personne, surtout pas Maman. Il se pose sur le siège près de moi.

J'essaie de ne pas écouter les discours qui sont soit trop sincères et font mal soit trop débiles et donnent envie de gerber. Papa en aurait aimé certains, d'autres l'auraient fait se gondoler, à commencer par celui du pasteur qui n'a jamais vu Papa dans son église depuis au moins dix ans et aurait été probablement incapable de le reconnaître même avant qu'il ne passe à travers un pare-brise. Il parle de lui comme d'un « chrétien occasionnel », ce que je trouve une manière gentille d'indiquer qu'il consacrait ses dimanches matin à soigner sa gueule de bois plutôt qu'à visiter la maison du Seigneur.

Malgré tous mes efforts pour penser à autre chose qu'à ces bla-bla, tout ce qui me vient à l'esprit est le mulot que Mister B a laissé sur le perron pour moi ce matin. Je l'ai trouvé quand je suis allé ouvrir à la première émissaire de la brigade des gratins et des tourtes de la journée. Elle se tenait sur le bord de la première marche pour rester le plus loin possible du petit animal mort, tandis que Mister B, perché sur sa branche d'arbre favorite, la surveillait de son œil de chat à la fois complètement blasé et totalement attentif. Si elle s'était approchée du mulot, il aurait sauté au sol, l'aurait attrapé entre ses dents et serait parti en trottinant avec sa proie, mais il n'y avait aucune chance que ça arrive. Je l'ai fait entrer, et dès que la dame est repartie, Mister B est venu me rejoindre en ronronnant férocement, se frottant contre ma jambe. Je me suis penché pour lui gratter l'arrière des oreilles, histoire de lui montrer que j'appréciais son attention. Ensuite, j'ai attendu de voir s'il voulait reprendre le mulot pour lui, mais il s'est léché une patte et s'est éloigné avec un seul balance-ment de sa queue orange qui me faisait savoir qu'il m'aban-donnait généreusement le cadavre.

Je suis allé prendre une pelle, je l'ai glissée sous le petit corps et je l'ai jeté dans la poubelle. Avant, j'enterrais toutes les bestioles qu'il attrapait mais il finissait toujours par les déterrer et me les rapporter, jusqu'à ce que je comprenne : il attendait que je les mange. C'était un cadeau, de sa part, et j'ai fini par m'en rendre compte parce qu'il ne ronronnait jamais aussi fort que quand il me voyait tomber sur la der-nière boule de pelage ou de plumage sanglants qu'il avait abandonnée à mon intention. Alors, je me forçais toujours à prendre un air satisfait et à lui parler d'une voix agréable, le remerciant tout comme Maman le faisait dans le temps à chaque fois que je lui offrais une de mes cartes de la Saint-Valentin dépliables.

Klint cherche à échapper aux discours, lui aussi. À un moment, j'ai même l'impression qu'il s'est endormi, mais il contemple intensément une perle bleue à côté de son pied sur la moquette couleur moutarde de la salle. Vient-elle d'une robe de femme ? D'une vivante ou d'une morte ? Enfin, le silence revient et tout le monde se lève. Klint et moi devons aller au cimetière dans la voiture de Bill. Je lui dis que je vais les rejoindre tout de suite. Je veux d'abord dire bonjour à Krystal.

J'arrive à la rattraper sur le trottoir. Elle est avec Maman et Tante Jen. Je lance un « Hello ! » tout joyeux, peut-être plus qu'il le faudrait dans le contexte.

Je m'accroupis en ouvrant les bras, attendant qu'elle se jette dedans. Elle lève les yeux vers Maman, qui hoche la tête.

— Embrasse ton frère, ordonne-t-elle.

Krystal s'exécute, sans grand enthousiasme.

— Je t'ai à peine reconnue ! Tu as l'air d'une grande fille, dans cette robe...

Elle consulte encore Maman du regard, qui à nouveau l'encourage d'un signe.

— Merci, murmure-t-elle.

Je commence à me demander si elle est capable de me dire quoi que ce soit sans l'accord de Maman. C'est une idée déprimante, et absurde, mais je n'arrive pas à la repousser.

— Je peux te parler une minute, Krystal ? Rien que nous deux ?

Il y a de la panique dans ses yeux quand elle regarde Maman, mais celle-ci se contente d'un haussement d'épaules et d'un autre hochement de tête avant d'allumer une cigarette. Je fais quelques pas de côté. Krystal hésite, finit par s'approcher de moi.

— Dis donc, tu es devenue très sage, depuis la dernière fois que je t'ai vue...

Elle se tait. Elle ne sourit pas. Elle a perdu tout son culot. Je ne sais pas si c'est à cause de l'âge, mais quand je repense aux filles que je connaissais quand j'avais dix ans elles étaient toutes incroyablement remuantes, bavardes, espiègles et fofolles.

— Alors, ça te plaît, l'Arizona ?

— On a une piscine, répond-elle d'un ton neutre.

— Super. Si j'en avais une, je nagerais tous les jours. Tu te rappelles quand on allait se baigner dans l'étang des Hamilton ? Tu adorais monter sur le pneu accroché à une branche et sauter dans l'eau. Tu poussais de ces hurlements…

— Notre piscine, elle est propre.

— Oui, j'imagine…

Je ne suis plus seulement mal à l'aise, maintenant un peu énervé aussi.

— Alors, comment c'est, de vivre avec Machin-truc ?

Ça, ça la réveille. Elle ouvre de grands yeux en rejetant la tête en arrière.

— Ah, M'man a dit que tu demanderais ça.

— C'est juste une question.

— Jeff est gentil. Beaucoup plus gentil que Papa.

Sa réponse me fait l'effet d'un coup de poing à l'estomac.

— Tu devrais pas dire une chose pareille. Papa était toujours gentil avec toi.

Un peu de couleur apparaît sur ses joues pâles. Je remarque à cet instant qu'elle n'a plus de taches de rousseur. Ça ne tient pas debout : après un été à s'asseoir sur les gradins en acier pendant les matchs de Klint, elles se détachaient sur sa peau comme de la cannelle saupoudrée sur de la crème.

— Tu te rappelles pas quand il m'a pas laissé faire du cheval avec Ashley Riddle ?

Je m'en souviens d'autant mieux que j'avais dû rester deux heures à l'arrière de la voiture avec elle pendant qu'elle pleurait et hurlait à cause de ce refus.

— Tu étais trop petite, et en plus Klint jouait dans le double programme des Dog Days, ce week-end-là.

Son visage se plisse avec une expression de triomphe.

— Oui, il vous a toujours préférés, Klint et toi.

— C'est pas vrai.

— M'man m'a dit que tu dirais ça.

— C'est pas vrai. Papa t'aimait beaucoup, beaucoup. Tu lui manquais terriblement.

— Alors pourquoi il nous a jetées ?

Encore un direct à l'estomac.

— Il vous a pas « jetées » ! C'est Maman qui est partie !

— Elle a dit que tu dirais ça.

— J'étais là, Krystal. Je sais comment ça s'est passé.

J'avais vu la tête de Papa quand il avait découvert le mot. Maman avait écrit : *J'ai trouvé quelqu'un d'autre. Krystal est avec moi. Si tu as le moindre bon sens, laisse-nous tranquilles.* Aucune mention de Klint et de moi. Papa l'avait laissé traîner sur la table de la cuisine pendant une semaine, jusqu'à ce que Bill l'oblige à s'en débarrasser. Il n'avait pas honte de ce mot, Papa. Il se fichait que d'autres le voient. À tout moment, il revenait à la cuisine, le prenait et le gardait dans sa main, comme ça, sans le relire. Je me suis souvent demandé si c'était pour se convaincre de sa réalité, ou parce que c'était la dernière chose qu'elle avait touchée dans la maison.

— Tu *sais* pas, me contre Krystal. Tout ce que tu sais, c'est c'que Papa t'a raconté. Et c'est un menteur.

Je ne peux pas continuer cette conversation. Je commence à avoir la nausée. Je fouille dans la poche de mon pantalon de costume et j'en sors la chaussure de Barbie argentée.

— Tiens. J'ai trouvé ça chez nous. J'ai pensé que tu la voudrais.

Elle la prend, l'examine et l'envoie dans le caniveau.

— Merci, mais j'en ai pas besoin. J'en ai plein de nouvelles.

— Krystal chérie…

La voix de Maman derrière moi. Elle vient vers nous, suivie comme son ombre par Tante Jen, tout en noir, escarpins noirs, bas noirs, robe noire, yeux maquillés en noir, deux baguettes noires plantées dans son gros chignon jaune désordonné. Même son vernis à ongles est noir.

— Où est ton frère, Kyle ? m'interroge Maman.

Je fouille du regard la petite foule qui s'attarde sur le parking.

— Je sais pas.

— Il faut que je vous parle, vous deux.

— Ça ne peut pas attendre ?

— Nous n'allons pas au cimetière. Krystal est trop petite pour assister à ça.

Elle repère enfin Klint et Bill près de la voiture, hèle ce dernier, qui se retourne et lui fait un signe de la main.

— Bill ! Amène Klint par ici !

Je ne suis pas sûr que mon frère accepte. Jusqu'ici, sa manière préférée de se comporter avec Maman a été de l'éviter soigneusement, et donc il me surprend en se dirigeant vers nous dès que Bill lui a parlé. Celui-ci le suit sans se presser en boitillant.

Klint vient se placer devant Maman. Quand Papa est mort, il s'est effondré parce que le coup l'avait pris par surprise, mais maintenant qu'il a retrouvé le contrôle rien ne peut le troubler. Dans son costume sombre, cravaté, ses chaussures de ville parfaitement cirées, il a l'air d'être l'adulte à qui tous les autres doivent obéir.

— Je retourne en Arizona dans deux jours, annonce Maman derrière un voile de fumée. Et vous, les garçons, préparez vos affaires pour partir avec moi.

— C'est maintenant que tu commences ça ? intervient Bill.

— Je n'ai pas de temps pour les conneries, Bill, rétorque-t-elle sèchement.

Klint lâche un petit rire.

— On va nulle part avec toi.

— Je t'avais prévenue, murmure Tante Jen à Maman.

— Je suis votre mère. Votre père n'est plus là. Vous allez vivre avec moi.

Klint rit de nouveau. Comme ce n'est pas un très bon acteur, je déduis qu'il trouve la proposition réellement amusante. Soudain, pourtant, son expression redevient tout ce qu'il y a de sérieux.

— Nous n'avons pas de mère, assène-t-il.

— Je t'avais dit, répète Tante Jen, plus haut cette fois. – Elle passe un bras protecteur autour des épaules de Maman. – Je t'ai raconté ce qu'il leur a fait.

Les deux sœurs affectionnées. Qui ne se soutiennent mutuellement que pour attaquer ensemble quelqu'un d'autre.

— Vous devez venir avec moi, insiste Maman. Vous n'avez pas le choix.

Klint croise les bras.

— Pourquoi tu y tiens tellement ? Tu n'as pas voulu de nous, avant.

— Si. Mais votre père ne m'a pas laissée vous prendre avec moi.

Klint laisse tomber les bras sur les côtés, fait un pas en arrière.

— On ne gobera pas ton baratin. – Il lève une main, que je vois trembler, et pointe un doigt sur elle. – Tu peux pas nous forcer ! On s'enfuira. On arrêtera l'école, on trouvera du travail et on se débrouillera tout seuls.

— Jamais de la vie. Je vous ferai chercher par les flics.

— Tous les flics que tu veux ! Ramène-moi de force tant que tu veux. Je préfère crever que de vivre encore avec toi.

Des gens qui les ont entendus s'arrêtent et nous observent, bouche bée.

— Et Kyle pareil. Pas vrai, Kyle ?

— Hein ?

— On laissera tomber l'école, répète Klint. On s'enfuira. Plutôt crever !

Tout le monde nous regarde. Bill vient à mon secours. Il se racle la gorge, s'appuie plus pesamment sur sa canne – je devine que ses chaussures des grandes occasions martyrisent ses pieds –, secoue sa grosse tête hirsute.

— Ça suffit. Ce n'est ni le moment ni le lieu pour avoir cette conversation. Venez, les garçons. On doit aller au cimetière.

Alors que nous tournons les talons, Krystal lance de sa voix perçante de fillette :

— Papa, c'était un ivrogne !

L'agressivité, si choquante venue d'une gosse, nous cloue sur place et nous laisse sans mot. Même Maman et Tante Jen ont l'air scandalisées. Une expression de dégoût et de tristesse passe sur le visage de Klint, comme s'il hésitait entre l'envie de hurler ou de gerber.

— Oui, c'en était un, dit-il à Krystal, mais c'est notre mère qu'il fixe de ses yeux scintillants de larmes. Et Maman est une salope. Ça fait une super-famille.

J'entends Maman ravaler un cri mais nous nous sommes déjà retournés et nous partons pour de bon, cette fois.

Moi, je voudrais courir. Prendre mes jambes à mon cou et foncer en avant comme si j'allais courir le reste de ma vie. Ne jamais m'arrêter. Ne plus jamais parler à quiconque. Ne jamais me soucier d'avoir une maison. Ne jamais me préoccuper de rien, sinon du temps qu'il fait.

Les gens nous observent. J'essaie d'éviter leurs regards mais je ne peux manquer de remarquer Shelby, et je la laisse venir à ma hauteur.

— Tu as entendu tout ça ?

Elle fait oui de la tête.

— Je ne vous espionnais pas, juré. Mais j'étais là et…

— Ça va. Mais c'est plutôt la honte, quand même.

Elle fronce les sourcils.

— Ah oui ? Tu devrais passer un peu de temps avec ma famille, alors.

Je la dévisage pour m'assurer qu'elle ne plaisante pas, parce que je n'imagine pas qu'il y ait un seul élément de sa vie qui ne soit pas parfait.

— Tu crois que Klint parle sérieusement ? Qu'il ferait vraiment ce qu'il a dit ?

— J'en sais rien.

Jusqu'à aujourd'hui, j'aurais répondu « non » sans hésiter. Je ne voyais pas mon frère compromettre l'avenir fantastique qu'il a devant lui pour quoi que ce soit, mais je m'aperçois maintenant qu'il a quelque chose en lui d'aussi fort que son dévouement à son sport, et c'est sa haine de Maman.

— Tu partirais avec lui ? me demande-t-elle.

— Je pourrais pas le laisser s'en aller seul.

Elle hoche la tête lentement.

— Écoute, je sais pas ce qui va se passer. Personne ne va nous recueillir, ici. Qui a envie de se retrouver avec deux enfants qui ne sont même plus mignons tout plein ? Qui a la place ou l'argent pour nous faire vivre ? T'as jamais vu tout ce qu'il mange, Klint… Et même si quelqu'un était prêt à ça, il faudrait qu'il se batte contre Maman.

— Kyle ! crie Bill.

— Faut que j'y aille.

— OK.

Elle me serre le bras et s'en va. Elle avait l'air vraiment désolée. Je voudrais croire que c'est parce que je vais lui manquer et non parce qu'elle trouve ça affreusement injuste – ou, pire encore, parce que c'est Klint qui va lui manquer –, mais je n'ose pas me permettre cette idée.

Mon regard accroche un reflet argenté au bord de la chaussée, parmi les cailloux et les mégots de cigarette. Je me penche. C'est le soulier de la Barbie de Krystal. Je le ramasse et le remets dans ma poche.

Bill et Klint m'attendent dans le corbillard, vitres ouvertes. Au moment où nous démarrons, j'entends des talons hauts claquer précipitamment sur le trottoir. Je sors la tête par la fenêtre. Shelby court après la voiture, agitant la main. Elle sourit.

— Kyle ! lance-t-elle, tout essoufflée. Je te téléphone demain ! J'ai eu une idée géniale !

3

CANDACE JACK

SHELBY VIENT DE M'EXPOSER L'IDÉE LA PLUS ABERRANTE QUI SOIT. Non seulement c'est une chimère d'une absurdité choquante – et j'emploie ce terme parce que c'est ainsi que cela m'apparaît, une chimère conçue par deux adolescents hébétés par l'amour –, mais elle avait en plus l'air d'estimer qu'il m'était impossible de refuser. Ce n'était pas une requête, mais l'un de ces « coups cent pour cent sûrs » que je l'ai déjà entendue évoquer avec ses amies, en général lorsqu'il s'agit de rencontres sentimentales ou d'achat de billets de concert.

Lorsque je lui ai répondu que c'était absolument hors de question, elle m'a lancé un regard chargé d'une incrédulité tellement navrée que je me suis demandé un moment si nous parlions bien de la même chose. Son effarement s'est rapidement transformé en colère et elle m'a accusée de ne pas jamais rien faire de « gentil » pour quiconque.

Ce qui est tout bonnement inexact. Je fais plein de choses pour plein de gens, même si j'ai horreur du mot « gentil ». Il est vague, et je déteste tout ce qui l'est. Je préfère dire qu'il m'arrive de fournir quelque assistance financière quand elle est nécessaire et justifiée, certes avec discrétion, afin de ne pas paraître « gentille » au vaste monde même si je me soucie comme d'une guigne de l'opinion de ce dernier.

L'aspect de sa petite scène qui m'a le plus hérissée était le message sous-jacent qu'elle contenait : ce qu'elle attendait de moi était si banal que je ne pouvais être qu'un monstre pour dire non. Imaginez un peu : réclamer à une femme de soixante-seize ans célibataire d'offrir un foyer à deux adolescents qu'elle n'a jamais vus ! Dans quel monde vivons-nous ? Depuis quand est-il gouverné par les enfants ?

Apparemment, ces garçons viennent de passer par une tragédie. Shelby m'a tout expliqué à propos de leur père, de leur mère, de leur refus de quitter leurs amis et leur école… Bien sûr qu'ils ne veulent pas. Mais ce sont des gamins. Ce n'est pas à eux que revient la décision. Et encore moins à moi.

Je crois me rappeler que l'avis de décès de cet individu était dans le journal d'hier. Voyons. Oui, le voici. J'étale la page sur mon bureau avant de chausser mes lunettes. Carlton Ray Hayes. Le nom explique déjà tout, non ? Âge : quarante ans. Né ici, mort ici, donc je présume qu'il a passé son existence ici, entre les deux. Diplômé du lycée de Centresburg. « Technicien de surface » en chef à Burke Pharmaceuticals, autrement dit balayeur. Laisse trois enfants derrière lui : Klinton, seize ans, Kyle, quatorze, Krystal, dix. Voyez un peu ça : sa femme et lui se sont débrouillés pour ne même pas orthographier correctement le prénom de deux de leurs rejetons. Membre du Crooked Creek Sportsman's Club et de la Lucky Lanes Bowling League : en d'autres termes, il aimait la chasse, la pêche et le lancer de fer à cheval. Quoi ? Ils ne précisent pas sa marque de bière préférée ?

Je jette un coup d'œil à sa photographie. Ce n'était pas un pou. Il a dû être assez beau garçon, dans son jeune temps, mais des années de boisson et d'aliments frits l'ont amolli, décoloré. Des yeux intelligents, un sourire honnête, pas la grimace idiote ou le rictus machiste qu'un homme se croit habituellement obligé d'arborer quand il pose devant un objectif, une expression proche du vrai bonheur. En combinaison de travail grise, avec une casquette des Centresburg Flames. Au-dessus du cœur, le badge blanc cousu annonce : « Carl ».

Je ne devrais pas être aussi dure. Cet homme est mort, quand même. Il a peut-être été quelqu'un de très correct. Tout le monde ne peut pas être capitaine d'industrie ou excellent en orthographe. On a aussi besoin de gens pour balayer.

Je referme le journal et je le laisse là en prenant soin de laisser la lettre de Rafael en vue. Elle est arrivée hier mais je n'ai pas encore eu le temps de lui accorder l'attention nécessaire.

Je vais à la fenêtre et je repousse le rideau pour observer l'allée. Après notre discussion, Shelby est partie en courant. Grand bien lui fasse. Sa voiture est toujours là. C'est une belle journée. Je suis sûre qu'elle est allée bouder dans la forêt ou se cacher dans la grange. Elle est allée à l'enterrement de cet homme, hier, puis elle est arrivée ici en me demandant si elle pouvait passer la nuit chez moi. Elle a manqué l'école, aujourd'hui. J'ai téléphoné à sa mère afin de savoir si elle était autorisée à le faire et sa réponse a été du Rae Ann typique : elle m'a dit que Shelby avait déjà de « trop bons » résultats scolaires et que quelques jours au vert lui serviraient à « décompresser ». Rae Ann, qui a été finaliste de Miss Floride et rêvait de travailler au parc Sea World, a épousé à la place un homme richissime ayant la maturité sexuelle d'un gamin de treize ans. Les ambitions qu'elle nourrit pour ses filles sont égales à celles qu'elle a eues pour elle-même.

Cameron, lui, n'a pas daigné répondre à mes appels téléphoniques.

Je pense que je vais aller à la recherche de ma petite-nièce et aussi de Ventisco. Voilà quelques mois déjà que je ne l'ai pas vu malgré mes longues promenades et toutes les fois où je suis partie en jeep avec Luis dans l'espoir de l'apercevoir. Il a dû aller loin dans les pâtures, ce qui n'est pas étonnant à cette époque de l'année. Le temps est idéal, pour lui, avec un soleil qui ne devient jamais brûlant et des nuits encore douces. L'herbe en est à ses dernières semaines de luxuriance et il y a dans l'air une légère fraîcheur automnale qui pousse toutes les créatures vivantes à gambader. Bref, il se paie du bon temps et veut se tenir le plus éloigné possible de l'odeur des hommes.

Dans le hall d'entrée, je passe mes chaussures et je prends mon foulard. Je n'aurai pas besoin de manteau. Hier, Shelby m'a dit que je m'habille comme la reine d'Angleterre au quotidien – elle vient juste de voir le film où Helen Mirren incarne la souveraine –, et de toute évidence cette remarque n'était pas conçue comme un compliment. Je lui ai répondu que la reine est l'une des femmes les plus riches au monde, qu'elle a plus de quatre-vingts ans mais marche encore plusieurs kilomètres chaque jour, et qu'elle a une marine de guerre à elle. Ça lui a cloué le bec.

Par ailleurs, il est inexact que je m'habille comme la reine Elizabeth. Certes, je porte des chaussures confortables parce que je n'ai pas d'autre choix à mon âge, et je préfère les robes ou les jupes simples et de bon goût aux pantalons. J'affectionne aussi un très vieux ciré vert olive plein de poches et mon foulard en soie favori avec lequel je me couvre la tête quand je me promène sur mes terres, mais ce sont là des similarités très superficielles. Nous n'avons pas du tout le même style, elle et moi : ces chapeaux qu'elle a, Seigneur ! Sans parler du fait que je suis restée mince.

Du perron, je vois l'étendue de gravier blanc de l'allée jusqu'à ce qu'elle disparaisse sous un bouquet de grands érables dont les larges feuilles pointues ont commencé à prendre une teinte rouille. Les collines moutonnent autour de la maison comme des vagues et me rappellent en effet la mer, sauf que celle-ci est faite d'herbe verte et qu'elle soutient les pieds. Elles vont calmement lécher les contreforts des humbles montagnes qui enserrent la vallée et qui en cette saison semblent fatiguées et pelées, presque comme un vieux canapé miteux, mais c'est temporaire car elles exploseront bientôt en un carnaval de couleurs automnales.

Je ne me lasse jamais de cette vue, ni de la véranda qui court tout le long de la façade principale, assez large pour que deux automobiles la parcourent côte à côte d'un bout à l'autre. Les colonnes en pierres blanches posées sur leur socle en briques rouges s'élèvent jusqu'au niveau du premier étage. C'est la partie de la maison que j'aime le plus. Je l'ai meublée au gré de mes fantaisies et des années avec des fauteuils en osier dépareillés et des sièges en rotin couverts de coussins confortables et drapés de mantilles d'Espagne.

Il y a plus d'un demi-siècle que mon frère a fait bâtir cette maison. Il l'a voulue en matériaux simples, brique rouge et mortier blanc, avec des volumes classiques et imposants. Malgré sa taille impressionnante, et contrairement à nombre de grandes demeures que j'ai pu visiter, elle garde une ambiance de vrai foyer, non de palace, de mausolée, ou d'hôtel Marriott.

Nous avons vécu ensemble près de cinq ans, avant qu'il n'épouse celle que j'appelais la Souris et l'amène vivre ici. Il était entendu que je resterais, non seulement parce que la maison était bien assez vaste pour nous mais aussi à cause de Calladito.

Même si le taureau devait provoquer l'une des pires brouilles entre Stan et moi, il m'a laissé le garder. Je pourrais me montrer cynique en disant que la raison en était qu'après les sommes prodigieuses que j'avais dépensées pour Calladito, Stan avait fini par y voir un investissement sur lequel il voulait garder un œil, mais je crois que c'était plutôt une tentative de se montrer bon pour moi. Stan a toujours été incapable d'exprimer sa sympathie par un mot, une caresse ou même un geste généreux ouvertement assumé. Sa seule manière de manifester son intérêt à quelqu'un était de le rendre redevable envers lui, puis de l'autoriser à remercier.

Vivre sous le même toit que la Souris ne m'a jamais gênée. J'étais tellement dans mon deuil que j'avais à peine conscience de son existence.

Bien qu'il ait couru le jupon avec acharnement, je savais que Stan finirait par se laisser passer la corde au cou, d'abord parce qu'il voulait un fils, mais au vu du nombre de femmes séduisantes qu'il avait eues dans son lit il semblait presque inimaginable qu'il puisse y inviter la Souris, alors l'y garder toute sa vie... Elle constituait un choix des plus déconcertants. Il faut croire que c'est souvent le cas pour les hommes comme lui, cependant : ils épousent des filles quelconques. Ils ne veulent pas d'une femme belle et active qu'ils devraient rendre heureuse et distraire, ou que les autres hommes trouveraient attirante ; ils cherchent un être qui partagera leur vie sans imposer ses vues et ses désirs, qui leur sera aveuglément dévoué, se murera à la maison et saura se taire. La Souris était tout cela, et plus encore. Et elle lui a donné le fils tant voulu.

À la naissance de Cameron, c'est Stan qui a décidé qu'il ne voulait plus vivre « dans la fichue cambrousse », comme il disait. Il a construit un autre manoir plus près de Centresburg – ce qui reste assez « la fichue cambrousse », d'après moi – pour se rapprocher du siège de la compagnie, les Houillères J&P, et il a emmené la Souris et le Merdeux avec lui.

Il m'a donné la maison. Cela a été le début de ma fortune.

Je choisis de chercher d'abord Shelby dans la grange. En m'y rendant, je passe devant Jerry, occupé à bricoler l'un des tracteurs-tondeuses.

— Hello, Jerry.

— 'jour, Miss Jack.

— Avez-vous vu Shelby ?

Il redresse lentement sa longue carcasse pliée en deux comme on redresserait un câble récalcitrant. Son pantalon gris que l'usure fait briller aux genoux et sa chemise à carreaux noirs et rouges sont constellés de taches de cambouis et de boue. Dans le passé, je lui ai quelquefois proposé de remplacer ses tenues de travail, puisque c'est à mon emploi qu'il les use mais il en a toujours pris ombrage, réagissant avec la même véhémence que si j'avais voulu l'affubler de la livrée d'un domestique attaché à une duchesse du XVIIIe siècle. Finalement, nous avons décidé que je lui donnerais une prime d'habillement deux fois par an en plus de son salaire. J'ignore ce qu'il peut faire de cet argent.

Il retire sa casquette de base-ball, la plie en deux et la fourre dans l'une de ses poches arrière. Ses cheveux sont blancs et rares, son visage ridé et cuit par le soleil est rouge sombre, tel celui d'un fermier. Je n'ai jamais pu l'imaginer enfant et j'ai même du mal à me souvenir de lui, rescapé des mines de mon frère, avec sa tignasse noire, lorsqu'il est venu, laconique et exsudant un charme rustique, il y a quarante ans, me proposer ses services d'homme tout à faire. À mes yeux, il est sorti de terre exactement tel qu'il est maintenant, un homme âgé dont la vieillesse ne serait pas humaine, plutôt celle d'un arbre tricentenaire, aussi immuable et indifférent au temps qu'un rocher émergeant d'un champ, aussi patient qu'une rivière creusant son ravin.

— J'l'ai vue dans la grange y a peu.

— Merci.

Je repars, puis je pense à quelque chose :

— Ah, Jerry, il y a un homme de la ville qui est mort en voiture il y a quelques jours. Il était ivre.

— Ouais. Carl Hayes.

— Vous le connaissiez ?

— Vaguement.

— Qu'est-ce que vous pourriez me dire à son sujet ?

— Eh ben, voyons… - Il frictionne les poils blancs et drus sur sa joue. - J'crois bien qu'il poussait un balai chez Burke, comme boulot. Et dans l'temps, il travaillait à Lorelei, avant les licenciements. Y a guère longtemps, sa femme est partie avec un autre bougre. Lui a pris sa fille et l'a laissé en plan, lui et les deux gamins. L'plus âgé est un as de la batte, à c'qu'j'sais. Parlait de ses garçons sans arrêt. Adorait ses gosses, pour sûr.

— Mais… je croyais que vous ne le connaissiez que « vaguement » ?

— C'est une p'tite ville, Miss Jack. Connaître vaguement quelqu'un, ça veut dire qu'on sait à peu près tout sur son compte, mais qu'on y a parlé une fois ou deux, pas plus.

— Je vois. Des nouvelles de Ventisco ?

Il se met à gratter son autre joue.

— J'ai causé avec Luis y a deux, trois jours. Dit qu'y l'a vu par là-bas, du côté de Spring Creek, pendant qu'y passait à cheval.

— C'est curieux. Il ne m'a rien dit, à moi.

Jerry remet sa casquette sur sa tête, ce qui signifie qu'il vient d'épuiser son quota quotidien de paroles.

— Merci, Jerry.

Je reprends mon chemin. Bientôt, j'aperçois Shelby qui sort de la grange à ma rencontre.

Elle s'est changée, depuis notre discussion ce matin. Elle a une chemise en flanelle tellement élimée et large qu'elle pourrait être à Jerry, un jean ample et déchiré aux genoux, des chaussures de marche noires toutes boueuses dont les lacets jaunes sont défaits. Ses très beaux cheveux auburn, qui ressemblent tant à ceux de ma mère, sont rassemblés en queue-de-cheval et coiffés d'une casquette bleue poussiéreuse.

Elle garde les yeux maussadement baissés, regardant ricocher les cailloux qu'elle envoie devant elle de ses godasses elles aussi trop grandes.

C'est une fille capricieuse. Douce et conciliante à un moment, têtue et pleine d'aplomb à un autre. On aurait vite fait de la cataloguer comme quelqu'un d'émotif et d'influençable mais quand il m'est arrivé de l'observer en société je l'ai toujours trouvée très maîtresse d'elle-même. Des trois sœurs, c'est ma préférée, ce qui n'empêche pas que toutes trois sont pareillement imprévisibles dès qu'elles se sentent bousculées dans leurs rôles respectifs. Toute cette famille est d'ailleurs bien trop nerveuse, chatouilleuse. Lorsque je passe une journée avec elles, j'ai l'impression d'être au milieu de petits caniches assommants, toujours prêts à aboyer, arborant des vêtements coûteux et une chevelure coupée à la dernière mode.

Est-ce qu'elle s'est attifée de cette façon rien que pour m'agacer ? Elle sait pertinemment que je n'approuve pas les filles mal fagotées ou qui jouent les garçons manqués. Par un beau jour comme celui-ci, elle aurait été ravissante avec une robe bain de soleil, des sandales et un châle. Quel gâchis…

Elle lève la tête, son regard croise le mien et elle abaisse un peu plus sa visière.

— Une jolie jeune fille comme toi ne devrait pas ressembler à un galvaudeux, lui dis-je d'un ton sévère.

— Un quoi ?

— Un galvaudeux ! Un malandrin, un couche-dehors, un clochard, un *vagabundo*… Ou comment doit-on dire, en ces temps de politiquement correct : « un sans domicile fixe » ?

— C'est pas drôle, Tante Candace.

— Je crois que tu me dois des excuses, Shelby.

— Pour quoi ?

— Avoir proclamé que je n'ai jamais rien fait de gentil pour personne.

Sa tête retombe. Elle recommence à envoyer des coups de pied dans le gravier blanchi.

— Tu sais ce que je voulais dire.

— Non. Je sais ce que tu as dit, point final.

Elle soupire.

— Je voulais juste dire que tu as… tout ça ! Une maison immense, toute cette propriété, plein d'argent… seulement pour toi. Tu n'as jamais eu envie de partager ? Pas en donnant à des organisations caritatives, des fondations ou quoi… Encore que c'est sympa, aussi, mais je veux dire partager avec quelqu'un que tu aimes…

— Mais je « n'aime » pas ces deux gamins. Je ne les connais même pas.

— Alors, tu accepterais de les rencontrer, au moins ?

Un sourire éclaire son visage, tellement innocent et bienveillant que je suis obligée de me demander quelles sont ses véritables motivations.

— Non. Il n'en est pas question.

Le sourire s'efface.

— Tu vois ? C'est ce que je veux dire. Tu ne veux même pas envisager le truc. Mais pourquoi non ?

— Parce que c'est ridicule, Shelby. Ce dont tu parles ne peut pas arriver. Il faut que tu comprennes. Même si je le voulais, et je répète que je ne le veux absolument pas, les vieilles femmes comme moi ne peuvent pas s'amuser à ramasser des adolescents dans la rue et à les installer dans leurs chambres d'amis.

— Tu « peux » faire tout ce qui te chante. Tu es Candace Jack !

— Je t'en prie, Shelby. Tu me rappelles ton père, quand tu dis des choses pareilles.

— Papa, il dit que je lui rappelle Grand-père, quand je parle comme ça.

— En effet, mon frère aurait pu le dire en se référant à ma personnalité. Il n'aurait pas insinué que simplement parce que je suis riche et respectée, je…

— Et redoutée, ajoute-t-elle entre ses dents.

J'ignore sa provocation.

— … je serais dispensée de suivre les mêmes règles morales que tous les autres.

— Papa dit que c'est l'un des avantages de la richesse.

— Ah… - Je me masse les tempes. L'une de mes soudaines migraines « Cameron » vient d'apparaître. - Je suis sûr qu'il le dit et le pense. Sur le simple plan de la légalité, je ne pourrais pas faire ce que tu me demandes.

— Je comprends. Il faut que tu obtiennes la permission de leur mère. - Le sourire est revenu. Elle s'élance sur moi, me prend par la main. - J'ai une meilleure idée ! Au lieu de les rencontrer, eux, parle avec leur mère.

Je la regarde en secouant la tête.

— Viens. Allons faire un tour.

Nous descendons le chemin qui conduit à la route. Elle a gardé ma main dans la sienne et se met à la balancer d'avant en arrière comme lorsqu'elle était petite et que nous effectuions les mêmes promenades qu'aujourd'hui, et pendant un instant mes yeux brûlent de larmes que je veux pas et que je ne comprends pas.

J'ai été trop sentimentale, ces derniers temps. J'ai peur que cela soit un autre aspect, aussi incontrôlable qu'horripilant, du vieillissement.

— Tu comprends pas, pour leur mère, continue Shelby. Elle est tout bonnement atroce, elle…

— Elle ne peut pas être si mauvaise que cela, voyons.

— Oh si !

— J'ai appris qu'elle avait quitté leur père pour un autre en laissant les garçons derrière elle mais enfin, tu ne sais pas tous les détails.

— C'est pas seulement ça ! proteste-t-elle. Je la connaissais avant qu'elle parte. Et je viens de la revoir, à l'enterrement.

— Qu'est-ce qu'elle aurait donc fait de si terrible ? Elle les battait ? Elle a négligé de les nourrir ou oublié leurs rappels de vaccination ? C'est une alcoolique ?

— Tout ça, je sais pas. Je ne pense pas, non. Mais elle est… méchante. Et égoïste.

Je ris lugubrement.

— Tu viens de décrire la grande majorité de la race humaine.

— Non... – Elle secoue la tête. – Oh, si seulement j'arrivais à te faire comprendre ! – Elle me dévisage de ses yeux sombres et suppliants. – Tu es la seule qui serait capable de la remettre à sa place.

— N'essaie pas de me manipuler.

— OK, dit-elle d'une voix boudeuse. Mais c'est trop dur de voir quelqu'un qu'on aime bien avec une mauvaise mère. Surtout quand on en a une bonne soi-même.

Je pense à Rae Ann, à la jolie, inconsistante, exaspérante, prétentieuse, gâtée et malavisée Rae Ann. Elle a ses défauts, ô combien, mais ne pas s'occuper de ses enfants n'en fait pas partie.

— Tu me comprends, n'est-ce pas ? reprend Shelby. Toi, tu as eu une bonne mère, non ?

— Oui, certes.

— Comment elle était, mon arrière-grand-mère ?

Sa question me prend au dépourvu. Je ne me rappelle pas que ni elle ni ses sœurs m'aient jamais interrogée sur le compte de mes parents. Quand il était petit, Cameron l'avait fait, lui, parce que son père ne faisait jamais aucune allusion à eux.

— Tu sais qu'elle est morte quand j'étais très jeune. Je n'avais même pas l'âge que tu as maintenant.

Elle hoche la tête avec solennité.

— Ça doit être la pire chose au monde.

— Ça l'a été.

Je prends le temps de rassembler mes idées. Ma mère a cessé depuis longtemps d'être quelqu'un que je puisse décrire aux autres. Je n'arrive pas à me rappeler la tonalité de sa voix ni le parfum de sa peau, ni même aucun de ses traits physiques hormis une cicatrice rose qu'elle avait sur une main et dont j'avais l'habitude de suivre le tracé quand elle me prenait sur ses genoux et me berçait pour m'endormir, et aussi ses cheveux très longs qu'elle détachait chaque soir avant le coucher, les laissant tomber jusqu'à sa taille en une cascade cuivrée que je contemplais, fascinée. Pour moi, elle symbolise une certaine époque de ma vie, un temps de difficultés et de dénuement qui a pourtant été plus paisible et chérissable que tout ce que j'ai connu par la suite, un temps où je me sentais protégée et encore autorisée à espérer.

— Nous étions très pauvres, dis-je à Shelby. Ce dont je me souviens surtout la concernant, c'est qu'elle travaillait sans cesse et qu'elle était toujours fatiguée.

— Mais tu savais qu'elle t'aimait ?

— Oui. Je le savais.

Nous continuons à marcher en silence. Mes yeux parcourent machinalement les coteaux verdoyants à la recherche de Ventisco, bien que je sois sûre que ma quête ne donnera rien. Nous ne le verrons pas si près de la maison. C'est une créature sauvage qui vit au milieu d'êtres apprivoisés. Il se tient à l'écart non par peur, ni même par répugnance, mais simplement parce qu'il n'a pas besoin de nous.

Je me décide à lui poser une question :

— Ce garçon, il te plaît ?

— Nous sommes amis, c'est tout, répond-elle, mais la légère rougeur sur ses joues ne m'échappe pas.

— Et l'autre, tu l'aimes bien ?

La rougeur s'accentue.

— Je les aime bien tous les deux.

Elle s'arrête brusquement et me regarde droit dans les yeux. Dans les siens, je vois une attente intense, sincère.

— Je ne peux pas t'expliquer, Tante Candace. C'est juste que s'ils vont vivre avec elle, je sais qu'elle les détruira.

Tout en l'écoutant et en la regardant, je surprends quelque chose dans le champ derrière elle. Une ombre noire et lourde est sortie du sous-bois. Elle secoue la tête à plusieurs reprises, puis s'ébranle dans un trot placide, l'amble.

— Regarde, dis-je tout bas.

Elle se retourne devant la barrière pour faire face aux collines dans le lointain.

— Je le vois ! chuchote-t-elle, tout excitée.

Argenté par les rayons du soleil, le taureau lève la tête comme s'il l'avait entendue. Il s'immobilise ; un magnifique bloc d'ébène vivant qui n'obéit qu'à sa volonté.

— Qu'il est beau, murmure Shelby.

4

MON FRÈRE, QUI A GRANDI PAUVRE ET VOLONTAIRE, a eu un fils qui n'a connu que la richesse et l'indécision.

C'est un phénomène dont j'ai été témoin à maintes reprises et, franchement, je ne suis jamais arrivée à vraiment comprendre comment des hommes bourrés de dynamisme et de détermination ayant réussi à la force du poignet échouent aussi lamentablement et inévitablement dans l'éducation de leurs enfants. Je crois qu'une grande partie de leur problème réside dans le fait qu'ils sont déchirés entre les valeurs morales qui les ont emmenés au succès et celles qu'ils ont embrassées une fois parvenus à leur haute position. Ils prônent les unes tout en se comportant selon les autres. Et, comme chacun sait, les actes priment les mots, surtout quand ces derniers ont une charge critique alors que les premiers aboutissent à une suite ininterrompue de récompenses non méritées.

Il suffit d'un peu de bon sens pour comprendre que personne ne peut défendre l'éthique du travail acharné et de la nécessité de faire sa place au soleil tout en payant à son fils une voiture de sport d'un prix extravagant dès que celui-ci atteint ses seize ans et attendre ensuite qu'il se débrouille tout seul. Comment prêcher l'honnêteté et le sens moral et puis, lorsque le fils en question vient quémander son aide parce qu'il a abusé sexuellement de la fille adolescente de l'un des mineurs employés par l'entreprise familiale, acheter d'abord le silence du père, attendre que la menace du scandale se dis-

Il ressemble tellement à Calladito que je repense instantanément à la première fois où Manuel m'avait montré Calladito à la *finca* de Carmen del Pozo. « *Éste es para mí, y yo para él* », avait-il annoncé. Celui-ci est pour moi, et moi pour lui. Sa masse musclée concentrait une si grande quantité de puissance instinctuelle qu'un mot s'était formé dans mon esprit : « la bête ». Quintessence de la bête. Quelle force au monde aurait pu la menacer ? Je m'étais dit qu'il serait plus facile pour un homme d'attaquer une mine de charbon avec un cure-dents que d'essayer de dominer cette densité animale rien qu'avec une cape et de la grâce.

J'avais déjà vu des taureaux, en Amérique, mais avec Calladito je venais d'être mise en présence d'El Toro.

— Combien de temps il va prendre la pose ?

— Il ne pose pas. Il nous a vues et il est en train de décider s'il va charger ou pas.

Comme pour confirmer mes dires, il fait un pas en arrière, baisse le museau afin de nous présenter ses cornes et frappe le sol d'un sabot plusieurs fois. Me prenant par le bras, Shelby me fait reculer de la barrière.

— Mon Dieu !

Je sens son pouls s'accélérer dans sa paume.

— Ne bouge pas. Si tu ne bouges pas, il ne peut pas te voir. Nous sommes assez loin pour qu'il nous distingue à peine.

— Mais… il pourrait défoncer la barrière ?

— Possible.

Il choisit de ne pas charger. Après avoir soufflé dans ses naseaux en guise d'avertissement, il retourne sous les arbres en prenant son temps, balançant sa tête majestueuse de droite à gauche comme un roi daignant saluer ses sujets.

— C'était… dingue, dit Shelby, toujours à voix basse.

Elle relâche la pression de ses doigts sur mon bras, et tandis que je la regarde recouvrer son calme je suis frappée par l'idée que même si l'on peut simuler l'amour et la peur comme n'importe quelle autre émotion, ce sont les deux seules qui, quand elles sont authentiques, ne peuvent être dissimulées.

sipe et, quelques mois plus tard, licencier ce même mineur, le mettre sur la liste noire, l'obliger ainsi à quitter la région avec sa progéniture ? Comment souligner l'importance de la formation intellectuelle tout en permettant à son fils de consacrer ses années d'études aux beuveries, aux coucheries et en acceptant ses résultats plus que médiocres ? Comment disserter sur la nécessité d'une approche mondialiste et laisser son rejeton se persuader que des vacances de printemps aux Bahamas ou une croisière avec escale à Cozumel sont des façons de « découvrir le vaste monde » ?

Néanmoins, la différence la plus insurmontable entre ces générations, est que le principe essentiel qui régissait l'existence des pères est entièrement absent de celle des fils : je veux parler de la lutte pour la vie. Mon frère n'était pas un saint. Il a amassé sa fortune sur le dos d'autres êtres humains, a été parfois indirectement – ou directement, dans deux cas précis – responsable de leur mort, mais il a travaillé plus dur que j'aie jamais vu personne d'autre le faire, a pris soin de sa famille et s'est toujours montré généreux pour la communauté dans laquelle il vivait.

Est-ce qu'un meurtrier peut avoir un sens moral ? Je le crois, pareillement suis-je persuadée qu'une mère, donc une femme qui donne la vie, peut avoir un cœur de pierre.

Je comprends que Cameron n'a pas été élevé comme il le fallait, que ses travers ne sont pas tous de sa seule faute, mais il arrive un moment où un jeune doit assumer les responsabilités de l'âge adulte, et la toute première est de choisir quel genre d'homme il veut être. Cameron a fait le mauvais choix.

Il me gratifie de sa présence, ce soir. Rae Ann et lui viennent d'arriver. Je ne suis pas enchantée par cette visite, c'est le moins que je puisse dire, et je soupçonne Shelby d'en être à l'origine. Pour quelle raison elle les a fait venir ici, je n'en suis pas sûre. Elle soutient que c'est une idée de sa mère, qui aurait soudain découvert que ma maison était l'endroit le plus pratique pour voir sa fille, laquelle est interne dans un collège qui se situe à une heure et demie de route à l'ouest de chez ses parents et à vingt minutes au nord-est de chez moi. Il paraît que Rae Ann a calculé qu'en retrouvant Shelby ici

elle économiserait du temps ; combien exactement, elle ne le sait pas trop. Si cette incertitude arithmétique est tout à fait elle, me rendre une visite inopinée et aucunement intéressée ne lui ressemble en rien. Et pourtant les voilà qui arrivent, émergeant tous les deux de la grosse Cadillac noire de Cameron.

Les sœurs de Shelby sont restées à leurs campus respectifs. L'aînée, Skylar, est une blonde spectaculaire et nombriliste dont le vocabulaire est aussi vulgaire que celui d'une pop star mal embouchée. Starr, la cadette, est l'enquiquineuse en chef : celle qui expédie ses voitures neuves dans le fossé et fume des substances interdites, celle que l'on surprend toute nue dans le lit de ses parents avec un garçon avant ses dix-sept ans. Le même tempérament querelleur que son père, la même blondeur que Rae Ann et Skylar, mais sans leur touche de glamour tape-à-l'œil. Dans la Trinité des blondasses, elle est le troisième élément : la mère, la fille et la Sainte Terreur.

— Hey, Tante Candy ! crie Rae Ann en agitant violemment un bras tout en serrant sous l'autre son hideux chihuahua.

J'essaie de mouvoir mes muscles faciaux pour composer ce qui ressemble à un sourire, mais je crains que le seul résultat soit une grimace. Dans ma vie, il n'y a que trois êtres que j'aie jamais autorisés à m'appeler « Candy », et Rae Ann n'en fait aucunement partie. Cela étant, j'ai renoncé à la convaincre d'utiliser mon prénom complet, car c'est le genre de personne qui se croit obligée de donner un petit surnom à n'importe qui.

Shelby dévale le perron en bondissant.

— Tu as amené Baby ! glapit-elle, transportée.

Comme c'est trop pénible à regarder, je préfère saluer mon neveu.

— Bonsoir, Cameron.

— 'soir, Tante Candace.

Il s'approche de moi, lourdement. Depuis qu'il a été malade et qu'il a perdu du poids, sa démarche est moins pachydermique mais elle gardera toujours la lenteur pesante de l'homme qui se juge trop important pour se hâter vers qui

que ce soit. L'an dernier, il a eu une greffe du rein qui s'est déroulée sans encombre. Quelques jours avant l'opération, il est passé me voir, et dans mes souvenirs c'est la seule circonstance depuis qu'il était enfant où j'ai vu de la peur sur son visage. Agréablement surprise, je me suis rendu compte que ce n'était pas la mort qui l'effrayait, mais l'avenir de l'empire bâti par son père. Il ne voulait pas me le laisser, parce qu'il ne m'aime pas et estime que Stan m'a déjà donné bien plus que ce que je méritais. Le léguer à Rae Ann serait comme de confier une propriété viticole à un Esquimau. Shelby, la seule de ses filles à donner l'espoir de devenir quelqu'un, est bien trop jeune pour se retrouver à la tête d'une fortune aussi considérable, et d'ailleurs il est comme tous les rois : pour lui, la progéniture féminine n'est rien de plus qu'un appât susceptible d'attirer dans la famille les fils d'autres magnats, lesquels l'aideront à gérer ses affaires jusqu'à ce que ses petits-enfants mâles prennent le relais. Il n'a jamais envisagé que l'une de ses filles puisse devenir une reine.

— Tu as l'air en forme, ma tante, dit-il en me donnant une accolade mollassonne.

— Toi aussi. Comment te sens tu ?

— Mieux que jamais ! clame-t-il, et il frappe son torse volumineux emprisonné dans un polo à rayures pastel que Rae Ann a dû choisir pour lui, j'en suis certaine, de même que son pantalon en toile beige.

Quand il sourit, j'ai brièvement l'image de Stan devant les yeux. Par le passé, cette ressemblance m'a toujours empêchée de le détester entièrement ; désormais, c'est l'une des raisons que j'ai de le faire.

— Très bien. Viens donc t'asseoir.

Nous nous installons sous le porche. Le crépuscule s'étend peu à peu dans la vallée. Le ciel est strié de rose et d'orangé. J'ai déjà demandé à Luis d'allumer les nombreuses bougies que je garde toujours là et leurs petites flammes vacillent dans les globes en mosaïque aux teintes de pierres précieuses, dispersant des éclats de lumière colorée comme le ferait un vitrail d'église cassé.

Shelby et sa mère nous rejoignent. Rae Ann est resplendissante dans un ensemble-pantalon couleur menthe, à bordures blanches et à manches courtes, qui met en valeur son bronzage et sa silhouette. Quand elle se penche pour me donner un simulacre de baiser, je me retrouve face à face avec Baby, cette bestiole lilliputienne frissonnante qui, soutenue par sa main manucurée, me fixe de ses yeux globuleux.

— Tenez, dit-elle en me le tendant après s'être redressée. Parlez-lui dans sa langue maternelle.

— Je ne parle pas le rat.

— Je voulais dire en espagnol, précise-t-elle en gloussant.

— *Tú eres el bicho mas feo que hay en el mundo.*

Shelby me lance un regard désapprobateur. Elle a appris suffisamment d'espagnol au lycée pour deviner le sens général.

— Qu'est-ce que vous avez dit ? s'enquiert Rae Ann.

— Gentil chien-chien.

— Ooooh ! roucoule-t-elle en plaquant l'animal contre son cou. Tu entends ? Tu es un bishow masse feyo ! Et maintenant, va t'amuser mais ne t'éloigne pas, compris ?

Elle le pose par terre. Il oscille sur ses pattes tremblantes avant de s'écarter en quelques pas hésitants.

Luis sort de la maison, habillé comme un plagiste d'opérette avec une chemise tropicale à lys blancs sur fond rouge cramoisi, un pantalon blanc et des sandales. Il prend soin de ne pas croiser mon regard, par crainte de se mettre à rire.

— *Buenas noches, señor Jack, señora Jack.*

— Buenas tout ce que vous voudrez, Louis, répond Cameron d'un ton dégoûté.

— Voyons, Cam ! s'exclame Rae Ann en décochant une tape facétieuse sur le genou grassouillet de son mari.

Elle-même adore entendre parler espagnol. Cela lui rappelle son coin, Miami.

— *Buenas noches, Luis*, répond-elle avec un adorable sourire que l'intéressé paraît apprécier.

— Puis-je proposer des boissons ? dit-il en abandonnant les hispanités mais en conservant un fort accent juste pour charmer Rae Ann, qui en effet s'extasie :

— À chaque fois que je vous entends, je repense à chez moi. Ah, il faut rester dans la note ! Je prendrai un mojito.

La bouche de Cameron se tord comme s'il s'apprêtait à cracher.

— Bourbon, monsieur Jack ? propose Luis.

— Ouais.

— *¿ Y usted, señorita ?*

— Je peux avoir un mojito aussi ? demande Shelby à sa mère.

— Mais non, c'est trop fort ! Prends un daïquiri.

— Et vous, Miss Jack ? – Il prend toujours garde d'éviter mon regard. – Je vous apporte un lait chaud ?

Je vois ses lèvres frémir sous sa grosse moustache grise tandis qu'il contient son hilarité.

— Bourbon pour moi également, Luis. Un double.

— *Bueno.*

— Quel adorable petit vieux ! chuchote Rae Ann dès qu'il est hors de portée de voix.

Je souris intérieurement, parce que cette caractérisation de son âge et de sa taille ne pourrait être plus exacte. Quand il revient avec nos verres, Luis présente aussi un bol d'aïoli qu'il prépare lui-même, une ciabata coupée en morceaux et des olives dans un ramequin bleu. Le bavardage peut commencer.

Rae Ann ne veut parler que de leurs maisons. Ils en ont trois, une ici, une à New York et une en Floride. Tout en se pliant à la volonté de Cameron de continuer à vivre dans une petite ville de la Pennsylvanie rurale, près de la source de la fortune paternelle, elle a posé pour condition qu'ils puissent aussi passer une partie de l'année « là où vivent d'autres gens riches » et « là où il y a plein de soleil ». Je dois lui reconnaître que, de tous les endroits du pays où se concentrent les riches, elle a choisi le seul digne d'intérêt, New York ; quant à sa deuxième exigence, il faut dire qu'elle appartient à une espèce rare, celles des Floridiens d'origine, et non d'adoption, et je ne puis lui reprocher d'avoir de temps en temps besoin de migrer vers son territoire d'origine. Elle est poussée par un instinct plus fort que le bon sens et le bon goût : l'ambre solaire lui coule dans les veines.

Pelotonnée sur le divan à côté de sa mère, Shelby sirote un daïquiri rouge et mousseux dans lequel Luis n'a mis spécialement pour elle que peu de rhum. Elle est inhabituellement silencieuse. Ce moment était censé leur donner la chance de se parler, elle et ses parents, mais le contact ne s'établit pas. Elle trempe des morceaux de pain dans l'aïoli pour elle et sa mère et engloutit des olives sans discontinuer.

Tout aussi mutique, Cameron ne goûte à rien. Il est tendu, distrait, impatient, mais finit par se forcer à me prodiguer une attention obséquieuse. Avec un sourire de représentant de commerce, il s'enquiert :

— Alors, qu'est-ce que tu as fait de beau dernièrement, Tante Candace ?

— Je me suis occupée à ma manière.

— Ha, ha. À ta manière…

Il se passe les mains dans les cheveux, les remet soigneusement en place sur les côtés pour qu'ils forment à nouveau un casque en étain impeccable sur son crâne, un tic que je lui connais bien.

— Alors, il paraît qu'il y a eu un peu de malheur, par ici…

Je me creuse la mémoire, cherchant en vain quelque événement funeste survenu récemment. Je ne vois rien d'autre que sa présente visite.

— Mais encore ?

— Ce type qui s'est tué en conduisant soûl comme une bourrique.

— Ah, oui. Shelby est allée à son enterrement.

— Quelle horreur, l'alcool au volant ! – Rae Ann affecte un air offensé tout en s'emparant de son troisième mojito. – Il a de la chance de n'avoir tué personne d'autre ! Ou bien si ? Il a tué quelqu'un ?

— Non, répond Shelby.

— Et toi, tu n'es pas allée à son enterrement ? m'interroge Cameron.

— Certainement pas. Je ne le connaissais pas du tout.

— Intéressant… Pas du tout, tu dis ?

— Mais non. Shelby est amie avec ses fils.

— Shel a mentionné un truc, comme quoi tu prendrais ces gamins ici. Qu'ils viendraient vivre avec toi.

Je lance à ma nièce un regard désapprobateur qui la fait se tasser un peu plus sur son siège.

— Absurde ! Shelby a évoqué le sujet, mais je lui ai dit que c'était exclu. Et il m'avait semblé qu'il s'agissait d'une conversation strictement entre nous.

Je la regarde encore. Cette fois, elle hausse les épaules.

— Shel avait l'air de penser que tu y réfléchissais.

— C'est grotesque.

— Bien. Très bien, vraiment. – Il fait signe à Luis de lui servir un autre bourbon. – Parce que, bon, peut-on imaginer pire pour deux ados que d'habiter ici, avec toi ?

Je me redresse sur ma chaise, pose mon verre sur mes genoux et fixe l'impertinent.

— Oui, je peux imaginer pire.

— Enfin, je veux dire que… Qu'est-ce qu'ils feraient, ici ? C'est comme un couvent, mais sans nonnes.

— Et avec des nonnes, ce serait mieux ou pire ?

Il me dévisage bêtement. Je l'ai désarçonné. Il met quelques secondes à reprendre ses esprits :

— Je parle du règlement, ici. Les interdictions, les cours de morale, cette obsession bizarre que tu as pour tout ce qui est espagnol, les taureaux, cette mayonnaise merdique qui empeste l'ail, les petits vieux hispaniques… Et ta froideur, et ton amertume. Ce sont des garçons. S'ils doivent vivre avec une femme, que c'en soit une qui puisse s'occuper d'eux, les aimer, leur donner de l'affection. Pas toi, bon Dieu…

— Arrête, Papa, s'interpose Shelby. Klint et Kyle ne sont pas des bébés.

— Eh, tu ne peux même pas être gentille avec un chien ! insiste Cameron en élevant encore la voix et en montrant d'un geste véhément Baby, revenu entre-temps se coucher sur les genoux de Rae Ann. Un petit chien qui ne fait rien de mal !

— Euh, Cam, je trouve que tu es un peu dur avec ta tata,… ta tante. – Rae Ann glousse, pompette. – « Ta tata », j'ai failli dire !

J'adresse un sourire bienveillant à son mari.

— Ta sollicitude envers ces garçons est admirable, Cameron. Tu aimerais peut-être leur procurer toi-même un toit ?

— Oh non ! fait Rae Ann en pouffant encore. Je saurais jamais comment m'y prendre, avec des garçons ! Enfin, si… Mais ça ne serait pas légal. Hein, que ce ne serait pas légal ?

— Ne te mêle pas de ça, lui jette Cameron avant de revenir à moi. Je voulais seulement m'assurer que nous étions bien sur la même longueur d'onde.

— Et quelle onde ce serait, au juste ?

— Que tu ne laisseras pas ces gamins vivre ici.

— Pour la simple raison que tu m'estimes incapable de leur offrir un cadre épanouissant ?

— Ce ne sont pas des choses qui se font, d'accord ? Ramasser des moins-que-rien dans le caniveau. Ce n'est pas… convenable.

— Alors, il n'y a pas d'autre raison ?

— Écoute, mes raisons importent peu. Je n'ai pas à t'en donner. Ces gosses n'habiteront pas ici. Je l'interdis.

— Pardon ?

— J'ai dit que je l'interdis. Je suis le chef de famille, et je m'y oppose.

Un silence très soudain et très lourd s'installe. Personne ne bronche. Même les crapauds et les criquets ont interrompu leur concert nocturne.

Je me lève avec lenteur. À cause de mes genoux arthritiques, je ne suis plus capable de bondir sur mes pieds mais, la douleur mise à part, cet inconvénient m'a conduite à adopter des mouvements d'une insigne dignité.

— Dans cette famille, Cameron, tu occupes une place exactement opposée à celle que tu viens de revendiquer. Je n'ai pas besoin de la nommer. Et maintenant, si vous voulez bien m'excuser, je suis vieille et lasse, je vais me coucher.

Vieille, assurément, mais je ne suis pas du tout fatiguée et je n'ai pas l'intention d'aller au lit. Parmi les rares avantages que confère un âge avancé, il y a celui de justifier nombre d'excentricités, anodines, comme l'envie de quitter prématurément une réunion familiale ou de se draper dans du cachemire, voire un brin plus inattendues, par exemple précipiter son automobile dans le salon d'un inconnu ou chiper une pendule dans une bijouterie.

Rae Ann ne se lève pas, parce qu'elle répugne à réveiller le rat qui somnole dans son giron. Shelby, son indiscrétion venant d'être révélée, n'ose pas venir me dire bonsoir. Quant à Cameron, c'est simple : il n'a aucune manière.

— Rappelle-toi ce que j'ai dit, lance-t-il dans mon dos.

— C'est promis, je ne l'oublierai jamais.

Je traverse le hall jusqu'au pied de l'escalier, rencontrant Luis qui se tient là avec son plateau et tente de me laisser croire qu'il n'était pas à l'instant sur le pas de la porte, en train de nous écouter.

— Tante Candace ! crie Shelby derrière moi.

Elle m'a suivie, finalement. Elle a plus de courage que je ne le pensais. Je l'ignore, de même que je fais comme si je n'avais pas vu Luis, et je commence à gravir les marches. Je risque un seul coup d'œil par-dessus mon épaule. Il vient de chuchoter quelque chose à l'oreille de ma nièce, qui lui offre un sourire éclatant, une petite révérence, et lui dit sur le même ton de conspirateur :

— *Muchas gracias.*

5

KYLE

ELLE VA NOUS DEMANDER COMMENT ON VA, cette sorcière sipho-
née, cette horrible vieille, la tante de Shelby. En nous regardant d'un air apitoyé comme si on était deux chats de
gouttière affamés, elle va dire en articulant chaque mot, lentement, pareil que si elle s'adressait à des débiles mentaux :
« Comment allez-vous, les garçons ? » Elle va peut-être même
essayer de nous toucher : une tape sur l'épaule, un début de
poignée de main ou, dinguerie totale, une accolade.

Je sais pas comment je vais réagir, puisque j'avais déjà
décidé que je péterais les boulons la prochaine fois que
quelqu'un me demanderait comment je vais. Comment ?
Super-mal, merci. Mon père est mort. Ma mère me force à
aller vivre avec elle dans un bled pourri tout en me faisant
sentir en permanence qu'elle ne peut pas me souffrir. On
croirait que je lui ai fait un sale coup, sauf que cette fois je
suis sûr que non. À part ça, mon frère a vraiment pété les
boulons, lui : il parle jour et nuit de se tirer, et du même coup
de tirer un trait sur son grand rêve et sur tout son avenir. Ma
petite sœur me regarde comme si j'avais commis un crime
atroce sans que je sache de quoi il s'agit. Bill boitille autour
de nous avec une tête de six pieds de long et passe des heures
sur la véranda devant son jardin sans rien faire, pas même
boire une bière, ce qui est très, très inquiétant.

Je n'arrive pas à me concentrer pendant mes cours, je ne
peux même pas regarder la télé. Il va falloir que je laisse derrière moi tout ce que j'aime et tout ce que je connais. Maman

ne me permet pas d'emmener Mister B avec nous. Elle dit que Jeff est allergique aux chats. Bon, je sais que Bill s'occupera de lui et que sa vie ne sera donc pas bouleversée. Pas comme la mienne. Mais au risque d'avoir l'air idiot en disant ça, je suis certain qu'il s'est attaché à moi, ce chat. Non seulement je vais lui manquer mais le pire, c'est qu'il va se demander pourquoi je suis parti, il va se dire qu'il a fait quelque chose de mal pour que je le déteste. Autrement, pourquoi je l'abandonnerais ? On peut pas expliquer à un chat des trucs comme l'Arizona et Jeff.

Comment je vais, alors ? Bien, je réponds à ceux qui me le demandent, parce qu'ils ont envie d'entendre ça et rien d'autre. Surtout pas la vérité. Ils posent la question mais ils se fichent de la réponse. La plupart d'entre eux me connaissent même pas. Si mon père ne venait pas de mourir dans un accident qui a fait pas mal de bruit par ici, ils ignoreraient que j'existe. Ils continueraient à me croiser dans les couloirs sans me voir.

Le jour où le principal adjoint a annoncé à l'école que Papa s'était tué, il y a eu une queue de deux kilomètres devant le bureau du conseiller d'orientation, des dizaines de mecs et de filles qui voulaient parler de leur « chagrin » à quelqu'un. Ils étaient tellement cassés par ce qui nous était arrivé, à Klint et à moi, qu'ils n'avaient plus la force d'aller en classe, les pauvres, ce qui tombait très bien puisque la plupart des profs étaient trop « traumatisés » pour faire cours et qu'ils ont passé toute la journée dans leur salle à boire du café, bouffer des beignets et échanger des ragots avec leurs collègues aussi « effondrés » qu'eux, chacun essayant de trouver la force de continuer à vivre…

Je commence à ne plus pouvoir supporter toutes ces singeries. La majorité des gens s'obstinent à faire semblant d'être ce qu'ils ne sont pas. Pourquoi ? Si on cherche à se présenter d'une certaine manière, c'est qu'on estime que c'est ainsi qu'il faut être, alors pourquoi ne pas être comme ça tout de suite et arrêter les simagrées ?

D'un autre côté, il y a des gens tellement super, qui ont de tellement bonnes vibrations qu'on finit par oublier tous les abrutis. C'est vraiment incroyable, comment deux ou trois personnes correctes arrivent à vous protéger de millions de crétins. Des fois, je me demande ce que ça serait, de ne pas avoir un seul être sympa dans sa vie, pas un... C'est comme ça que se fabriquent les fous dangereux, je crois.

On est censés partir avec Maman après-demain, Klint et moi. Elle a loué chez U-Haul une petite remorque qu'on a attachée à sa voiture. Elle dit que c'est notre seule chance de prendre nos affaires avec nous, qu'il faudra renoncer à tout ce que nous laisserons derrière. Bill va se charger des trucs qui étaient à Papa, vendre les meubles, la télé et le micro-ondes. Il nous donnera l'argent. Tante Jen a proposé de l'aider.

Je suis partagé. D'un côté, je voudrais tout laisser et essayer d'effacer les quatorze premières années de ma vie ; d'un autre, je me rends compte que je deviendrai dingue sans mes affaires et mes souvenirs. Mais je n'ai encore rien préparé, et Klint non plus.

Mon frère va dans le sens inverse, lui : au lieu de trier ses trucs et de les compacter dans les cartons vides que Tante Jen nous a apportés du magasin Bi-Lo, il s'étale. Il éparpille ses fringues et les assiettes sales dans le living. Il a même laissé des chaussettes de sport puantes et un protège-couilles juste sur la table basse, à côté des cornes de chevreuil en chrome toutes tordues qui viennent du pick-up de Papa : si c'est pas un message, ça, je n'y connais rien, même si je ne vois pas trop à qui il l'envoie puisqu'il n'y a plus que nous deux, ici.

Tout ça est irréel. Demain, c'est mon dernier jour d'école à Centresburg High alors que les cours ont recommencé il y a seulement trois semaines. Quand j'ai demandé à Maman à quel bahut le proviseur devrait transmettre nos dossiers scolaires, elle m'a répondu qu'on s'occupera de ça une fois en Arizona. Ça ne me plaît pas du tout. Je n'ai pas envie de manquer trop d'école, prendre du retard sur le programme et bousiller ma moyenne. Pas que je sois l'élève modèle, le bûcheur ou le lèche-cul typique. J'ai des bonnes notes mais je ne fais pas exprès. Je suis intelligent, c'est tout. Et j'aime plutôt l'école, en fait. Je ne le dirai jamais à personne, surtout pas à Klint, qui hait tout du lycée à part le base-ball, ni à mes potes qui détestent tout à part la cafétéria et l'atelier de menuiserie, ni à Maman qui a eu elle aussi horreur de l'école (comme Papa, lui, qui n'aimait que les cours de base-ball), les garçons de l'équipe de base-ball et un certain prof de maths exceptés, qu'elle n'a jamais eu parce qu'il n'enseignait qu'aux étudiants plus âgés mais qui apparemment était beau mec et avec qui elle est sortie, tout comme Tante Jen. Aujourd'hui, il se serait retrouvé en taule pour ça mais d'après ce qu'elles racontent toutes les deux c'était assez courant à leur époque.

La vérité toute simple, c'est que j'aime apprendre. Je reconnais que la plupart des cours sont chiants et que la majorité des profs sont assez nuls, mais des fois, au moment où je m'y attends le moins, je tombe sur une nouvelle idée, ou une donnée historique, ou un fait scientifique qui m'hallucine.

Malheureusement pour moi, réussir dans ses études ne rend pas les gens avec qui je vis admiratifs. Pour tous ceux que je connais, être intelligent, c'est être frimeur. J'ai longtemps caché mes bulletins de notes à mes parents, non parce qu'ils étaient mauvais mais parce qu'ils étaient bons. Je n'avais pas envie qu'on se moque de moi, qu'on dise que je me croyais au-dessus des autres, et puis ça leur donnait l'occasion d'évoquer fièrement leur passé scolaire foireux, d'expliquer comment Papa avait montré à ce fils de pute de M. Hickey à quel point il le détestait en séchant ses cours, en ne se présentant pas à l'examen final et en étant obligé de recommencer le programme l'année suivante, ou comment Maman s'était pris un D en littérature parce que c'était la dernière heure de la journée et qu'elle préférait quitter le bahut pour aller fumer avec ses copines, au point qu'elle avait dû suivre les cours de rattrapage pendant l'été.

J'ai toujours été gêné par le ton triomphant et amusé avec lequel ils racontaient ces histoires. Je n'arrivais pas à comprendre en quoi se rendre la vie plus difficile et limiter son avenir pouvait être considéré comme une prouesse. Et puis j'ai fini par découvrir pourquoi ils avaient l'air si contents d'avoir foiré, et si déçus de me voir réussir à l'école : ridiculiser ceux qui se débrouillent mieux que vous, c'est beaucoup plus facile d'admettre que quelque chose cloche chez vous et d'essayer d'arranger ça. Mais cette découverte ne m'a rien apporté. Elle m'a juste amené à me cacher un peu plus.

Klint continue à affirmer qu'il ne partira pas avec Maman. Il dit qu'à moins de s'être sérieusement entraînée à la boxe, elle n'a aucun moyen de le forcer à monter dans sa voiture. Il a déjà un petit boulot à la laiterie Hamilton's. D'après lui, si Bill le laisse crécher chez lui pendant un moment, il devrait avoir de quoi payer sa bouffe et même participer au loyer ; et si Maman lui crée des ennuis en impliquant les flics ou les services sociaux, il décampera et personne n'entendra plus jamais parler de lui.

Il ne m'inclut pas dans ses plans mais il ne dit pas non plus qu'il me laissera m'en aller avec Maman. Je crois qu'il veut me donner la liberté de choisir tout seul, ce que j'apprécie parce que jusqu'ici il ne m'a jamais traité en adulte. Le problème, c'est qu'il me présente un choix impossible : si je pars avec notre mère, il ne m'adressera plus la parole de sa vie ; si je reste, on finira par devoir s'enfuir et Klint bousillera toutes ses chances de devenir un grand nom du base-ball. Maman ne nous laissera jamais vivre avec Bill ou avec qui que ce soit. À ce stade, ça va bien plus loin que le devoir maternel : entre Klint et elle, c'est une lutte à couteaux tirés.

Shelby a un plan. L'un des trucs les plus cinglés que j'aie jamais entendus, mais puisque tout est devenu aussi surréaliste je me dis : pourquoi pas essayer encore quelque chose qui n'a aucune chance de marcher ? En plus, ça implique un repas chaud le soir et la possibilité de voir Shelby plus souvent et plus longtemps.

En fait, son plan me file les boules. Elle veut que nous allions habiter avec sa tante, Klint et moi. Bon, je peux toujours soutenir que je n'arriverai jamais à convaincre mon frère de s'embarquer dans un machin pareil, mais pour être honnête j'ai entendu assez de trucs pas nets sur le compte de cette Candace Jack pour ne pas être tenté par cette idée, moi-même. C'est une vieille folle qui vit toute seule dans une immense baraque et ne sort presque pas, tellement elle déteste tout le monde. Jamais mariée, jamais eu d'enfants. On dit que c'est parce que aucun homme n'a osé s'approcher d'elle, vu qu'elle est laide à faire peur.

Elle est bourrée de fric, aussi. Son neveu, le père de Shelby, c'est Cam Jack, le patron des Houillères J&P, et on peut pas dire qu'il soit très populaire, par ici. Il y a eu des tas d'accidents dans ses mines. Quand j'étais gosse, dix-huit mineurs ont perdu la vie dans l'explosion de Beverly. Quelques années plus tard, à Josephine, près de Jolly Mount, cinq hommes se sont fait attraper dans un éboulement, on a réussi à les sortir, ils sont devenus des vedettes nationales pendant un moment, on disait qu'ils allaient attaquer Cam Jack en justice mais au final l'histoire s'est tassée sans que personne sache exactement pourquoi, mais tout le monde a soupçonné que c'était parce que Jack avait réussi une de ces entourloupes que seul un type très riche et entouré d'une tonne d'avocats arrive à faire sans s'attirer de sérieux ennuis.

Lorelei, la mine J&P dans notre coin, a fermé depuis longtemps. Papa y a travaillé quelques années, Bill jusqu'à ce qu'il s'esquinte la jambe. C'était la principale source d'emplois dans la région, mais malgré la crise que sa fermeture a provoquée je trouve très bien que ça se soit produit, parce que si les jeunes doivent s'en aller après le lycée pour trouver du boulot ailleurs, au moins ça n'en sera pas un où ils se feront tuer ou estropier.

Voilà ce que je sais sur Candace Jack. Ça, et les histoires qui circulent à propos de son taureau. Il y en a qui disent que c'est toujours le même depuis cinquante ans, d'autres affirment que c'est impossible et qu'elle en achète un nouveau dès que le précédent meurt. D'autres encore prétendent que c'est un démon en forme de taureau qu'elle a créé avec l'aide de Satan, qu'il est gigantesque, noir comme le charbon, et qu'il a tué plein de gosses qui s'étaient faufilés sous les barrières de la vieille pour s'aventurer sur ses terres. Qui étaient ces gosses, personne ne sait. Ils venaient d'ailleurs, apparemment. Et on ne retrouve jamais leur corps parce que à chaque fois Candace Jack retire les cadavres sanguinolents des cornes immenses du taureau, les rapporte chez elle et les bouffe avant de jeter les os dans une fosse au fond de sa cave.

Ce soir, d'après Shelby, c'est du poulet qu'il y aura au dîner.

Pour l'occasion, nous avons emprunté son pick-up à Bill. Papa et Klint économisaient depuis longtemps chacun de leur côté pour que mon frère s'en paie un. Papa avait un compte épargne spécial pour ça, avec quelques milliers de dollars dessus, mais après sa mort on nous a dit qu'on ne pouvait pas y toucher, parce qu'il n'a pas laissé de testament et que donc l'État va d'abord prendre tout l'argent qu'il avait en banque – y compris les 524,66 dollars de son compte courant, appliquer des tas d'impôts sur ces sommes et décider enfin ce qui doit revenir à ses enfants. Il avait aussi un plan retraite à Burke Pharmaceuticals, mais comme il est mort à quarante ans, et non à soixante-cinq, son employeur rafle tout. Et non seulement il n'avait pas de testament mais pas d'assurance vie non plus, ni d'assurance sur l'hypothèque de la maison ; sans doute qu'il trouvait que c'était du fric fichu en l'air.

Klint n'a pas dit un mot de tout le trajet, et moi non plus. Je jubile en silence. J'ai réussi l'impensable, je suis arrivé à le convaincre de venir dîner avec Shelby et sa tante. Je m'y suis pris en lui disant que je savais pourquoi il ne voulait pas : parce qu'il avait peur d'elle, vu qu'il gobait tous ces contes à propos de la mangeuse d'enfants. Au début, il a essayé de nier et de m'envoyer balader, mais plus je l'ai embêté avec ça, plus il est devenu furax. Il m'a envoyé une claque, j'ai répondu pareil et ça a fini en vraie castagne. Au fond, je crois qu'il a décidé de venir pour à peu près la même raison que moi : c'était quelque chose de loufoque et d'entièrement inattendu qui nous permettait de quitter cette maison déprimante pour un soir, de nous distraire un moment du sort imminent auquel nous n'arrêtions pas de penser.

La baraque de Candace Jack s'est révélée aussi énorme qu'on le dit, mais pas du tout comme je l'imaginais. Ce n'est ni une villa de star de cinéma où tout est briqué et scintille, ni un sinistre château où il fait toujours froid comme ils en ont en Angleterre, ni une maison hantée avec tourelles, gargouilles et plein de fenêtres sombres. En fait, elle est en brique rouge avec les encadrements blancs, pareil que plein de bâtisses par ici, et même si elle est plus grande que mon école primaire elle n'a rien de très spécial. On se dit que le type qui l'a construite voulait s'impressionner lui-même plutôt que les autres.

Elle est perchée sur un flanc de colline à une dizaine de minutes de la route par une allée en gravier blanc qui a l'air de ne jamais devoir finir, dans un tunnel d'arbres gigantesques. Un peu sur le côté, il y a une grange peinte en rouge, sans doute la seule de tout le pays qui ne soit pas toute pelée ou avec des bardeaux manquants. La décapotable de Shelby est rouge, elle aussi, mais d'une teinte plus tape-à-l'œil. Elle est arrêtée devant le perron, petite, écarlate et brillante comme une goutte de sang.

De loin, je vois un pick-up Dodge Ram déglingué, garé face à la grange, et une vieille jeep sans toit. Les montrant du doigt à Klint, je lui dis qu'on ferait peut-être mieux d'aller se mettre là-bas, nous aussi. Il approuve. Quand je sors du camion de Bill, je m'aperçois qu'un côté de la jeep est complètement cabossé, avec des trous dedans comme si la carrosserie avait été piquée avec une lance ou criblée de chevrotines.

On revient sur nos pas en marchant juste assez vite pour ne pas rester plantés sur place, et à ce moment un grand type maigre comme un épouvantail surgit devant nous. Il a une casquette des tracteurs John Deere sur la tête, un manteau en laine à carreaux et une carabine à la main.

— On est pas des voleurs !

J'ai dit ça instinctivement, sans qu'on m'ait posé de question, ce qui me vaut un regard écœuré de Klint.

— Très bien, comme ça j'serai pas forcé d'vous abattre, répond l'échalas, sa figure recuite n'indiquant pas du tout qu'il dit ça pour rire. Z'êtes les garçons Hayes ? – On fait oui de la tête ensemble. – J'ai connu vot'père. – Il tire un petit coup sec sur la visière de sa casquette. – Condoléances.

Exactement le genre de mec que j'avais besoin de croiser : quelqu'un qui va pas commencer à nous demander comment on va.

85

— Vous avez connu Papa ? demande Klint.

— Vu en ville, des fois. Dans les bars. On s'causait un brin, d'temps à autre. – Il tend sa main. – Moi, c'est Jerry.

Klint la lui serre en premier, moi ensuite. Je demande :

— Où vous allez, avec ce fusil ?

Encore un coup d'œil atterré de Klint.

— Y a une biche qu'a été vue à huit bornes environ, plus haut sur la route. L'a une flèche dans l'cou. Beaucoup d'sang. Encore un crétin qu'a fait joujou avec son arbalète. J'vais lui épargner plus d'souffrances.

— Vous êtes un ranger du parc ?

— Nan. Ça s'passe sur les terres de Miss Jack, alors j'm'en charge pour elle.

— À huit bornes d'ici ? Elle a tant de terres que ça ?

Il tourne lentement sur lui-même, ses yeux parcourant les montagnes, les champs, les forêts autour de la maison et de la grange avant de s'arrêter sur les arbres qui bordent l'allée.

— À peu près tout ça, ouais…

— Je peux vous poser une question ?

— Vas-y.

— Qu'est-ce qui est arrivé à votre jeep ?

Il jette un coup d'œil à la portière esquintée.

— L'taureau, dit-il simplement.

— Kyle ! Klint !

Je me retourne. Shelby nous fait signe du perron.

— V'là la p'tite Miss Jack, commente Jerry. Vous feriez mieux d'y aller.

Je n'ai pas besoin qu'on me le répète. Shelby est rayonnante. Elle est toujours jolie, même quand elle est contrariée, mais dès qu'elle est contente son visage est presque trop beau à regarder. Comme le soleil.

Elle porte une robe bleue d'un tissu tellement léger qu'il a l'air de voler autour d'elle lorsqu'elle dévale les marches pour venir à notre rencontre. Le bas de la robe, parsemé de perles brillantes, flotte au-dessus de ses orteils nus dans des sandales. Ses ongles de pieds sont peints en bleu aussi.

Elle nous a demandé d'être « présentables », mon frère et moi, ce qui pour nous signifie un jean sans traces d'herbe,

des chaussures de sport pas déchirées sur les côtés, une chemise en flanelle propre sur un tee-shirt qui ne porte pas de
gros mots ou de marque de bière et une casquette de base-
ball exempte de taches de graisse, de boue, de sang ou de
peinture. Elle ne semble pas enthousiasmée par notre tenue,
pourtant, et son sourire s'estompe un instant pendant qu'elle
m'inspecte de la tête aux pieds. Elle ne fait pas subir le même
examen à Klint. Quand elle parvient à lui lancer un seul coup
d'œil, il détourne la tête et elle rougit. Toujours la même
chose, quoi.

— Tu es très élégante, lui dis-je.

— Merci. Toi, tu es… mieux que d'habitude.

Son sourire est de retour. Je me détends un peu.

— Alors c'est ça la maison, hein ? Et le taureau, il est où ?

— Ventisco ? Quelque part par là.

Je répète après elle :

— Ventisco ?

— C'est quoi, ce nom ? grommelle Klint.

— C'est espagnol. Ça veut dire… « tempêtueux ».

— Bon sang, marmonne-t-il entre ses dents.

— On se connaît depuis très longtemps mais c'est la première fois que tu m'interroges sur le taureau de Tante Candace, remarque Shelby en remontant les marches devant
nous.

— Donc, il existe vraiment ?

— Bien sûr ! Pourquoi pas ? Il y a des tonnes de gens qui
ont des taureaux dans leur ferme.

La porte, bordée de petites vitres carrées, est presque deux
fois plus haute que moi. Au centre, il y a un heurtoir en cuivre
gros comme ma tête, avec JACK gravé dessus. Shelby pousse
le battant et nous la suivons dans un hall immense qui me
donne l'impression d'entrer dans une église. Le parquet a la
couleur du miel. Sur un côté, un escalier est couvert d'un
beau tapis avec un motif de fleurs dans des teintes orange,
moutarde et chocolat. Plein de tableaux et de miroirs ouvra-
gés aux murs. Et un lustre doré aussi grand que la table de
notre cuisine pend au plafond.

Mon œil est attiré par l'une des peintures. On y voit un toréador en habit bleu ciel et or, avec des chaussettes de la couleur du sirop Pepto-Bismol contre les maux d'estomac, qui lève une cape rose et jaune au-dessus de sa tête en esquivant de justesse un gros taureau qui lui fonce dessus. Au bas du tableau, en grosses lettres noires, je lis PLAZA DE TOROS DE MADRID, GRAN CORRIDA DE LA PRENSA, et encore en-dessous un nom, MANUEL OBRADOR, suivi de deux mots entre guillemets, « EL SOLTERO ». J'aurais voulu regarder de plus près mais Shelby nous pousse dans une pièce où nous attend sa tante.

Du premier coup d'œil, je comprends que Candace Jack ne va pas pas me demander comment je vais, ni me faire des mamours, ni me réciter des formules compatissantes. C'est un soulagement, mais pas du genre qui permette de surmonter ma nervosité. Elle est debout au milieu de la pièce, très droite, sans un fauteuil ou un canapé proche d'elle bien que le salon soit rempli de meubles. On dirait qu'elle a décidé de rester comme ça jusqu'à sa mort, sans plus jamais s'asseoir.

Elle porte un chemisier en soie grise noué sur la gorge et une jupe longue noire de sous laquelle dépassent des bottes noires pointues lacées, du genre de celles que portent les sorcières, ce qui me fait penser à tous les enfants qu'elle a paraît-il mangés. Elle a des lunettes mais elle ne s'en sert pas pour l'instant : elles pendent à une chaîne dorée passée autour du cou. Elle est effrayante, c'est sûr, mais ce n'est pas parce qu'elle est laide ; en fait, elle n'est pas trop mal pour une vieille, et j'ai des sueurs froides rien qu'en imaginant ce qui arriverait si Klint était capable de lire dans mes pensées à ce moment. J'entendrais jusqu'à la fin de ma vie que je bande pour les grands-mères ; « Baise-Mamie », ce serait mon nouveau surnom, que le dernier joueur de base-ball à l'autre bout de la Pennsylvanie apprendrait au bout de quelques jours.

Mais c'est un fait qu'elle n'est pas moche. Ses cheveux sont blancs et souples, avec un reflet de neige fraîche, et ils doivent être pas mal longs, à en juger par le gros chignon enroulé sur sa tête. Je n'arrive pas à définir la couleur de ses yeux, entre gris et vert, une nuance à la fois belle et terrifiante comme celle d'un ciel d'été au crépuscule quand un gros orage se prépare.

Les mains serrées devant elle, elle me fixe avec insistance, d'un regard qui n'a rien de gentil mais qui n'est pas méchant non plus, simplement attentif et patient comme celui de Mister B. Je comprends que les gens aient la trouille d'elle. Ce n'est pas à cause de sa tête, c'est à cause de sa présence : elle est là et on a l'impression qu'il n'y a qu'elle dans la pièce.

Shelby fait les présentations :

— Voilà Klint et Kyle Hayes, Tante Candace.

Miss Jack ne fait pas un mouvement vers nous, Klint et moi ne bougeons pas non plus et nous avons l'air tous très contents de notre comportement respectif.

— C'est un plaisir de faire votre connaissance, dit-elle. Bienvenue chez moi.

— Merci, murmurons-nous ensemble.

Elle attend. Comme nous n'ajoutons rien, elle poursuit :

— J'ai pensé que nous ferions mieux de dîner tôt, puisque Shelby doit rentrer à son école ce soir. Cela vous convient-il ?

Klint répond par un haussement d'épaules.

— Sûr, dis-je.

Elle nous dévisage avec ce regard qu'elle a, et je me dis que nous venons de rater le premier examen dans la matière « Art de la conversation ».

Elle passe devant nous pour quitter le salon. Shelby m'adresse une grimace que je n'arrive pas à déchiffrer vraiment mais qui signifie que nous avons merdé. Pendant que tout le monde se hâte de traverser le hall, je m'arrête devant l'image du torero. C'est plus fort que moi. Maman disait toujours que je posais trop de questions. Apparemment, j'étais incapable de la fermer, quand j'étais gosse. Je voulais tout savoir sur tout. À quelle distance est la Lune ? Pourquoi les sucettes goût raisin n'ont pas le goût du raisin ? Est-ce que les plantes ressentent des choses ? Comment on fabrique le carton ? Pourquoi on dit « nerveux comme un chat » alors que les chats sont presque toujours très calmes ? J'ai appris à lire très tôt, avant la maternelle, sans doute parce que je voulais des réponses et que je ne pouvais les trouver que dans les livres. Ça horripilait Maman, quand je la bombardais comme ça. Papa était toujours d'attaque pour répondre, lui, mais il ne m'a pas fallu longtemps pour me rendre compte qu'il ne donnait pas la bonne réponse neuf fois sur dix.

Maman disait que je la rendais folle. Moi, je croyais que c'était juste une façon de parler. Si j'avais su que c'était la vérité, je me serais tu et elle serait peut-être restée.

— Excusez-moi... Je peux poser une question sur ce tableau ?

Ils s'arrêtent tous les trois, se retournent et me regardent avec de grands yeux. Shelby a l'air fâchée, Klint secoue la tête.

— Bien sûr, répond Miss Jack. Mais ce n'est pas un tableau, c'est une affiche de corrida, quand un homme combat des taureaux. Qu'est-ce que tu veux savoir ?

— Pourquoi sa cape est rose et jaune ? Elle devrait pas être rouge ?

— Celle-là, le *capote*, il s'en sert au début, dit-elle en montrant du doigt le bout de tissu qui gonfle autour du type comme une voile de bateau. Ensuite, il prend la *muleta*, la rouge que tu mentionnes, qui est beaucoup plus petite. Les couleurs ne sont qu'une tradition. Les taureaux sont daltoniens.

— Sans blague...

— Oui.

— À propos de daltonien... – C'est Klint qui intervient derrière moi. – ... Vise un peu les chaussettes du mec.

Miss Jack ne tient pas compte de son intervention, mais elle pince les lèvres en signe de désapprobation. Je continue :

— Alors, pourquoi les taureaux chargent quand on agite quelque chose de rouge devant eux ?

— Cela n'a rien à voir avec la couleur. Ils attaquent ce qui bouge.

— Et ça, c'est le nom du... torero ? Manuel Obrador ?

— Oui.

— Et ça, « El... Soltero » ?

— Son surnom. Les toreros en ont très souvent un.

— Ça veut dire quoi ?

— Réfléchis. Tu dois pouvoir trouver.

— « Soltero »… Soldat ? Solaire ? Solide ?

— Solitaire, me coupe Klint.

Miss Jack se tourne vers lui.

— Et comment on appelle un homme qui choisit de rester solitaire, de vivre seul ?

— Un ermite ? propose Shelby.

— Un célibataire, fait Klint.

— Exact, approuve Miss Jack avant de reprendre la direction de la salle à manger. Manuel Obrador était « le Célibataire ».

Shelby lance un regard admiratif à Klint. Comment il a réussi à déduire ça, et moi non ? Je traîne en arrière, les regardant suivre Miss Jack côte à côte. Qu'est-ce que je fiche ici ? Mes yeux reviennent sur l'affiche. Les sabots au sol, le taureau est presque aussi grand que le matador qui se tient debout, très droit. L'échine de l'animal arrive au niveau des épaules de l'homme, les cornes du premier sont aussi épaisses que les bras du second.

Il porte des petites chaussures noires qui ressemblent à des chaussons de danseuse. Elles n'ont pas de crampons. Est-ce que c'est pour lui rendre les choses plus difficiles ? Parce que je me dis soudain que des crampons ne seraient pas de trop, quand on court dans le sable avec un taureau aux fesses.

Ses pieds sont collés l'un à l'autre, bien à plat, et comme il lève les bras haut au-dessus de sa tête pour soutenir la cape, son corps est tendu dans un arc élégant. Ses traits sont figés par la concentration, pas par la peur. Il a plus l'air d'être sur le point d'exécuter un saut de l'ange en haut d'une falaise que de chercher à écarter une énorme bête en colère qui fonce droit sur ses couilles. S'il fallait un seul mot pour le décrire, à part « idiot », je choisirais « vulnérable ».

Je rejoins les autres dans une pièce vert melon qui a un pan entièrement vitré, le sol en carreaux bleus décorés de lianes et de fleurs jaunes. La table et les chaises sont d'un bois sombre, avec des coussins en tissu rayé vert et or. La nappe, couleur amande, est entièrement brodée de roses roses.

Ici aussi, les murs sont couverts de tableaux de style et de sujet très différents les uns des autres, mais là encore mon regard est attiré par un toreador. Impossible de dire si c'est le même type que sur l'affiche, parce qu'il est peint à coups de pinceau très rapides – genre impressionniste, je crois —, et cette fois il porte un habit blanc tout en se servant d'une cape rouge. Sur le mur d'en face, un autre tableau semble avoir été exécuté par le même peintre, celui d'une femme en train de danser, vêtue d'une robe rouge serrée sur le buste mais qui s'élargit en énormes volants superposés. On ne voit que ses cheveux noirs et brillants rejetés en arrière et les grands anneaux qu'elle porte aux oreilles. Son dos est légèrement incurvé en arrière, ses bras levés au-dessus de sa tête. Cette position me dit quelque chose : c'est presque exactement celle du Soltero sur l'affiche.

Je connais cette danse, mais il me faut un moment pour que le nom me revienne brusquement. Flamenco. Un style de danse espagnole. Je ne me rappelle pas où j'ai appris ce mot, sans doute dans un film ou à la télé, en tout cas pas à l'école. On n'a presque rien appris sur l'Espagne, en cours. Dès qu'ils ont fini de nous faire apprendre par cœur les noms de tous les explorateurs arrivés en Amérique, nos profs ont eu l'air de penser qu'il n'y avait rien d'autre à dire à ce sujet. Ils étaient beaucoup plus intéressés par des pays que nous avons battus à la guerre comme l'Allemagne, ou que nous avons sauvés comme la France, ou que nous avons battus dans une guerre et sauvés dans une autre comme l'Angleterre, et bien sûr ils sont tous fanas de l'Italie parce que en Amérique pratique-ment tout le monde a un arrière-arrière-grand-père Vincenzo qui a fait la traversée sur un vieux bateau pourri et s'est mis à chialer en voyant la statue de la Liberté.

Après nous avoir invités à nous asseoir, Miss Jack nous prie de l'excuser un instant. On se regarde, Shelby, Klint et moi. La table est moins grande que je m'y attendais, avec seulement huit chaises autour. J'avais imaginé qu'on serait dans une salle froide et sombre, vaste comme un gymnase, à une table de banquet capable d'accueillir cent convives, avec Klint et moi à un bout, Shelby et Miss Jack à l'autre, et qu'on aurait été obligés de mettre les mains en cornet pour crier : « Très chère, seriez-vous assez aimable pour me passer le caviar ? »

Le couvert est mis pour quatre. Je suis assis d'un côté avec Klint, et Shelby est en face de moi. Ce n'est pas le décor que j'avais prévu. Assez kitsch, en fait. Tout est dépareillé et pourtant tout va assez bien ensemble. La plupart des mères que je connais flipperaient complètement ici : pour elles, les couleurs coordonnées, c'est la loi.

La maison de Tante Jen est comme ça. Moquette violet foncé, meubles violet clair, papier peint blanc à fleurs violettes, rideaux en dentelle blanche. De la dentelle blanche, il y en a partout : sur la table basse, sur les bras de canapé et de fauteuils. Elle a aussi une statue de ballerine en tutu violet, un saladier violet rempli de faux raisins, des candélabres violets avec des bougies blanches à l'odeur de vanille, deux tableaux qui représentent l'un un champ de violettes, l'autre une portée de chatons au pelage violacé. Tout ça fait très petite nana. À mon avis, elle a choisi cette ambiance non parce que ça lui plaît mais pour convaincre les gens qu'elle est une vraie femme. C'est pareil que de couvrir une fosse de feuilles de palmier pour attraper un lion ; elle, elle la jonche de napperons en crochet et de bougies parfumées au gâteau à la cannelle en attendant qu'un mec tombe dedans.

— Ta tante est vraiment branchée sur l'Espagne, dis-je à Shelby une fois que je me suis assis.

— T'as pas idée, soupire-t-elle.

— Pourquoi ?

— Je crois qu'elle y a passé du temps quand elle était jeune. Elle n'en parle jamais, et mon père dit que Papy n'en parlait pas non plus plus, sauf pour râler à propos de Calladito.

— C'est qui, ça ?

— Lors d'un voyage, elle a ramené d'Espagne un taureau qui s'appelait comme ça, Calladito. D'après Papa, elle l'avait payé une fortune, alors Papy et elle se sont disputés à mort à cause de ça et ils ne se sont plus adressé la parole pendant très longtemps. Et puis, quand Papy s'est aperçu qu'il lui rapportait plein d'argent comme reproducteur, il a eu moins la haine.

93

— Qu'est-ce qu'il est devenu, ce Calladito ?

— Il a vieilli et il est mort. Mais Tante Candace a gardé un fils à chaque génération. Ventisco, c'est le petit-fils de Calladito.

Elle déplie sa serviette et l'étale sur ses genoux. On s'empresse de l'imiter, Klint et moi. Le bruit des bottes de Miss Jack sur le carrelage se rapproche.

— Ça veut dire quoi, Calladito ? ai-je le temps de chuchoter à Shelby.

— Le Tout-Tranquille, répond-elle aussi bas.

— Pardon, fait Miss Jack en prenant place, mais il fallait que je m'occupe de quelque chose à la cuisine.

Entré sur ses talons, un petit type à la peau brune, en chemise turquoise et pantalon couleur beurre frais, porte une corbeille de pain et une grosse cruche en verre transparent remplie d'eau, de glaçons et de tranches de citron. Son crâne chauve est entouré d'une étroite couronne de cheveux du même gris que la moustache qui lui tombe sur la bouche. Il a un visage rond et lisse de bouddha mais pour le reste il n'a pas un pouce de graisse. Il nous observe de ses yeux noirs et bienveillants.

— Luis, dit Miss Jack, voici Klint et Kyle Hayes.

Il nous adresse à chacun un signe de tête en souriant.

— *Mucho gusto.*

Il pose la corbeille, remplit nos verres d'eau glacée, quitte la pièce et revient presque tout de suite avec quatre bols de soupe et des olives sur un plateau.

— *Sopa crema de tomate*, annonce-t-il.

Il place un bol fumant devant chacun de nous. On dirait de la soupe de tomate, mais avec une traînée de blanc dedans et plein de feuilles vertes à la surface. Shelby penche la tête sur son bol, ferme les yeux et hume longuement. Elle se redresse avec un sourire enchanté.

— Ah, j'adore la soupe de tomate de Luis.

Prenant sa cuillère, elle remue lentement jusqu'à ce que la volute blanche se mêle au reste. Je la contemple, fasciné :

— Je n'aurais jamais pensé qu'on pouvait faire de la soupe avec des vraies tomates. Pour moi, c'est une boîte en fer avec de la pâte rouge dedans.

Shelby rit de ma plaisanterie. Je jette un coup d'œil à Klint, en train de regarder les feuilles dans sa soupe comme si c'était des étrons flottants. Je pose la question pour lui :

— Qu'est-ce qu'il y a sur le dessus ?

— Un peu de crème et du basilic. Vous allez aimer.

Je remue le tout comme elle l'a fait, et je goûte.

— Elle a raison, dis-je à mon frère. C'est super-bon. Pas du tout comme la Campbell's.

— Moi, j'aime la Campbell's, grommelle-t-il.

— C'est une belle maison, dis-je à Miss Jack dans le but de changer au plus vite de sujet de conversation.

— Merci. C'est mon frère qui l'a construite. Le grand-père de Shelby.

— Mais c'est Tante Candace qui a fait toute la déco ! précise sa nièce.

— Vous avez très bon goût, Miss Jack.

Mon voisin me balance un coup de pied sous la table.

— Parle-moi un peu de toi, Klint, demande la maîtresse de maison. Qu'est-ce que tu aimes faire, dans la vie ?

Il lui lance le même regard mauvais qu'il infligeait à sa soupe.

— J'en sais rien.

— Très intéressant…

— Tante Candace comprend ce par quoi vous passez en ce moment, plaide Shelby pour dissiper la tension. Elle a perdu ses parents quand elle avait treize ans.

Miss Jack lui adresse un regard désapprobateur. Elle ne voulait peut-être pas que sa nièce nous donne cette information, ou bien elle n'apprécie pas de l'entendre nous trouver un point commun, à elle et nous.

— Un incendie à la maison, explique-t-elle brièvement. Mon père a pu nous sauver, mon frère et moi. Il est retourné chercher ma mère et ils ne sont jamais ressortis.

— C'est horrible, dis-je.

— Oui, ça l'est. Très dur de perdre quelqu'un que l'on aime et dont on dépend.

— C'était une maison comme celle-là ?

Elle lâche un rire étonnamment clair, pas du tout forcé, qui pourrait être celui de Shelby. Venant d'elle, ça fait le même effet que d'entendre de la musique de fête foraine sortir d'une prison.

— Certainement pas, réplique-t-elle en reprenant tout d'un coup son sérieux. Mon père était mineur.

— Hein ? Je ne comprends pas. Je croyais que les mines étaient à vous ?

— Mon frère était quelqu'un de très ambitieux, déclare-t-elle d'un ton abrupt, qui suffit à me faire sentir qu'il est inutile de continuer à l'interroger à ce sujet.

Nous nous concentrons sur notre soupe. Du coin de l'œil, je vois que Klint plonge enfin sa cuillère dans son bol, mais en évitant soigneusement les feuilles d'un vert luisant. Au bout de quelques minutes de silence, Miss Jack lance sans préavis :

— Je n'aime pas parler pour ne rien dire.

— Nous non plus. – J'ai répondu du tac au tac, même si ce n'est pas tout à fait exact. Parler pour ne rien dire, c'est agréable, des fois, alors que parler pour trop en dire est presque toujours déprimant. Après réflexion, j'ajoute : – Surtout Klint.

— Je vois… Donc, sa réticence s'expliquerait par le refus des banalités plutôt que par la grossièreté ou l'ignorance.

On se regarde tous les deux en essayant de comprendre ce qu'elle vient de dire. J'ai comme l'impression que c'était une insulte, mais je n'en suis pas certain. Je choisis une réponse prudente :

— En gros.

— Alors, où en êtes-vous, maintenant ? – Comme nous nous taisons, elle précise : – Maintenant que vous n'avez plus de père ? – Silence. – Je présume qu'il ne vous a pas laissé de quoi vivre par vous-mêmes ?

— Euh, non…

— Tais-toi ! me dit Klint.

— Pourquoi ?

— C'est pas ses oignons.

— Mais c'est la vérité.

— N'empêche, ça la regarde pas.

— Et bien entendu, il est très fâcheux qu'il n'ait pas été capable de vous assurer un avenir, continue Miss Jack.

— Ouais.

— Non, coupe Klint.

Je tente une explication :

— C'est un peu embêtant, mais bon, il était pas vieux. Pourquoi il aurait pensé qu'il allait mourir ?

— On meurt à tout âge. Le problème n'est pas là. Le problème, c'est de savoir si quelqu'un a suffisamment la tête sur les épaules pour veiller à ce que ses enfants ne manquent de rien dans le cas où il viendrait à disparaître brutalement.

Si seulement je pouvais lui faire comprendre qui était Papa... C'était pas un irresponsable, non. Simplement, il ne s'inquiétait de rien. Pour moi, c'est une qualité enviable, même si elle n'est sans doute pas le trait le plus souhaitable chez un père. Vivre seulement dans l'instant présent, se dire que puisque tout ce qui est important dépasse son contrôle il est préférable de ne pas s'en faire, et voir l'avenir comme un assemblage de plans à court terme comme de nettoyer la baraque de temps en temps et veiller à ce qu'il y ait toujours de la bière... C'est super, mais inimaginable.

— Il s'est bien occupé de nous, s'interpose Klint d'un ton buté. Il bossait dur. Il nous aurait jamais laissés tomber...

— Comme votre mère, tu veux dire ?

— C'est complètement nul ! s'insurge Klint, de plus en plus furieux. Je vais pas rester ici à écouter une vieille que je connais même pas dire du mal de ma mère et...

Je le coupe :

— Mais c'est vrai que Maman est partie, et tu as la haine à chaque fois que...

— Ta gueule !

Luis apparaît sur le seuil.

— Quelque chose ne va pas avec la soupe ? demande-t-il.

— Non, Luis, répond Miss Jack le plus calmement du monde. La soupe est excellente.

— Oui, très bonne, ajoute Shelby nerveusement en surveillant d'un œil inquiet sa tante et Klint, lui-même occupé à fusiller du regard son malheureux bol.

— Et donc, où en êtes-vous ? répète Miss Jack dès que le petit homme brun a disparu.

Klint a le bout des oreilles tout rouge, preuve qu'il est en train de bouillir de rage. À chaque fois qu'il se fait éliminer à la batte, il arrache son casque, l'envoie bouler et lui tourne le dos comme s'il était la cause de tous ses ennuis ; dans ces moments-là, même de ma place loin en haut sur les gradins, je jure que je vois ses oreilles virer à l'écarlate. Et à ce stade, quoi que je dise ou fasse, il va avoir les boules contre moi. Je l'ai persuadé de venir à ce dîner, donc tout est de ma faute.

En réfléchissant à la question de Miss Jack, je repense à tous les « Comment ça va ? » débiles que j'ai dû entendre dans la dernière semaine, à tous les yeux larmoyants qui m'ont dévisagé, à toute cette émotion bidon que les gens se croient obligés de nous infliger parce que nous leur donnons du drame, pas parce qu'ils se soucient vraiment de nous. Nous avoir sous la main, Klint et moi, c'est encore mieux que de regarder des reality shows à la télé : nous, on est de la réalité réelle.

Et là, cette femme m'interroge précisément sur ma situation présente sans cinéma, aussi froidement que si elle me faisait passer un examen dont le sujet serait ma vie, et même si j'ignore pourquoi elle demande cette information j'ai envie de la lui donner, et donc je me lance, pas très à l'aise, incapable de ne pas noter que les oreilles de Klint luisent comme des feux stop dans la nuit :

— C'est que... On peut pas rester ici tout seuls. On voudrait bien, vu que c'est le seul endroit qu'on connaît, et on a tous nos potes ici, et il y a l'école, et... l'équipe de Klint. – Je guette une réaction de mon frère, mais rien. – Notre mère veut nous emmener en Arizona, où elle vit avec ce... avec quelqu'un. Et notre sœur est là-bas, aussi, mais elle est... comment dire, plus pareille...

Je m'arrête. Expliquer « où on en est » se révèle plus difficile que je croyais.

— Vous avez gardé des contacts réguliers avec votre mère depuis qu'elle a changé de vie ? s'informe Miss Jack.

— On l'a vue... une fois.

— Une fois ? En combien d'années ?

— Trois.

— Vous auriez voulu la revoir plus souvent ?

— Ben… oui.

Je regarde Klint. Zéro réaction.

— D'après toi, pourquoi veut-elle que vous alliez vivre avec elle ?

— Mais… on est ses enfants, non ? Qu'est-ce qu'elle peut faire d'autre ? Nous laisser crever de faim dans la rue ?

— Tu ne penses pas qu'elle serait heureuse de vous avoir à nouveau avec elle ?

— Ce que je pense, c'est qu'elle… se sent forcée de le faire. C'est une obligation.

— Et pourquoi n'en était-ce pas une de s'occuper de vous avant que votre père ne meure ?

— Je… Elle a dû se dire que Papa le ferait. Et ça a été le cas.

— Donc, elle a conclu que vous n'aviez plus besoin d'une mère.

Peut-être. Peut-être qu'elle a décidé que je n'avais plus besoin d'elle. Je sens un accès de panique me serrer l'estomac en repensant au matin où nous avons eu ce dernier échange avant son départ, au moment d'attraper le bus de l'école. Elle avait dit que bientôt je ne l'embrasserais plus, et ce n'était pas vrai mais c'était comme ça qu'elle le voyait. Est-ce que c'était un signe que je n'avais plus besoin de mère, pour elle ? Est-ce ainsi que les mères humaines prennent cette décision ? Chez les animaux, c'est comme ça, je le sais. Les mères oiseaux poussent leurs petits hors du nid, les mères louves grondent et montrent leurs crocs si les louveteaux reviennent les embêter, et les mères tortues de mer n'attendent même pas de voir si leur progéniture est née. Mais j'avais cru que les mères de petits d'hommes savaient qu'elles étaient là pour longtemps.

Est-ce qu'elle est partie parce qu'elle se disait que c'était ce que je voulais ? Est-ce qu'il y avait une partie de moi qui le désirait ? Quand elle n'a plus été là, que Papa, Klint et moi nous sommes installés dans notre vie de garçons et que ça n'a pas été trop insupportable, j'ai eu des moments de blues où j'aurais voulu qu'elle soit là, qu'elle m'interroge sur ma journée en écoutant réellement mes réponses, ou qu'elle se rende compte qu'il faisait froid le matin et m'oblige à mettre un bonnet même si je l'enlevais dès que je serais hors de vue de la maison, ou qu'elle me prépare mon dîner préféré quand j'avais l'air déprimé, ou qu'elle me défende contre mon père et mon frère en disant des trucs comme : « Allez, Carl, tu es trop dur avec Kyle, c'est un merveilleux enfant » ou : « Être le meilleur joueur de base-ball du monde n'est pas tout, Klint : ton petit frère a plein de qualités, lui aussi », ou qu'elle donne des touches féminines à notre maison, comme vaporiser du parfum d'ambiance ou toujours prévoir des serviettes propres dans la salle de bains, mais là je me suis rendu compte que je pensais à ce que faisaient les mères à la télé, pas la mienne dans la réalité.

Et des fois, quand on se retrouvait tous les trois à la cuisine et qu'on mangeait des spaghettis pour le quatrième soir de suite, j'étais presque soulagé qu'elle ne soit plus là pour nous gueuler dessus et se plaindre de sa vie pourrie, mais je me trouvais nul de penser ça, aussi.

Au lieu de répondre à la question de Miss Jack, je m'entends lui demander brusquement :

— Ce type, le Soltero, vous l'avez connu ? – Elle repose sa cuillère si vite qu'elle envoie des gouttes de soupe sur la table. – Je veux dire, moi, j'ai une affiche de Miss Février 2006 en tee-shirt Bud Lite et talons hauts rouges, assise sur le capot d'un camion, et je ne la connais pas. Et Klint a une affiche de Roberto Clemente, qui est mort bien avant sa naissance. Mais avec les toreros, je sais pas comment ça marche. Ils donnent leur affiche à n'importe qui, ou il faut les connaître pour en avoir une ?

Elle s'éclaircit la gorge.

— Oui, je l'ai connu.

— Tu me l'avais jamais dit ! s'exclame Shelby, l'air estomaquée.

— Tu ne me l'as jamais demandé.

— Pourquoi j'aurais demandé ? J'ai cru que c'était de l'art espagnol, comme tant d'autres trucs ici.

— Lui, il a pensé à poser la question, dit Miss Jack, et son regard passe de Shelby à moi, puis s'arrête sur les petites taches rouges qui constellent la nappe près de son assiette. – Elle s'éclaircit la gorge une nouvelle fois. – Si tu avais une autre idée de ta mère, tu serais prêt à abandonner ton école et tes amis pour la suivre ?

J'inspire avant de souffler doucement. Je m'avoue battu. Visiblement, elle va jamais laisser tomber ce sujet. Le prix à payer pour un dîner avec Shelby va être cet examen psychologique insupportable, incessant.

— Ouais, je le ferais, je crois. Enfin, si Klint venait aussi.

— Et toi, Klint ?

— Non. En aucun cas.

— Pourquoi non ?

— Parce que je me vois pas avoir une autre idée de ma mère.

— Pourquoi la hais-tu à ce point ?

Il se décide à la regarder en face.

— Vous êtes une garce, lâche-t-il entre ses dents.

— Oh, mon Dieu ! gémit Shelby en plaquant ses mains sur sa bouche.

Klint abat son poing sur la table. Tous les bols sautent, laissant échapper de la soupe autour.

— Non, c'est trop con ! hurle-t-il. Complètement foireux ! – Il tend un doigt vengeur en direction de Miss Jack, qui n'a pas bronché. – Elle veut juste nous baiser la tête !

Il repousse sa chaise d'un coup et sort en claquant la porte. On croirait qu'on s'est battu au couteau, sur cette nappe maculée de rouge.

— Désolé… – Je me lève pour rattraper Klint. Je m'arrête sur le seuil et je me retourne. – ¡ Vaya con Dios !

C'est pour Miss Jack, et ce sont les seuls mots d'espagnol que je connais. Je me les rappelle d'un western de Clint Eastwood que j'ai vu un jour avec mon père.

6

ON REFAIT LA ROUTE À NOUVEAU EN SILENCE, sauf que cette fois c'est pire puisqu'il n'y a rien à attendre à l'arrivée, rien d'autre qu'une maison froide et vide, des cartons de déménagement et peut-être une raclée de la part de mon frère.

D'habitude, Klint ne perd jamais son calme, surtout devant des étrangers. Avec moi, il se met tout le temps en pétard, mais c'est pas grave. Je trouve même ça assez flatteur, ça veut dire qu'il peut baisser sa garde quand on est ensemble, exprimer ce qu'il ressent vraiment. Des fois, j'aimerais juste qu'il soit capable de ressentir autre chose que de la colère.

Je l'ai vu supporter des engueulades qui auraient tiré des larmes à d'autres types. J'ai entendu son coach lui crier dans la figure de si près que leurs visières de casquette se superposaient : les veines gonflées dans le cou de Coach Hill, sa bouche postillonnant, les poings serrés sur les côtés pendant qu'il envoyait de la boue sur les chaussures de Klint à force de trépigner, son visage aussi rouge que les flammes symboliques qui dansent sur les vestes de leurs survêtements… Pour construire, l'entraîneur a besoin de détruire mais Klint reste simplement là, inflexible, les yeux dans le vague, jusqu'à ce que le coach se rende compte de ce qu'il y a de futile à gueuler sur quelqu'un qui est ailleurs.

J'ai entendu Maman lui crier qu'elle regrettait de l'avoir porté dans son ventre tant il lui avait gâché la vie, qu'il n'était qu'un porc et un sale égoïste, comme tous les hommes. Je l'ai vue lui taper sur la tête avec une livre de viande hachée congelée, ou lui passer brusquement l'un de ses ongles ultralongs sur la joue, ce qui lui laissait souvent une petite coupure. Jamais Klint n'a bronché. Qu'il se soit emporté face à elle pendant l'enterrement m'a surpris mais j'ai mis ça sur le compte du stress, de tout le drame qui venait de surgir dans notre vie, et puis il avait la haine, oui, mais il n'a pas perdu les pédales. Il n'est pas parti en courant, n'a pas envoyé de la soupe partout.

En quelques minutes, Miss Jack a réussi à le faire sortir de ses gonds, et je ne sais pas pourquoi.

Il gare le pick-up de Bill dans l'allée de notre voisin, descend et va à sa porte. La lumière du perron s'allume. Je vois Bill jeter un coup d'œil par la vitre. Je sors, moi aussi, mais après avoir salué Bill d'un geste je me dirige vers chez nous pendant que Klint et lui échangent quelques mots, pas parce qu'ils ont quelque chose à se dire, mais juste pour meubler leur solitude à l'un et à l'autre.

Sorti comme un fou d'un buisson, Mister B me file entre les jambes et je manque de me flanquer par terre. Il bondit sur nos marches en un éclair orangé, puis s'arrête d'un coup, se pose, se lèche une patte et attend en me fixant de ses yeux dorés perçants. Je viens m'asseoir près de lui et je le gratte entre les oreilles. Il frotte sa tête contre la mienne en ronronnant. Il paraît que c'est comme ça que les chats donnent des baisers, d'après une émission que j'ai vue sur la chaîne éducative.

Je l'attrape, je le retourne sur le dos et je le prends dans mes bras comme un bébé. Les yeux plissés, il continue à ronronner. Il ne laisserait personne d'autre le traiter de cette façon. C'est un dur, un sauvage qui n'entre dans la maison que pour manger le matin et ne passe quelques heures pelotonné sur mon lit que par les nuits d'hiver les plus glaciales.

Il a débarqué dans notre jardin un jour, comme ça. De bonne taille mais maigre à faire peur, avec du sang séché sur le bout de la queue et autour d'un œil. J'ai commencé à le nourrir sans en parler à personne. Comme il ne me laissait pas le toucher, je n'ai pas pu le nettoyer mais le sang a fini par s'en aller tout seul. Quand Maman l'a aperçu la première fois, elle a décrété qu'on ne pouvait pas le garder, parce que ce serait plus de boulot et de tracas pour elle. La femme de la maison est toujours responsable de tout, elle a dit, et avoir quelqu'un de plus à sa charge était au-dessus de ses forces. Papa, lui, s'en fichait du moment qu'il reste dehors, mais il a bien fait comprendre qu'il n'aimait pas les chats. C'est seulement quand Mister B s'est mis en tête de déposer des cadavres de souris, de campagnols et de mulots sur le pas de la porte que Papa s'est résigné à acheter le premier sac de bouffe pour chats. Mister B s'est vite remplumé, il m'a laissé le caresser, mais il a gardé ses distances avec tout le reste de la famille.

Papa l'a toujours appelé « ce bon Dieu de chat ». « Regarde ce que ce bon Dieu de chat a encore tué cette nuit ! », ou « Sors ce bon Dieu de chat de chez moi ! ». Du coup, je l'ai surnommé Mister Bon, et j'ai fini par raccourcir en Mister B.

Je n'arrive pas à croire que je ne vais plus le revoir.

Ces derniers jours, je me suis rendu compte que tout ce qu'on possède n'a aucun sens – Je n'arrive pas à trouver quelque chose à quoi je suis attaché. Ni un jeu vidéo ni un jeu tout court. Pas même l'iPod que Papa et Klint m'ont offert à mon dernier anniversaire. Ni mon tee-shirt du concert Lynyrd Skynyrd/Hank Williams Junior/Bad Ass Tour, ou mon affiche de Miss Février. Sans parler de mes livres ou de mes affaires de dessin. Je ne suis même plus attaché à ma collection de figurines que j'ai depuis tout petit : extraterrestres, pirates, dinosaures, petits soldats, animaux de la ferme ou de la jungle en plastique que je trouvais dans mes chaussures chaque Noël, personnages de Pokémon, chevaliers, robots, grenouilles en caoutchouc arc-en-ciel que je sortais des distributeurs de chewing-gum, couple de monstres pliables que j'avais eu dans un sac de bonbons à une fête chez un pote pour Halloween, ensemble de cacahuètes peintes pour ressembler à une équipe des Steelers que Papa avait trouvées sur un marché aux puces du comté de Cameron une fois qu'il était allé pêcher par là avec Bill, plus tous les personnages de Disney ou de BD des boîtes de Happy Meal et que j'ai gardés depuis tout petit. Pendant des années, j'ai organisé des batailles monumentales entre tous ces petits trucs, j'ai peuplé des villes imaginaires, mais soudain je repense à ces après-midi tranquilles sur le tapis de la chambre et je n'y vois qu'une perte de temps.

Si je pouvais prendre Mister B avec moi, par contre, ça ne serait pas aussi dur.

Je le garde dans mes bras en m'attardant dehors. Après tout un été moite et étouffant, ces premières nuits de fraîcheur donnent une impression de propreté. Tout est clair et net, la lune blanche et les étoiles brillent comme si elles avaient été astiquées dans le ciel d'un violet profond, l'air est immobile mais c'est rassurant plutôt que pesant.

Si je pouvais emporter avec moi les nuits de Pennsylvanie aussi, ce serait plus facile.

Klint arrive par le jardin. Je me dépêche de poser par terre Mister B qui me lance un regard indigné, puis s'esquive dans les buissons en voyant mon frère approcher.

Il ramasse l'une des dizaines de balles de base-ball qui traînent toujours autour de la maison et se met à la faire sauter dans sa main d'un air absent. Tenir une balle, ça l'aide toujours à penser.

Il est loin d'être idiot, Klint. C'est juste qu'il veut pas être intelligent.

Plein de gens pensent que les joueurs de base-ball n'ont rien dans le crâne, ce que je ne leur reproche pas s'ils regardent un match sans vraiment comprendre ce qui se passe. Dans ce cas, on a l'impression que les joueurs passent le plus clair de leur temps assis dans l'abri ou plantés debout sur le terrain avec une expression débile, à attendre on ne sait quoi en crachant et en se gratouillant les aisselles. Et pour le reste, quand il y a enfin de l'action, tout va si vite que ça ne paraît demander aucun effort. Il faut seulement quelques secondes pour balancer une balle à quatre cents pieds ou pour virer quelqu'un installé à l'arrêt-court. À première vue, ça ne demande pas de vrai effort physique, et encore moins mental. Ce que les gens voient pas, c'est que le simple fait de frapper la balle est toute une leçon de physique et qu'à partir de là deux cents scénarios possibles se présentent, dans lesquels les joueurs doivent être capables de se couler instantanément.

Un crétin ne peut pas faire ça.

Klint s'assoit à côté de moi sans arrêter de faire aller et venir sa balle dans les airs. Je sors le canif que Papa m'a donné quand j'avais dix ans, je ramasse une branche tombée et je me mets à tailler l'écorce pour atteindre le cœur vert tendre. On reste comme ça, en silence, jusqu'à ce que je n'en puisse plus.

— Alors, tu vas plus jamais me parler ?

— En quoi t'as besoin que je te parle ?

— J'ai pas besoin.

— Alors, qu'est-ce que ça peut te faire ?

Le silence reprend, Klint avec sa balle, moi les yeux levés vers les étoiles. Il y a moins d'une semaine, je regardais ces mêmes étoiles à travers le feuillage touffu des chênes et des érables de la ferme Hamilton, j'avais encore un père et une vraie maison, et Shelby Jack était tout près de moi devant un feu de bois, au lieu de me regarder avec des yeux effarés de l'autre côté de la table de sa tante.

— Cette bonne femme est tarée, déclare brusquement Klint. Nous poser toutes ces questions de merde sur nos parents…

— Elle se demandait si elle nous laisserait vivre chez elle… Elle voulait peut-être en savoir plus sur nous.

Il ne soupèse même pas une seconde ma tentative d'explication :

— Elle nous aurait jamais pris chez elle !

— Ah ouais ? Alors pourquoi elle nous a invités à dîner ? Pourquoi Shelby mentirait ?

— Tu comprends que dalle aux gens. Surtout les riches.

Je dois admettre qu'il a plus d'expérience que moi avec les gens riches, puisqu'il est allé deux ou fois chez Brent Richmond pour des trucs liés à l'équipe, et le père de Brent est le patron des Sunny Valley Homes. C'est-à-dire qu'il achète des collines vertes et paisibles, les attaque au bulldozer, plante dessus des baraques en préfabriqué qui sont toutes pareilles, puis les remplit de jeunes familles pas riches, encombrées de gosses hurleurs et de chiens aboyeurs et frustrés, ou de jeunes célibataires pas riches qui mettent de la musique à fond, fenêtres ouvertes, dans l'espoir que quelqu'un les trouvera cool et voudra bien passer du temps avec eux. Tante Jen habite l'un des lotissements du père de Brent, Sunnybrook Estates.

Klint est aussi allé chez le doyen de l'université quand il a été invité à un camp d'entraînement spécial organisé par plusieurs campus de Floride en décembre dernier. À son âge, c'était un gros truc, cette invitation, et Papa en avait parlé pendant des mois. À la fin, il y a eu une réception pour les joueurs à la maison du doyen. Tout ce qui a marqué Klint, c'est qu'il y avait un mur entier qui était un aquarium plein de poissons bariolés, et aussi une fontaine avec deux dauphins dorés qui crachaient de l'eau par le museau dans le parc. Quant à la baraque de Brent, il a seulement mentionné leur méga-jacuzzi avec une télé montée sur un bras pliant au-dessus, et la baignoire de la mère de Brent encastrée dans le sol et qui ressemble à une gigantesque coquille de praire, paraît-il.

Il faut croire que la principale différence entre pauvres et riches, pour lui, est que les seconds se servent de l'eau de façon plus originale.

— On était une distraction pour elle, rien d'autre, grommelle-t-il maintenant.

— Une distraction ?

— Ben, ouais. Un spectacle amusant dans sa vie de vieille riche qui s'emmerde en permanence.

Qu'il emploie des grands mots et daigne leur donner une définition prouve qu'il est beaucoup moins sur ses gardes que d'habitude.

Je vois que Mister B est arrivé sur sa branche d'arbre préférée. Il observe attentivement Klint, comme s'il se préparait à bondir, au cas où mon frère se transformerait soudain en petit rongeur. Soudain, il lève la tête d'un air inquiet et glisse de son perchoir pour se perdre dans les feuilles sombres.

Un instant plus tard, nous entendons le bruit d'un moteur de voiture que le chat a été le premier à surprendre. Un énorme monospace noir dévale la route en direction de la maison. Nous devinons tous deux qui le conduit avant qu'il n'entre dans l'allée.

— Merde, marmonne Klint.

— Bon, je vous laisse, dis-je gaiement avant de m'esquiver à l'intérieur.

Comme la fenêtre de ma chambre donne sur le perron, je n'allume pas les lumières et je m'asseois sur mon lit, d'où je peux tout entendre.

— Hé, Klint !

— Coach...

— J'espère que tu ne m'en veux pas de débarquer comme ça. Je voulais parler de quelque chose avec toi et je ne me sentais pas de faire ça au téléphone.

Je me glisse jusqu'à la fenêtre pour jeter un coup d'œil à travers l'écran antimoustique. L'entraîneur arbore sa casquette et son anorak des Centreburg Flames. Il a les mains dans les poches et un bout de chique coincé sous sa lèvre inférieure. À force de passer des journées en plein soleil, la peau du visage, du cou et des mains a acquis la texture et la couleur du bœuf séché. Il enseigne l'histoire aux secondes et d'après tous ses élèves, chaque année, son cours est l'endroit idéal pour piquer une sieste. C'est le genre de type que personne ne remarque jusqu'à ce qu'il descende sur un terrain de base-ball, parce que là il dégage quelque chose d'électrique et attire tous les regards sur lui avant et après chaque phase du jeu.

Coach Hill jette un coup d'œil à la balle dans la paume de Klint.

— Alors, quoi de neuf ?

— Pas grand-chose.

— Comment ça va ?

— Pas mal.

— Mme Hill et les filles m'ont demandé de te dire qu'elles espèrent que tu te sens mieux. Elles se font plein de souci pour toi.

Personne ne voit jamais sa femme, mais il a l'habitude de transmettre des messages de sa part, comme « Mme Hill souhaite bonne chance à l'équipe », ou « Mme Hill nous soutient de tout son cœur à la maison, aujourd'hui ». En fait, il y a deux types d'épouses de coach. Les premières ne manquent jamais une partie, où elles arrivent avec des lunettes de soleil, une casquette de l'équipe vissée sur le crâne, tartinées d'huile de coco, armées d'une glacière pleine de bouteilles de Gatorade et d'un bloc-notes, et elles connaissent par cœur les points produits, les allergies, les noms des petites amies et la pointure de chaque joueur. Les deuxièmes n'assisteraient pour rien au monde à un jeu, et visiblement Mme Hill appartient à la seconde catégorie.

Ils ont trois filles, pas de fils. Celle du milieu a un an de plus que Klint, la benjamine a mon âge, et elles sont toutes les deux un peu amoureuses de mon frère, applaudissant et gueulant comme des folles quand il est à la batte, essayant de lui parler quand il attend son tour. L'aînée est partie en fac, avec une bourse sports-études en course de fond et demi-fond. Grâce au mépris bien connu de son père envers les « sports de fille » – il a soutenu une fois dans une interview au journal local que le conseil d'administration de l'école devrait prendre l'argent consacré à l'équipe de softball féminin et s'en servir pour créer un deuxième poste de prof d'éducation sexuelle –, elle a pu se consacrer autant qu'elle voulait au cross-country pendant ses années de lycée sans que ses parents s'en mêlent.

Le pire qui soit arrivé à Coach Hill, c'est de ne pas avoir eu de garçon. La plus grande chance de ses enfants, c'est qu'aucun n'ait été un fils.

À la mention des filles, je fais un gros bruit de baiser. Klint envoie la balle dans ma fenêtre si violemment qu'elle perce la moustiquaire fatiguée et va rebondir contre un mur de ma chambre.

— Qu'est-ce qui te prend ? crie Coach Hill, qui a sursauté.

— J'ai vu un moustique.

L'entraîneur reprend contenance en mastiquant sa chique avant d'envoyer un grand jet de salive brune sur notre plate-bande.

— Ouais, je disais qu'elles se font du souci.

— C'est gentil.

— Il paraît que t'es pas trop emballé d'aller vivre avec ta mère en Arizona... – Traduction : les gens parlent encore de la scène de Klint devant les pompes funèbres. – Je n'ai pas besoin de te dire que toute l'équipe va te regretter, bien entendu... – Traduction : il peut dire au revoir à son grand rêve de décrocher la coupe du championnat de Pennsylvanie. – On en a parlé, Mme Hill et moi... – Traduction : il en parlé avec lui-même. – Et bon, on comprend que c'est un brin présomptueux de notre part, et il faudrait évidemment en causer avec ta mère, mais on a pensé que, bon, on aimerait bien que tu viennes habiter chez nous.

Vivre avec Coach Hill : voilà une idée qui ne s'impose pas comme ça. Je me demande s'il devient tout rouge et vocifère quand on laisse sa chambre en désordre. Et si Mme Hill est une bonne cuisinière. Et si on devrait partager la même piaule, Klint et moi. Depuis que Maman et Krystal sont parties, je me suis habitué à avoir la mienne mais je me dis que ce serait pas la fin du monde d'avoir à cohabiter de nouveau avec mon frère. Les filles Hill sont pas trop moches. La plus jeune, Katy, était dans ma classe d'anglais l'an dernier. On se parlait parfois, presque toujours de Klint et de l'équipe, mais quand je réussissais à placer la conversation sur un film ou un devoir qu'on avait à faire, ça s'est toujours bien passé. Et elle me dit bonjour quand on se voit aux matchs.

Je pense que je pourrais, oui. Crécher chez les Hill.

— Je sais pas, dit Klint juste à ce moment. C'est très sympa à vous et à Mme Hill de proposer. Il faut que j'en parle avec Kyle.

— Ouais, Kyle… – Coach cherche ses mots. – Je sais que vous êtes proches, tous les deux. Je crois pas qu'il ait jamais manqué une partie. Il est pratiquement comme une mascotte.

— Mon frère est pas une mascotte ! réplique Klint d'un ton pas commode.

— Tu vois ce que je veux dire… Le problème, c'est qu'on n'a pas vraiment la place pour vous deux. J'ai pensé qu'il pourrait aller avec ta mère, lui. Il est plus jeune. C'est normal qu'il reste avec elle.

Mon estomac fait un bond. Je peux plus écouter ça. Je me lève et j'arpente la maison plongée dans la pénombre. Je me répète que je m'en fous, au fond. L'essentiel, tout de suite, c'est de trouver un bon cadre pour Klint. Qu'est-ce qui pourrait être mieux que d'habiter avec un mec qui mange, dort, respire pour le base-ball, qui veut que Klint réussisse aussi fort que Papa, et pour la même raison que lui : pour pouvoir

110

le montrer du doigt et dire un jour : « C'est mon gars. C'est moi qui l'ai fait tel qu'il est aujourd'hui. »

Cette année sera la plus importante pour Klint en base-ball junior. Les recruteurs des universités vont le regarder de près pendant tous les matchs de printemps et d'été, et à l'automne on lui fera des propositions. Mais le recrutement universitaire n'est pas sa seule option. Il peut attendre la fin du lycée et signer un contrat professionnel. C'est ce que Papa voulait, parce qu'il était aveuglé par le potentiel de Klint. Ébloui par l'avenir doré qu'il lui voyait, Papa était incapable d'imaginer que le rêve puisse tourner au cauchemar : une sale blessure, le burn-out, la drogue, l'alcool, la déveine ou la perte de confiance en soi... il y a plein de raisons qui font que des types prometteurs s'arrêtent en chemin.

C'est moi qui ai convaincu Klint de choisir la filière universitaire. J'ai bûché la question et en plus, comme je l'ai dit, il n'est pas bête : il sait que la route jusqu'à la gloire est pavée de cadavres de joueurs qui ont fini dans des clubs de troisième ordre, n'ont jamais gagné de fric, jamais disputé une partie importante, et n'ont pu se raccrocher à rien une fois sortis du terrain.

Je crève de faim. Trois cuillères de soupe, ça fait pas un dîner. Je mets le cap sur la cuisine. La table et le plan de travail sont couverts de gratins à moitié entamés et desséchés, de lasagnes figées, de bols de gelée caoutchouteuse que nous n'avons pas pensé à mettre au frigo. La lune brille par la fenêtre au-dessus de l'évier et donne une touche surnaturelle à tous ces plats abandonnés qu'elle transforme en paysages miniatures venus d'autres planètes avec leurs cratères déchiquetés, leurs grottes, leurs canyons effondrés et leurs lacs de graisse.

La lumière éclabousse le carrelage rouge et blanc que Maman avait tant voulu, au point que Papa avait fait des heures sup pour l'acheter avant de le poser par un beau week-end de printemps, il y a des années, pendant qu'elle s'agitait autour de lui, le bombardait de jolis sourires et lui apportait des bières. Maintenant, les carreaux sont sales, rayés, ternis, de la couleur d'un hamburger avarié et non plus du sucre d'orge.

Les rayons de lune s'arrêtent sur le mur près de la porte du jardin, là où est suspendu notre calendrier. Septembre est assez vide. Au jour de la rentrée, j'ai écrit « ÉCOLE ! », et Klint l'a barré pour mettre : « CHIASSE ! ». J'ai aussi noté la date du barbecue des Hamilton, qui est devenue celle de la mort de mon père.

Papa avait inscrit une réunion au lycée la semaine prochaine. Je me rappelle la feuille jaune que Klint lui avait rapportée : « Parents des élèves-sportifs intéressés par la filière sport-études, ne manquez pas cette soirée d'information ! » Comme il avait été emballé ! Il se voyait déjà faire son entrée dans la salle des fêtes du bahut. Il serait un hôte de marque : le roi Carl, père du prince des marbres, et sa salopette grise de balayeur, laissée en boule humide près de la machine à laver, aurait quitté sa mémoire…

Après m'être préparé un bol de céréales, je vais m'asseoir sur les marches à l'arrière de la maison. La maison de Bill est dans le noir comme la nôtre. Par un soir pareil, Papa et lui auraient dû être sous son porche à raconter des conneries. C'est l'heure où j'aurais passé une tête pour crier que j'allais me coucher, et ils auraient souri et levé leur cannette de bière à ma santé, leur façon de me dire bonne nuit. Klint serait déjà couché, parce qu'il a des horaires de paysan. Je serais resté dans mon lit sans m'endormir jusqu'à ce que j'entende Papa rentrer et allumer la télé. Après le départ de Maman, il dormait très souvent sur le canapé. Le murmure des voix télévisées et le tintement régulier du goulot de la bouteille de whisky sur le verre de Papa finissaient par me bercer et je m'abandonnais au sommeil, en sécurité, au chaud dans notre abandon commun.

Ce soir, Papa n'est pas chez Bill ni sur le canapé. Où est-il ? C'est ce que j'arrive pas à concevoir. Son corps pourrit dans la terre mais lui, où il est ?

Une portière claque de l'autre côté de la maison, un moteur démarre. Quelques minutes après, la porte d'entrée s'ouvre et se referme, puis j'entends le couinement de la moustiquaire dans mon dos.

— Qu'est-ce que tu fais ? me demande Klint.

— Rien.

— Tu es là depuis longtemps ?

— Un moment.

Je garde les yeux sur notre jardin. Dans un coin, je distingue à peine le contour de notre ancien bac à sable. En face, il y a un vieux chêne avec des planches clouées à la perpendiculaire sur son tronc ridé : les marches qui conduisaient à notre cabane dans les branches, dont il ne reste plus que le plancher. On ne peut plus aller s'y cacher comme on le faisait, mais c'est encore un endroit agréable où s'asseoir.

Le portique rouillé s'élève au milieu. Il n'y a pas de balançoires accrochées dessus depuis perpète. Klint s'en est servi comme barre pour les abdos, pendant un temps, mais maintenant il fait sa musculation au gymnase de l'école ou au YMCA.

Je me rappelle que nous jouions avec le vieux toboggan, Krystal et moi. Je lui avais montré comment remplir un seau d'eau, l'installer en bas de la rampe et y envoyer ses Barbie d'en haut. Je lui avais dit que c'était le plus grand AquaPark pour Barbie au monde. Elle adorait ça.

Je pose mon bol, je me mets debout et je regarde Klint.

— Tu prendras Mister B ?

— Hein ?

— Tu vas prendre Mister B, quand tu iras habiter chez ton entraîneur ?

— Qu'est-ce que tu racontes ? Pourquoi est-ce que je m'embêterais avec ce vieux chat de merde ? C'est pour les meufs et les pédés, les chats.

— Comment tu sais ça ? Tu connais rien aux filles. Question pédés, par contre, tu dois être un expert.

Il me pousse des deux mains et je dévale les marches sur le cul. Il me tombe dessus avant que je puisse réagir. On roule l'un sur l'autre. Il est plus grand et plus costaud mais je suis rapide, j'ai de la résistance et l'avantage d'être habitué à me faire cogner par un frère aîné, alors que son expérience se limite à avoir reçu des tannées de notre mère, ce qui ne compte pas parce qu'elle se bat comme une fille.

113

On se bourre de coups jusqu'à en perdre haleine. J'ai déchiré mon seul jean correct au genou et j'ai l'impression que mon bras droit a été arraché de l'épaule. Klint a la lèvre qui saigne, les cheveux pleins d'herbe boueuse. Il se redresse, s'époussette. Je reste sur le dos, me tenant le bras et essayant de retrouver mon souffle. Quand j'arrive à parler, je demande aux étoiles :

— Tu vas aller vivre chez lui ?

— Non.

Je tourne les yeux dans sa direction. Il me regarde. Je ne veux pas qu'il voie le soulagement sur mes traits. Je m'en veux de réagir comme ça, alors que je devrais le pousser à aller habiter avec M. Hill. Ce serait la meilleure solution pour lui.

— Pourquoi non ?

— Merde ! Tu crois que j'ai envie de crécher avec mon entraîneur ?

— Ses filles sont pas vilaines. – Il tire la langue pour lécher le sang sur ses lèvres. – Bon, qu'est-ce qu'on va faire ?

— Se barrer, j'imagine.

— Où ?

— Je sais pas encore.

— Et le base-ball ?

— D'ici le printemps, il peut se passer plein de choses. – Il s'étend sur le gazon près de moi. – Ça pourrait être intéressant de voir à quoi ressemble Mme Hill, concède-t-il avec une pointe de regret.

— Tu veux dire, voir si elle existe vraiment ?

Il sourit.

— Ouais.

— Moi, je continue à penser que c'est un fantasme. Il se met une robe et une perruque comme le Norman Bates de *Psychose*, et après il prend une voix de femme. – J'imite les intonations du coach. – « Madame Hill, on a un match demain ». – Maintenant, je monte dans les aigus : – « Dis bien aux garçons que je les soutiens de tout cœur ! »

Klint ne peut pas se retenir. Il se met à rire comme un con.

Je suis le seul au monde à pouvoir le mettre en boule, mais aussi le seul capable de le faire marrer.

7

CANDACE JACK

COMMENT ENTAMER LA CONVERSATION avec une complète inconnue à laquelle on s'apprête à demander si elle est disposée à vous confier deux de ses enfants ?

J'ai eu à faire face à nombre d'expériences éprouvantes dans ma vie, et je pense m'en être tirée avec ma dignité intacte, mais cette démarche s'est révélée encore plus difficile que le jour où j'ai informé mon frère, il y a une quarantaine d'années, que je venais de débourser près d'un million de dollars pour une vache à cornes.

J'ai passé le coup de fil **hier** soir, après le départ des deux garçons et de Shelby.

Dans un accès d'optimisme inconsidéré, Shelby m'avait donné le numéro où l'on pouvait joindre leur mère. C'était avant le dîner ; après, elle n'aurait jamais osé. Elle a quitté la table en pleurant, effondrée, avec un dernier regard que la peine et le regret rendaient presque insupportable. Je savais qu'elle aurait eu besoin d'être consolée mais je l'ai laissée souffrir, c'était encore plus nécessaire pour elle. Ensuite, j'ai consacré une bonne heure à préparer dans ma tête ce que j'allais dire à cette femme. D'après ce que j'avais entendu, c'était quelqu'un d'horrible. Et j'avais vu de mes propres yeux dans quel état se trouvaient ses fils, même s'ils faisaient tous les deux comme si tout allait bien, l'un avec un stoïcisme cynique qui s'était mué en rage, le second avec le désir de plaire d'un chiot maladroit.

Ils m'ont gâché mon dîner mais ils ne m'ont pas déçue. S'ils avaient pleurniché, ou demandé si j'avais une piscine ou une télévision à écran géant, s'ils avaient répondu à mes questions poliment et platement, je leur aurais donné à manger puis je les aurais renvoyés dans leurs pénates avant de les sortir définitivement de mon esprit. Mais cela s'est passé autrement. Ils sont abîmés, pas détruits.

Quant à la mère, j'étais encore prête à lui accorder le bénéfice du doute lorsque j'ai décroché mon téléphone. Notre échange s'est déroulé comme suit :

— Bonsoir, je voudrais parler à Rhonda Hayes.

— Une seconde, me répond la femme qui a répondu avant d'écarter à peine le combiné et de vociférer : « Ronnyyyyy ! »

— Oui ?

— Rhonda Hayes ?

— Non, c'est fini, ça. Je suis divorcée, grâce à Dieu. J'ai repris mon nom de jeune fille, Welty.

— Mais vous êtes bien la mère de Kyle et de Klint Hayes ?

— Ouais. Et vous, vous êtes qui ?

— Je m'appelle Candace Jack. Ma nièce, Shelby, est une amie de vos fils.

— Jamais entendu parler d'elle.

— Peu importe. C'est leur amie et elle s'inquiète à leur sujet.

— À cause de la mort de leur père ? Elle aimerait leur transmettre ses condoléances ?

— C'est déjà fait. Elle a assisté aux obsèques.

— Ah…

— Cela va plus loin que des formules de politesse. Nous avons appris que vous aviez l'intention d'emmener les garçons vivre en Arizona avec vous, alors qu'ils préféreraient rester ici.

— Où vous avez appris ça ?

— Aucune importance. Si vous acceptez ma proposition, j'aimerais leur offrir un toit, le mien. Ils pourraient habiter ici jusqu'à ce qu'ils terminent le lycée.

Elle a ricané.

— Hein ? Quel genre de malade vous êtes ? Vous croyez que je vais laisser mes enfants habiter chez quelqu'un que je connais ni d'Ève ni d'Adam ? Vous êtes une vieille dame, non ? Vous en avez la voix, en tout cas.

— J'ai soixante-seize ans.

— Comment ? Vous avez perdu la raison ! Qu'est-ce qu'une femme de soixante-seize ans ferait avec deux ados ? C'est… dégoûtant !

— J'ai ici tout l'espace et toutes les ressources qu'il faut.

— Seigneur ! « L'espace et les ressources » ! Vous êtes dingue ?

— Comme c'est la deuxième fois que vous me posez la question, je présume que vous attendez une réponse. Non, je ne suis pas folle. – Silence. – Écoutez, Rhonda… Puis-je vous appeler Rhonda ?

— Si ça vous chante.

— C'était juste une idée. Je n'avais pas l'intention de m'immiscer dans vos affaires ou d'abuser de la situation. Il est clair que vous tenez à avoir vos fils de nouveau auprès de vous, malgré les contraintes financières et la responsabilité que cela suppose.

— Je… Qu'est-ce que vous voulez dire ?

— Eh bien, ne serait-ce que pour nourrir deux garçons en pleine croissance, cela doit représenter des sommes considérables. Ils vont avoir besoin de vêtements, de matériel scolaire, d'argent pour se payer les innombrables gadgets sans lesquels les enfants d'aujourd'hui semblent incapables de survivre. J'imagine que votre assurance auto va augmenter notablement, aussi, et que vous aurez besoin d'un autre véhicule, à moins que vous n'ayez l'intention de leur servir de chauffeur tous les jours. Sans compter l'assurance maladie. Ils devaient être couverts par l'employeur de leur père, mais maintenant… Enfin, vous le savez aussi bien que moi, les joies de la famille, ça n'a pas de prix. Et je suis sûre qu'il n'y aura aucune tension ni situation pénible une fois qu'ils seront installés chez vous. Il n'y a pas de raison qu'ils ne s'adaptent pas rapidement à leur nouvelle école et, d'après ce que j'ai entendu, ils vont s'entendre merveilleusement bien avec votre nouvel époux…

Nouveau silence, puis :

— On n'est pas mariés.

— Encore mieux ! Comme ça, s'il décide qu'il ne supporte pas vos deux fils, il pourra s'en aller et vous n'aurez pas à endurer un second divorce. – Je l'ai laissée méditer un instant avant de poursuivre : – Je ne nie pas qu'il s'agit d'une proposition aussi soudaine qu'inhabituelle, Rhonda, et je vous prie de m'excuser de vous l'avoir soumise de façon aussi impromptue. Je cherchais simplement à aider, je vous assure. Bien, je vais vous laisser les coordonnées de mon avocat, au cas où vous désireriez revenir sur ce sujet. Avez-vous de quoi noter ?

— Redites-moi votre nom, déjà ?

— Candace Jack. C'est un nom de famille qui doit vous dire quelque chose. Je suis presque certaine que vos trois enfants sont nés à l'hôpital de mon frère...

En me réveillant ce matin, notre petite conversation téléphonique est encore présente à mon esprit. Tout s'est déroulé aussi facilement que je m'y attendais. Je n'avais pas imaginé un instant que n'importe quelle mère, aussi irresponsable et imbue d'elle-même eût-elle été, renoncerait à ses fils en les confiant à une inconnue. Il fallait la convaincre que cette décision serait totalement dans son intérêt et aurait en même temps l'avantage de la faire apparaître comme si c'était uniquement celui des garçons qu'elle avait à cœur.

Je reste au lit quelques minutes de plus afin de réunir mes forces. L'arthrose s'est tellement développée dans mes genoux et mes hanches que le simple fait de me lever le matin est devenu une torture, et tous les comprimés ou piqûres que mon médecin m'a prescrits ne font plus aucun effet. Il y a tant d'années que mon corps privé de l'amour et de la chaleur d'un autre se détériore et vieillit qu'il me fait parfois penser à une maison abandonnée : dedans, il y a encore des échos de rires, de pas joyeux et d'arpèges, mais la façade est sombre, effrayante. Quand le plus jeune des garçons Hayes s'est mis à me poser des questions sur Manuel hier soir, c'était comme si quelqu'un avait fini par s'aventurer sous le porche vacillant de mon âme et crié par l'une de mes fenêtres brisées : « Hello, il y a quelqu'un ? »

Je me redresse et, comme tous les matins, j'étudie avec stupéfaction ces mains noueuses et veinées de bleu, ces bras maigres et ridés, sans comprendre comment ils m'appartiennent.

J'ai été une femme séduisante, un constat que je fais sans le moindre soupçon de fierté, et encore moins de vanité. Ma beauté de jadis m'a été donnée, elle n'a pas été gagnée. Elle a conduit ceux que j'ai croisés sur ma route à des réactions insensées ou malhonnêtes. Les soi-disant avantages qui venaient avec elle – le désir des hommes, l'envie des femmes, les marques de considération d'inconnus – n'ont jamais présenté d'intérêt ou de valeur pour moi. Je ne voulais pas être observée, convoitée ou détestée au premier coup d'œil, mais au contraire rester anonyme et épargnée.

Je n'irais pas jusqu'à dire que j'aurais préféré être sans beauté. Je suis humaine, donc attirée par les jolies choses. Je prenais plaisir à regarder mon image dans la glace, ma silhouette et mes traits plaisants, mes yeux verts, mes lèvres généreuses, ma peau impeccable. J'aimais la couleur cuivrée que le soleil donnait à mes cheveux, et leur masse soyeuse sous mes doigts quand je les brossais.

J'ai eu plein d'hommes, dans ma vie, mais aucun d'eux n'a compté hormis Manuel, et c'est encore un constat qui ne m'inspire ni fierté, ni vanité, ni remords ou embarras. Les hommes me désiraient et je les laissais penser qu'ils pouvaient m'avoir. Parfois, l'un d'eux me possédait, mais mon cœur n'était jamais partie prenante.

Avant de connaître Manuel, j'avais couché avec quatre hommes. Je suis en mesure de donner une motivation précise à chacune de ces petites aventures : dans l'ordre chronologique, cela été la curiosité, la pitié, trois mille actions Peppernack Steel et une bouteille de Wild Turkey.

Mon frère considérait la beauté comme un capital. Lorsque je suis arrivée à un âge où mon charme s'est affirmé, il a été emballé par l'idée que je pourrais l'aider dans ses affaires autrement qu'en tapant à la machine, en classant ses dossiers ou en faisant ses comptes.

Je n'étais pas sotte et j'ai très bien réussi au lycée, au point d'obtenir une bourse pour des études dans une école de secrétariat de Lancaster. Stan m'a laissée partir en tenant pour certain que je reviendrais placer mes talents fraîchement acquis au service de la compagnie qu'il venait de créer. Mon diplôme obtenu, je l'ai aidé plusieurs années au siège des Houillères J&P jusqu'à ce que lui et son nouvel associé, Joe Peppernack, prospèrent suffisamment pour embaucher leur première secrétaire blonde et bien roulée, m'autorisant ainsi à me consacrer aux études supérieures dont je rêvais depuis toujours. Stan, lui, n'était « pas fait pour les salles de classe », comme il disait, et il avait laissé tomber le lycée dès la seconde, mais il était fier d'avoir une sœur à l'université et d'être celui qui finançait ses cours.

Comme je revenais à toutes les vacances scolaires et l'été, il a commencé à me confier des missions fort différentes de celles d'avant. Il n'y avait rien d'explicitement sexuel dans ses instructions lorsqu'il me demandait de rencontrer des hommes qui présentaient un intérêt pour ses affaires ; il ne m'a jamais rien dit d'autre que « Sois gentille avec un tel », mais je savais que ce qualificatif anodin recouvrait une vaste palette de comportements et d'activités. Et il n'aurait pas été le moins du monde affecté d'apprendre que j'avais couché avec quelqu'un afin de le convaincre de vendre à mon frère les droits miniers sur sa propriété de famille pour un prix nettement inférieur à ce qu'ils valaient, ou l'amener à m'acheter un nouveau réfrigérateur. Son attitude à ce sujet ne révélait pas un manque de respect ou d'affection à mon égard : simplement, il ne considérait pas le sexe comme un acte d'amour et ne comprenait absolument pas l'hystérie sentimentale et romantique qu'un accouplement pouvait inspirer à tant d'êtres humains. Il voyait la sexualité comme la chasse : quelque chose que l'on fait pour le plaisir, ou pour remplir la marmite.

Je m'habille et je descends en faisant un détour par mon bureau pour prendre la lettre de Rafael. C'est encore une splendide journée d'automne, avec un ciel frais et bleu piqueté de quelques petits nuages d'un blanc meringué. Après m'être enveloppée dans un grand châle en soie brun clair brodé de fleurs à peine rosées, j'annonce à Luis que je prendrai mon petit déjeuner sur la véranda.

Il m'apporte mon café, des fruits, un œuf et des toasts. Il ne fait pas mine de s'en aller et je l'ignore, étalant avec une grande concentration la marmelade de citrons qu'il prépare lui-même sur mon pain grillé. Il m'observe, fait semblant d'attendre un commentaire de ma part alors qu'il sait pertinemment que j'adore ses confitures. En réalité, il veut parler de la veille au soir.

— Je trouve que c'est une honte, finit-il par lâcher.

— Quoi donc ?

— Ces garçons. Je trouve que c'est une honte, ce qui leur est arrivé.

— Moi, je trouve que c'est ce qui est arrivé à ma nappe qui en est une.

Il fronce les sourcils et pince les lèvres sous son impressionnante moustache.

— Il ne voulait pas en parler. Vous ne pouvez pas lui reprocher ça. Vous croyez que c'est facile, pour un jeune gars comme ça, d'entendre dire du mal de sa mère ?

— Non, bien sûr, mais l'autre « jeune gars » l'a très bien supporté.

— Miss Shelby les aime bien.

— Miss Shelby aime un peu trop l'aîné. Elle arrivait à peine à le regarder sans rougir, hier.

— Le plus jeune aime bien Miss Shelby.

— Et moi, je n'en aime aucun.

Je mords dans mon toast, savourant la douceur acidulée de la marmelade, pendant que Luis enfonce ses mains dans ses poches d'un geste belliqueux. Comme nous sommes seuls et qu'il ne joue pas de rôle, il est vêtu d'un jean banal et d'une chemise en velours côtelé blanc.

— Vous ne devriez pas être fâchée avec Miss Shelby. Elle essaie d'aider, c'est tout.

— Non, elle essaie d'obtenir ce qu'elle veut et elle poursuit son but par la dissimulation et la manipulation. N'allez pas croire une seconde que je n'aie pas vu son jeu quand elle a invité son père ici. Ce que je voudrais savoir, en revanche, c'est si vous êtes de mèche avec elle...

— « De mèche » ? Je crains de ne pas connaître cette expression. Ça veut dire quoi ?

— Avez-vous conspiré ensemble ?

— Ah, conspirer, ça je connais ! Non. Je n'ai rien à voir avec tout ça, moi.

Je verse du lait chaud dans mon café, ajoute deux sucres et remue ma tasse d'un air aucunement convaincu. Luis tente un autre angle d'attaque :

— Je me fais vieux, vous savez.

— J'ai remarqué.

— Jerry aussi.

— Jerry sera encore capable de fendre des bûches à cent dix ans.

— Nous aurions besoin d'un peu d'aide, par ici. Deux jeunes paires de bras costauds.

— C'est-à-dire ? Il faudrait que je les considère comme des esclaves potentiels plutôt que comme des nécessiteux ? Vous vous y prenez encore plus mal que Shelby. – Il boude. Je sirote mon café, le laissant se tourmenter encore un moment. – Tout cela est sans objet, de toute façon. – Je sors la lettre de Rafael de son enveloppe, indiquant ainsi que la conversation est arrivée à son terme. – J'ai parlé à leur mère hier soir.

— Non ! laisse-t-il échapper avec une lueur dans ses yeux sombres. Impossible !

— Mais si.

— Qu'est-ce qu'elle a dit ?

— Elle croit que je suis folle. Une vieille perverse... !

Il reste bouche bée, dans l'attitude d'un homme qui vient de prendre une balle dans le dos et commence seulement à ressentir la douleur, puis son expression d'incrédulité se transforme en sourire hilare et il éclate de rire. Il rit si fort que des larmes coulent sur ses joues. Je ne puis dissimuler mon amusement. Et il rit encore en repartant dans la maison avec son plateau.

Je déplie la lettre de Rafael. Comme à son habitude, il y a joint plusieurs coupures de presse relatives à ses dernières corridas. Alors que Manuel n'avait que dédain pour les critiques taurins et ignorait superbement leurs articles, Rafael dit s'en moquer mais je sais qu'il ne perd pas un mot de ce qu'ils écrivent sur lui.

Je commence à le lire avec bonheur. Il m'écrit dans ma langue, moi dans la sienne.

Chère Tante Candy,

J'ai été bien content de recevoir ta lettre. Elle est arrivée à un moment difficile pour moi et j'avais besoin de quelque chose pour me remonter le moral.

La saison tire à sa fin et je ne vois pas comment elle m'apporterait du mieux. Il y a encore quelques mois, les critiques s'extasiaient sur mon style. Aujourd'hui, les mêmes écrivent que je n'ai mon nom à l'affiche que parce que j'ai une jolie gueule et qu'une partie du public – éblouie par les célébrités ! – paiera toujours pour voir dans l'arène un torero qui a le sang de Manuel Obrador dans les veines. Les gens sont de plus en plus irritables et distraits quand je me produis. Je devrais être habitué à ces sautes d'humeur et à ces caprices depuis le temps, mais je crois que je ne m'y ferai jamais.

Ces dernières semaines, les taureaux ont été plutôt mauvais. Ce n'est pas leur faute. Techniquement, j'ai été bon, mais c'est l'émotion qui m'a manqué. Je commence à perdre ma joie devant le taureau. Ça devient une corvée. L'un de mes problèmes pourrait être un manque d'attention. J'en viens à penser que je n'aurais jamais dû accepter le rôle de conseiller artistique pour ce film dont je t'ai parlé.

L'acteur qui joue le torero est américain. Je ne sais pas qui c'est, et pourtant tous ceux qui bossent sur le film me disent qu'il est très connu. Les Américains sont persuadés que le monde entier connaît chacune de leurs stars du cinéma et que les autres pays n'en possèdent pas une seule.

Quand ils m'ont demandé ce que je pensais de lui, j'ai dit qu'il n'y arriverait jamais. Je leur expliqué qu'un Américain ne peut pas comprendre ce qu'est un torero, point final. Ils m'ont pris pour un naïf qui ne connaît rien au cinéma et qui a des préju-

gés, en plus. Ils ont répondu que c'était justement le boulot d'un acteur d'incarner quelqu'un de complètement différent de lui. J'ai répété que c'était impossible quand même. Je leur ai dit que même en Espagne, il y a très peu de films sur les toreros, qu'aucun acteur espagnol ne voudrait en jouer un. Les Américains ont répondu : « C'est parce qu'ils ont peur. » J'ai dit : « Non, c'est par respect. » Ils ont insisté : « Si, c'est parce qu'ils ont peur de ne pas y arriver. » J'ai dit : « Non, ils savent qu'ils n'y arriveront pas. Et vous non plus », j'ai ajouté.

J'ai fait de mon mieux pour leur expliquer les règles du toreo mais ils n'écoutent pas, ils ne sont pas ouverts à la vérité. Dès sa première interview ici, le réalisateur a pris ses distances avec le sujet qu'il prétend traiter ! Il a dit : « Faire ce film n'est pas se prononcer sur la question de savoir si la corrida est moralement justifiable ou pas. » Quand j'ai lu ça, j'aurais voulu le frapper. « Moralement justifiable ou pas ». Depuis quand il y a de la morale dans l'art ?

Ces gens sont des lâches et des hypocrites. Les animaux dont ils mangent la viande ont une vie contre nature, pleine de souffrance et de restrictions, et leur mort est horrible, scandaleuse. Mais c'est bien. Nos taureaux ont la meilleure existence de toute la Création. Ils sont libres, ils font ce qu'ils veulent. Ils passent leurs derniers moments entourés de gens qui les respectent et les admirent. Ils meurent en héros. Et ça, ce n'est pas bien ?

Est-il meilleur pour un homme d'avoir une vie minable et vide, puis de mourir oublié de tous à quatre-vingts ans, ou de mourir glorieusement dans la force de l'âge après une vie de liberté et de passion ? Je sais que la majorité des hommes choisiraient la première option parce que ce sont des hommes, justement, qu'ils pensent comme des hommes et qu'ils ont peur de la mort. Les taureaux pensent comme des taureaux et ne savent pas ce qu'est la mort. Les toreros pensent comme des toreros et ils connaissent tellement bien la mort qu'ils finissent par ne plus la considérer comme une ennemie ou comme la fin de tout, mais comme un simple fait de l'existence.

Essayez de mettre ça dans votre film, monsieur le réalisateur ! Impossible. Mais je continue à les aider parce que j'ai besoin

de cet argent et que l'actrice principale est très belle, franchement. Elle ne connait rien à rien mais croit tout savoir. Typi-
quement américaine (Toi, tu n'es pas typique, Tante
Candy !). Je prends du bon temps avec elle. Exactement le
genre de femme qui me plaît et dont je ne pourrais jamais
tomber amoureux.

La semaine dernière, à Valladolid, j'ai eu dans la même soirée trois taureaux qui n'avaient pas d'honneur. Le dernier
était le plus faible. Je l'ai toréé avec un certain succès mais il
n'y avait pas d'émotion en lui, ni en moi, ni dans la foule.
Après une série de naturales qui m'ont valu quelques olés, il
s'est arrêté devant moi en soufflant pesamment, la langue
pendant d'un côté. J'ai entendu clairement une vieille femme
crier : « Matalo ! Matalo ! », et pendant deux secondes je me
suis dit qu'en fait elle encourageait le toro à me tuer, moi…
C'était peut-être le cas.

Affectueuses pensées,

Rafi

Je replie la lettre, la remets dans l'enveloppe. J'en ai plus de
cinquante de lui dans une boîte que je garde sur une étagère
du placard de ma chambre, dont la toute première, celle qu'il
m'avait écrite quand il était un gamin de dix ans qui cherchait
tous les moyens d'en savoir plus sur son célèbre grand-oncle,
ce Manuel auquel il vouait un culte et dont il voulait suivre
les pas.

C'est le petit-fils de l'unique sœur de Manuel, un torero
accompli et plein de talent mais qui doit supporter le poids
d'un passé épargné à la plupart de ses semblables. Son oncle
Manuel a été un magnifique torero, et sa réputation se serait
arrêtée là si, en mourant dans l'arène, il n'était pas devenu
une légende. Rafael peut essayer d'égaler son savoir et sa
grâce, mais il ne pourra jamais égaler sa mort.

La spontanéité de Rafi me fait sourire. Je me demande s'il
s'est rendu compte, en écrivant ce passage sur l'alternative
entre une longue vie conclue par une fin obscure et une jeune
existence fauchée par une mort glorieuse, qu'il tentait clairement de se convaincre que nous ne devrions pas pleurer

Manuel. Je suis moi-même parvenue à la même conclusion. Certes, il m'arrive parfois de souhaiter qu'il ait eu une existence paisible et soit devenu un octogénaire encore présent à mes côtés, mais alors il aurait dû être un autre et je n'aurais pas eu de véritable amour pour cet homme-là.

Je devais être plongée profondément dans ces pensées car je n'ai pas remarqué le retour de Luis, et je sursaute lorsqu'il me met un téléphone sous le nez.

— Un appel pour vous, d'un avocat.

— Un avocat ?

Il hausse les épaules. Je prends le combiné et il s'écarte de quelques pas, faisant semblant de s'occuper d'une plante en pot tout en tendant l'oreille pour ne pas perdre une miette de ce que je vais dire.

— Candace Jack à l'appareil.

— Bonjour, Miss Jack. Ici maître Edgars. Chip Edgars.

Un homme de loi qui s'appelle Chip ? C'est une espèce très rare*.

— Bonjour, monsieur Edgars. Est-ce que nous nous connaissons ? Votre nom me dit quelque chose.

— Je ne pense pas que nous nous connaissions personnellement mais mes spots publicitaires à la télévision sont vus par plein de gens.

Un homme de loi qui s'appelle Chip et fait de la publicité à la télé : une espèce encore plus unique.

— Mais oui, je les ai vus ! Vous avez des formules très percutantes. J'ai notamment apprécié le « Blessé dans un accident ? Quelque part, quelqu'un vous doit de l'argent ! »...

— Hé ! fait-il avec un petit rire, vous êtes bonne ! C'est une citation mot pour mot !

— Que puis-je pour vous, monsieur Edgars ?

— Eh bien, je prends contact sur instruction de ma cliente, Rhonda Welty.

— Elle a un avocat ?

— Depuis ce matin. Nous serions ravis de vous rencontrer afin d'étudier ce dont vous avez discuté au téléphone toutes

---

* Par homonymie avec *cheap*, qui signifie « bon marché » (*N.d.T.*).

126

les deux, hier soir. Le plus tôt sera le mieux, puisque Miss Welty est pressée par le temps, devant retourner en Arizona après-demain…

— Je vois. Je suis sûre qu'elle est très occupée. Puis-je vous rappeler dans un instant, monsieur Edgars ?

— Bien sûr, pas de problème.

Je coupe la communication. Luis se tourne vers moi, sa paume remplie de feuilles mortes.

— Il est possible que j'aie besoin que vous me conduisiez à Centresburg plus tard dans la journée, Luis.

— *¿ Por qué ?*

— Pour livrer une bataille, sans doute.

Il lève ses gros sourcils gris, un peu surpris.

— Ça faisait longtemps, commente-t-il.

— Je sais.

— Bon, mais n'espérez pas que je sois votre Sancho Pança.

— Non, j'espère que vous serez mon Luis Martinez.

Il prend cette consigne au sérieux. Jetant les feuilles mortes par-dessus la balustrade, il carre les épaules, se redresse de toute sa taille et regagne l'intérieur de la maison avec la démarche conquérante de celui qui fut l'aide de camp d'El Soltero.

8

APRÈS PLUS DE QUARANTE ANS PASSÉS EN AMÉRIQUE, Luis continue à conduire comme un Espagnol. Il n'a aucune considération pour les limitations de vitesse, aucun respect pour les lois de la physique, et chaque automobiliste devant lui est un affront personnel qui doit être immédiatement dépassé, et tant pis pour ceux qui arrivent dans l'autre sens.

Je peux encore très bien conduire mais je n'en ai plus l'envie. Avec le temps, mes réflexes se sont émoussés, tandis que la conscience de ma condition de mortelle s'aiguisait toujours. Ce n'est pas la mort en soi qui me tracasse. Je suis souvent tourmentée par la douleur, je n'ai pas d'époux ni d'enfants, ni de projets particuliers. Il y a eu des moments où j'ai eu la certitude que j'étais prête à m'en aller et où cette idée, loin de m'effrayer ou de m'attrister, m'a remplie d'une sérénité que je ne peux comparer qu'à la sensation d'être parvenue à la fin d'une course épuisante. Non, c'est la façon de mourir qui me préoccupe, et je ne crois pas me tromper en disant que la perspective de terminer en magma sanguinolent dans un tas de métal broyé ne me séduit pas du tout. L'ironie de tout cela, c'est que tout en ne faisant plus confiance à mes capacités de conductrice je confie mon sort à un homme qui fonce sur la route comme un écureuil affolé.

J'ai besoin de quelques minutes pour reprendre mes esprits une fois que Luis s'est enfin garé sur le parking en face du cabinet de Chip Edgars, un petit immeuble en briques jaunes dont le hall d'entrée abrite une reproduction grandeur nature du médiatique avocat. Mon propre conseiller juridique, Bert Shulman, m'attend à côté de l'effigie en carton-pâte, et dès qu'il me voit arriver il affecte la même pose idiote, les bras solennellement croisés sur la poitrine, la tête penchée à droite, le front plissé par la détermination à satisfaire mon appétit de pinailleries judiciaires.

Je lui lance un regard amusé en secouant la tête.

— Candace, dit-il tendrement en s'avançant vers moi la main tendue. Comment vas-tu ?

Je lui abandonne ma main. Bert a toujours été là, dans ma vie d'adulte. Mon frère l'a engagé quand, à peine sorti de la faculté de droit, il commençait déjà à se faire un nom au département juridique d'une grosse société d'import-export de Philadelphie. Son père était le propriétaire de l'unique grand magasin de Centresburg, à l'époque, et ils étaient l'une des deux seules familles juives que comptait la région. Bert était le cadet. Il était entendu que son frère aîné hériterait de l'affaire familiale, ce qui convenait très bien à Bert, qui tenait l'activité commerciale pour quelque chose d'aussi stimulant sur le plan intellectuel que de réchauffer une soupe en boîte.

Bien qu'il soit plus jeune que moi, je l'ai toujours considéré comme plus âgé et plus sage. Dans le temps, il avait des cheveux très foncés. Il a toujours été très élégant, brillantissime, avec un faible pour les roses jaunes dont il me couvrait de bouquets à chaque fois que je revenais à la maison pour les vacances universitaires. Septuagénaire, il reste plein de prestance, sa chevelure grise impeccablement coiffée, arborant une petite moustache droite comme un trait de crayon, et ses yeux bleus restent pétillants derrière des lunettes à monture octogonale. De par chez nous, sa garde-robe est légendaire : costumes en coton indien l'été, vestes en tweed de gentleman-farmer en automne, un manteau en cachemire bleu marine et une toque en zibeline l'hiver, le tout accompagné par l'un ou l'autre des nœuds papillon de couleur vive qu'il possède par dizaines.

Mon frère l'a rencontré par hasard dans un bar, alors que Bert était venu rendre visite à ses parents. Ils se sont tout de suite entendus. Stan soutenait qu'il avait compris sur-le-champ que Bert avait exactement le type d'esprit juridique qui lui permettrait de l'aider à développer son entreprise. Lui-même avait pensé rester et ouvrir un cabinet à Centresburg, sa ville natale, mais il craignait qu'un avocat juif n'arrive pas à se constituer une clientèle. Il connaissait nombre de gens qui, par prévention religieuse, refusaient de fréquenter le magasin de son père malgré la modicité de ses prix et le fait qu'il avait le stock de fournitures pour la maison le plus important du comté. Stan se souciait comme d'une guigne qu'il fût juif. Il avait vu en Bert quelqu'un qui l'aiderait à gagner de l'argent, ou à en économiser, et c'était depuis toujours son but primordial. Les Houillères J&P avaient été la première compagnie minière de tout l'État à avoir un contremaître noir, un comptable chinois et un médecin dont les parents venaient d'Inde, à une époque où ils auraient eu du mal à trouver un restaurant de la ville qui accepte de les servir. Mon frère était la personne la moins raciste que j'aie jamais connue. Quand il jugeait les gens, il ne voyait qu'une seule couleur : le vert du dollar.

— C'est très aimable de trouver du temps pour moi à si courte échéance, Bert.

— Que ne ferais-je pour vous ? rétorque-t-il avec un clin d'œil. En plus, je n'aurais manqué ça pour rien au monde.

On nous fait entrer dans le bureau de Chip Edgars, étonnamment spacieux et de bon goût avec ses tonalités discrètes, son beau bureau en acajou et le genre de fauteuils en cuir rouge foncé que l'on trouve dans la bibliothèque d'un manoir anglais. Au lieu des inévitables diplômes sous verre, les murs sont tapissés de photographies de Chip posant en compagnie de ce que je présume être des clients comblés : une femme dans une chaise roulante, un homme amputé d'un bras, une forme humaine hérissée de tuyaux sur un lit d'hôpital, un jeune qui ne tient debout que grâce à des béquilles devant une épave de voiture, un autre avec un bandeau noir sur un œil… Tous tiennent un agrandissement de chèque bancaire et sourient béatement à l'objectif, leur expression ravie témoignant de l'efficacité des analgésiques.

Chip Edgars me serre vigoureusement la main. Il n'est décidément pas à la hauteur de son bureau avec son costume gris bon marché, sa cravate d'un rose électrique et ce qui a tout l'air d'une moumoute sur la tête. Il devrait laisser sa décoratrice intérieure l'habiller.

— Chip Edgars ! hurle-t-il à mon intention.

J'ai l'habitude. Je suis vieille, donc je dois être dure de la feuille.

— Mais oui, je vous reconnais, dis-je aimablement. En venant, nous sommes passés devant l'un de vos panneaux publicitaires. Votre mère doit être fière de vous.

Sans perdre son sourire, il continue à me secouer la main jusqu'à ce que je lui présente Bert. Ils se connaissent, évidemment. C'est une petite ville. Ensuite, il nous conduit dans un coin de la pièce où un divan et quelques fauteuils entourent une table basse chargée de tasses et d'une cafetière. Encore une surprise en constatant qu'il s'agit de porcelaine, non de gobelets en plastique ou de mugs décorés du logo de son cabinet...

Pendant que nous traversons le bureau, il me parle des quelques occasions où il a eu le privilège de rencontrer Cameron et de la « forte impression » que celui-ci lui a inspirée. Je le laisse jacasser sans me donner la peine de le corriger.

Sur le canapé, deux fausses blondes maigrichonnes à l'air revêche nous regardent approcher en tirant nerveusement sur leur cigarette. Elles ont le charme d'anciennes stripteaseuses anorexiques à qui rien n'a réussi. Toutes les deux, les jambes croisées, ont un énorme gobelet de café Starbucks à la main. L'une est en jean très serré, bottes de cow-boy blanches et pull rouge échancré très bas qui fait penser à un gilet pour caniche, l'autre en survêtement lavande au col constellé de fausses pierres, avec des tongs aux pieds.

Dans ce coin de Pennsylvanie, on rencontre en abondance deux catégories de femmes au physique bien particulier, à savoir les vaches et les poules picoreuses, comme j'aime les appeler. Ces dernières se caractérisent par la brusquerie de leurs mouvements, leur voix caquetante, leurs petits yeux méchants et leur long cou osseux. Non seulement ces deux-là

131

appartiennent à l'espèce poules picoreuses, mais elles sont sœurs, indiscutablement. En plus d'un goût vestimentaire étonnant et d'une évidente dépendance à la nicotine et à la caféine, elles partagent une certaine façon de se tenir, et une absence presque totale de dignité.

— Candace Jack, voici Rhonda Welty, annonce Chip en tendant un doigt vers la femme habillée en chien. Et voilà sa sœur, Jennifer.

Il y a un moment de flottement tandis qu'elles essaient de décider de quoi se débarrasser en premier, cigarette ou café, puis la sœur fait preuve de la plus grande présence d'esprit en posant son gobelet et en m'offrant une main lasse.

— Vous pouvez m'appeler Jen, concède-t-elle comme si ce n'était pas du tout ce qu'elle souhaiterait.

Nous nous asseyons. Les deux femmes nous dévisagent, jaugeant mon tailleur en laine bouclée crème, mes escarpins en daim marron et mes rangs de perles, la veste prince de galles de Bert, son pantalon impeccablement taillé et son nœud papillon couleur tournesol. En les regardant nous regarder, je me dis que je me sens plus proche des vrais gallinacés.

— Vous prendrez du café ? s'enquiert Chip. – Je décline son offre, Bert l'accepte. – Eh bien, poursuit-il en prenant place à son tour et en abattant ses paumes ouvertes sur ses genoux, on commence par quelques politesses ou on va droit au fait ?

— Je crois que la deuxième option est la meilleure, estime Bert.

— Okay… Alors, nous savons tous pourquoi nous sommes là, n'est-ce pas ?

— Je n'en ai pas la moindre idée, dis-je.

Il m'adresse un sourire indulgent. Je suis vieille, donc un peu lente à le comprendre.

— Nous sommes réunis pour considérer ce qui conviendrait le mieux aux fils de Rhonda, Klint et Kyle Hayes, explique-t-il. Nous connaissons tous la situation créée par le décès tragique de leur père et…

— Tragique ! persifle Rhonda. Qu'il ne se soit pas tué il y a déjà des années, c'est incroyable.

Bert se penche vers moi pour me chuchoter à l'oreille :

— Maintenant que je connais son ex, j'ai tendance à penser la même chose.

— Ces garçons ont toujours vécu ici, continue Chip. Ils sont très attachés à cet endroit. Ils ne veulent pas partir, ce qui est compréhensible. Miss Jack a très généreusement proposé de leur offrir un toit afin qu'ils puissent rester.

— Ouais, et je pige toujours pas, s'immisce Rhonda. Pourquoi vous faites ça ? Vous ne les connaissez même pas !

— J'ai fait leur connaissance.

— Vous me l'avez pas dit !

— Vous ne me l'avez pas demandé.

— Quand c'était ?

— Ils sont venus dîner chez moi.

— Qu'est-ce qu'ils ont dit sur moi ?

— Très peu de choses. Que vous les aviez abandonnés il y a quelques années.

Ses yeux s'enflamment et elle hérisse son plumage, indignée.

— Ils vous ont dit pourquoi j'étais partie ? demande-t-elle d'une voix extrêmement forte. Ils vous ont dit que leur père était un soûlard et un raté qui me maltraitait ?

— Non, rien de tout cela. Vous deviez être la seule à avoir un problème avec lui. Au dire de tous, ces garçons tenaient beaucoup à lui, et lui à eux. Ils m'ont paru en bonne santé, relativement équilibrés, pas du tout traumatisés par un père indigne.

Elle pointe le bout de sa cigarette sur moi.

— Surtout, ne croyez pas un mot de ce que Klint raconte sur moi !

— C'est lui qui a pris votre défense.

Elle se laisse tomber en arrière sur les coussins, visiblement stupéfaite.

— Vous... Vous êtes sûre ? Klint ? Le grand ? Celui qui vous regarde comme s'il voulait vous arracher la tête ?

— Celui qui regarde deux feuilles de basilic frais comme un poison en puissance ? Oui, celui-là.

— S'il vous plaît, mesdames, ne nous égarons pas ! s'interpose Chip. Miss Jack a fait une proposition très généreuse, je le répète, et Miss Welty a décidé de l'étudier pour le bien de ses fils, même si cette solution lui est très pénible.

— Pénible ? En quoi ?

— Elle espérait pouvoir avoir ses enfants auprès d'elle.

— Je ne comprends pas bien, intervient Bert. Si c'est ce qu'elle voulait, pourquoi ne pas les avoir pris avec elle il y a trois ans ?

— Parce qu'ils se sont mis dans le camp de Carl ! profère la sœur, que Rhonda approuve par de véhéments hochements de tête.

— Dans son « camp » ? – Ma patience est en train de s'épuiser. – Nous parlons d'une famille ou d'une partie de balle au prisonnier, là ?

— Allez au diable ! crache Rhonda.

— Mesdames ! supplie Chip.

Appelez-moi-Jen passe un bras autour de sa sœurette, marmonne un « Allons, calme-toi, Ronnie ! » et lève les yeux vers moi :

— C'est très dur pour elle, explique-t-elle.

— Oui, ça se voit…

Nous nous rencognons tous dans nos sièges respectifs. Silence. Bert prend une gorgée de la tasse qu'il tenait en équilibre sur son genou, Rhonda tire bruyamment sur la paille de son gobelet. À brûle-pourpoint, elle me dit :

— Bon, vous pouvez les prendre, mais je veux des dommages-intérêts.

— Des quoi ?

Bert s'étrangle sur son café. Chip fournit une explication :

— Miss Welty doit recevoir une compensation pour le stress émotionnel qu'elle va subir.

Après une dernière quinte de toux, Bert me lance un regard interrogateur. Je sais que nous pensons la même chose : la question suivante est tellement révoltante que je dois me forcer à la formuler :

— Êtes-vous en train d'essayer de me vendre vos enfants ?

Le chasseur d'ambulances répond à sa place :

— Disons que Miss Welty serait prête à laisser ses fils s'installer chez vous si une certaine somme lui était versée.

— En d'autres termes, elle vend ces garçons, corrige Bert.

— Bien sûr que non ! Elle restera leur mère. Nous parlons seulement d'un arrangement transitoire, quelques années…

— Pendant lesquelles Miss Jack prendra en charge toutes les dépenses ?

— Exact.

— Et en plus, Miss Welty voudrait être payée ?

— Exact.

— Si vous voulez bien nous excuser un instant, je dois avoir deux mots en privé avec ma cliente.

Je me lève et je rejoins Bert près d'une fenêtre du bureau.

— Il ne faut surtout pas prendre de décision précipitée, Candace. Vous devez y réfléchir à deux fois. C'est exactement le type d'engeance qui ne vous lâchera plus…

Je jette un coup d'œil aux deux harpies qui, perchées sur une fesse, continuent à fumer et à fulminer. Je me demande quelles étranges créatures leur ont appris la vie, et aussi comment je pourrais faire comprendre à Bert ce que je ressens, puisque j'en suis moi-même incapable. Si je suis venue à cette rencontre sans décision arrêtée, je discerne maintenant ce que Shelby essayait de me dire. Je n'ai passé qu'une soirée assez désastreuse avec ces garçons, je les connais à peine, et pourtant je suis envahie par le besoin aussi impulsif qu'impérieux de les arracher à cette femme. Ce n'est pas différent de l'instinct irrépressible qui conduit quelqu'un à se jeter dans une mer en furie pour sauver un enfant inconnu.

Je me retourne :

— Combien coûterait votre chagrin, au juste ?

Les sœurs et Chip échangent un regard entendu. Ils ont déjà parlé chiffres entre eux, très clairement.

— Quinze mille dollars, annonce l'avocat.

— C'est une mauvaise plaisanterie ? s'indigne Bert.

Sans quitter Rhonda des yeux, je lui demande :

— Si j'arrondis à vingt mille, vous ajoutez votre sœur ?

Elle soutient mon regard, fait une moue méprisante.

— Trop drôle. Vous vous croyez tellement au-dessus de moi parce que vous êtes riche, hein ? Mais moi j'ai quelque chose que vous voulez, alors vous allez devoir me payer pour l'avoir. Et laissez tomber vos grands airs et vos cours de morale, d'accord ? Parce que si moi je vends mes enfants, vous, vous les achetez, ce qui vous rend aussi pourrie que moi.

— Je puis vous assurer que je n'achète pas vos fils, dis-je en réponse à sa provocation. Je vous paie pour que vous restiez loin d'eux.

Bert pose une main sur mon bras.

— Vous êtes sûre de ce que vous faites ? Deux garçons en pleine adolescence ? Avec *ça* pour mère ?

Sans tenir compte de son interruption, je me dégage pour faire face une ultime fois à mon adversaire, en train de chuchoter hystériquement avec sa sœur. Discutant probablement de ce qu'elles vont faire avec cette aubaine.

— Une dernière chose. Je ne comprends pas pourquoi vous n'êtes pas simplement venue me demander cet argent. Pourquoi s'embarrasser d'un avocat ?

Elle tourne la tête pour me regarder. Elle sourit, ce qui ne lui va pas. L'amertume convient mieux à son visage.

— Je veux que tout soit légal. Pour que vous ne changiez pas d'idée, *vous*, et que vous ne les jetiez pas dehors. Je dois protéger mes garçons.

Et elles reprennent leurs messes basses. Mes yeux s'arrêtent sur l'une des innombrables photos de Chip, où il est en compagnie d'une femme et d'un enfant atrocement handicapé vautré dans un fauteuil roulant, la bave aux lèvres, les jambes prises dans des attelles, le regard vide. La mère brandit un chèque. Elle et Chip Edgars sourient de toutes leurs dents.

Je ne sais pas ce qui se révélera le plus dommageable pour ces garçons : que leur père soit mort, ou que leur mère reste en vie.

9

LUIS

MANUEL OBRADOR, JE CONNAISSAIS TOUT DE LUI bien avant de le rencontrer. Pour moi et pour les gens de ma ville, il était beaucoup plus qu'un grand artiste, une célébrité, un homme distingué par son courage et sa prestance, celui qui faisait le tour de l'arène dans son habit de lumière sous une pluie de fleurs, de mantilles, de chapeaux et de gourdes de vin lancés par la foule en délire. C'était notre fils et notre frère. Notre représentant dans le monde. Peu d'entre nous verraient Madrid dans leur vie, et encore moins le reste de la planète, mais ce n'était pas important : nous savions tous que si jamais nous nous risquions à voyager au-delà de notre région et prononcions le seul nom de Villarica, on nous regarderait avec un respect plein d'admiration. Sa gloire nous faisait briller comme si nous avions été touchés par un ange. Comme ils disent en Amérique du Nord, il nous avait fait exister sur la carte – nous, on dit « sortir sur la photo ».

Je sais que les Américains aiment leurs héros locaux, eux aussi. Un exemple en est notre shérif, qui a été une star du football au lycée de Centresburg et a failli passer profession-nel. Les gens d'ici sont capables de se rappeler les moindres minutes d'un match qu'il a disputé il y a vingt-cinq ans, mais pas de connaître le nom du président du pays dans lequel leurs fils et leurs filles partent faire une guerre... Un autre exemple, c'est Klint Hayes. Je ne l'ai pas dit à Candace mais je savais qui il était avant qu'il vienne dîner, pas parce que c'est un ami de Shelby ou que j'ai entendu parler de la mort de son père mais parce qu'il est souvent nommé dans les pages sportives du journal.

Candace ne les lit jamais. Elle considère le sport comme « un passe-temps pour retardés mentaux », pareil que d'aller à l'église ou de rester devant la télé – même si elle la regarde un peu. Elle dit que l'une des plaies de la vieillesse, c'est qu'on est parfois obligé de se mettre devant un écran parce qu'on n'a rien d'autre à faire, qu'on ne peut plus être aussi actif qu'avant, que la lecture finit par fatiguer les yeux et qu'à un âge comme le sien il reste peu de gens avec qui on a la patience de parler. Elle avoue bien aimer le feuilleton *Law & Order*, et une fois je l'ai surprise en train de regarder les *Simpsons*, et elle a prétendu qu'elle était juste en train de zapper, mais elle ne peut pas me baratiner, moi.

J'ai aussi surpris des conversations au sujet de Klint Hayes au supermarché, au drugstore, au Sam's Club et même un jour en attendant Candace chez son médecin. Les gens sont impressionnés et fiers de lui, mais leurs éloges sont mêlés de jalousie et d'animosité. Pour chaque gars s'extasiant à un comptoir de bar sur les chances du jeune Hayes d'arriver premier au championnat régional et calculant combien d'argent il pourrait se faire en tant que pro, il y en a un autre pour clamer que c'est une petite mule qui a la grosse tête et qui a été seulement aidé par la chance, pas le talent.

À Villarica, notre amour pour Manuel était pur. Nous ne jugions pas ses défauts, nous ne lui reprochions pas son succès. Comme nous n'attendions rien de lui personnellement, nous ne pouvions pas être déçus. Sa seule existence nous apportait le bonheur et, en échange, nous le laissions vivre sa vie comme il l'entendait. Tels les taureaux qu'il rencontrait dans l'arène, nous gardions nos distances et nous ne nous approchions de lui qu'en des occasions spéciales, pesetas en main, pour le voir toréer. Nous le laissions libre, et notre grande joie était de le regarder courir après son destin.

Ça ne veut pas dire qu'il s'entendait bien avec tout le monde. Il avait un sacré caractère, et quand il n'était pas dans l'arène son besoin d'émotions fortes, son tempérament indépendant lui causaient quelquefois des ennuis. Il laissait derrière lui une litanie de voitures envoyées dans le fossé, de femmes inconsolables, de prêtres navrés, de journalistes dupés et de lettres suppliantes que lui envoyait sa mère partout où il allait.

Pendant six mois de l'année, la vie d'un torero n'est qu'une succession de voyages qui n'ont rien de plaisant. Même aujourd'hui, il n'y a pas d'avion de ligne ou de train à grande vitesse qui puisse les conduire d'une *fiesta de toros* à l'autre, lui, sa *cuadrilla* et tout leur équipement. C'est en voiture qu'il faut aller de ville en ville, généralement en pleine nuit, sur des routes secondaires sinueuses qui n'ont souvent pas été élargies ou réparées depuis des lustres. En hiver, les toreros récupèrent, s'entraînent et cherchent habituellement à ne pas trop bouger. Manuel avait essayé d'habiter Madrid, mais il s'était retrouvé embarqué dans trop d'histoires, et à ses vingt-cinq ans il s'était installé dans une *finca* à environ quatre-vingts kilomètres au sud-est. Villarica étant à peu près à la même distance de Madrid dans la direction opposée, cela l'éloignait suffisamment de son « pays », mais il venait tout de même en visite plusieurs fois par an.

À chacune d'entre elles, la petite ville était en émoi. Les filles soignaient leur tenue, les hommes se tenaient plus droits, et les nonnes du couvent sur la colline se signaient plus fréquemment. Même les chiens qui vagabondaient dans nos rues aboyaient plus fort que d'habitude. Les quelques commerces de Villarica veillaient à s'approvisionner en tout ce qu'il aimait : le marchand de tabac commandait des boîtes de ses cigares préférés, le boulanger mettait à cuire des dizaines de *marquesitas*, de sorte qu'à l'aube du jour où il était attendu une odeur alléchante de biscuits et d'amandes se glissait dans toutes nos maisons. Sur l'ardoise suspendue sous leur auvent, les restaurants inscrivaient la *perdiz estofada con alubias*, ce plat de perdrix et de haricots blancs traditionnel de la région dont Manuel raffolait. Les bars se débrouillaient pour faire venir son whisky favori, un malt écossais presque impossible à trouver dans l'Espagne autarcique du régime franquiste mais qu'un importateur de la

139

province muni d'un bon carnet d'adresses arrivait toujours à faire venir en quantités suffisantes.

La ferme des Obrador, un peu en dehors de la ville, devenait un lieu de pèlerinage. Après la sieste, les hommes descendaient la piste en terre gelée qui s'enfonçait entre les oliviers aux troncs penchés pour aller rejoindre le père de Manuel devant sa maison de pierre toute simple. Ils restaient dehors à fumer, à battre la semelle pour se réchauffer et à prédire la qualité des taureaux qui entreraient en lice à la prochaine saison. Les femmes apportaient des plats et des outres de vin à sa mère, sachant qu'elle allait beaucoup recevoir et espérant être invitées. Toutes les filles à marier, entre seize et trente ans, se souvenaient brusquement de leur grande amitié pour la sœur cadette de Manuel, Maria Antonia, mais celle-ci et leur mère, qui avaient conscience de la prestance de Manolo, regardaient d'un œil suspicieux ces tactiques féminines et, sachant que ces curieuses chercheraient à connaître par le menu l'emploi du temps du visiteur, elles en disaient le moins possible.

Avec ses vraies amies, Maria s'asseyait pour de longs bavardages et d'incessants rires sous cape. Son joli visage brun animé par l'excitation, les yeux étincelants, elle se demandait à voix haute quelle nouvelle robe ou quel bijou Manuel lui rapporterait de Madrid, et si l'un ou l'autre des membres de sa *cuadrilla* passerait à la ferme pendant son séjour.

Dans ma famille aussi, les visites de Manuel revêtaient la plus grande importance. Mon père possédait la taverne la plus fréquentée de la ville, avec des chambres à l'étage qu'il louait. Pendant la saison des corridas, les affaires marchaient bien mais en hiver elles tournaient au ralenti et les apparitions de Manuel garantissaient que la salle ne désemplirait pas un soir, certains se rendant à la taverne dans l'espoir d'apercevoir le grand homme, parce qu'il était connu qu'il adorait la cuisine de ma mère, d'autres tout simplement parce que son arrivée les mettait en fête.

J'avais dix ans de moins que Manuel et j'étais encore un gamin de quinze ans quand il est venu passer une semaine au début du mois de février 1955. J'étais le cinquième de huit enfants. Comme dans toutes les familles nombreuses, chacun recevait un rôle bien défini, et l'étiquette correspondante : « le responsable » (l'aîné), « le petit chouchou » (le dernier), « l'intelligente », « la beauté », « la lambine », « le clown », « la mauvaise graine ». Moi, j'étais « l'invisible », mais si quelqu'un avait pris la peine découvrir quelque trait particulier en moi, j'aurais sans doute été surnommé « l'insatisfait ».

Je ne pourrais pas dire que je détestais Villarica ou ma vie, et j'aimais assurément ma famille, une marmaille bruyante, remuante, combative qui se chamaillait tout le temps mais restait aussi solidement unie que les points de couture des habits que ma mère nous faisait. Nous n'étions pas riches du tout, mais nous ne crevions pas de faim non plus. Compte tenu de notre nombre, et de l'époque à laquelle nous vivions, nous n'avions pas à nous plaindre. Et pourtant, sans que je sache encore pourquoi aujourd'hui, je voulais m'en aller. Je n'étais pas un rêveur, je n'avais pas soif d'aventures, j'étais au contraire un enfant très raisonnable. Je n'avais pas la folie des grandeurs : faire fortune, devenir célèbre ou me réveiller un matin en découvrant que j'étais doté d'un talent extraordinaire comme Manuel Obrador. Je ne savais pas ce que je voulais, ni pourquoi je l'aurais voulu. La seule certitude, c'était que je désirais autre chose, et cet « autre chose » me tourmentait nuit et jour.

D'après les rumeurs, Manuel était déjà là depuis l'avant-veille mais il n'était pas encore apparu en ville. Il n'était pas allé à la boulangerie pour ses *marquesitas,* ni au tabac pour ses cigares. Personne ne l'avait vu se promener sur la place ou se diriger vers le confessional. Deux jours de suite, ma mère avait tué et plumé une dizaine de perdrix, juste par précaution. L'*estofado* qu'appréciait Manuel était tellement populaire que les clients en réclamaient des semaines encore après ses visites, si bien qu'elle devait rajouter chaque jour de la viande dans son immense marmite.

C'était l'heure de la *siesta.* On m'avait envoyé chercher du lait de chèvre dans une ferme proche. J'avais fait ce trajet un nombre incalculable de fois. Enfant, j'avais cru que la distance raccourcirait au fur et à mesure que mes jambes s'allongeraient, mais ce n'était pas le cas. Tout l'inverse, même : plus je grandissais, plus mes pensées se compliquaient et la distance finissait par paraître deux fois plus importante.

La ville était déserte, seulement habitée par le silence. Ce n'était pas cette quiétude assourdie après une chute de neige que j'allais connaître en Pennsylvanie, mais le silence retentissant, translucide, des hivers du centre de l'Espagne.

Toutes les persiennes étaient fermées, toutes les portes closes. Les chiens et les gamins avaient été conviés à se taire, les cages à oiseaux avaient été couvertes, et même les filets de fumée blanche sortaient prudemment des cheminées, comme s'ils redoutaient de produire un son s'ils allaient trop vite donner contre le dôme bleu et compact du ciel.

Je me suis mis à concocter une histoire dans laquelle je me retrouvais être le seul survivant sur terre, et le meilleur aspect de cette situation était que je n'aurais plus jamais à attendre mon tour pour aller aux toilettes, quand ma rêverie a été interrompue, et le silence troublé, par un bruit mat et lourd derrière moi. Je me suis retourné… un homme courait sur les pavés dans ma direction, pieds nus ! Même au plus fort de l'été, personne ne sortait pieds nus, chez nous. Cela s'expliquait en partie par le bon sens, puisque le sol était brûlant, mais l'autre raison était l'honneur : aller nu-pieds était un signe de pauvreté, et un rappel choquant de la dureté des temps pendant la guerre civile, un passé qui restait très vivant dans la mémoire de chacun. Si un enfant était repéré sans chaussures dans la ville, la consigne passait aussitôt parmi les voisines et la mère surgissait bientôt pour attraper le responsable du scandale par l'oreille et le traîner jusqu'à la maison.

Le seul à défier ouvertement cette convention, à ma connaissance, était Manuel Obrador. D'après ce que l'on m'avait raconté, non seulement il se baladait pieds nus quand il était gamin, mais il osait riposter aux commères qui lui criaient dessus, proclamant que ce n'était pas leurs affaires, alors que tout le monde savait que tout l'était, justement… Dans l'arène, il était fameux pour sa propension à se débarrasser de ses chaussures d'une ruade dégoûtée quand un taureau se montrait décevant, et à terminer sa *faena* en chaussettes roses.

— *Chico* ! a crié l'homme en me voyant. Aide-moi !

Il est arrivé sur moi en deux secondes.

— Vous… vous n'avez pas de chaussures, ai-je bredouillé.

— Bah ! Comme ça, je cours plus vite.

— Mais il fait froid !

— Alors, emmène-moi quelque part au chaud. S'il te plaît – Il a jeté un regard nerveux par-dessus son épaule. – Il faut que tu me caches.

Comme pour confirmer ses dires, la ruelle assoupie s'est soudain emplie d'un vacarme de souliers cloutés et de beuglements furieux qui ne m'ont pas paru complètement humains.

— Vite ! a insisté l'original aux pieds nus.

— La taverne de mon père… – J'ai posé les deux seaux de lait fermés par un couvercle dans l'embrasure d'une porte, en me disant que je viendrais les reprendre plus tard. – Par là. Ce n'est pas loin.

Nous nous sommes élancés. En deux minutes, nous étions dans la salle vide du restaurant. Je continuais à regarder derrière moi, fréquemment.

— Il y a une autre sortie ? m'a-t-il demandé tandis que ses yeux noirs inspectaient en hâte les recoins.

Avant que je puisse répondre, les hurlements de son poursuivant ont recommencé juste derrière la porte de la taverne. Je l'ai poussé vers une table du fond. En un clin d'œil, il s'était glissé dessous et j'ai arrangé des chaises tout autour pour le dissimuler même si la nappe n'arrivait pas jusqu'au sol.

Notre porte s'est ouverte à la volée. Un fou armé d'un couteau a fait irruption.

— Où il est ? m'a-t-il crié. Où il est, ce *chulo*, que je le tue ?

Une fille est entrée à sa suite. Elle était habillée mais on voyait bien à ses joues colorées et à sa chevelure emmêlée qu'elle ne l'avait pas été quelques instants plus tôt.

— Non, Papa, non !

Elle s'est jetée sur lui, il l'a repoussée et elle est tombée. Il m'a chargé en brandissant sa lame, le visage violet de rage.

143

— Il croit qu'il peut faire tout ce qu'il veut parce qu'il s'amuse avec des taureaux ? Il pense que le monde entier est à lui ? Il pense qu'il est le roi ici ? Il n'y a plus de roi en Espagne, et il n'y en aura pas à Villarica ! Je vais lui couper la tête moi-même !

— S'il te plaît, Papa, a gémi entre deux sanglots la fille toujours affalée par terre.

Son père m'a attrapé par ma chemise pour me secouer.

— Où il est ? Tu le caches ? Alors tu es coupable aussi ! Je vais te couper les oreilles comme à un de ses taureaux et je ferai la parade avec dans toute la ville !

Je n'avais jamais eu aussi peur de ma vie, j'étais transporté aussi. Je ne pensais pas qu'il allait me charcuter, mais si ce devait être le cas je connaîtrais une mort pleine de noblesse. Parce que je venais de comprendre qui se cachait sous la table : je serais le garçon qui avait sauvé El Soltero. Toute l'Espagne composerait des chansons en mon honneur, le pape me béatifierait, mon visage apparaîtrait sur des images saintes et de belles femmes pleureraient sur mon sort en montant les marches de l'église. Ma mère serait triste de m'avoir perdu, bien sûr, mais elle serait aussi fière de mon sacrifice. Je deviendrais son préféré et aucun de mes frères ou de mes sœurs ne pourrait me renverser de mon trône de martyr…

— Vous devez partir, ai-je dit à l'homme d'une voix beaucoup moins ferme et sonore que je l'aurais voulu. Vous n'avez pas le droit d'être ici.

Il m'a lâché, puis il a posé la pointe du couteau sur ma gorge.

— Je vais fouiller partout, partout ! Tout retourner jusqu'à ce que je le trouve. Tu ne peux rien faire pour m'en empêcher. Tu es… une souris !

Mon corps s'est aussitôt couvert de sueur. Partout, même là d'où je ne savais pas que l'on pouvait suer : mes coudes, mes oreilles, mes genoux, mes fesses. En avalant ma salive, j'ai senti l'acier froid m'érafler la peau.

— Je peux réveiller mon père et mes quatre frères, ai-je répliqué en levant la tête vers le plafond comme si nous habitions là – alors que notre maison était quelques rues plus loin –, comme s'il y avait quelqu'un pour venir à ma rescousse. Ils ne vont pas aimer ça.

Une certaine dose de bon sens est revenue dans son regard égaré. Il a retiré lentement son couteau.

— On en reparlera, *ratero* !

Sur cette dernière menace, il a tourné les talons, est allé prendre la fille par un bras et l'a soulevée du sol, puis il l'a poussée hors de la taverne. Je me faisais du souci pour elle, mais quand ils sont passés devant la fenêtre près de moi elle m'a souri et elle a articulé en silence le mot « *gracias* ».

Je les ai regardés s'éloigner. Un bruit de chaises raclant le parquet m'a amené à me retourner. Manuel Obrador était en train de s'extraire de sa cachette. À le voir maintenant, on n'aurait jamais deviné qu'il venait d'être pourchassé, pieds nus à travers une ville glacée, par un maniaque décidé à l'assassiner.

Repoussant les lourdes mèches noires tombées sur ses yeux, il s'est recoiffé, a donné quelques tapes sur son pantalon pour l'épousseter, remis sa chemise en place. Il n'était pas beaucoup plus grand que moi, mais sa présence semblait remplir l'immense salle. Son corps athlétique exprimait une assurance naturelle qui n'était pas de l'arrogance. Il était presque trop beau. Moi qui étais un garçon, je suis tombé instantanément amoureux, alors que devait-il arriver aux filles dont il croisait le chemin ? Bon, j'en avais une petite idée, après ce qui venait de se passer…

— Tu sais qui je suis ? m'a-t-il interrogé.

— El Soltero, ai-je articulé avec une solennité presque religieuse.

Il a ri de bon cœur.

— Il est sans doute logique que tu m'appelles « le célibataire » plutôt que par mon nom, dans ce contexte. C'est ce qui me convient le mieux, pour l'heure.

Il a regardé alentour. Il savait où il était. Il était venu maintes fois à la taverne.

— Qui c'était, ce bonhomme ?

— Je ne sais pas exactement, a-t-il répondu nonchalamment. Nous n'avons pas été présentés en bonne et due forme. Mais j'ai comme l'impression qu'il est le père de la fille qui était là. Elle, par contre, je la connais bien.

— C'est ta *novia* ?

— Non, pas fiancée ni rien de tout ça. Je n'ai pas dit que je la connais depuis longtemps, j'ai dit « bien ».

Quand il est allé vers le bar, je n'ai pas pu détacher mes yeux de lui. C'était comme si un bel animal inconnu avait surgi d'une forêt pour passer si près de moi que j'aurais pu le toucher, tout en sachant que je n'aurais jamais osé le faire.

Il s'est tourné et m'a offert ce célèbre sourire envoûtant que je lui avais vu si souvent sur les photographies des journaux, après ses corridas les plus réussies.

— Je ne refuserais pas un verre.

La demande m'a sorti de ma contemplation. Je me suis hâté de me glisser derrière le bar. Je me rappelais parfaitement où mon père avait placé les deux bouteilles de whisky écossais spécial. J'en ai ouvert une et je lui ai servi un verre avec de la glace, qu'il a pris sans se montrer autrement surpris que nous ayons un breuvage aussi coûteux et aussi rare, que l'on ne trouvait que dans les grandes villes. Il a bu sans rien dire, me laissant le temps de réunir assez de courage pour l'interroger encore sur l'homme au couteau :

— Pourquoi il voulait vous tuer ?

Il a réfléchi un moment.

— Lui, il te dira certainement que c'était pour protéger l'honneur de sa fille, mais c'est faux. L'honneur de sa fille n'appartient qu'à elle, et elle devrait pouvoir en faire ce que bon lui semble. Il protégeait sa petite réputation dans cette petite ville arriérée. Il voulait sauver la face, quoi.

— En empêchant sa fille d'être avec vous ?

— À peu près.

— Mais vous êtes un grand artiste !

— Ça ne veut pas dire que les pères me laissent aimer leur fille.

— Pourquoi non ? Ils devraient !

Il a ri, à nouveau.

— Comment t'appelles-tu ?

— Luis.

— Tu me plais, Luis. Tu es très courageux. Quel âge as-tu ?

— Quinze ans.

— Tu m'as déjà vu dans l'arène ?

— Bien sûr !

— Combien de fois ?

— Toutes les fois que vous avez toréé ici.

— Ce n'est pas assez.

— Comment j'aurais pu plus ?

— Tu n'as jamais quitté Villarica ?

— Non, ai-je admis à contrecœur.

— Même pas allé à Tolède ?

J'ai fait non de la tête, gêné.

— Tu as un papier et un crayon ?

Je suis parti chercher ce qu'il me demandait dans le petit bureau de mon père, près de la cuisine. Il s'est mis à écrire.

— Pourrais-tu porter un mot à ma mère ?

Mon cœur s'est gonflé de fierté. Manuel Obrador m'aimait bien, il trouvait que j'avais du cran, et maintenant il me chargeait de transmettre un message à sa mère chérie !

— Bien sûr.

Sitôt terminé, il en a commencé un deuxième sur une autre feuille.

— Et celui-là à la fille, si je te dis où elle habite ?

— La fille ? me suis-je écrié. Vous allez la revoir ?

Posant le crayon, il a plié chacune des feuilles et me les a tendues avec un sourire.

— Pas cette fois, non. Il vaut mieux que je parte. Mais je trouverai un moyen de la revoir. J'aime pas l'idée de laisser une œuvre d'art inachevée.

Les jours suivants, je n'ai plus touché terre. Je n'ai jamais raconté à personne comment j'avais sauvé El Soltero, en partie parce que je ne voulais pas être à l'origine de racontars négatifs sur son compte mais aussi parce que je soupçonnais que personne ne me croirait, à commencer par mes frères et sœurs. Évidemment, je n'avais pas à m'en faire puisque dès le lendemain toute la ville avait appris ce qui s'était passé, à l'exception de la scène à la taverne. Et si j'avais raconté mon histoire, j'aurais été plus ou moins comme un petit Américain prétendant que Superman était tombé du ciel, pour lui demander de l'aider à protéger le monde d'une catastrophe majeure.

Que j'aie des preuves n'y changeait rien. Ma mère a bien remarqué la coupure sur ma gorge, mais quand elle m'a posé la question j'ai dit que je m'étais battu avec l'un de mes frères, Jaime, « la mauvaise graine », et son seul commentaire a été que je devrais enfin me comporter en grand garçon. J'ai dû me mordre la langue pour ne pas lui crier que Manuel Obrador m'avait trouvé assez grand pour me confier des messages secrets de la plus haute importance, adressés à sa mère et à sa maîtresse. Et j'ai gardé pour moi le verre dans lequel il avait bu.

Le temps a passé comme il passe toujours. Bientôt, il est devenu difficile, même pour moi, d'être sûr que tout cela s'était réellement produit.

En un clin d'œil, l'été est revenu et la saison taurine aussi. Un jour de juillet, alors que je venais de passer avec des amis cette heure précieuse entre la trêve de la sieste et le début de mon travail en cuisine, je traversais tranquillement la place quand j'ai remarqué une grande agitation autour de la taverne de mon père. Il était encore bien trop tôt pour le dîner, et pourtant il y avait des dizaines de gens qui se pressaient autour des tables installées dehors. Je me suis dépêché d'entrer. La cohue était encore plus considérable dans la salle. Des centaines de conversations s'entrecroisaient pendant que mon père et mon frère aîné, Miguel, servaient les consommations à toute vitesse. L'une de mes petites sœurs, Teresa – « l'intelligente » –, m'a arrêté par le bras et m'a demandé d'un ton exastié :

— T'es au courant, Luis ?

Elle restait toujours d'un calme olympien, d'habitude.

— Quoi ?

— Viens ! Maman a la lettre !

Je l'ai suivie à une table où notre mère était assise, entourée d'une meute de femmes qui parlaient toutes en même temps.

Sur la chaise près d'elle, Sofia, ma sœur aînée – « la beauté » – paraissait à peine revenue d'un évanouissement. On lui tendait un verre d'eau, on éventait son visage d'un rose sombre avec un journal plié. À une autre table, mon autre sœur cadette, Ana, « la lambine », était occupée à plier des serviettes avec une énergie et un air déterminé que je ne lui avais jamais vus. C'était le monde à l'envers !

— Luis ! m'a crié ma mère en me voyant. C'est incroyable ! Quel grand jour pour nous !

Elle s'est levée pour m'embrasser.

— Je n'y comprends rien… Qu'est-ce qui se passe ?

— Ton père a reçu ce matin une lettre de Manuel Obrador ! Il voudrait savoir si lui et sa *cuadrilla* pourraient s'installer dans les chambres du haut quand il va venir pour la *fiesta de toros* en août.

À ces mots, tout le monde s'est mis à rire, à applaudir et à crier, alors que j'aurais parié qu'ils avaient tous déjà entendu la même nouvelle un nombre considérable de fois au cours de la dernière demi-heure. Mais je comprenais enfin l'excitation ambiante. C'était en effet une très grande nouvelle pour ma famille. Dans chaque ville de tauromachie, les toreros ont leurs habitudes. Manuel, par exemple, descendait toujours à l'hôtel Villarica quand il venait ici. Mon père ne s'en était jamais offusqué. Son établissement était avant tout un restaurant et le Villarica un véritable hôtel, avec toutes les commodités habituelles et une excellente réputation. Et là, par la magie d'une lettre, nous allions devenir une auberge recherchée, notre prestige n'aurait pas de limites.

— Ce n'est pas un miracle, ça ? m'a interrogé ma mère. Et personne ne sait pourquoi il a changé d'avis.

— Bah, il a enfin vu clair ! a lancé Miguel, tout faraud. Quelqu'un comme lui, qui apprécie la qualité, il fallait que ça arrive…

Mon petit frère Javier s'est faufilé entre les adultes pour venir jeter un bras autour de la taille de notre mère.

— C'est à cause du bon manger de Maman ! a-t-il clamé, provoquant une nouvelle salves de hourras et d'applaudissements.

Il m'a lancé un grand sourire et j'ai souri, moi aussi, parce que je connaissais la vraie raison. Ma mère l'a couvert de baisers. C'était « le petit gâté », Javier.

Manuel et ses hommes sont arrivés en pleine nuit la veille de la corrida, bien après que j'avais été envoyé au lit. Mon père et Miguel les ont accueillis et le lendemain, au petit déjeuner, ils nous ont narré leur arrivée pendant que ma bruyante famille observait cette fois un silence d'église pour les écouter. Même Felipe, « le clown », s'est abstenu du moindre commentaire cocasse.

Manuel n'a pas quitté sa chambre jusqu'au moment de rejoindre sa *cuadrilla* pour le déjeuner. J'avais la ferme intention de m'approcher de sa table, j'avais préparé ce que j'allais lui dire et même envisagé dans ma tête ce qu'il me répondrait, mais à chaque fois que je m'apprêtais à sortir de la cuisine le doute me clouait sur place.

Ils ont pris des truites grillées, de la perdrix en escabèche et un grand plat de *cuchifrito*, de l'agneau frit dans l'huile d'olive puis mijoté avec des épices, de l'ail et du piment séché, une spécialité de la province tolédane que ma mère réussissait particulièrement bien ; certains disent que c'est une recette que les Arabes ont introduite en Espagne, mais je n'y crois pas du tout. Ils ont bu de la bière et du vin, achevé leur repas avec du fromage et du *bizcocho borracho*, ce « gâteau ivre » que l'on arrose copieusement de rhum.

Manuel a mangé de bon appétit, mais pas autant que les autres. La plupart des toreros ne prennent presque rien avant d'entrer dans l'arène. Chez certains, c'est l'appréhension qui leur noue l'estomac, alors que d'autres veulent être sûrs d'avoir le ventre vide au cas où ils devraient être opérés d'urgence après une blessure. Comme Manuel était l'un des rares à déjeuner solidement, des histoires souvent exagérées circulaient quant à son coup de fourchette. On racontait ainsi qu'un jour de corrida, à Séville, il avait dévoré un chevreau entier à lui seul.

Quand je me suis enfin forcé à entrer dans la salle, je n'ai pas eu le cran d'aller jusqu'à lui et je me suis réfugié derrière le bar en faisant semblant d'essuyer des verres. À un moment, j'ai croisé son regard mais il n'a eu aucune réaction et j'en ai été blessé.

Alors que l'heure de partir pour la *plaza de toros* approchait, des villageois, quelques touristes et des journalistes se sont massés devant la taverne afin de l'apercevoir franchir notre porte dans son habit de lumière. J'ai attendu avec les autres, mais je me sentais déprimé. Mes sœurs avaient leurs plus belles robes, mes frères prenaient des airs importants, montrant une dignité de fraîche date. Les hommes buvaient de la bière glacée au bar ; les femmes, assises, agitaient leur éventail sans interruption. Moi, je boudais près de la fenêtre, en jetant parfois un coup d'œil à la ruelle que Manuel et moi avions dévalée six mois auparavant, poursuivis par l'homme au couteau. Cela me semblait comme un rêve.

Le brouhaha s'est soudain calmé. L'un des garçons de courses de Manuel venait de descendre l'escalier quatre à quatre et se hâtait vers le comptoir. Quand il est arrivé devant mon père, on aurait presque pu entendre une mouche voler : toute l'assistance tendait l'oreille.

— Señor Martinez ? Manuel voudrait parler à Luis.

Mon père a pris une mine inquiète.

— Il a fait une bêtise ?

— Non, non. Luis est un ami de Manuel.

Tout le monde s'est tourné pour me regarder. La stupéfaction rendait le visage de mon père comique, mais il s'est détendu et a hoché la tête avec fierté.

En un quart de seconde, je n'étais plus « l'invisible ».

J'ai suivi le garçon à l'étage. Il a frappé à la porte de Manuel et son assistant est sorti dans le couloir. Il venait de finir de l'aider à s'habiller, puisqu'ils allaient partir sous peu. Il m'a jaugé d'un œil sévère et, sans dire un mot, s'est mis à descendre l'escalier à petits pas pressés.

La porte était restée entrouverte. Je me suis avancé pour regarder. Debout au pied de son lit, Manuel me tournait le dos. Il était entièrement prêt, depuis le chapeau noir et la natte postiche attachée à sa nuque jusqu'aux chaussettes rose saumon et aux chaussures en cuir souple décorées d'un nœud sur le devant. Les draps étaient froissés après sa sieste. Les persiennes avaient été ouvertes, laissant le soleil jouer sur les broderies dorées, les perles et les cristaux dont son habit bleu clair était parsemé. Je connaissais le nom de cette couleur. « *Celeste* », en espagnol : qui vient du ciel.

— Entre, a-t-il ordonné.

J'ai poussé la porte mais je n'ai fait qu'un pas à l'intérieur. Il a pivoté sur les talons, déclenchant dans ce mouvement une pluie de reflets sur les murs et le plafond.

— J'ai pensé à toi, Luis. – Je suis resté sans voix. – Et toi, tu as pensé à moi, depuis le jour où on s'est rencontrés ?

— Oui, ai-je balbutié.

— Et tu as pensé quoi ?

— Je... Je me demandais si vous aviez revu la fille.

Il a ri, et mon malaise s'est dissipé sur-le-champ. Plus tard, j'allais découvrir qu'il possédait deux sortes de rires, l'un moqueur et sec qu'il réservait à la presse ou aux réceptions dont il était la vedette, et celui que je venais d'entendre. Avec celui-ci, vous saviez que vous l'aviez amusé ou satisfait pour de bon, et alors vous vous sentiez l'être le plus important du monde.

— Oui. Je l'ai revue.

— Vous allez vous marier avec elle ?

— Et perdre mon nom ? Dans ce cas, il faudrait que je devienne « *El Esposo* » ? Le Mari. Ça, jamais ! – Nous avons ri ensemble à cette idée. – Comment tu trouves l'école ? a-t-il continué en allant se placer devant la commode pour s'examiner dans la glace.

— Barbante.

— Pourquoi ?

— Parce qu'on n'apprend rien d'intéressant.

Il a ajusté le jabot de sa chemise ivoire, rectifié la position d'un gland doré sur l'une de ses épaulettes.

— Comment tu trouves cette ville ?

— Barbante aussi.

— Quand tu penses à la manière correcte de vivre sa vie, est-ce que tu crois que le plus important est de ne jamais s'ennuyer ?

J'ai réfléchi à sa question quelques secondes.

— Oui… – Un sourire m'est venu avec la révélation qu'il venait de m'aider à faire. – Le plus important !

— Bien.

Je l'ai regardé inspecter ses ongles. Il devait les avoir coupés et limés plus tôt, afin qu'ils ne risquent pas de s'accrocher à sa muleta et de compromettre une passe.

Son calme était renversant. Alors qu'il allait affronter l'une des créatures les plus puissantes et sauvages au monde, il était maintenant en train d'examiner sereinement ses ongles, sanglé dans un costume tellement surchargé et flamboyant que même un roi ou un sultan n'aurait pas osé le porter.

J'avais revécu dans ma tête notre première rencontre des centaines de fois, pendant ces six mois, et à chacune d'elles j'en étais venu à me demander comment quelqu'un qui n'avait pas peur du taureau pouvait avoir peur d'un autre homme. Mais à le voir maintenant, et à écouter ses questions, je me rendais brusquement compte qu'il n'avait pas eu peur, ce jour-là. Ce que j'avais pris à tort pour de l'affolement dans ses yeux et dans sa voix avait été en réalité de la jubilation. Il courait pour sauver sa peau et il trouvait cela très amusant.

— Tu voudrais travailler pour moi ? Comme un de mes aides, peut-être mon *mozo de espada* un jour, si tout va bien.

Je ne pouvais croire ce que je venais d'entendre. Le *mozo de espada* d'El Soltero ? Celui qui avait la charge de porter son épée, de veiller à des préparatifs essentiels comme celui de tenir prêt son habit avant chaque corrida ? Les jeunes aides comme celui qui était venu me chercher étaient du tout-venant, mais le *mozo de espada*… C'est le bras droit du torero, qui appartient de fait à la *cuadrilla*.

— Il… Il faudra que je demande à mon père.

— Ton père ne s'y opposera pas.

— Mais je ne comprends pas. Des centaines de garçons donneraient tout pour travailler avec vous. Pourquoi moi ?

— Je suis très exigeant sur le genre de personnes dont je m'entoure. Tu corresponds à mes critères.

— Mais vous me connaissez à peine. Comment vous savez que je corresponds ?

Il est venu à moi, m'a donné une tape sur l'épaule.

— Parce que quand tu as porté un mot à celle que tu sais, tu lui as aussi apporté une fleur.

À ce moment, son assistant est revenu. Il a tenu la porte ouverte. D'un coup, toute l'apparence de Manuel s'est transformée. Son expression est devenue stoïque, très grave. Il a carré les épaules, relevé la tête d'un mouvement sec du menton. Un silence complet s'est établi, de ceux qui ne viennent pas d'un manque de bruit mais d'une abondance de respect.

Il est sorti mais je suis resté là une éternité, paralysé par la stupeur et la joie. Longtemps après son départ, la chambre a continué à scintiller.

Dire que Manuel Obrador a changé ma vie est bien en dessous de la vérité. Je n'ai passé que cinq ans avec lui avant sa mort, et si quelqu'un m'avait dit alors que je finirais à cause de lui par vivre en Amérique, loin de ma famille et de mon pays, à m'occuper d'une femme que j'aimais mais que je ne pouvais aimer comme une femme, et à prendre soin des descendants du taureau qui allait le tuer, j'aurais pris mes jambes à mon cou en criant comme un dément. Et pourtant, pourtant, je ne regrette rien.

Si j'ai pu être plus proche de Manuel qu'aucun autre membre de la *cuadrilla*, c'est parce que j'étais si jeune. Il avait la liberté de me prendre sous son aile et de me traiter comme le petit frère qu'il n'avait jamais eu. Les autres étaient déjà adultes ; en dehors du travail, il passait du temps avec eux mais il y avait une distance naturelle et nécessaire, celle d'un prince parmi ses soldats.

Au cours de ces années, j'en suis venu à le connaître de près, et à l'aimer profondément. Chaque soir, dans mes prières, je demandais à Dieu de veiller sur lui mais aussi de lui apporter la paix. Je savais que sa maîtrise et sa sérénité dans l'arène contrastaient directement avec la tourmente intérieure qui l'habitait hors du *ruedo*. J'ai souvent pensé que la violence de ses désirs aurait fini par le détruire, s'il n'avait pas trouvé l'expression du *toreo*. Son art domptait son esprit et son corps, mais dès qu'il ne le pratiquait pas son cœur se cabrait et ruait en tous sens. Jusqu'à ce qu'il rencontre Candy Jack.

Elle parle rarement de Manuel avec moi, et jamais avec les autres. Il serait trop simple et mélodramatique d'affirmer qu'elle a cessé de vivre le jour où il est mort. Après tout, quelle est la définition de « vivre », au sens figuré ? Être capable de se sortir du lit chaque matin, de s'habiller et d'aller au travail ? Pouvoir rire à une plaisanterie ? Être capable d'admirer un coucher de soleil ? De goûter son passage sur terre sans être rongé par l'amertume et l'apathie ? Dans ce dernier cas, je vois tous les jours des gens qui, alors qu'ils n'ont pas été frappés par un grand malheur ne sont déjà plus en vie même s'ils ne sont pas morts.

Après avoir perdu Manuel, elle n'a pas arrêté de vivre, de ressentir ou de s'intéresser. Elle a cessé de participer. Voilà quarante ans qu'elle considère le monde depuis sa boîte en verre tendue de velours. Elle n'est pas endurcie, engourdie ou insensible : elle est tout simplement inatteignable.

L'autre soir, quand le plus jeune des garçons l'a interrogée à propos de Manuel, j'ai cru que mon cœur allait flancher. Derrière la porte de la cuisine, j'ai attendu, sachant que ce moment était aussi crucial pour son avenir que les premiers pas d'un enfant. Allait-elle réagir ? Et lorsque je l'ai entendue lui répondre, j'ai été aussi ému et fier qu'un père quand son petit se campe enfin sur ses jambes.

Quant à moi, je n'ai jamais eu d'avenir. Le poids douloureux de mon passé ne m'a permis que de vivre dans le présent. Mon fardeau n'est pas de ceux que l'on peut alléger ou poser un jour. Ce n'est pas le remords qui pèse sur ma vie, mais l'horreur d'une éventualité.

En apprenant à Manuel que sa Candy était sur les gradins ce soir-là, j'ai peut-être été la cause d'une distraction fatale. Si j'avais fait preuve de plus de discernement, mon plus grand ami aurait peut-être vécu.

II

SUERTE DE CAPOTE

10

KYLE

ÇA FAIT UN MOIS QUE NOUS HABITONS CHEZ MISS JACK, mais je
continue à me réveiller tous les matins sans savoir où je suis.
Mon regard erre autour de la grande chambre, s'arrête sur les
meubles venus d'un autre temps jusqu'à ce que je reconnaisse
mes affaires, minables et pitoyables sur les étagères d'un
énorme vaisselier décoré de volutes en cuivre dans lequel une
duchesse devait probablement ranger ses services à thé. Et
puis je me rappelle ce qui nous est arrivé, le moment où
Maman et Tante Jen sont apparues dans notre allée un jour
plus tôt que prévu pour nous dire que nous allions vivre avec
Miss Jack, comme ça, sans un mot d'explication, et Klint a dit
qu'il n'allait pas se faire dicter sa vie par deux poufiasses, et
Maman lui a envoyé une claque qu'il a évitée en faisant un
pas en arrière, et quand Tante Jen s'est interposée pour éviter
une bagarre, Mister B s'est pointé au coin de la maison, a ana-
lysé la scène tranquillement, m'a regardé de ses yeux dorés et
a continué son chemin, et moi je me suis muré en moi-
même, à la recherche d'un calme impossible à trouver.

Ce matin n'est pas différent des autres. J'ouvre les paupières et
mes pupilles enregistrent tout ce bois verni, toutes ces lampes en
or, les fenêtres qui vont du sol au plafond, les lourds rideaux
laissés ouverts pour que je puisse voir les collines au loin. Le
papier peint est bleu marine à rayures dorées, le tapis devant le
lit du même bleu avec un galon blanc et un rouge brique.

À chaque fois que je termine cette inspection matinale, je
m'attends à ce qu'un majordome entre avec un plateau

d'argent à la main et lance : « *Good morning, Mister President !* » Comme ça n'arrive pas, je prends le temps de regarder encore autour de moi, mes yeux tombent sur ma tour Eiffel en bois posée sur une commode longue et basse et je m'étonne à nouveau qu'elle paraisse tellement petite, dans cette pièce, alors que chez nous j'étais toujours impressionné par sa taille. Elle était si grande qu'elle ne tenait pas sur mon bureau et que je devais la laisser par terre ; ici, elle a l'air insignifiante.

Dans mon ancienne chambre, j'éparpillais mon bric-à-brac écolo un peu partout, pour l'avoir toujours sous les yeux, mais maintenant je le garde dans une boîte que je cache dans un tiroir. Je l'avais exposé sur une étagère du vaisselier de la duchesse et puis, en revenant chercher quelque chose un jour, je suis tombé sur la gouvernante qui s'apprêtait à tout envoyer à la poubelle. Je lui ai crié d'arrêter, elle m'a fait face avec les poings levés et des yeux de furie. Son nom est Marge Henry mais elle m'a dit que je pouvais l'appeler Hen si Miss Jack n'était pas dans les parages. Miss Jack, elle, l'appelle Marjorie.

C'est une femme corpulente au visage rose encadré par des boucles tire-bouchonnées d'un rouge cuivré, toujours affairée et toujours essoufflée, qui ne quitte jamais son uniforme de domestique gris à col blanc amidonné et se glisse dehors pour fumer une clope dès qu'elle en a l'occasion. La première fois qu'on s'est revus après cet incident, elle m'a annoncé d'une voix bourrue qu'elle me chercherait pas d'ennuis si je savais rester à ma place ; la deuxième, quand je l'ai croisée dans le couloir du haut, elle m'a demandé comment j'allais avec un charmant sourire et s'est mise carrément à me raconter toute sa vie. Le temps qu'elle finisse d'épousseter les tableaux du palier, je savais tout sur compte, y compris son goût pour la cannelle, le fait qu'elle avait été « une taille 6 » dans sa prime jeunesse – j'ai hoché la tête pour faire comme si je savais ce que ça signifiait –, et que son surnom était alors Petite Poule rousse à cause de la couleur de sa chevelure.

Elle m'a aussi appris que son père était le patron de La Calotte du mineur, un bar de motards à la sortie de Centresburg connu pour ses bagarres au couteau et les ratons laveurs gros comme des labradors qui prospèrent sur ses poubelles.

Elle s'est excusée pour la réaction qu'elle avait eue dans la chambre en disant que c'était des réflexes qu'elle avait pris pendant son enfance dans le bar de son père, et en ajoutant avec un petit rire que c'était une bonne chose qu'elle ait pas eu un flingue à portée de main, parce qu'elle aurait été capable de me tirer dans les pattes. Ensuite, elle s'est excusée d'avoir voulu jeter mes trucs, mais elle m'a expliqué que je devrais les ranger parce que pour elle ça ressemblait des ordures et que ça la rendrait dingue de les revoir encore sur des étagères. Je lui ai demandé comment elle avait pu développer cette passion pour la propreté et le rangement après avoir grandi dans un troquet pourri au lino collant et aux vitres noircies par la fumée, entourée de motards aux cheveux gras qui devaient se doucher tous les trente-six du mois. Elle a dit que ce qui ne vous tue pas vous rend plus fort. Du coup, je ne sors plus de ma chambre sans avoir mis mes esquisses en pile bien nette.

Je sors du lit, je m'approche du tableau pendu en face des fenêtres et je retire le tee-shirt sous lequel je le cache chaque soir. C'est bien ma veine : avec toutes les peintures intéressantes qu'il y a dans cette maison, on m'a donné une chambre où il y un tableau représentant un bateau, un autre un avion, et celui-là, le portrait d'un réalisme effrayant d'un vieux type à l'air méchant, en costume-cravate, dont les yeux sombres ont le même reflet déprimant que celui de l'asphalte neuf dans des phares sous la pluie. Ils me suivent partout dans la pièce, ces yeux, et je les sentais encore me transpercer quand j'étais couché. Si je devais donner un titre à ce tableau, ce serait « Le banquier du diable ».

Après avoir enlevé le tee-shirt, je murmure un « Salut ! » comme chaque matin. Je sais pas si la politesse compte beaucoup, lorsqu'on traite avec les forces démoniaques, mais je me dis que ça ne peut pas faire de mal.

La vie n'est pas aussi désagréable que j'avais cru, ici, mais pas aussi bien non plus. Une partie de moi espérait qu'habiter le manoir d'une vieille dame me permettrait de profiter des bons côtés de la richesse qui me faisaient fantasmer. Je me disais qu'on aurait peut-être une piscine couverte, un jacuzzi, une de ces salles de ciné privée avec une télé qui ferait tout un mur et des fauteuils rembourrés. Et aussi une sonnette spéciale que je pourrais utiliser nuit et jour, qui ferait immédiatement apparaître une femme de chambre ou un domestique prêts à prendre ma commande. Et peut-être que j'allais avoir un compte en banque à moi, avec des fonds illimités, et que je pourrais m'acheter tout ce que je voudrais…

J'avais également espéré qu'étant donné la réputation qu'avait Miss Jack de fuir la compagnie des gens, elle fuirait aussi la nôtre.

Ça ne se passe pas du tout comme ça. On souffre pas, quand même. Miss Jack veille à ce que tous nos besoins de base soient satisfaits. Elle a même pris en charge l'abonnement de nos portables, et quand Shelby lui a dit que c'était nécessaire pour l'école elle nous a fait installer un ordinateur dans nos chambres. Mais pas de cadeaux extravagants, et pour ce qui est de garder ses distances elle nous pose encore plus de questions et impose plus de règles que nos parents l'ont jamais fait.

Il faut dîner avec elle tous les soirs, et nous sommes censés faire la conversation. Ça a été particulièrement dur pour Klint, que j'ai vu passer des jours entiers chez nous sans dire autre chose que « Où est la télécommande ? » ou « J'ai besoin de la caisse ». Ensuite, même si Miss Jack a toute une domesticité, nous devons nettoyer. Si on prend des céréales le matin, on doit laver le bol. On nous rappelle tout le temps de mettre notre linge sale dans le panier de la lessive. Il y a une heure où il faut aller au lit, une autre où il faut avoir éteint toutes les lumières, et on n'a pas le droit de dormir trop tard le week-end. On ne doit pas trop regarder la télé, ni garder notre casquette sur la tête quand on est dans la maison.

Ce n'est pas tant ces règles qui me chiffonnent, c'est ce qu'il y a derrière : on a l'impression qu'elle s'est mis en tête de nous réformer. Elle a dit plusieurs fois qu'elle allait nous trouver de nouvelles fringues et elle corrige tout le temps notre façon de parler. Je voudrais lui dire que je sais m'exprimer correctement mais que si je parlais comme ça dans le monde où je vis, je prendrais des beignes et je n'aurais aucun pote. Elle a été pauvre, elle était fille de mineur ! Elle devrait savoir mieux que personne que la vie qu'elle a laissée derrière était comme un autre pays, avec sa propre langue et sa propre justice.

Je m'y suis fait, pourtant. Au bahut, j'arrive plus ou moins à persuader les autres que tout est normal dans ma vie. Les faux culs ont déjà oublié nos misères, à Klint et à moi, et ceux qui s'étaient fait sincèrement du souci ont décidé que nous allions bien, maintenant, et que le mieux était de reprendre le train-train en faisant comme si rien s'était passé.

Les week-ends sont plus durs à supporter, parce que je suis coincé ici. Miss Jack n'a qu'une voiture, une grosse Mercedes gris métallisé que Luis est le seul à avoir le droit de conduire. Klint dit qu'il s'en fout, qu'il préférerait crever que d'être vu en train de circuler dans une caisse de vioque. Encore qu'il adorerait jeter un coup d'œil au moteur, je le sais. Le résultat, c'est que Luis est forcé de nous trimbaler tous les jours à l'école, aller et retour, puisqu'il n'y a pas de car de ramassage par ici. Et Klint doit se faire raccompagner par des potes quand il travaille à la crémerie des Hamilton.

C'est évident que Luis n'apprécie pas cette situation. Je n'ose pas lui demander de m'emmener ailleurs qu'au bahut mais je ne me suis pas encore senti prêt à inviter des copains ici, non plus, parce que tout est trop nouveau et trop zarbi, et en plus Klint s'énerve contre moi quand j'ai le malheur de suggérer qu'on ait des visites. Même si tout le monde sait qu'on habite chez Miss Jack, maintenant, il a besoin de faire comme si personne était au courant, pour ne pas que les gens pensent qu'on a la belle vie ou qu'on nous fait la charité.

En fait, il est devenu imbuvable, mon frère. J'avais pensé que ce drame allait nous rapprocher mais c'est le contraire qui s'est produit : il m'ignore. Les deux derniers week-ends, Bill est venu le chercher et il a passé tout ce temps chez lui. Je sais qu'il est allé à la salle de musculation du Y, et qu'il a un peu travaillé la batte sur le terrain de jeu municipal, mais pour le reste il est resté sous le porche de Bill, comme le fantôme de Papa. J'aurais pu y aller, moi aussi, mais avoir notre ancien jardin sous les yeux pendant des heures est la dernière chose dont j'aie besoin. C'est drôle que le même endroit me fasse tant de peine alors qu'il apporte un tel réconfort à mon frère.

Quand il est ici, Klint s'étend sur son lit et fait sauter une balle de base-ball dans sa main en contemplant le plafond ou les cornes de chevreuil tordues du pick-up de Papa qu'il a installées sur sa commode, ou bien il va s'asseoir dans la seule pièce de la maison où il y a une télé et il visionne des DVD de matchs des World Series ou des rediffusions de *Full House*. Il aime ce feuilleton parce que les jumelles Olsen lui rappellent Krystal quand elle était petite et mignonne, mais il n'admettra jamais ça et il me tuerait si je disais à quiconque qu'il regarde cette émission.

Si Papa n'était pas mort, Klint serait sans doute en déplacement pour des matchs amicaux au niveau national jusqu'à fin novembre, mais il a dit à son coach qu'il ne ferait rien cet automne. J'aurais adoré voir l'entraîneur encaisser cette nouvelle sans que sa tête explose. De toute façon, il n'y pouvait rien : les compétitions hors saison ne sont pas de son ressort. Il n'a que trois joueurs qui valent la peine d'être poussés dans cette direction : Klint, Tyler Mann, son meilleur copain, un première-base loufoque naturellement doué mais sans discipline – il n'est même pas certain qu'il voudrait passer pro, Tyler ; depuis que je le connais, quand on lui demande ce qu'il aimerait devenir plus tard, il répond cascadeur ou grizzly – et enfin Brent Richmond, qui a du talent et de la discipline, lui, mais trop de pression et d'ambition de la part de son père pour que ses qualités soient suffisantes. Papa rêvait que Klint devienne pro, alors que le paternel de Brent « compte bien » qu'il le soit. Celui de Tyler espère seulement qu'il ne se cassera pas le cou avant d'atteindre l'âge adulte.

Une autre qui m'a bien lâché, c'est Shelby. On a échangé des textos comme des malades, beaucoup plus qu'avant, au temps où je ne vivais pas avec quelqu'un de sa famille, mais je ne l'ai pas revue depuis le soir où elle nous a présentés à

Miss Jack. J'ai d'abord pensé qu'elle était fâchée à cause de la cata que ce dîner avait été, mais elle a dit que non, qu'elle était simplement très occupée à son école.

Je me suis rendu compte que le pire de la solitude, ce n'est pas d'être seul mais d'être oublié. J'ai connu la même chose après le départ de Maman. Pendant un an, j'ai suivi Papa comme son ombre. Sa simple vue me confirmait que j'existais encore, pareil que d'apercevoir mon image dans la glace.

Dans mon ancienne vie, je pouvais m'enfermer dans ma chambre pendant des heures et m'absorber dans mes trucs, parce que je savais que mon père était là si j'avais, besoin de lui, et qu'il me prêterait attention si j'allais le voir, même si ça voulait seulement dire retirer ses jambes du canapé pour que je m'assoie près de lui pendant qu'il regardait la télé. Avec Papa, je me sentais désiré, et maintenant que cette sensation est partie je me regarde dans le miroir de ma nouvelle existence et mon image est sombre et floue.

Je vais à la commode pour me sortir un jean et un tee-shirt. Même mes fringues ont l'air d'avoir rapetissé, ici. Chez nous, elles tenaient à peine dans quatre tiroirs alors qu'ici elles flottent dans un seul, assez grand pour qu'on se couche dedans. Tiens, je devrais en parler à Tyler. C'est le genre de chose qu'il aimerait essayer, se cacher dans un tiroir…

J'attrape un carnet de croquis, mes crayons et mes fusains, puis je glisse la chaussure Barbie de Krystal dans la poche où je mets mon couteau. Je la prends toujours avec moi, depuis l'enterrement de Papa. Je sais pas exactement pourquoi. Peut-être parce que je l'ai trouvée la nuit où il est mort.

Je descends à la cuisine, l'espace de Luis, impeccable, tout en bois blond et murs blancs couverts de casseroles et de poêles en inox étincelant, de couteaux et de hachoirs, de chapelets de piments séchés et d'ail, les étagères accueillant des rangées de flacons d'huile et d'herbes aromatiques. Il y a un papier avec une succession de mots posé sur l'un des comptoirs. C'est en espagnol, mais comme Luis présente chacun de ses plats dans cette langue je reconnais assez de termes pour comprendre que c'est une liste de courses. Tout en haut, la date de samedi prochain.

Je prépare un bol de céréales, un autre de Cat Chow pour Mister B, et je sors m'asseoir sur les marches du perron. J'ai avalé à peu près la moitié de mes Corn Pops quand le chat apparaît. Il se frotte contre moi, ronronne comme un poêle en hiver et me donne quelques coups de tête. Il a capté le bruit de la cuillère contre le bol et se dit qu'il y aura peut-être un fond de lait pour lui quand j'aurai fini de manger. Je ne le déçois pas. Une fois avoir lapé cette friandise, il se lèche le museau, renifle son propre petit déjeuner d'un air dédaigneux et vient s'étendre près de moi.

J'ai pris un gros risque en l'emmenant mais je me suis dit qu'au pire Miss Jack me dirait de le faire disparaître de sa vue et que je n'aurais qu'à demander à Bill de le remporter. C'était quand il nous a conduits ici, il y a un mois.

Elle nous attendait sur la véranda. Elle était habillée assez normalement, et avait l'air beaucoup moins intimidante ou friquée qu'elle m'avait paru la première fois, avec une sorte de parka militaire à grandes poches, de vieilles bottes et un foulard sur la tête. J'allais découvrir bientôt que c'est la tenue qu'elle porte toujours quand elle va faire une marche dans sa propriété, une de ses habitudes quotidiennes.

Bill ne voulait pas descendre de son pick-up après nous avoir débarqués, mais je lui qu'il était obligé parce que ça paraîtrait impoli et que Miss Jack avait un problème avec les gens impolis. Klint a dit que Miss Jack avait un problème avec tout, et que si je me souciais tant de ses états d'âme, c'était parce que j'étais un coprophile. Je lui ai dit qu'il s'était trompé de mot, qu'il voulait dire « nécrophile », un type qui veut baiser avec des cadavres, et qu'un coprophile était tout autre chose, quelqu'un qui aime manger de la merde. Il m'a envoyé une claque sur la tempe et m'a dit que j'étais un putain de je-sais-tout. La gifle m'a fait sursauter et Mister B, qui était dans sa boîte sur mes genoux, s'est mis à rouspéter et à cracher. Bill m'a lancé un regard paniqué et il a déclaré qu'il saurait pas quoi dire à Miss Jack. Je lui ai dit : « "Enchanté de faire votre connaissance", ça suffira. » Klint lui a suggéré de l'inviter à une soirée Ailes de poulet au Ray Drop

Inn. Bill a eu l'air encore plus paumé et on s'est pliés en deux en nous rendant compte qu'il avait pris Klint au sérieux. Mon frère riait pour de bon, comme s'il était heureux, et à ce moment tout a été bien.

On est tous sortis et on s'est mis en rang en face de Miss Jack tels des bidasses devant le sergent-chef à la revue d'inspection. Klint avec son gros sac en toile grise sur une épaule et son affiche de Roberto Clemente qu'il tenait délicatement dans une main pour ne pas la froisser, moi au milieu en train de serrer une boîte mystérieuse sur ma poitrine pour l'empêcher de faire des bonds, et Bill appuyé sur sa canne, les yeux obstinément fixés au sol comme s'il risquait de se muer en pierre au cas où son regard croiserait celui de Miss Jack.

Luis se tenait devant la porte d'entrée, derrière Miss Jack. On avait l'impression qu'il ne voulait surtout pas qu'elle remarque sa présence mais qu'il n'aurait manqué ce moment pour rien au monde. Même Jerry, le vieil homme à tout faire, s'est approché l'air de rien, quittant silencieusement l'ombre projetée par la grange et avançant à pas prudents tout en s'essuyant les mains dans un chiffon taché d'huile de moteur.

— Bienvenue, gentlemen, a dit Miss Jack.

— Bonjour, avons-nous marmonné plus ou moins distinctement.

Elle a regardé avec insistance Bill qui ne pouvait pas s'en rendre compte puisqu'il restait plongé dans la contemplation du gravier. Je lui ai donné un coup de coude. Il a fait un pas en avant et s'est arrêté nerveusement, tout juste comme Zeke le Lion peureux demandant au Magicien d'Oz de lui donner du courage.

— Euh, bien l'bonjour, Miss Jack. Je suis Bill Fowler, le… le voisin. Enfin, leur ancien voisin, je veux dire, parce que j'habite toujours là-bas mais eux pas, et…

Il a perdu le fil de ses pensées en comprenant brusquement le sens du regard noir qu'elle fixait sur son crâne. Il s'est hâté de retirer sa casquette, ce qui a paru adoucir quelque peu la maîtresse du domaine puisqu'elle a dit :

— Vous êtes un ami fidèle, monsieur Fowler. Ces garçons ont de la chance de vous avoir.

167

Il m'a consulté du coin de l'œil, époustouflé, et un petit sourire embarrassé est apparu sur ses traits. J'ai vu qu'il avait rougi, aussi.

— Ben, vous savez, ce sont de braves gars et...

— Kyle, ta boîte fait un drôle de bruit, a déclaré Miss Jack, coupant court à ses bredouillements.

Mister B avait cessé de s'agiter, un mauvais signe. Tapi au fond de sa prison, prêt à sauter au visage du premier venu, il laissait échapper un miaulement sinistre, sourd, menaçant.

— Je... J'ai un chat.

Miss Jack :

— Il n'y aura pas d'animaux dans cette maison. Aucun. Jamais.

— Mais il aime pas être à l'intérieur, ai-je expliqué à toute allure. Il vit dehors, même en hiver, et si on l'enfermait dans votre maison il irait miauler à la porte pour sortir !

J'ai posé la boîte par terre. Jerry s'est rapproché de nous.

— Y chasse ?

— Ah, c'est un super-chasseur ! ai-je crié, comprenant que ses talents pouvaient le sauver.

Jerry s'est penché pour ouvrir le couvercle. Mister B s'est échappé d'un bond souple. Après avoir tourné autour de moi, il est allé s'asseoir sur la marche du perron et a entrepris une toilette indécente tout en surveillant chacun de nous d'un regard ennuyé qui semblait dire : « Oui, oui, c'est moi. Je suis le meilleur. Et maintenant, allez voir ailleurs si j'y suis. »

— Seigneur, mais il est énorme ! s'est exclamée Miss Jack.

— Un bon chasseur par ici s'rait pas de trop, lui a dit Jerry. Les mulots sont un vrai problème, dans la grange. Ça bouffe tout, c'te salop'rie.

— Les mulots ont pas une chance avec lui, ai-je affirmé. S'ils avaient un FBI et une liste des dix plus grands dangers publics, il serait numéro un dessus.

— Tu vas pas la fermer ? a sifflé Klint.

— C'est vrai ! Tu sais bien qu'il passe son temps à tuer des rongeurs !

— Et alors ? On croirait entendre un débile mental. « FBI pour mulots » ? Tu as quel âge, cinq ans ?

Miss Jack nous a interrompus :

— La mère de Shelby a un chihuahua, une horrible bestiole aux yeux exorbités qui tremble sans arrêt. Je crois que ce chat fait trois fois sa taille.

— Il a tué des écureuils adultes ! – Je ne pouvais plus m'arrêter. – Il a même eu des lapins qui devaient être plus gros que ce chihuahua dont vous parlez.

— Vraiment ?

Cette dernière information a paru l'intriguer. Sa toilette terminée, Mister B s'est levé, a observé les alentours et il est parti en trottant vers l'arbre le plus proche, sa queue orange se balançant derrière lui, aussi à l'aise que s'il avait passé toute sa vie ici.

— Comment tu l'appelles ? a demandé Jerry.

— Mister B. C'est pour « Bon ».

— Ah…

J'ai lancé un coup d'œil à Miss Jack. Mon espagnol se limitait à ce que j'avais retenu des séries policières où il est question des cartels de la drogue et du menu de Taco Bell, mais ça suffisait pour la traduction que j'avais en tête.

— Ou vous pouvez l'appeler Señor Bueno…

Luis a émis un rire bref, puis le regard dont Miss Jack l'a fusillé l'a fait gondoler carrément.

— Je n'ai pas l'intention de l'appeler de quelque manière que ce soit, a-t-elle tranché.

Les cinq premiers jours, je n'ai pas vu Mister B une seule fois. Je me suis inquiété, pas parce que je le croyais en danger mais parce que je me demandais s'il avait pas la haine contre moi de l'avoir amené ici, et s'il n'avait pas décidé d'aller voir ailleurs. Le sixième jour, en revenant de l'école, j'ai remarqué deux cadavres de campagnols et un de mulot alignés sur l'allée qui conduisait à la véranda, où le chat était étendu sur l'un des canapés en rotin de Miss Jack. Jerry est arrivé avec une pelle pour ramasser les rongeurs. Il n'a pas dit un mot mais le signe de tête qu'il a adressé au chasseur endormi m'a paru très approbateur.

Je rapporte mon bol et ma cuillère à la cuisine, je n'oublie pas de les laver, de les sécher et de les remettre à leur place, puis je retourne dehors, je trouve un endroit tranquille où on peut pas me voir de la maison et je me mets à dessiner.

Aujourd'hui, je travaille sur une esquisse du manoir de Miss Jack, avec les collines colorées par l'automne en arrière-plan. Les arbres composent une symphonie de teintes vives. Encore quelques semaines et ils se dépouilleront de leurs feuilles, donnant aux montagnes l'apparence de flotter dans une fumée froide un peu violette, mais pour l'instant c'est une explosion d'orange citrouille, de bleu aubergine, de corail, du même jaune que les cirés des cantonniers sur la route, de brun pain d'épice et de ce bordeaux foncé qui me rappelle la robe que mettait Krystal à Noël.

Mon plan, c'est de développer le croquis en un tableau où les couleurs seront encore plus vives que dans la réalité. Je les veux florescentes et artificielles comme celles des affiches de corrida chez Miss Jack. À part celle que j'avais remarquée le premier soir, j'ai découvert qu'elle en avait d'autres dans la maison. Six en tout, chacune avec le nom d'El Soltero et remontant à 1958.

Le visage du torero n'est jamais clairement visible. Il a toujours les cheveux noirs et ces chaussettes roses démentes, mais la couleur de son costume chargé d'or varie du turquoise ou vert émeraude au rouge Saint-Valentin, au pêche ou au lavande. Voir les teintes de carnaval des costumes et des capes à côté des taureaux sombres en train de charger produit un effet que je trouve complètement surréaliste.

Après un moment, j'abandonne mon esquisse et j'en commence une autre d'un grand arbre solitaire dont les feuilles sont de minuscules toreros qui agitent leur *capote*, et le tronc un assemblage de taureaux couverts de sang qui s'emboîtent les uns dans les autres comme les pièces d'un puzzle. C'est une idée qui m'emballe au point que je perds la notion du temps. C'est seulement quand ma main commence à avoir des crampes et que mes fesses me font mal à force d'être assis par terre que je décide d'arrêter. Mais je fais tout de même un croquis rapide de Coach Hill habillé en femme, juste pour me marrer. Je lui dessine des cheveux gris très longs, avec un chapeau à fleurs de vieille dame sur la tête, un chemisier en dentelle, une jupe droite. Ses jambes poilues se terminent en pieds énormes boudinés par des talons hauts. Il a un sac à main sous le bras. Il sourit en agitant l'autre bras. En bas de la feuille, j'écris : « Mme Hill dit : "Bonne chance, les garçons !" »

J'ai vraiment envie de le montrer à Klint, si j'arrive un jour à le sortir de son humeur de chien.

Je dessine et je peins depuis tout petit. L'an dernier, j'ai eu le second prix à l'exposition d'art de l'école avec un tableau de deux vaches laitières des Hamilton en train de brouter à côté d'une épave de pick-up Chevrolet rouge et rouillé, avec des masses de verges-d'or poussant à travers son capot ouvert. Très classique. D'habitude, mes sujets sont plus surprenants, mais je savais que les juges attendaient quelque chose de ce genre. Le premier prix est allé à un tableau représentant un chiot allongé dans un champ de marguerites. Sans blague. J'ai gardé la médaille et j'ai fait cadeau de ma peinture aux Hamilton, qui ont acheté un joli cadre et l'ont suspendue dans leur salon comme si c'était une vraie œuvre d'art.

Ma famille, par contre, n'a jamais été emballée par mon besoin de peindre. Ma mère soutient que les artistes se croient supérieurs aux autres, que leur travail n'est qu'une forme de snobisme qui sert seulement à donner des complexes à tous les gens privés d'un talent particulier. Mon père, sans être aussi négatif qu'elle, m'avait fait ouvertement comprendre qu'il considérait ça comme une perte de temps. Pour lui, un type doué au lancer de fer à cheval était autrement plus respectable qu'un autre capable de peindre une fresque murale. Quant à Klint, il prétend que mes tendances artistiques sont une preuve de plus que je suis un pédé, mais je sais qu'au fond il apprécie mes dessins. Par exemple, il a gardé une esquisse que j'ai faite pour lui au début de la dernière saison. Le visage de son coach en train de hurler occupe presque toute la feuille ; ses yeux lui sortent de la tête, des veines se tordent sur son front et dans son cou, des postillons s'envolent de partout ; derrière lui, on entrevoit trois joueurs dans l'ombre, l'un avec les bras croisés en signe de défi, un autre assis sur le banc de touche avec la figure plongée dans ses mains, effondré, et le dernier en train de quitter la scène, sa batte sur l'épaule, indifférent à tout. Klint sait lequel des trois il est. Chez nous, il gardait ce dessin dans un tiroir de son bureau, mais j'ai remarqué qu'ici il l'a mis en évidence sur la commode, à côté des bois de chevreuil de Papa.

La seule qui ne se soit jamais cachée d'aimer ce que je fais, c'était Krystal. Autrefois, je dessinais et peignais pour elle tout le temps, et c'était elle qui choisissait les sujets, en général : dessine-moi une fleur, dessine-moi un château ou un cheval, dessine-moi une fête Barbie autour d'une piscine. Dessine-moi un gâteau d'anniversaire. Dessine-moi, moi, moi, moi !

Et elle les gardait tous, sans exception, dans un classeur que je lui avais donné et qu'elle avait décoré avec des étoiles et de la colle pailletée. Je me demande si elle l'a pris en partant quand elle nous ont quittés, ou si elle l'a jeté. Je ne l'ai pas vu dans les poubelles après leur départ, lorsque j'inspectais les ordures à la recherche de signes pouvant expliquer ce que nous avions fait pour les obliger à s'en aller. Je n'ai trouvé aucun autre signe non plus.

Pendant que je remonte l'allée vers la maison, Luis arrive en sens inverse tellement vite que nous manquons d'entrer en collision. Il se dirige vers la grange avec un air grave et préoccupé qui ne lui ressemble pas, mais en me voyant ses traits se détendent et il sourit. Il a été sympa avec nous depuis le début, il nous a bien aidés et apparemment il est la voix de la raison qui persuade Miss Jack de renoncer à certaines de ses bizarreries. Elle est en dehors du coup sur plein de plans, pas par bêtise mais parce qu'elle vit dans un autre temps. Luis a dû lui expliquer le truc des iPods, des portables et des jeux vidéo : elle en avait entendu parler, bien sûr, mais il a fallu qu'on débarque pour qu'elle s'aperçoive que ce sont des nécessités, pas du luxe.

Je crois que Miss Jack reste le seul être au monde qui n'ait pas d'ordinateur. Luis en a un, lui. Il a une famille nombreuse en Espagne à laquelle il rend visite une fois par an, trente neveux et nièces, ou plus, qui eux-mêmes ont tous des enfants, et il dit qu'il pourrait jamais garder le contact avec chacun sans les e-mails. Il s'en sert aussi pour suivre l'actualité et la politique espagnoles, ainsi que pour gérer le domaine et les affaires de Miss Jack, même si ce n'est pas lui qui s'occupe de son argent. Quand je lui ai demandé s'il se chargeait également de ça, il a bien rigolé, il a dit « Non ! » et il s'est encore bidonné.

Il veut savoir ce que je fais de beau. Ma première réaction est de cacher mon carnet de croquis dans mon dos, mais je me rends compte que c'est inutile. Comme il aimerait voir ce que j'ai fait je lui montre mon dessin du coach.

— C'est très bon, approuve-t-il avec un petit rire.

— Bof.

— Si. Tu es doué pour la caricature. C'est bien mieux que « bof ».

Il me rend la feuille, pose les mains sur ses hanches. L'expression soucieuse qu'il avait tout à l'heure réapparaît. Il souffle dans sa moustache de phoque, exaspéré.

— Y a un problème ?

— Non, non, non, martèle-t-il en levant une main et en secouant un doigt. Tout va très bien. C'est juste que Miss Jack, me fait tourner en bourrique. Elle fait toujours ça, quand elle a des invités. Surtout son neveu. Ils ne s'entendent pas du tout, ces deux-là…

— Vous voulez dire le père de Shelby ?

— Sí, sí ! Dieu tout-puissant ! – Il lève la tête vers le ciel comme si l'autre pouvait vraiment l'entendre. – Ça ne se passe jamais bien. Et elle ne s'entend pas plus avec la mère de Shelby, ni avec ses sœurs.

— Elles sont comment, les sœurs de Shelby ?

— Agréables à regarder. Une est idiote et très gâtée, l'autre maligne et très méchante. Je crois que c'est elle qui va venir.

— Vous avez dit qu'ils sont invités ? Shelby aussi ?

— Oui, mais pas aujourd'hui, le week-end prochain. Pour dîner. Mais c'est pareil, elle est déjà dans mes pattes ! Pas seulement dans mes pattes. Elle est comme une mouche sur le nez, on dit chez nous. Ah, je vais faire un tour à cheval, ça me détendra peut-être. – Il les lève les sourcils de l'air de quelqu'un à qui vient subitement une bonne idée. – Tu montes à cheval ?

— Moi ? dis-je stupidement.

— Oui !

— Ben oui, bien sûr. On habitait près de la ferme des Hamilton. La laiterie. Ils avaient des chevaux qu'ils laissaient les gens monter, des bourrins, genre vieux et amochés, pas du tout le style club d'équitation chicos...

J'ai ajouté ça très vite après avoir remarqué que son pantalon en toile marron était rentré dans des bottes de cavalier en cuir brun bien huilé, et qu'il avait un foulard rouge noué dans le col ouvert de sa chemise blanche impeccable.

— Ici non plus, on ne fait pas de « l'équitation » ! Alors, tu veux venir avec moi ?

— Bien sûr. Mais je savais pas qu'elle avait des chevaux. Faut croire que j'ai été pas mal distrait, tous ces derniers temps...

— C'est compréhensible.

Il m'attend pendant que je vais rapporter mon matériel à ma chambre et que j'échange mes chaussures de sport contre de vieilles bottes à bouts carrés dont je me suis servi quand je travaillais à la ferme des Hamilton l'été dernier. Je le retrouve dans la grange. C'est la première fois que j'y entre. Pour moi, une grange a toujours été un endroit abandonné, poussiéreux, plein de machines cassées ou sinon bruyant, sale, où l'odeur du bétail et celle du matériel agricole entrent en compétition, mais celle de Miss Jack est propre, claire et bien entretenue, mieux que le réfectoire de notre école, je dirais ! Le soleil qui entre par la double porte fait une flaque chaude sur le sol balayé, avec des grains de poussière infimes qui flottent dans ses rayons comme les planètes d'un univers minuscule et paresseux. J'aspire à pleins poumons la bonne odeur de peinture neuve et de paille fraîche.

Tout est parfaitement en ordre. Des brides pendent aux crochets en cuivre bien astiqués. Une pyramide de sacs de fourrage s'élève dans un coin, près d'un énorme tracteur-tondeuse John Deere qui aurait fait saliver mon père. Sur le mur d'en face, il y a trois grandes photos de taureaux noirs, chaque cadre orné d'une plaque dorée sur laquelle sont gravés leurs noms respectifs. Luis, qui m'a vu les regarder, s'approche de moi avec deux harnais dans la main.

— « Calladito, Viajero, Ventisco », lit-il tout haut.

Shelby m'a déjà expliqué que Calladito était le premier taureau ayant appartenu à sa tante et que Ventisco est le nom de celui qu'elle a maintenant. J'interroge Luis sur le deuxième nom en essayant de le prononcer comme lui, avec un méga-raclement de gorge pour la lettre « j ».

— Ça signifie « le Voyageur ». – Il montre du doigt les photos une à une. – Le grand-père, le père et le fils. Miss Jack garde un taureau à chaque génération. Celui qui ressemble le plus à Calladito, à son avis.

J'examine les cadres de plus près. On pourrait croire que ce sont trois photos de la même bête, un monstre noir comme le charbon, armé de cornes blanches très pointues qui ont l'air capables de passer à travers le torse d'un homme aussi facilement qu'un marteau-piqueur dans une motte de beurre. Ils sont pareils, tous les trois. Simples et nobles : un mélange de force pure et de totale arrogance. Mais au bout d'une minute je remarque de légères différences dans leurs yeux et dans leur attitude, ce qui m'amène à me demander si les taureaux ont une personnalité comme les humains.

Calladito paraît triste et sage. Sa robe portant plusieurs marques au fer rouge, il n'est pas aussi impeccable et luisant que les deux autres. Il a l'air plus débraillé mais plus dangereux, pareil qu'un type qui en a vu de toutes les couleurs et qui se fie autant à son expérience de la rue qu'à ses muscles. La photo est dépouillée, informative : il est debout au milieu d'herbes hautes, immobile, sans essayer d'impressionner qui que ce soit. Viajero, lui, ce serait plutôt la star de ciné. Jeune, en pleine forme, avec des yeux inexpressifs. Et il prend la pose, c'est clair ! Il lève la tête très haut en fixant l'objectif, tous les muscles tendus comme il faut sous son pelage bleu nuit. Je l'imagine ordonner au photographe de le prendre sous son meilleur angle, surtout... Et puis il y a Ventisco. Il regarde celui qui a pris la photo, lui aussi, mais son regard n'est aucunement complaisant. Ses yeux brillent de défi. Même sur papier et sous verre, on sent l'énergie irradier de lui. C'est un fusil chargé, une balle prête à être tirée. Il veut attaquer mais sa motivation n'est pas le désir de blesser ou de tuer, plutôt le refus de se laisser dominer. Ce n'est pas une brutasse, c'est un bloc de force brute.

— Pourquoi elle aime tant les taureaux ? dis-je à Luis, perplexe. Les vieilles dames, en général, préfèrent les chats...

Il sourit.

— C'est vrai, mais Miss Jack n'est pas comme toutes les vieilles dames. Et Calladito n'est pas qu'un taureau parmi d'autres. C'est celui qui a tué El Soltero.

— Vous parlez du type sur ces affiches, à la maison ? - Je regarde encore la photo sur le mur de la grange. - Il l'a tué, alors ?

— Oui.

— Tué ? - Je répète le mot machinalement, parce que je ne sais pas quoi dire d'autre. - Tué dans une corrida ? Devant des centaines de personnes ?

— Des milliers. Et devant moi. Et devant Miss Jack.

Aussitôt, elle m'apparaît sous un nouveau jour. J'essaie de l'imaginer jeune, mais c'est impossible. Par contre, savoir qu'elle a vu un type se faire étriper par un taureau sous ses yeux m'inspire le même respect morbide que j'ai éprouvé envers Tante Jen le jour où j'ai appris qu'un de ses petits amis au temps du lycée s'était tué accidentellement quand la carabine qu'il nettoyait lui était partie en pleine figure.

— Et il est mort sous le coup ?

Je regrette tout de suite ma question mais elle est sortie toute seule, tellement cette notion de mort subite m'obsède depuis ce qui est arrivé à Papa. Luis me dévisage du coin de l'œil, sur ses gardes.

— Oui, répond-il d'un ton sec. Je travaillais pour Manuel Obrador. C'était mon meilleur ami, et l'un des plus grands toreros d'Espagne. J'avais à peu près ton âge quand je l'ai connu.

— Je pige pas, là. Miss Jack a gardé le taureau qui a tué votre meilleur ami et maintenant, c'est pour elle que vous travaillez ?

— C'est compliqué.

Je voudrais lui poser des tas de questions. Il a été tué comment ? Où est-ce que le taureau l'a atteint ? Il l'a frappé de ses cornes plusieurs fois ou une seule ? Il y a eu beaucoup de sang ? Je me rends compte que demander tout ça serait du plus mauvais goût. Depuis que j'ai demandé à Tante Jen si c'était vrai que la cervelle est grise quand elle éclabousse un mur, qu'elle s'est mise à pleurer et que Maman m'a envoyé me coucher après m'avoir filé une claque, j'ai appris la leçon. À la place, donc, je m'informe :

— Est-ce que Miss Jack était son amie, elle aussi ?

Il réfléchit. J'ai l'impression qu'il n'est pas convaincu de devoir répondre. Finalement, il dit à voix basse :

— Ils s'aimaient.

À nouveau, je tente de l'imaginer jeune, et même jolie, mais je n'y arrive pas. J'ai autant de mal à me figurer la scène de cette mort. La seule corrida que j'aie jamais vue de ma vie, c'était dans un dessin animé de Bugs Bunny. Alors, je décide d'essayer de reproduire ce qu'elle a dû ressentir : je prends toute la souffrance que que le départ de Maman m'a infligée, toute la tristesse et la sensation de trahison provoquées jusqu'à maintenant par la mort de Papa, je les mélange avec l'horreur que ce serait de voir quelqu'un d'aussi beau que Shelby se faire tuer devant moi, et le résultat, c'est que j'ai beaucoup de peine pour Miss Jack.

— C'est pas cool, dis-je à Luis.

— Non, admet-il. – Soudain, il tourne les talons. – *Vámos !* J'ai du travail par-dessus la tête, après.

Je le suis le long d'une série de box, jusqu'à un cheval qui piaffe. Luis entre dans sa stalle avec l'un des harnais, ressort avec un alezan qui a la couleur d'un gland de chêne lavé par la pluie.

— Ça, c'est ma beauté, Águila, annonce-t-il en caressant le cou soyeux du cheval. Ça veut dire « Aigle ».

— Il est très beau. J'en ai jamais vu un aussi chouette.

Une jument noire, plus petite mais tout aussi élégante, passe la tête au-dessus de la porte d'à côté et nous salue en nous montrant les dents.

— C'est celle de Shelby. Molinera. – Il fait de grands cercles avec les bras. – Parce qu'elle va comme un moulin à vent. Shelby l'appelle Molly. C'est une princesse très gâtée, elle nous prépare une crise de jalousie parce que nous n'allons pas la sortir. Tu vas prendre l'autre dame, Seta Loca.

— Seta Loca ?

— Champignon fou.

— C'est quoi, ce nom ?

Il pénètre dans un autre box un peu plus loin après m'avoir confié les rênes d'Águila. Rien qu'en me tenant près de lui, je ressens sa puissance. Je suis soulagé de ne pas avoir à le monter, même si la perspective de me jucher sur un canasson dont le nom comporte le mot « fou » n'est pas particulièrement rassurante.

Quand Luis sort la deuxième jument, je comprends au moins une partie de son sobriquet, parce qu'elle est du même gris-brun crémeux que les champignons crus qu'ils ont au buffet du Ponderosa. On n'en prend jamais, Klint et moi, mais c'est une couleur très classe pour un cheval.

— Elle ne fait la folle qu'avec les femmes, m'explique Luis. Tu lui en mets une sur le dos et elle cherchera à s'en débarrasser par tous les moyens, mais avec les hommes elle est toute mignonne. Regarde.

Il frotte sa joue contre celle de la jument. Je tends le bras pour donner une caresse sur son nez velouté. Elle suit nos mouvements de ses yeux calmes et indulgents.

— Elle me plaît.

— Parfait.

Une fois les chevaux sellés, on sort par le portail de derrière. À son assise et à la manière dont il guide sa monture sans effort apparent, je vois tout de suite que Luis est un bon cavalier. Moi, je suis « assez » bon, si ça veut dire être capable de rester en selle. Je suis capable de supporter un petit galop, mais il me semble que je vais me faire éjecter à chaque foulée. En tout cas, c'est ce que je ressens. Luis, lui, a l'air de faire corps avec son cheval. Plus Águila accélère, plus la séparation entre l'homme et l'animal s'estompe.

Miss Jack possède des champs à perte de vue, littéralement. Le vert de l'été a déteint, ce sont les tons de jaune et de brun qui dominent maintenant. Tout autour de nous, les collines sont couvertes d'arbres aux joyeux habits de fête. Le ciel est bleu tendre, avec des nuages en forme de popcorn. Si Shelby nous accompagnait maintenant et si mon père était encore vivant, ce serait une journée presque parfaite.

Luis ralentit pour revenir à ma hauteur et nous adoptons un trot tranquille. Très posément, il déclare :

— Il y a très peu de chances qu'on voie Ventisco aujourd'hui, mais si ça arrive, tu fais exactement comme moi.

— On risque de le croiser ?

— Sans doute pas. Je ne pense pas qu'il soit aussi près de la ferme. Águila connaît son odeur. Il le repérerait avant que Ventisco nous aperçoive.

Ce n'est pas vraiment réconfortant. Je suis sur le point de faire remarquer à Luis qu'il porte un foulard rouge, et puis les explications de Miss Jack sur le daltonisme des taureaux me reviennent à l'esprit.

— C'est pour ça qu'on va tout doucement ? dis-je tout bas. Pour pas l'inquiéter s'il est dans le coin ?

— Oui.

— Mais je croyais qu'il n'y avait pas de chances qu'il...

— Comment on dit, déjà ? Deux précautions valent mieux qu'une ?

Je l'observe. Il sourit. J'aperçois sous sa moustache grise une rangée de dents dont la blancheur est encore rehaussée par son teint foncé.

— Mais... il pourrait quand même nous tuer.

— Oh oui, très facilement, fait-il en hochant vigoureusement la tête. Mais une arête de poisson aussi.

Cet argument ne me paraît pas plus convaincant. Il a dû le sentir, parce qu'il change de sujet :

— Je suis très impressionné par tes dessins. Tu penses que tu pourrais faire une série de caricatures pour moi ? Un de mes frères en raffole. J'adorerais en avoir une de chacun de nous, les huit frères et sœurs, et lui faire cadeau de l'ensemble.

Que répondre ? Je n'ai jamais dessiné à la commande, si ce n'est pour Krystal, mais elle, c'était juste une petite fille qui m'aimait, dans le temps.

— Je paierai, évidemment, reprend Luis.

— Me payer ? C'est beaucoup de pression, ça... Et si elles sont ratées ?

Il rit.

— Si elles sont ratées, je ne les lui enverrai pas. Tu crois que tu pourrais travailler à partir de photos, si je te décris leur personnalité à chacun ?

— J'ai jamais essayé mais ça devrait être faisable.

— Bien !

Il a l'air réellement emballé. Nettement plus que moi.

— Tu as toujours été un artiste ?

— Moi ? Je suis pas un artiste !

— Bien sûr que si, tranche-t-il.

— Mais j'ai pas fait d'école, ni vendu de tableaux, ni rien de tout ça.

— Être un artiste, ce n'est pas comme être avocat, ou dentiste, ou même joueur de base-ball comme ton frère. Pour ces métiers-là, il faut que tu aies fait tes preuves en tant que tel. Il faut l'approbation de la société. Alors qu'un artiste, il est ce qu'il est et basta ! Il n'a besoin de l'autorisation de personne. – Il me regarde comme s'il attendait un brillant commentaire de ma part. N'en obtenant pas, il continue : – Un artiste ne crée pas pour l'argent, ni pour la célébrité, ni pour être accepté, ni pour être aimé. C'est une force en lui. Quelque chose qu'il *doit* faire, ou bien son âme se flétrira et mourra.

Ça, je peux comprendre. Et je me mets à lui raconter une histoire :

— Une fois, quand j'étais petit, mon père a offert à ma mère un poisson en verre soufflé. Elle a toujours aimé ça, les animaux en verre coloré. Je crois que c'est parce que son père lui en avait acheté deux ou trois avant d'abandonner sa famille. Ce poisson que mon père avait trouvé, il était extraordinaire. On aurait dit qu'il y avait toutes les couleurs du monde dedans, entremêlées en volutes avec de toutes petites bulles d'air entre elles. Je l'ai regardé pendant des heures et j'ai compris que je devais le dessiner. Qu'en le dessinant, il deviendrait, genre, « mon » poisson aussi. Papa était au travail, Klint à l'école, Maman au téléphone. J'ai cherché du papier, impossible d'en trouver. Alors, j'ai pris mes crayons et je l'ai dessiné sur le mur de la cuisine. Pendant tout le temps, je savais que j'allais recevoir une claque et être puni. J'étais sûr que Maman n'aimerait même pas mon dessin, qu'à cause de lui elle allait me détester, mais j'ai pas pu m'arrêter. Il *fallait* que je le dessine. C'est de ça que vous parlez ?

Luis me dévisage. Il n'y a plus autant de sévérité dans ses yeux.

— Oui, de ça exactement…

C'est bizarre, de sentir quelqu'un qui est curieux de me connaître. Comme toujours, je m'attends à ce que la conversation dévie sur Klint.

— Quand je peins ou que je dessine, c'est comme si je n'étais plus dans le monde réel. Perdu, mais dans un bon sens. Comme quand on part marcher très loin le long de la voie ferrée, donc on sait toujours où on est mais les autres, eux, le savent pas… Pas effrayant comme quand on est petit, qu'on se perd au supermarché et qu'on ne retrouve plus sa mère. C'est échapper à la réalité, j'imagine, mais tout en ayant besoin d'elle, parce que je représente ce que je vois, ce qui existe, sauf que je le fais sous la forme dans laquelle je voudrais que les gens le voient… Euh, ça un sens, tout ce que je raconte ?

— Beaucoup de sens, approuve Luis. Et ça me rappelle quelque chose que Manuel m'a dit une fois au sujet de la corrida. Lui aussi, il a commencé tout jeune. C'était le fils unique d'un fermier, donc tout le monde pensait qu'il deviendrait fermier à son tour, mais il m'a dit qu'après être allé à sa première *fiesta de toros* il a su qu'il était né pour ça. Une expression qu'il aimait : les taureaux interpellaient son âme. Comme ce poisson en verre a interpellé la tienne.

» Un jour, quand il avait huit ans, il a pris un tablier de sa mère qui séchait sur la corde et il a sauté dans l'enclos où il y avait une vieille vache très vicieuse, qui ruait, mordait et même chargeait, parfois. Bon, il savait que son père n'était

181

pas loin, mais quand même... Il s'est mis à la toréer. C'est-à-dire qu'il a fait les mouvements et les attitudes qu'il avait vu les toreros exécuter. Il s'est débarrassé de ses souliers, il a adopté un air impérieux, il a avancé en traînant les pieds dans le sable et en criant « Hé, hé, *vaca* ! », comme les autres disaient, « Hé, *toro*, hé »...

Son père s'est précipité en lui criant d'arrêter. Sa mère est accourue, et sa sœur, et un garçon de ferme. Manuel les a tous ignorés, et il se rendait compte qu'il allait avoir des ennuis, après, mais aussi que cette vache était capable de l'écrabouiller s'il commettait la moindre erreur. Il a secoué le tablier, continué à la défier, et là il s'est produit ce qu'il appelait « le miracle de ma vie » : la vieille vache mauvaise comme la gale lui a foncé dessus. À cet instant, il a compris que s'il s'enfuyait en courant, il était mort, et que s'il restait sur place sans bouger il l'était aussi. Que sa seule chance de survie était de contrôler l'animal avec sa cape et sa volonté. Et il a dit que ça avait été « l'émerveillement de se voir perdu ».

J'ai gardé le silence quand il a terminé, puis :

— Eh bien... C'est autrement plus cool que de crayonner un poisson sur un mur, comme histoire.

— C'est une bonne histoire, a-t-il convenu.

— Mais je croyais que la corrida, c'était un sport, pas un art.

— Un sport ? Ah, pardonne-moi, Manuel ! s'exclame-t-il en levant le visage vers le ciel comme tout à l'heure, quand il invoquait Dieu à propos des misères que lui faisait Miss Jack, et je me dis qu'il a l'air de vraiment croire qu'il y a un Ciel. – Ah, les Américains et leurs sports ! Tout est un sport ! Une compétition ! Même vos amours, vos mariages, vos enfants ! – Il baisse la voix pour continuer d'un ton écœuré. – Tout se borne à qui gagne, qui perd... On dit tout le temps ça, en Amérique, et je n'ai jamais pu m'y faire : « Tu gagnes ! » Pour n'importe quoi. « Où on va dîner ? » – « Moi, j'aimerais bien celui-ci » « Et moi je préfère celui-là », « OK, tu as gagné ! » Gagner quoi ? J'ai gagné quoi ? Choisir un restaurant, c'était une compétition entre nous ? Et j'ai prouvé quoi ? Que j'étais meilleur que toi ? – Il reprend sa respiration, retrouve son calme. – Non, la corrida n'est pas un sport. C'est un art.

— Comme la danse ? En voyant les affiches de Miss Jack, j'ai trouvé que que ces toreros ont l'air de danser avec leur cape, un peu…

— Oui, en partie. Toréer, ça demande des muscles, de la force et de la grâce, comme la danse. Mais c'est danser avec un animal imprévisible, et potentiellement mortel.

— Ouais… – Je souris à cette image. – J'imagine que si on lâchait un tigre dans l'émission *Danser avec les stars*, ça ferait un tout autre spectacle.

— Certains comparent la corrida à la danse, oui. D'autres au théâtre. Ils disent que c'est une représentation de la lutte éternelle entre l'homme et la bête, dans laquelle le torero, qui personnifie la civilisation, avec ses gestes étudiés et son bel habit, dompte et finit par détruire l'envoyé de la nature, *El Toro*. Mais ce que presque tout le monde oublie, c'est que cela demande une concentration mentale comme aucun autre art n'en réclame. Quelque chose de plus, d'unique, d'incomparable !

La passion dans sa voix et dans ses yeux me fait penser à un prédicateur vantant le pouvoir guérisseur du Créateur. Ses mots calment et stimulent à la fois. Ils me donnent envie d'en connaître plus sur cette étrange religion faite de sang et de beauté.

Nous continuons encore un peu, et puis Luis propose qu'on rebrousse chemin. Pendant tout le trajet du retour, je ne cesse de repenser à un El Soltero de huit ans en train d'affronter une vache mal lunée. J'ai pas mal connu ces animaux et même les plus dociles sont intimidantes, rien que par leur taille. Pour un gamin, elles sont aussi gigantesques que les dinosaures. Je le vois la regarder avec un air de commandement, son petit visage tout sérieux et froncé par la concentration, la détermination, juste comme la tête que Krystal faisait la première fois que je l'ai installée sur le pneu-balançoire au-dessus de l'étang des Hamilton et que je lui ai expliqué à quel moment précis elle devrait sauter.

Le père du petit Manuel avait dû être fier de lui.

Je me rappelle combien Papa aimait montrer les talents de Klint à la batte. À l'époque où il était encore trop jeune pour la

Petite Ligue mais déjà trop fort pour toutes les équipes de tee-ball, il l'emmenait l'été dans les parcs où les gens se retrouvaient en famille ou entre collègues pour pique-niquer, il vissait une casquette des Pirates sur le crâne de mon frère, fourrait du chewing-gum dans sa bouche, l'installait au milieu du terrain avec la batte Lil Slugger en aluminium bleu qu'il lui avait achetée en prenant l'argent que Maman avait mis de côté pour acheter une nouvelle chaise longue, et il commençait à lui lancer des balles. En dix minutes, une foule se formait autour d'eux, époustouflée par la force avec laquelle ce petit bout de dynamite renvoyait les pitchs, et alors le cœur de Papa se gonflait, et sa tête enflait. Il finissait par confier la balle à celui qui voudrait défier Klint, se rangeait de côté et le bombardait de conseils déjà inutiles – « Monte la main sur le manche ! », « Laisse aller les épaules ! », « Surveille le coin entrant ! » – tout en discutant avec les spectateurs, leur promettant qu'ils verraient un jour son fils sur le marbre d'une équipe de première classe et qu'ils repenseraient alors au temps où ils l'avaient regardé s'entraîner avec son vieux paternel…

— Luis ? Qu'est-ce que la famille de Manuel a fait, après son truc dans l'enclos ? Ils ont été impressionnés ? Transportés ? Ils sont tout de suite allés lui acheter une cape ?

— Mais non, réplique-t-il en me considérant d'un œil sceptique. Ils l'ont envoyé au lit sans dîner pour avoir sali le tablier tout propre de sa mère.

11

CANDACE JACK

JE N'AI JAMAIS REGRETTÉ DE NE PAS AVOIR EU D'ENFANTS. Jamais pleuré sur mon ventre stérile. Les gens ne me croient pas. Ils ne croient pas qu'une femme célibataire veuille le rester, ou qu'une femme sans petits puisse être contente de son sort.

C'est l'une des nombreuses raisons pour lesquelles j'ai choisi d'établir une certaine distance vis-à-vis de mes semblables. Je ne supporte pas que des inconnus qui ne savent rien de moi prétendent me dicter en permanence ce que je devrais ressentir et penser. Car telle est l'un des grands travers du peuple américain : notre arrogance morale. Nous l'exerçons en tant que nation, c'est bien connu, mais elle imprègne aussi chacun de nos concitoyens, qui la brandit et l'assène comme une massue sur tous ceux qu'il croise.

Toutes les fois où il m'a fallu répéter que je ne désirais pas avoir d'enfants, on m'a déclaré que je ne savais pas de quoi je parlais, un message exprimé tantôt avec une franchise grossière, tantôt avec une discrète sollicitude, mais toujours d'une manière extrêmement condescendante. On m'a froidement annoncé que l'enfantement faisait partie de mes impératifs biologiques. On m'a tapoté doucement la main en m'assurant que je ne devais pas m'inquiéter, que j'étais jeune et jolie, que j'avais « encore le temps ». On m'a déclaré qu'avoir des enfants ou non était une décision qui revenait à Dieu, non à moi, ou bien qu'elle dépendait du bon vouloir de quelque mâle que je n'avais pas encore rencontré. On m'a dit qu'une femme sans progéniture n'était pas une « vraie femme ».

Je n'ai jamais accordé la moindre attention à tout cela. Mais la simple idée de mettre au monde un enfant, d'être l'unique responsable du bien-être d'une créature innocente et malléable, de savoir que mon existence serait à jamais dominée par l'inquiétude, était quelque chose d'écrasant et de terrifiant. Je me souvenais trop bien de ce qu'avait été mon expérience d'enfant dépendant de ses parents. Je les avais aimés, comme seul un enfant peut aimer, et je les avais perdus. Ils avaient été toute la réalité, la terre sur laquelle je grandissais, et à leur disparition j'avais perdu non seulement une famille et un foyer mais ma propre personne, celle que j'aurais pu être si j'avais continué à être bénie par l'amour d'une mère et d'un père.

Quand on se mettait à me réprimander ou à me consoler à propos de mon statut de femme sans enfant, je repensais aussitôt à ma mère et je me disais : « Souhaiterai-je jamais occuper une place aussi importante dans le cœur d'un autre être humain ? »

Nous n'avions jamais parlé d'avoir des enfants ensemble, Manuel et moi. Nous avions évoqué la possibilité de nous marier et cela s'était révélé une catastrophe. Mais nous étions jeunes, et tout en nous disputant, tout en nous reprochant mutuellement un égoïsme démesuré, nous savions au plus profond de nous-mêmes que nous avions tout le temps de surmonter nos désaccords et fonder une vie commune. Nous en étions totalement convaincus. Et comme nous nous trompions…

J'avais conscience que si nous nous étions mariés j'aurais eu l'obligation d'enfanter une nichée de petits à la peau caramel et aux yeux café, fidèles répliques de leur célèbre père. C'était un Espagnol, après tout, et il était donc incroyablement catholique, mais à sa manière, c'est-à-dire que sa grande dévotion religieuse ne l'empêchait jamais de n'en faire qu'à sa tête.

Lorsque nous envisagions le mariage, la pomme de discorde n'était pourtant pas la religion, ni la volonté d'avoir des enfants, ni l'argent, ni aucune des raisons habituelles pour lesquelles les couples se déchirent. La cause de nos affrontements, c'était qu'il ne pouvait pas quitter son pays ni moi le mien.

Personne n'était plus surpris que moi par mon entêtement à retourner en Amérique. Quand j'avais déserté la maison près d'un an plus tôt, j'étais partie au galop sans l'intention de jamais revenir sur mes pas. Mon départ avait été tellement brutal et désinvolte que je ne connaissais même pas celle avec laquelle j'allais voyager ni où nous irions. C'était une amie d'une amie de Bert et cela me suffisait. Bert aurait voulu me montrer l'Europe lui-même, mais il devait rester à son poste pour aider mon frère.

Je fuyais Stan, voilà tout. Cela devait être la première et la dernière fois où j'allais l'abandonner. À l'époque, je pensais qu'il existait une raison bien précise pour m'en aller : la grève avait duré trop longtemps et pris une tournure trop affreuse. Les mineurs et leurs familles n'avaient plus de quoi se nourrir. La violence avait atteint un niveau insupportable, il y avait même eu un mort, et Stan s'était enfermé dans une obstination irrationnelle. Il était devenu exactement ce qu'il avait promis de ne jamais être : l'ennemi du mineur, le genre de patron que notre propre père maudissait jadis.

Mon frère et moi, nous ne nous adressions déjà pratiquement plus la parole le jour où Randy Dawes avait fait irruption dans son bureau armé d'un pied-de-biche, avec l'intention de cogner jusqu'à ce que mort s'ensuive. Il y serait sans doute parvenu s'il n'avait pas été aussi affaibli par la faim et par les ravages du « poumon noir » à un stade avancé. En dépit des coups reçus aux épaules et à la tête, Stan avait réussi à le maîtriser.

En apprenant la nouvelle, j'avais été en proie à la panique et à l'inquiétude, pas à l'indignation. Sans m'autoriser à penser que mon frère avait mérité ce traitement, j'étais incapable d'en vouloir à son assaillant. Trois semaines plus tard, celui-ci avait été retrouvé mort dans sa cellule de prison. Personne ne croyait au suicide mais c'est l'explication officielle qui avait été donnée et aucune voix ne s'était élevée pour la contester.

J'étais allée voir Stan à l'hôpital dès que j'avais appris la mort du mineur. Mon frère paraissait considérablement mieux que quelques jours auparavant. Le masque à oxygène et la perfusion lui avaient été retirés. Il avait encore la tête bandée, les deux yeux au beurre noir, le bras gauche plâtré, mais il était assis dans son lit, en train de parler au téléphone, avec une liasse de documents de la compagnie étalés sur ses jambes. En me voyant, il a souri et m'a appelée son sucre Candy.

Mon intention était de lui demander carrément s'il avait fait supprimer Randy Dawes, tout comme j'avais voulu lui demander des années plus tôt si c'était lui qui avait poussé Joe Peppernack dans le ravin. Je n'en ai pas été capable, pas plus alors que ce jour-là, parce que je me refusais à entendre la vérité.

Mon problème, c'était que je comprenais si bien Stan que je n'arrivais pas à le juger. Je connaissais les raisons de ses actes, et même si je ne pouvais l'approuver j'étais aussi dans l'impossibilité de le condamner. Nous avions subi le même traumatisme, il l'avait surmonté d'une façon entièrement différente, mais qui étais-je pour certifier que la mienne était valide et la sienne inacceptable ? Après avoir perdu nos parents et notre maison, après avoir échappé de peu à la mort nous-mêmes, nous étions l'un et l'autre habités par une angoisse perpétuelle. J'avais caché la mienne à l'intérieur de moi, il avait défié et maté la sienne à l'extérieur de lui. Depuis toujours, nos voies étaient séparées : tandis que je fuyais le monde, il avait résolu de le dominer. Alors, ce qu'il estimait nécessaire pour se maintenir dans sa voie ne me regardait pas, pas plus que mes propres choix n'étaient son affaire.

Cela ne veut pas dire qu'il ne contrôlait pas ma vie dans une certaine mesure, mais il savait qu'il y avait quelques lignes à ne pas franchir. Joe en avait constitué une. Stan voulait que je l'épouse, Joe le voulait aussi, et pour moi c'était impossible. Si j'avais couché avec lui pour obtenir certains avantages pour mon frère, je ne pouvais néanmoins promettre de passer le reste de ma vie avec un homme que je n'aimais pas, ne désirais pas et dont je n'avais que faire, dans le seul but de cimenter le partenariat entre Stan et lui.

Mon frère m'a dit qu'il respectait mes sentiments. Quelques mois plus tard, Joseph Peppernack, unique héritier sans descendance de la fortune des Aciéries Peppernack après la mort de son père dix ans auparavant, et alors que sa mère était confinée à vie dans un magnifique asile de fous au milieu d'une contrée bucolique de l'État de New York, décédait lui-même, laissant tous ses biens à son meilleur ami et fidèle associé, Stanford C. Jack, dit Stan.

Et là, en parlant de tout et de rien au chevet de mon frère, n'importe quoi pour éviter le sujet du mineur mort en prison, je ne pouvais empêcher mon esprit de revenir sans cesse à Joe.

Si c'était Stan qui avait tué Joe, il devait considérer son geste comme une preuve d'amour et de générosité envers moi : il l'avait supprimé plutôt que de me forcer à l'épouser. Aussi indéfendable et révoltant qu'un tel raisonnement puisse paraître à un observateur impartial, je connaissais depuis assez longtemps sa manière de penser pour comprendre comment il arriverait à justifier même un acte pareil à ses propres yeux. Mais la mort de ce mineur... Il n'y avait pas de justification. C'était un meurtre éhonté, une pure vengeance et un avertissement lancé à ceux qu'il tenait pour ses ennemis.

Et pourtant il avait l'air tellement normal, tellement équilibré ! Mon grand frère Stan, mal à l'aise et incongru dans sa chemise d'hôpital. Nous étions inséparables depuis l'enfance. Il s'était toujours bien occupé de moi, m'avait accordé tout ce que je voulais – à condition certes qu'il l'approuve. Nous pouvions nous parler de tout. Les mêmes choses nous faisaient rire. Nous travaillions ensemble. Mon dévouement admiratif pour lui n'était pas différent de celui que Kyle éprouve très évidemment pour Klint.

Stan était tout ce que j'avais. Et quand l'idée qu'il puisse être un monstre s'est faite insupportable, je me suis enfuie, mettant un océan entre nous.

Je ne pense pas que Cameron, son fils, soit un monstre. C'est une brute, et les brutes peuvent faire des ravages mais elles ne dépassent généralement pas certaines limites. Ce qui les guide, c'est leur complexe d'infériorité. Tous leurs excès et toutes leurs cruautés sont des tentatives aberrantes pour s'attirer la reconnaissance, voire l'amour des autres. Au contraire, un homme comme mon frère agissait et s'emparait de tout ce qu'il voulait parce qu'il se croyait supérieur, parce qu'il jugeait en « avoir le droit ».

Cameron a été le seul enfant que j'aie vu d'assez près dans ma vie, et cela a suffi pour me convaincre qu'il y avait des raisons supplémentaires pour ne pas enfanter, hormis la crainte de l'écrasante responsabilité parentale : et si on se retrouve avec un crétin ? Est-on tout de même obligé de prendre soin de lui, de lui donner de l'amour ?

C'était un gosse imbuvable, mais il n'était pas seul responsable de sa personnalité. Il était à la fois gâté et ignoré. C'était une toile vierge entourée des pinceaux les plus coûteux et d'une palette de couleurs aux ressources inépuisables, puis laissée à elle-même dans une pièce obscure où l'on attendait qu'elle se compose toute seule. Pas surprenant qu'il ait encore été un grand rectangle vide quand on s'est finalement décidé à ouvrir la porte...

Je dois toutefois admettre que même lui avait des moments attendrissants. Je me rappelle comment il lui arrivait de glisser sa petite main dans la mienne et de m'entraîner dans le grand parc de la nouvelle maison de ses parents pour parler sans discontinuer de dessins animés, de mouches qu'il avait tuées ou des mérites des copeaux de chocolat sur la crème glacée. Ou ses cris de joie terrorisée quand il partait en courant dans les bois derrière chez moi et qu'il me regardait le poursuivre les mains levées et ouvertes comme des serres, en disant que je le mangerais si je l'attrapais. J'ai gardé certaines de ses cartes d'anniversaire ou de Saint-Valentin, collages maladroits décorés de paillettes et remplis de points d'exclamation : « Pour la plu jollie tata du monde !!!! », « A Tente Candis, du meilleur garson kelle conait !!!!! » Malheureusement, son orthographe ne s'est guère améliorée, depuis.

Il y a quelque chose qui m'a toujours serré le cœur dans le sérieux des petits garçons, leur curiosité sans limites et leur capacité à se réjouir de tout. C'est peut-être de savoir qu'ils perdront cet appétit de la vie et cette sincérité dès qu'ils deviendront des hommes, aussi inévitablement que leurs taches de rousseur et leurs sourires édentés.

Les hommes sont victimes d'une malédiction, celle de devoir se trouver un but. Il leur faut plus que quelque chose à faire : quelqu'un à être. Les femmes n'ont pas ce problème. Elles sont d'emblée ce qu'elles sont. Le but d'une femme est d'être femme, alors qu'être simplement un homme ne suffit jamais.

Quand j'observe ces deux adolescents, Kyle et Klint, et que j'essaie d'imaginer quels hommes ils seront, je n'y arrive pas. Je n'entrevois pas plus quel genre d'enfants ils ont été, d'ailleurs. J'ai l'impression que l'on ne leur a jamais permis d'être des enfants, même si l'un des deux est une sorte d'enfant déifié, arrêté dans une juvénilité éternelle, dont le destin est de jouer à un jeu jusque tard dans sa vie d'adulte, tandis que l'autre a la douceur canaille d'un gamin des rues qui séduit et repousse à la fois, avec un visage de chérubin qui transparaît encore parfois sous une couche de crasse émotive. Ils viennent d'un autre univers que le mien, jonché de canettes de bière et de paquets de cigarettes vides, où une mère peut soudain refuser à jamais le réconfort de ses bras osseux à son enfant si elle en vient à soupçonner qu'il ne sera pas dans son camp. Un monde qui m'est radicalement inconnu.

Malgré sa précipitation, je ne regrette pas ma décision de leur avoir ouvert ma maison. Je les conçois comme une expérience distrayante, et je m'occupe à concevoir pour eux des projets que je n'ai pas encore dévoilés.

Je m'instruis, également. J'ai déjà beaucoup appris, en matière d'adolescents. Pour commencer, ils ont une odeur bien à eux, que je ne saurais décrire avec précision mais qui est très reconnaissable dès que l'on passe devant leurs chambres, un mélange de sueur, d'effluves de bétail, de fast-food avarié et, très curieusement, d'huile de moteur. Ensuite, ils sont incroyablement bruyants. Leurs moindres faits et gestes, poser un verre sur la table, fermer la porte d'un placard, traverser une pièce, s'asseoir pour dîner, manger, boire, respirer, tout cela est exécuté avec une grande agressivité. Et ils traduisent leurs sentiments de la même manière : bonheur, affection, colère, déception s'expriment en jurant, en s'échangeant des coups de poing et en se traitant mutuellement de tous les noms.

Marjorie m'a signalé qu'ils sont fondamentalement incapables de ranger quoi que ce soit dans un tiroir ou une penderie, de refaire un lit ou de penser à rabattre la lunette des toilettes une fois qu'ils s'en sont servis. De plus, ils engloutissent la nourriture en quantités effarantes. Surtout des cochonneries, je dois dire, même si j'ai remarqué avec plaisir que Kyle est disposé à essayer tout ce que Luis lui sert et qu'il apprécie notablement ses découvertes alimentaires. Alors que Kyle est clairement un gastronome en herbe, Klint picore avec autant de méfiance et de parcimonie que Rae Ann quand elle a décidé d'entreprendre l'un de ses régimes soi-disant miraculeux. Mais en dehors du dîner, ces deux-là consomment quotidiennement un grand paquet de pain de mie, deux livres de mortadelle, une douzaine d'œufs, quatre litres de lait, une livre de bacon, un litre de jus d'orange, une boîte entière de céréales, une autre de gâteaux Little Debbie et deux sacs de Doritos pimentés.

Mes efforts pour mieux connaître Klint se sont soldés par un échec. Il est arrivé ici en boudant, avec une attitude distante et même grossière. Il n'a pas changé. Pourtant, je m'aperçois que je n'arrive pas à lui vouer l'antipathie qu'il mériterait. C'est sans doute parce que je crois au fond que son comportement tient moins de l'effronterie ou de l'animosité que d'une sérieuse incapacité à communiquer. Kyle, lui, parle facilement, même s'il préfère poser des questions que fournir des réponses. Il a un esprit naturellement curieux, vif et plein d'imagination, bien qu'il ait tendance à le cacher en ayant recours à un langage relâché et à un vocabulaire simpliste. Je suis convaincue que c'est volontaire de sa part.

Pendant ce temps, son frère manifeste l'enthousiasme intellectuel d'un crapaud, mais je ne pense pas que ce soit de la bêtise. Il préfère ne pas penser. J'ai déjà vu la souffrance décomposer brièvement ses traits lorsque quelqu'un lui adresse la parole. Il répond aux questions qui lui sont posées comme si elles étaient des uppercuts à esquiver, ou à encaisser sans broncher. J'ignore s'il a résolu de ne plus se servir de son cerveau parce que personne ne le lui demandait ou pour se cuirasser contre les flatteurs et les profiteurs. Les gens font tout un plat de ce garçon, mais il semble que personne ne s'intéresse à *qui* il est. Comme si on s'arrêtait à son extraordinaire dextérité à la batte, sans chercher plus loin.

Manuel avait à endurer la même contradiction. On l'adulait mais on ne le connaissait pas. On supposait que puisqu'il excellait en une chose, il devait réussir en tout. Il n'avait pas le droit d'avoir des problèmes, et s'il essayait d'affirmer que c'était pourtant le cas les gens mettaient une insistance presque haineuse à soutenir qu'il se trompait. Ce qu'ils n'arrivaient pas à comprendre, c'est que non seulement il pouvait être assailli par les mêmes doutes et les mêmes difficultés que n'importe qui, mais que ceux-ci avaient un impact autrement plus débilitant sur lui que sur les autres. Un comptable peut se sentir au trente-sixième dessous et continuer à aligner ses colonnes de chiffres quotidiennes. Un professeur peut s'inquiéter de sa vieille mère malade et néanmoins veiller à donner à ses élèves leurs devoirs du soir. Un camionneur peut être furieux contre sa femme sans renoncer à accomplir toute la route qui lui a été assignée. Mais l'âme d'un artiste c'est son travail. Si l'un des deux va mal, l'autre se désintègre. J'imagine que cela doit être pareil pour un sportif et ses performances.

Certes, Manuel n'avait pas à se confronter trop souvent à ce genre de situation. En général, il évitait les gens qui n'appartenaient pas au monde taurin, et ceux qu'il pouvait croiser en dehors étaient trop paralysés par le respect ou l'adoration pour formuler une remarque un tant soit peu critique. Je pense que ce sera plus difficile pour Klint. Les Américains éprouvent un besoin obsessionnel de ternir l'image de leurs héros, et les Espagnols de la faire reluire jusqu'à ce qu'elle brille trop fort. Dans un cas comme dans l'autre, cela suppose beaucoup de déni et d'injustice envers ces mêmes héros, mais au moins Manuel n'a jamais été obligé d'avoir mauvaise conscience parce qu'il était bon.

J'ai eu une idée qui ne peut qu'améliorer mes relations avec Klint et du même coup simplifier la vie de Luis, ce qui lui fournira moins d'occasions de rechigner et me rendra donc l'existence plus facile à moi aussi. Pour l'instant, il doit trimbaler les garçons partout et je vois bien qu'il en a assez. C'est une grosse contrainte dans son emploi du temps, et j'ai eu tort de la lui imposer, mais c'est que j'ai tardé à me rendre compte que je n'étais pas entièrement prête à prendre en charge deux adolescents. La question du transport ne m'avait même pas effleuré l'esprit, je dois l'avouer.

Luis ne se fâche pas ouvertement, lorsque je le contrarie. Il lève les yeux au ciel, émet quelques reniflements excédés ; dans le cas où il doit abandonner ses préparatifs en cuisine pour conduire les garçons quelque part, il abandonnera son couteau sur le plan de travail plus bruyamment que nécessaire. Jusqu'ici, il ne s'est pas franchement plaint une seule fois mais je sais qu'il stocke chaque exemple dans sa mémoire, où ils s'accumulent tel du bois sec pour un bûcher, puis une simple réflexion ou un fait anodin servira d'allumette et ensuite je devrai passer la semaine suivante à tenter d'éteindre un autre de ses infernaux brasiers de ressentiments.

J'ai tenu le raisonnement suivant : si Klint avait son propre moyen de locomotion, cela libérerait Luis de l'un de ses fardeaux, et donnerait aussi plus de liberté et d'indépendance aux garçons, sans parler du fait qu'une nouveauté aussi capitale pourrait finalement arracher un sourire à ce bougon. Parce que je ne l'ai jamais vu sourire, pas même quand il parle de base-ball, sa soi-disant « raison de vivre ». Cette sempiternelle morosité commence à me tourmenter.

Je n'ignore pas que la situation actuelle de nos ressources automobiles ne lui convient pas. Je l'ai surpris à grommeler devant son frère qu'il était très gênant de se faire déposer à l'école comme un marmot, et il n'a pas hésité à me lancer à la figure que ma Mercedes était une « bagnole de vieille » et de « qui-s'la-ramènent ». Je ne suis pas certaine d'avoir compris le sens de cette dernière expression, mais elle a déclenché un début d'hilarité chez Luis, et je crois comprendre qu'elle a à voir avec l'étalage de la prospérité, chose que ces garçons semblent rejeter violemment. Ils se contentent de peu, n'ont pas du tout l'air impressionnés par l'argent et par ce que celui-ci peut apporter. C'est l'une des raisons pour lesquelles j'ai cru que mon devoir était de me montrer généreuse avec eux.

Avec toutes ces considérations en tête, j'ai décidé d'acheter un pick-up à Klint. Je suis suffisamment attentive pour avoir compris qu'il préférerait un véhicule utilitaire à une voiture, et un qui ne soit pas trop clinquant. Les deux parlent avec un étrange respect du pick-up de leur père, et avec envie de celui de Bill, un engin tellement encroûté de boue et de rouille que je n'ai pas pu déterminer quelle était sa couleur d'origine. Je les ai vus penchés avec Jerry sur le moteur de son vieux Dodge, sans parler, savourant la vue, les mains dans les poches.

Quand j'ai soumis mon idée à Bert hier, il a admis qu'elle était excellente. Il va se charger de tout l'aspect financier pour moi, mais il dit ne pas se sentir prêt à choisir le pick-up lui-même, parce qu'il n'y connaît rien. Comme ce n'est certainement pas moi qui vais m'en charger, et que les chances que Luis arrive à sélectionner un modèle susceptible de plaire à un adolescent comme Klint sont à peu près aussi élevées que celles de « Tante Jen » arrivant à opter pour une teinte de cheveux qui convienne à son âge, il ne reste qu'un candidat crédible pour cette mission.

— Bonjour, Jerry. Comment va ?

Il se redresse après avoir déposé un rouleau de fil barbelé sur le plateau de son pick-up, où une demi-dizaine de poteaux de barrière attendent déjà.

— Peux pas m'plaindre, Miss Jack. Vous ?

— Très bien, merci. Belle journée, n'est-ce pas ?

Nous jetons ensemble un coup d'œil aux frondaisons bariolées qui semblent avoir été peintes sur le ciel.

— Ouaip. Frisquette, quoique. Pas loin d'la gelée, c'te nuit.

— Oui, j'ai remarqué. Je n'ai pas vu le chat de Kyle dans les parages. Vous ne croyez pas que la nuit dernière était trop froide pour lui ?

— Y va très bien, c'est assuré. Un chat comme ça, faut pas s'en faire pour lui.

— Je ne m'en faisais pas.

— Ouaip.

— Cette brèche que vous avez trouvée dans la barrière, vous êtes sûr que ça ne vient pas de Ventisco ?

Il retire sa casquette, la plie en deux et la met dans la poche arrière de son pantalon, manifestant ainsi qu'il est maintenant prêt à m'écouter sérieusement. Cette casquette paraît protéger sa tranquillité d'esprit de même qu'une couverture jetée sur une cage à oiseaux.

— Pas d'signe qu'elle a été attaquée ou quoi, Miss Jack. C'est juste une vieille barrière qui tombe en morceaux. Trop près d'la route, aussi. Jamais vu Ventisco aussi près d'une route. – Il frotte sa joue hérissée de poils blancs. – P'têt' bien qu'y est temps d'envoyer les vaches dans la pâture du haut, qu'elles aident à l'ramener plus près d'la maison.

— Bientôt. Luis vous préviendra. Dites, Jerry, je me demandais si vous pouviez m'aider ?

— J'suis là pour ça.

— Ce n'est pas le genre de chose que vous faites pour moi, d'habitude.

Il ne dit rien. Il attend.

— J'ai décidé d'acheter un pick-up à Klint.

Il se frotte encore la joue, renifle, regarde au-dessus de mon épaule en plissant les paupières.

— C'est un cadeau sacrément luxueux.

— Ce ne serait pas un cadeau.

— Ça s'rait quoi ?

— Une nécessité. Comme de lui acheter des chaussettes.

— Ah.

— Depuis qu'ils sont ici, j'ai pris en charge une myriade de choses pour ces garçons. J'ai remplacé l'iPod de Kyle quand il s'est cassé. Je paie leurs notes de téléphone portable. Je leur ai offert des ordinateurs pour leur travail scolaire. Ma note de supermarché a triplé. Mais cela n'a rien de « luxueux », à mon sens. Je réponds à leurs besoins de base. Je suis en quelque sorte leur tutrice, après tout.

196

Il baisse les yeux sur ses mains et commence à retirer posément ses gants de travail, qu'il fourre dans sa veste, puis il sort son trousseau de clés. Je me dépêche d'ajouter :

— Je ne le gâte pas. Je me souviens encore de la voiture de Cameron quand il avait l'âge de Klint. La Thunderbird... Je me rappelle quand il est venu jusqu'ici pour me la montrer, et comme j'étais en colère contre Stan de la lui avoir payée. On aurait dit qu'il avait décidé de démolir ce garçon. Moi, c'est différent. Je n'essaie pas d'acheter l'affection de Klint, ou de lui créer des dettes envers moi. J'essaie simplement de rendre sa vie et la mienne... la vie de tous, en fait, plus facile.

— Ah.

— Je me demandais si cela ne vous dérangerait pas de choisir ce véhicule pour lui. Bert Shulman irait avec vous. Ce sera lui qui se chargera de l'achat proprement dit, mais j'ai pensé que vous étiez le plus à même de faire le bon choix. Vous vous y connaissez, et en plus vous savez ce que Klint aimerait. Ce qui lui conviendrait. Puisque vous êtes du même milieu, lui et vous.

D'un geste brusque, il sort à nouveau sa casquette et la plaque sur sa tête, marquant ainsi la fin de toute communication réelle entre nous.

— D'accord.

— Auriez-vous du temps pour cela, aujourd'hui ?

— J'peux en trouver.

— Merci, Jerry.

Il s'installe au volant. Après avoir rajusté mon foulard, je m'apprête à commencer ma marche quotidienne, mais je me ravise et je me retourne pour lui lancer :

— Dernière chose, Jerry. Je suppose qu'il faudrait une marque américaine.

Il se penche au-dessus de la vitre baissée et hoche une dernière fois la tête.

— Oui, m'dame. Un garçon comme ça voudrait jamais conduire un véhicule étranger. On lui trouv'ra quèque chose d'américain fabriqué en Chine.

Convaincue que cette quête du pick-up allait durer des semaines, je suis stupéfaite lorsque, quelques heures plus tard, Bert me téléphone et m'informe que Jerry et lui ont repéré un véhicule convenable, un Chevrolet bleu marine qui a quatre ans mais qui est en très bon état. Peu après, il arrive pour me faire signer des papiers, puis il repart avec Jerry chercher leur trouvaille.

Et voilà maintenant le pick-up garé devant la maison, dans l'attente du retour des garçons après l'école. Je dois avouer que j'ai le cœur qui bat un peu plus vite et que je suis pressée de voir la mine réjouie de Klint et de Kyle, en sachant que c'est grâce à moi.

Je ne suis pas avare. Je donne des sommes conséquentes à plusieurs associations caritatives et locales, mais toujours discrètement, sans rechercher la reconnaissance publique. S'il m'arrive rarement de faire des cadeaux personnels, c'est parce qu'il est rare que j'apprécie quelqu'un.

J'imagine que je vais devoir accepter le fait que j'aime bien ces garçons. Même celui qui me déplaît.

Luis est déjà parti, avec la consigne de ramener directement Klint ici, et non de le déposer à son travail comme il le fait habituellement. Il doit lui dire qu'il y a une urgence à la maison et qu'il pourra aller travailler plus tard, quand le problème aura été réglé. Je suis assis sur la véranda, une tasse de thé fort devant moi. J'ai gardé ma veste et mon foulard. Je feuillette un vieux numéro d'*El Mundo*. Luis lit chaque jour l'ensemble de la presse espagnole sur son ordinateur mais c'est quelque chose qui m'est impossible : même si cela suppose de suivre l'actualité en retard, je ne veux pas renoncer au geste rituel d'ouvrir un journal et au froissement des pages tournées.

Je me dis qu'il faudra que je manifeste ma gratitude à Bert d'une manière ou d'une autre. Il a toujours été quelqu'un de difficile à remercier pour tous les services qu'il m'a rendus. Il n'acceptera jamais un cadeau ou une faveur, seulement une invitation à dîner. J'essaie de le faire venir à ma table environ une fois par mois.

Certains penseront probablement qu'avec lui je me comporte comme une harpie sans cœur, ou que je profite éhontément de sa fidélité de chevalier servant, mais je crois pouvoir affirmer qu'à ce stade de nos existences respectives, m'accuser de lui donner de vains espoirs serait injuste.

Bert m'a proposé le mariage avant que nous couchions ensemble, pendant que nous le faisions, une fois que nous avons cessé de le faire. Il a recommencé après avoir laissé une période de deuil convenable s'écouler à la suite de la mort de Manuel, puis c'est devenu une demande routinière, chaque année, jusqu'au moment où j'ai reçu mon premier chèque de retraitée et où je l'ai prié de cesser.

Avec le recul, je suis sûre que je lui ai fait du mal en sautant brusquement dans son lit après toutes ces années pendant lesquelles il avait tenté sans succès de m'y entraîner, puis en y restant un petit laps de temps, puis en quittant définitivement sa couche sans rime ni raison apparentes, ni même avec un « Je t'aime » ou un « Merci, ce furent de bons moments ». Pour ma défense, je dirais que je ne savais alors pas que penser du sexe, de l'amour et de leur éventuelle combinaison ou incompatibilité.

J'étais devenue adolescente sans avoir de mère, je n'avais jamais eu d'amies. Ce que j'avais appris des autres filles en les observant à l'orphelinat où j'ai passé la majeure partie de mon adolescence était déconcertant, à tout le moins. Il y avait les timides et braves petites qui échappaient à leur triste réalité en rêvant aux tendres caresses d'un prince charmant tout en s'étant déjà résignées à ce que leur seule chance de survie soit de se livrer à un homme qu'elles n'aimeraient pas et qui les traînerait sans doute plus bas que terre. Et puis il y avait les « vilaines filles », les prédatrices, les gourgandines qui ouvraient leurs jambes pour un repas ou une babiole, mais qui pouvaient aussi tomber désespérément amoureuses et pleurer pendant des jours pour un sale type. Ensuite, mes semblables à l'université huppée que j'ai fréquentée ne se sont pas révélées très différentes, quand il s'agissait des garçons. Tout ce qui les distinguait des orphelines de jadis, c'était les mots français dont elles émaillaient leurs phrases, et le fait qu'elles n'avaient pas de poux dans les cheveux.

Je suis restée vierge jusqu'à vingt ans et quelques, et quand je me suis enfin résolue à coucher avec un homme, ma seule et unique motivation fut la curiosité. Malgré le faible bien connu que Bert avait pour moi, ma décision de le « faire monter au septième ciel », comme on disait dans le temps, était simplement motivée par le fait qu'il se trouvait là au bon moment pour satisfaire ce coup de tête plutôt égocentrique.

Certes, j'avais de l'affection pour Bert et je le trouvais même séduisant, contrairement à Joe Peppernack ou à l'un des fils Carnegie qui me tournait autour – celui qui bégayait –, mais je n'étais pas du tout amoureuse, ni affolée par le désir physique.

Le sexe m'a déçue. Je faisais de mon mieux pour trouver cela excitant et me sentir comblée. Il n'y avait pas d'obstacles, pourtant, puisque je n'ai jamais eu de réticences religieuses ou morales et que je n'avais pas honte de me mettre nue. En dépit de toutes les histoires que j'avais entendues, je n'étais pas effrayée par l'aspect physique de la pénétration. À en croire certaines filles, la taille habituelle d'un sexe masculin était celle d'un rouleau à pâtisserie, et il était tout aussi dur, mais les unes prétendaient trouver très gratifiante l'insertion d'un pareil machin, tandis que les autres décrivaient l'expérience comme une invasion aussi épouvantable que si on les avait ouvertes en deux.

Veillant à rester détendue, je m'abandonnais aux caresses et aux baisers de Bert, guettant une étincelle qui s'allumerait quelque part en moi et embraserait chaque parcelle de mon corps. J'attendais un merveilleux réveil de la sensualité de la fille de la campagne que j'avais été, quelque chose d'aussi stimulant que l'odeur du pain maison à peine sorti du four ou la vue des framboises juteuses enfin parvenues à maturité sur leurs tiges couvertes d'épines. Rien ne se passait. Et ensuite, l'acte sexuel proprement dit fut encore plus frustrant, parce qu'il n'était ni bon, ni mauvais. J'avais attendu un choc extrême et je ne constatais qu'une activité banale, un va-et-vient monotone motivé par un but pratique, finalement assez comparable au malaxage de la pâte à choux.

Bert, par contre, paraissait être plutôt à la fête. Je n'arrivais pas à comprendre qu'il soit aussi transporté par quelque chose qui me laissait aussi indifférente. Plus tard, quand d'autres hommes ne sont pas mieux arrivés à me faire éprouver quoi que ce soit de notable, j'en suis venue à me demander si je n'avais pas une déficience sur ce plan-là. Puis j'ai connu Manuel et, malgré le combat mené par mon esprit rationnel et sceptique contre une notion aussi romantiquement illogique, j'ai enfin accepté que la fusion de deux êtres pouvait exister.

J'ai repris le journal et je suis plongée dans un article sur la mise au jour des fosses communes que Franco avait remplies de milliers de ses victimes il y a plus de soixante ans quand j'entends une auto approcher. Je me lève, attendant que la Mercedes soit en vue. Luis se gare devant la grange. Klint et Kyle descendent de voiture et entreprennent de traverser lentement l'esplanade dans ma direction, tête baissée, la visière de leur casquette tirée très bas, les mains dans les poches, leur sacoche d'école pendant à une épaule, leurs pieds soulevant de petits geysers de gravier. Luis les suit, avec à la main un sac de courses d'où je vois dépasser l'extrémité d'un paquet de pain en tranches et le haut d'une boîte de Little Debbies.

— Hello, les garçons, dis-je du haut des marches.

— 'jour, Miss Jack, fait Kyle.

Klint se borne à un signe de tête. Je déteste ça.

— Vous avez de la visite ? s'enquiert Kyle en regardant rapidement la voiture.

— Non. - Je descends les marches du perron. - Ce véhicule est celui de ton frère.

Très contente de moi, je souris d'aise en attendant leur réaction. Kyle ouvre la bouche sans rien dire. De saisissement, il laisse tomber son sac sur le sol.

— Quoi ? grommelle Klint.

— Ce pick-up est pour toi, Klint.

— Pas question ! crie-t-il.

Il se rue sur la portière du conducteur, l'ouvre à la volée.

— Je me suis dit que cela te serait utile. Je sais que ton frère et toi n'aimez pas dépendre de Luis pour aller à l'école et en

201

revenir. – Luis toussote. Je me hâte d'ajouter : – Et lui-même est bien trop occupé pour vous conduire tout le temps. En plus, je sais que tu auras besoin d'un moyen de transport à toi quand tes entraînements et tes compétitions vont commencer. Et puis, tu voudras peut-être sortir une petite amie, un jour.

— Regarde un peu ça, Klint ! s'exclame Kyle. C'est un Silverado ! Les sièges sont en tissu camouflage !

Klint a ignoré les cris extasiés de son frère, mais ils ont attiré Jerry hors de la grange. Après avoir craché du jus de chique dans l'herbe, il s'approche sur ses longues jambes, de son pas nonchalant.

— Vous me donnez ce pick-up ? me demande Klint.

— Mais oui.

— Pourquoi ?

— Parce que je le veux.

— À moi ?

— Oui.

Je sors les clés de la poche de ma veste et je les laisse pendre sur mon doigt tendu. D'un geste brusque, il s'en empare et les contemple longuement dans sa paume. Bien trop longtemps. Quand il finit par relever la tête, je découvre sur ses traits non pas de la joie mais une expression que je ne pourrais définir De la rage, peut-être, mais je m'aperçois aussi qu'il a les larmes aux yeux.

— Je… j'en veux pas !

— Comment ? piaille son frère. T'es dingue ou quoi ‹

— Je crains de ne pas avoir compris, Kyle.

Il me regarde, cherchant désespérément ses mots, sans les trouver.

— C'est… mal.

— Qu'est-ce que tu veux dire ? Un simple cadeau ne va…

— C'est pas simple ! Un pick-up, ça a rien de « simple » !

Nous nous tournons tous vers l'innocent camion. Les yeux de Klint reviennent sur les clés dans sa main, qu'il contemple avec une sorte de regret. Soudain, son bras accomplit un mouvement souple, apparemment sans effort, mais qui a assez de puissance pour envoyer le trousseau loin derrière la grange.

Je suffoque d'indignation. Jerry émet un sifflement discret et admiratif. Klint part en courant dans l'allée.

— Pardon, Miss Jack, bredouille Kyle, mais vaut… il vaut mieux que j'aille lui parler.

— Tu ne feras pas que lui parler, dis-je en essayant d'empêcher ma voix de trembler de colère. Tu lui diras aussi de venir me voir. Immédiatement.

Luis soupire, pose son sac au sol et s'éloigne en suivant la trajectoire du lancer de clés. Je dévisage Jerry, qui s'est posément approché de moi.

— Pourquoi ce garçon me traite-t-il de cette façon ? Moi qui ai tant fait pour lui…

Il fait passer sa chique d'une joue à l'autre.

— Ça pourrait être la raison, lâche-t-il.

Je le prie de m'excuser et je retourne en hâte dans la maison. Je passe par la cuisine pour me verser un verre d'eau glacée que j'avale d'un trait, une manière de boire que j'abhorre en temps normal. Debout devant l'évier, j'en suis encore à encaisser le coup. Quel adolescent au monde refuserait un engin motorisé ? Après avoir rempli à nouveau mon verre, je vais prendre l'éventail espagnol que je garde toujours dans un tiroir, je l'ouvre d'un coup sec et je l'agite vivement devant mon visage. Je sais que je dois être cramoisie. À ce moment, Luis apparaît avec son sac de courses. Il m'adresse un petit signe de tête et un sourire.

— Allez-y, fais-je avec un soupir. Il est clair que vous voulez me dire quelque chose.

— Oui. J'ai décidé que j'allais préparer un gratin de pommes de terre aux anchois, pour accompagner le veau ce soir.

Il se met à déballer ses provisions en sifflotant. Je l'aide à les ranger, plaçant la bonbonne de lait dans le réfrigérateur.

— Vous pensez que je m'y suis mal prise.

— Oui.

— Vous, comment auriez-vous fait ?

— Comme il faut.

Je saisis la boîte de gâteaux et je l'examine sur toutes les faces.

— Qu'est-ce que c'est ?

— Des biscuits au caramel. Pas trop mauvais.

J'ouvre le couvercle et je sors un petit gâteau doré, emballé dans de la cellophane.

— Peut-être que tout cela est une grosse erreur depuis le début. Comment ai-je pu croire que je pourrais me transformer en mère aussi tard dans ma vie ?

Luis rit.

— Une mère, je ne suis pas certain… Pourquoi ne pas vous voir comme un ange gardien ?

— C'est très gentil à vous. J'apprécie.

— Ces garçons n'ont pas besoin de mère. D'après ce que vous m'avez raconté, une bonne part de leurs ennuis vient du fait qu'ils en ont une. Ils ont besoin de quelqu'un qui fasse attention à eux.

— Quoi, comme un gardien de zoo ?

— Pas qui se charge d'eux, qui fasse attention à eux. Je crois que je comprends mieux que vous les subtilités de la langue anglaise, maintenant.

— Offrir à quelqu'un un pick-up, n'est-ce pas lui montrer qu'on fait attention à lui ?

— Non. C'est montrer qu'on a plein d'argent.

Je déchire l'enveloppe de mon gâteau. Luis, qui en a pris un aussi, m'imite et avale le sien en deux bouchées.

— Vous l'avez blessé dans son honneur, constate-t-il en secouant dans l'évier les miettes de biscuit restées sur ses doigts.

— C'est grotesque ! Et même si c'était vrai, il aurait dû mieux réagir. Il n'avait pas à se montrer aussi affreusement grossier.

— Vous voyez de la grossièreté. Moi, je vois un *chico* qui économise ses paroles.

— Mais quand il daigne parler, ce qu'il dit est toujours insultant.

— Pas toujours, non. Souvent, ce sont seulement des réponses concises à des questions qui n'auraient pas dû être posées.

Je mords prudemment dans le biscuit, surprise de sentir un jet de crème onctueuse sur ma langue. Pas mauvais du tout. Luis est lancé, maintenant :

— Pour vous, toute réponse qui n'est pas celle que vous vouliez entendre est grossière. Moi, je le comprends. Vous vous rappelez ? Quand je travaillais pour Manuel, je ne disais presque jamais un mot. Ce n'était pas parce que j'étais insultant, ou idiot, ou que je boudais. C'était de l'humilité.

— Vraiment ? dis-je sans pouvoir réprimer un sourire.

— Vous ne devriez pas être si dure avec lui. Ce dont vous avez été témoin aujourd'hui, c'est d'une manifestation d'honnêteté colossale.

— Miss Jack ?

En entendant la voix de Klint, je me retourne brusquement juste quand je venais de glisser le bout de biscuit restant dans ma bouche. Je mets à tousser, je m'étouffe presque. Luis me tend mon verre d'eau.

— Kyle m'a dit que vous vouliez me parler.

— Oui.

Luis pose les clés sur le plan de travail et s'en va en fredonnant sous sa moustache, nous laissant en tête-à-tête. Je suis parvenue à surmonter ma quinte de toux. Je fronce les sourcils à la vue de sa casquette. Il l'enlève.

— Tu me dois des excuses, Klint.

— Je dois pas d'excuses pour pas accepter un cadeau. Y a rien de mal à ça.

— En fait, refuser un cadeau est mal, si, mais ce n'est pas pour cela que je suis fâchée. C'est pour la manière dont tu l'as refusé.

— Pardon.

— Une phrase complète, c'est possible ?

— Je vous demande pardon.

Je jette un coup d'œil au trousseau.

— Est-ce que tu es capable de lancer une balle de base-ball aussi loin ?

À sa mine, je me rends compte que ma question était idiote.

— Ouais.

— Ah… Je pense que je me suis fait mal comprendre. Ce véhicule n'est pas que pour toi. Je l'ai acheté en pensant à Kyle, aussi.

— Kyle ?

— Oui. Tu as vu comme il était ravi. Je sais qu'il a horreur que Luis le conduise à l'école et le ramène comme un bébé. – Je sais aussi que je viens d'exprimer ses propres objections. – Pense au plaisir que cela lui ferait, d'aller et venir dans ce pick-up. La perte de votre père a été une épreuve terrible pour lui. Tout ce qui peut lui apporter un peu de distraction est positif.

— C'est vrai qu'il avait l'air assez emballé. – La même expression torturée que j'avais remarquée plus tôt passe sur son visage. Il tord sa casquette dans ses mains, finit par me fixer dans les yeux. – Écoutez, je veux vous le rembourser. Ça prendra du temps. Je gagne pas des masses à mon boulot, mais j'ai déjà commencé à mettre un peu de côté.

— Si c'est ce que tu veux, très bien.

J'attends un sourire qui ne vient pas. Je lui tends les clés. Après les avoir prises, il quitte la cuisine d'une démarche d'automate. Je vais à la porte sans faire de bruit. Dès qu'il croit que je ne peux plus le voir ni l'entendre, il se met à courir dans le couloir. Je le laisse aller, savourant l'écho de ses pas précipités sur les dalles que Marjorie a cirées ce matin. C'est presque aussi bon qu'un sourire.

12

KYLE

LE CAPITALISME EST FONDÉ SUR LE PRINCIPE SUIVANT : pour que quelqu'un réussisse, il faut que quelqu'un d'autre souffre. J'ai appris ça hier à l'école, de mon prof d'histoire, M. Pankowski. Comme c'est le seul enseignant de tout le district scolaire qui a un doctorat, tout le monde l'appelle « Doc ».

C'est un intello mais on ne le dirait pas, à le voir ou à l'entendre : il emploie toujours des mots simples et il vient aux cours en jean délavé, vieux mocassins et l'un de ses deux pulls trop larges qu'il porte sur une chemise dont le col est mal mis. Il est grand, maigre, avec dans les yeux le même air affamé et égaré qu'un prisonnier de guerre qui vient d'être libéré, ou que les anciens petits amis de ma tante Jen. Je pense qu'il a la trentaine, pas plus, mais il a un visage fatigué, le contraire de la peau lisse et du regard toujours pétillant de Luis. À propos, j'ai toujours pas compris quelle était sa fonction exacte, à celui-là. Klint dit que c'est le « Taco-boy » de Miss Jack. J'ai essayé de lui expliquer qu'il y a une grosse différence entre le Mexique et l'Espagne, mais ça ne lui est pas rentré dans la tête, pour l'instant.

Les cours de Doc me plaisent parce qu'il connaît beaucoup de choses mais aussi parce qu'il n'enjolive rien. Il raconte ce qui s'est passé et il ne prend pas parti, même si on se doute qu'il en a un et qu'il est pas trop compliqué de deviner lequel. Pour lui, étudier une guerre ne se résume pas à apprendre une liste de dates et de noms de batailles : il nous fait travailler sur la vie des gens dans les pays concernés, leurs

207

similarités et leurs disparités, qui remontent parfois à la nuit des temps et ne peuvent pas être surmontées, ou ne devraient peut-être pas être surmontées. Doc dit qu'entrer en guerre pour se défendre est justifié mais que le faire avec l'idée de modifier le peuple d'en face se transforme presque toujours en catastrophe sans fin. Que les gens sont prêts à se battre pour défendre ce qu'ils ont pendant un moment, mais tout le temps pour défendre qui ils sont. C'est trop dommage que le président Bush n'ait pas suivi le cours de Doc, à part qu'il aurait sans doute dormi d'un bout à l'autre, comme Klint.

D'après Doc, ceux qui profitent du capitalisme cherchent habituellement à mettre autant de distance que possible entre eux et ceux qui en souffrent. C'est pour ça qu'ils partent vivre dans des villes comme New York ou Paris, ou qu'ils sillonnent le monde sur leurs yachts.

Si c'est vrai, Stan Jack, le frère de Miss Jack, devait être une exception. Il aurait pu s'en aller où ça lui chantait, mais il a jamais voyagé plus loin que Harrisburg, il a installé son affaire à Centresburg et il s'est construit un palais au milieu de nulle part. Certains disent que c'est parce qu'il aimait la nature de la Pennsylvanie. Qu'il chérissait les collines qu'il rasait et les rivières qu'il polluait. Qu'il respectait le gibier qu'il tuait à la chasse. Qu'il estimait les gens du pays et qu'il a bâti son empire en voulant apporter du travail et de la prospérité à la région, pas seulement à s'enrichir personnellement. Mais la plupart des autres pensent que c'était un salaud d'arriviste, un sadique qui prenait son pied en matant les gens qui rampaient devant lui, ou mieux encore en voyant la souffrance et la haine dans leurs yeux tout en sachant qu'ils pourraient pas y changer quoi que ce soit.

Ces derniers temps, je me suis demandé si le portrait du banquier du diable n'était pas le sien, et depuis que cette idée m'est venue je mets deux tee-shirts dessus la nuit.

Depuis toujours, il y a une rumeur qui circule comme quoi c'est lui qui a tué son associé, Joseph Peppernack, le « P » des Houillères J&P, l'héritier des aciéries Peppernack, celui qui avait mis tout l'argent dans leur compagnie pendant que Stan

Jack apportait l'ambition et l'art de la magouille. Ils étaient à la chasse dans le comté de Cameron quand Peppernack a glissé du haut d'une falaise et s'est cassé le cou. Le coroner a conclu à un accident. Un an plus tard, quand Stan Jack a inauguré son hôpital à Centresburg, c'est ce même coroner qu'il a nommé à la tête du conseil d'administration.

Encore aujourd'hui, quand quelqu'un se fait royalement baiser, par exemple plaquer par sa femme ou virer de son boulot, les mineurs de notre coin disent qu'il a été « pepper-naqué ».

Par ailleurs, tout le monde connaît l'histoire du mineur qui a agressé Stan Jack pendant la grève de 1958. Par ici, c'était la première fois qu'un conflit social prenait un aspect violent depuis les années 1800. Deux contremaîtres avaient été salement blessés, et un ouvrier tué. Un autre s'était faufilé dans le bureau de Stan Jack et l'avait cogné avec une barre de fer. Le patron a failli y rester, le mineur a été arrêté et deux jours après on l'a trouvé pendu dans sa cellule alors qu'il attendait son procès, une mort plutôt bizarre, parce que depuis quand on laisse sa ceinture à un prisonnier ?

Miss Jack ne parle jamais de son frère. J'ignore si elle a participé aux activités pas nettes de Stan Jack et si elle s'entendait bien avec lui, mais le fait est que lui aimait suffisamment sa sœur pour lui laisser son énorme maison et une bonne part de son argent.

Je me rappelle encore la première fois où j'ai vu la baraque. C'était une photo dans un livre qui s'appelait *Capital humain. Une histoire américaine de l'asservissement de l'homme par l'homme depuis l'esclavage jusqu'à la naissance du syndicalisme.* J'étais tombé dessus à la bibliothèque d'une université où Papa et Klint devaient voir des pontes du département sportif au sujet des aides financières et des bourses d'études. Là, entre des dessins d'Africains enchaînés descendant des bateaux des trafiquants d'esclaves et des clichés en noir et blanc d'ouvriers au poing levé bloquant leur usine, il y avait la photo de la maison où je vis maintenant. « L'ancienne résidence de Stanford Jack », indiquait la légende.

Sur l'autre page, il y avait une photo grise et floue de l'une des cités minières construites par les Houillères J&P dans le temps. Trois ou quatre rangées de bicoques minuscules accrochées à un flanc de montagne déchiré par les bulldozers, moches et obstinées comme des verrues. Ce coron, je le connais. Il n'est pas loin de la voie de chemin de fer et d'une rampe à charbon abandonnée où nous allions jouer quand nous étions gosses. Le zinc des toits a été volé depuis longtemps et toutes les structures en bois ont pourri. Personne ne vit ici depuis cinquante ans et pourtant Dame Nature n'a pas l'air de vouloir reconquérir cet endroit, parce que rien n'y pousse, pas même les mauvaises herbes. En été, quand toutes les collines sont d'un vert éclatant, de l'autoroute on aperçoit distinctement ces ruines. On dirait un bout de croûte sur un genou écorché.

Maintenant, je regrette de ne pas avoir lu ce qu'il y avait sur le compte de Stan Jack dans ce livre, mais comment aurais-je pu deviner que j'habiterais un jour son manoir ? C'est à la fois marrant et un peu flippant d'avoir échoué ici. Comme de vivre avec la sœur de Dark Vador dans *La Guerre des Étoiles*.

L'autre raison pour laquelle j'aime bien Doc, c'est que son frère, Nat, est l'entraîneur de base-ball de Western Penn University, un campus pas loin d'ici. Pas aussi gigantesque que Penn State, ou prestigieux comme l'université de Pennsylvanie – qui fait partie de l'Ivy League –, mais un établissement où on peut faire des études à peu près correctes tout en jouant dans une équipe plutôt pas mauvaise. Klint est assez bon pour avoir des propositions des quelques écoles qui sont en division 1, mais la compétition est féroce et les aides financières sont rares, même dans les campus qui ont les programmes de base-ball les plus réputés. Une bourse d'études complète, ça n'existe pratiquement plus, et celles qui sont encore disponibles vont presque toujours aux lanceurs. Le peu de fric restant est attribué généralement aux positions principales, dont Klint fait partie puisqu'il joue deuxième-base. C'est un avantage pour lui, au moins.

Comme nous n'avons rien pour payer l'université, il serait mieux placé en choisissant une fac de catégorie moyenne plutôt qu'une au top, où il n'obtiendrait qu'une demi-bourse, au mieux. Avoir un job en plus des études et de l'entraînement, ça me paraît irréaliste, surtout qu'il ne pourrait trouver aucun boulot à la hauteur de ce que coûtent les études supérieures. Faire comme beaucoup de jeunes et emprunter à la banque, ça serait faisable s'il avait la garantie de pouvoir rembourser plus tard, mais si j'ai appris au moins une chose, c'est que dans la vie rien n'est garanti.

Sur un campus plus petit, il aurait aussi plus de chances de se faire remarquer par les recruteurs des équipes professionnelles. Ce qui risque de tout faire capoter, c'est cette fierté qu'il a : s'il ne va pas dans une école qui a une équipe classée en national, il va se dire que c'est parce qu'il n'est pas capable de jouer à ce niveau, ce qui n'est pas du tout le problème. Il est assez bon pour n'importe quelle université, c'est le programme d'aide qui n'est pas forcément à la hauteur de ses besoins. Je lui ai expliqué ça des tonnes de fois, mais je n'arrive pas plus à le convaincre de ça que lui faire comprendre que l'Espagne n'est pas un pays rempli de banditos avec de grands sombreros qui passent leur temps à boire de la tequila et à bouffer des tacos.

J'étais dans la classe de Doc depuis quinze jours quand il m'a parlé de Klint, un jour où il m'avait demandé de rester deux minutes après le cours pour me faire des compliments sur une de mes copies. J'avais l'impression de déjà le connaître avant cette conversation, parce que j'étais un des rares élèves à avoir un échange avec lui pendant les cours. Il a commencé en me disant qu'il était désolé pour ce qui était arrivé à Papa, et de là il en est venu à me poser des questions sur Klint. J'aurais pu être froissé en concluant que mon devoir avait seulement été un prétexte pour m'interroger à propos de mon frère, mais il devait être capable de lire dans mes pensées parce qu'il m'a dit que ce n'était pas le cas. Donc, il se trouve que Doc se contrefiche du base-ball, mais qu'il aime son frère et qu'il veut l'aider. Ce sont deux points qu'on a en commun, lui et moi.

Il m'a dit qu'il avait lui-même essayé d'encourager Klint à envisager West Penn quand il l'avait dans sa classe, mais qu'il l'avait rarement vu réveillé. Ça m'a fait rigoler, ça. Et ensuite, à chaque fois qu'il a tenté de le coincer dans le couloir, mon frère s'est esquivé. J'ai expliqué à Doc qu'il ne devait pas prendre ça personnellement, que Klint a peur des profs parce qu'il a peur d'apprendre quelque chose qui pourrait l'obliger à modifier ses opinions. Là, c'est Doc qui s'est marré, et pourtant j'avais pas dit ça pour rire.

Nate aussi a cherché plusieurs fois à lui parler pendant des tournois, mais dès que Klint voyait le sigle de la WPU sur sa casquette, il tournait les talons.

Quand Papa était encore là, savoir où mon frère irait à l'université n'avait pas autant d'importance pour moi. Je me disais que notre vie continuerait pareil et qu'il reviendrait à la maison pendant les vacances. Maintenant, je ne suis pas trop sûr de ce que je vais devenir et l'idée que Klint soit sur un campus à une trentaine de kilomètres d'ici a quelque chose de rassurant, franchement.

Aujourd'hui, c'est le jour où Shelby et sa famille doivent venir dîner. Je me suis levé plus tôt qu'un samedi normal parce que je n'arrivais plus à dormir, et après mon bol de Corn Pops j'ai un peu vadrouillé dans la maison. Quand nous sommes arrivés, Miss Jack nous a dit que nous pouvions aller partout où nous voulions, même la cave et le grenier, sauf dans sa chambre et dans celle de Luis. Ça semble indiquer qu'elle n'a pas une pièce secrète où elle enferme une parente folle à lier qui truciderait le premier venu à la hache, ou cache les os des enfants qu'elle a boulottés après que Ventisco les a tués pour elle. À vrai dire, j'ai été un peu déçu.

À un moment, je traîne dans l'entrée, près de l'escalier, en train de regarder des tableaux à elle, quand j'entends des éclats de voix. Je me rends compte que ça se passe dans la cuisine : Miss Jack et Luis en train de se disputer. Je ne comprends rien à ce qu'ils disent mais je me doute que c'est à propos du dîner, parce qu'ils passent toujours à l'espagnol dès qu'ils ne sont pas d'accord au sujet des vins ou des plats.

Je vais dehors m'asseoir sur le perron, pour penser à ce que je dirai à Shelby quand elle va arriver, fantasmant sur sa beauté et imaginant la tactique à suivre avec ses parents pour faire en sorte qu'ils m'aiment bien... À moins que Shelby ne soit une de ces filles qui apprécient seulement les garçons que leurs parents ne peuvent pas souffrir.

Brusquement, j'aperçois Jerry en train de traverser l'allée en poussant une brouette remplie de paillis. Je lui fais signe, il salue de la tête, je me dis qu'il va continuer, mais il s'arrête, vient vers moi, enlève sa casquette, s'essuie la figure et le front avec un mouchoir de grand-père, puis se couvre à nouveau le crâne. Il me montre l'intérieur de la maison d'un mouvement du menton.

— Ça barde entre Miss Jack et Luis ?

— Ouais.

— En espagnol ?

— Ouais.

— Ah.

— Je peux donner un coup de main ?

— Pas d'refus.

Travailler au jardin avec lui s'avère très relaxant. Il ne dit pas un mot pendant tout le temps. Quand on a fini, il disparaît et revient trois minutes plus tard avec un pack de six. Il ouvre une canette de bière et me la tend. On boit en silence, à part une remarque de sa part au sujet de Mister B – quel bon chasseur il est et quel plaisir c'est de retrouver des rongeurs zigouillés dans tous les coins. Il dit qu'il lui rappelle un chat qu'il avait quand il était gamin à Coal Run. Ça m'intrigue, parce que c'est une ville fantôme, maintenant. Un feu de mine s'est propagé à travers des kilomètres de galeries en dessous, empoisonnant le sol et surgissant à la surface en certains endroits. Il flotte une odeur de soufre en permanence et la terre fume. L'État a fini par s'en mêler : ils ont entouré la zone de barbelés, avec des panneaux Défense d'entrer partout, et ils ont dit aux gens de Coal Run qu'ils devaient partir. C'était il y a presque quarante ans mais ça restera comme ça à jamais. Éteindre un feu de mine, c'est impossible. La ville va brûler jusqu'à la fin des temps.

C'est aussi à Coal Run que l'explosion de Gertie a eu lieu, l'une des plus graves catastrophes minières de l'histoire de Pennsylvanie. Quatre-vingt-dix-sept mineurs tués. Je demande à Jerry s'il vivait encore là-bas quand c'est arrivé. Il détourne le regard sur l'horizon et répond comme s'il parlait tout seul :

— J'venais d'me mettre au lit après avoir fait l'quart de nuit...

J'observe ses yeux à la recherche de la nuance que j'ai captée tellement souvent dans ceux de Bill, de l'oncle de Tyler et de tous les autres mineurs que je connais. Elle est là. C'est la tristesse et la loyauté obstinée d'un chien qui sait que la même main humaine qui le nourrit va aussi le frapper.

Je meurs d'envie d'en apprendre plus mais je me retiens, parce que Jerry est le genre de gars qui ne parle que quand il le veut, et que toutes les questions qu'on lui posera n'y changeront rien. Il termine sa bière, en ouvre une deuxième et s'assoit en s'adossant à un arbre, ses jambes immenses formant deux triangles pointus sous son pantalon en toile grise tout sale. Sans que j'aie besoin de le relancer, il continue de lui-même, reprenant là où il s'était arrêté :

— Je me suis réveillé. J'ai cru que c'était un tremblement de terre. Toute la maison bougeait. Les vitres explosaient. Les tableaux sautaient des murs. Les tiroirs s'ouvraient tout seuls et tombaient par terre. Quand j'ai entendu la sirène, j'ai compris. Une explosion souterraine, tellement forte qu'elle a cassé le verre et renversé les meubles à trois kilomètres à la ronde. J'ai couru dehors. Les voisins étaient tous là, tournés en direction de la mine, le sifflet coupé.

Il raconte son histoire, les yeux plissés et fixés droit devant lui, comme si ce passé était en train de défiler sur un écran invisible mais que le film était flou.

— Vous avez fait quoi, ensuite ?

— Première chose, aller chercher ma mère. Mon frère, il était de quart du matin. Ensuite, les trois jours suivants, comme tous les autres : creuser pour sortir les corps et les survivants.

— Il y en a eu, des survivants ?

— Non.

214

— Donc, votre frère a…

— Ouaip. Tout ce qu'on a eu de lui, c'est un bout de jambe et un pied encore dans sa godasse. On a mis ça dans un cercueil pour bébé.

Il dit ça d'un ton aussi neutre que s'il m'expliquait où il range son bidon de désherbant.

J'imagine Klint réduit à rien de plus qu'un avant-bras et une main dans un gant de base-ball. Je me vois creusant le sol à sa recherche, priant pour qu'il soit toujours vivant mais espérant qu'il soit mort instantanément comme Papa et El Soltero, qu'il n'a pas eu à étouffer à des mètres sous terre, privé de la lumière du jour, enterré vivant dans une tombe de charbon. À ces pensées, une sensation effroyable me crispe le ventre, rend mes paumes moites et me hérisse les poils de la nuque. Je l'aperçois très – trop – clairement emprisonné par les ténèbres mais je n'arrive pas à distinguer ce qui l'écrase, j'arrive seulement à deviner que c'est le fardeau de sa vie, le poids d'une souffrance secrète qu'il me cachera jusqu'au bout. Il ne crie pas pour qu'on le sorte de là. Il ne se débat pas, ne pleure pas. Il est couché, immobile, et il me fixe aussi intensément que moi. Ses yeux bleus qui font craquer toutes les filles sont maintenant noirs, remplis de terreur mais résignés. Il ne luttera pas, me dit-il en silence. Il a renoncé. Il veut mourir.

Je secoue la tête pour repousser l'image et j'avale une grosse gorgée de ma bière. Jerry n'a rien remarqué. Depuis qu'il s'est mis à parler, il ne m'a pas regardé une seule fois. Je l'interroge, surtout pour essayer de me libérer de ma vision :

— Et après ça, vous avez continué à travailler comme mineur ?

— Un temps. Et puis j'ai entendu dire que M. Jack cherchait un régisseur pour la propriété de sa sœur depuis qu'il était parti en ville avec femme et enfant. À ce point, je travaillais pour les Houillères J&P depuis douze ans, tous à Gertie… Tu sais que c'est la mine à qui il a donné le nom de sa mère.

— Bien sûr.

J'en savais rien du tout.

215

— Descendre au charbon après l'explosion, ça me disait plus trop. J'ai vu le patron, j'ai eu son accord. Ensuite, je suis venu ici, et dès que j'ai vu Miss Jack j'ai pris le travail sans même demander ce que serait la paie.

Sa dernière phrase m'ébahit tellement que je le regarde de tous mes yeux, attendant un sourire qui prouvera qu'il blague, mais son visage reste figé comme une pierre. Luis a dit que Miss Jack avait été la petite amie d'El Soltero, qui ne m'avait pas l'air du genre de mec à avoir fréquenté des filles moches, et maintenant j'apprends que Jerry a accepté ce boulot juste en voyant comment elle était… Est-ce qu'elle a été belle ? Ça ferait d'elle l'équivalent humain d'une fleur séchée.

Jerry vide le fond de sa canette et se lève. Je sais qu'il n'en dira pas plus mais il y a une dernière question que je ne résiste pas à lui poser :

— M. Jack, il était comment ?

Il sort de sa poche une boîte de tabac à chiquer, en prend une pincée, la mâchouille un moment et crache un bon coup derrière lui. Il reprend les poignées de la brouette vide et je me dis c'est fini, mais alors qu'il s'en va il me surprend encore :

— Un fumier total. C'était l'opinion générale.

Après, je descends à la route et je marche longtemps. Il n'y a pas beaucoup de voitures qui passent mais quand il y en a je m'amuse à faire de grands signes aux gens, juste pour qu'ils se triturent la tête à se demander s'ils me connaissent même si ce n'est pas le cas. En revenant à la maison, je suis à nouveau assailli par l'image de Klint écrasé comme un mineur de charbon pris au piège. Je panique tellement que j'ai besoin de m'assurer tout de suite qu'il va bien. Alors que je monte le perron en courant, il sort par la porte. Soudain, mon inquiétude à son sujet paraît ridicule. Il s'est lavé les cheveux et il a un jean propre, une chemise et les grosses chaussures Timberland couleur crème que je lui achetées à son dernier anniversaire parce que je l'avais vu les regarder avec envie quand nous étions au magasin de sport Shaw's, où il devait se prendre une nouvelle paire de crampons. Il ne les a mises que deux fois, se plaignant dans les deux cas qu'il avait l'air d'un bûcheron pédé.

— Pourquoi t'es sapé comme ça ?

Il prend un air cérémonieux, tire sur ses manchettes, rectifie la position de son col et affecte, plutôt mal, une intonation d'aristo british :

— Mais pour le dîner, mon brave. J'ai hâte d'y être.

— T'es malade ou quoi ?

— Tyler va venir.

— Quoi ? – Je suis complètement estomaqué. – Tu as demandé à Miss Jack si tu pouvais inviter Tyler ?

— Ben ouais, répond-il avec un sourire provocant. Pourquoi pas ?

— Comment tu t'y es pris ? Qu'est-ce que t'as dit ?

— J'ai dit : « Pardonnez-moi, Miss Jack, mais est-ce qu'il serait possible de convier l'un de mes amis à dîner ? Je lui ai beaucoup parlé de vous, de tout ce que vous avez fait pour Kyle et moi, et il serait très désireux de faire votre connaissance ».

— Tu me charries !

— Mais non.

— Et tu crois qu'elle a gobé ton baratin ?

— Ouais.

— Tu te trompes. Elle n'est pas si bête.

— Elle a dit oui. Si elle avait cru que je me payais sa tête, elle aurait dit non.

— Pas forcément. Pas si elle a compris ton jeu et qu'elle a un plan à elle.

Le sourire s'efface de ses lèvres tandis qu'il envisage cette hypothèse. Je secoue la tête, à la fois impressionné par son toupet et n'arrivant pas y croire.

— Bon Dieu, Klint... Tu as invité Tyler ? Je ne me rappelle pas l'avoir vu se servir une seule fois d'une fourchette ! Même la gelée, il la bouffe avec les doigts.

Son sourire est revenu.

— Je sais.

Une voiture est en train de remonter l'allée. Je reconnais le grondement régulier de la décapotable de Shelby, et bientôt j'aperçois un éclair rouge entre les arbres.

— Qui c'est ? demande Klint.

— Shelby.

— Merde !

Il se sauve dans la maison, me laissant seul sur les marches comme un crétin transi qui serait là à attendre sa bien-aimée depuis l'aube.

Après s'être garée, elle vient vers moi en souriant. Minijupe écossaise à plis, pull rouge moulant, ballerines du même brun que les carreaux de la jupe et décorées de boucles cuivrées. Tout ce rouge fait ressortir la couleur noisette de ses cheveux et les paillettes dorées dans ses yeux. Je la vois devant sa penderie choisir cet ensemble dans sa collection de tenues parfaites pour chaque occasion : là, c'est « dîner avec parents et vieille pimbêche de tante par un beau week-end d'automne ». Mais je veux croire qu'elle a pensé à la minijupe pour moi.

Elle a au poignet un large bracelet doré formé de cœurs enchaînés. Il me tinte à l'oreille quand elle passe son bras autour de mon cou pour me donner une accolade. Je la serre contre moi en enfouissant mon nez dans ses cheveux. Elle se dégage et me lance un regard que je ne lui ai jamais vu. Pendant quelques secondes, j'essaie de croire que c'est l'amour qui le rend aussi troublé, et puis je me rends compte qu'il exprime la surprise et l'embarras. J'ai dû enfoncer mon nez trop loin.

— Salut…

Toute la semaine, j'ai répété dans ma tête ce que j'allais lui dire en la voyant. « Salut » n'en faisait pas partie.

— Laisse-moi aller saluer Tante Candace et Luis. Je reviens tout de suite.

Je ressens une certaine satisfaction en notant qu'elle n'a pas demandé où était Klint. Je la regarde monter le reste des marches en essayant d'apercevoir sa petite culotte. Quel est son style ? Soie, dentelle, ou coton tout simple ? Ou string ? Oui, probablement. D'après Tyler, les filles ne portent plus que des strings, maintenant, et il doit savoir de quoi il parle puisqu'il a trois sœurs aînées et deux plus jeunes, dont il voit souvent le tas de sous-vêtements sur le sèche-linge avant qu'elles viennent les reprendre. Il m'a expliqué que les strings sont impos-

218

sibles à plier, et tout aussi impossibles à trier avec ce nombre de filles à la maison, de sorte que sa mère se contente de les empiler sur la machine. Il dit que ça ressemble à un amas de lignes de pêche multicolores. Je suis toujours scié qu'il puisse parler aussi calmement des sous-vêtements féminins. Pas seulement les culottes, les soutiens-gorge aussi. Moi, rien que d'y penser, je me mets presque à transpirer.

Shelby est de retour dehors, l'air hallucinée par le chaos qui règne dans la cuisine. Elle se met à parler de la pluie et du beau temps. J'acquiesce et je la regarde. Elle est très animée quand elle bavarde comme ça, sans reprendre son souffle, et tout ce qu'elle dit paraît super et fantastique, même les mauvais trucs.

Je me souviens d'une fois, à une rencontre de base-ball où Klint jouait. Deux filles de mon école n'arrêtaient pas de regarder Shelby, de chuchoter et de pouffer de rire. Je m'étais dit qu'elles se moquaient de moi, mais plus tard je suis tombé sur elles au stand des snacks où j'étais allé chercher quelque chose à boire pour Shelby, et l'une des deux était en train de la singer, très bien d'ailleurs. Elles m'ont reconnu mais ça ne les a pas arrêtées. J'ai acheté un Sprite et au moment où je m'en allais l'autre fille a dit très fort, pour que je l'entende : « Elle est totalement bidon ! »

Ça ne m'a pas trop impressionné. J'ai mis ça sur le compte de la jalousie féminine. J'en connais un rayon, sur ce terrain. Un jour, quand Maman et Tante Jen venaient de terminer une de leurs grandes engueulades – la seconde traitant de salope infernale la première, qui venait de la traiter de nympho tarée, alors qu'une heure auparavant elles étaient dans les bras l'une de l'autre, se complimentant mutuellement sur leurs cheveux et décidant d'aller faire du shopping ensemble –, j'ai demandé à Papa pourquoi elles se comportaient comme ça. Il m'a répondu que c'était parce que la motivation la plus forte, chez les femmes, est la jalousie. Quand j'ai dit que je croyais que c'était l'amour pour leurs enfants, il a rigolé et il a répété : « La jalousie ! » J'ai continué : Et pour les hommes, c'est quoi ? Il a réfléchi une seconde et il a dit : « La faim. »

Sans cesser de pépier, Shelby commence à marcher sans but précis et je la suis. Brusquement, je me rends compte que nous sommes dans les bois. Filtré par le feuillage, le soleil déclinant baigne tout de doré. Derrière les arbres, le ciel est du même bleu d'œuf de Pâques que le premier sac que j'ai eu pour aller à l'école, mais il se remplit peu à peu de nuages d'un gris menaçant. Shelby parle de ses cours, de la hâte qu'elle a de revoir sa sœur tout à l'heure même si leur père est encore une fois très fâché contre elle, du prochain week-end qu'elle va passer à New York avec sa mère et des magasins où elles iront.

J'écoute sans écouter. C'est le son de sa voix qui me plaît. Je voudrais lui demander si elle savait que Calladito a tué El Soltero, et que sa tante était sur place quand c'est arrivé, et qu'ils s'aimaient tous les deux, mais je me rappelle sa surprise à notre premier dîner chez Miss Jack en apprenant que celle-ci avait connu ce Manuel Obrador, et donc il est impossible qu'elle soit au courant de leur histoire.

La vraie question, maintenant, c'est pourquoi. Pourquoi elle ne sait rien de tout ça. Elle voit régulièrement sa tante. Moi, je ne la connais que depuis un mois et pourtant j'ai été dévoré de curiosité au sujet des taureaux, d'El Soltero, de Luis et de cette obsession qu'elle a pour tout ce qui est espagnol. Comment se fait-il que Shelby n'ait pas voulu savoir ?

À moins que ce soit une de ces histoires de famille dont tout le monde se fiche. Au cours élémentaire, j'avais un copain dont le grand-père avait été l'un des premiers à arriver à Auschwitz à la fin de la Seconde Guerre mondiale pour libérer les prisonniers du camp. Il racontait que personne dans l'armée ne soupçonnait que ce qu'ils allaient voir serait aussi monstrueux. Ils étaient tombés sur des squelettes vivants massés derrière des barbelés, qui avaient à peine la force de crier des trucs dans tout un tas de langues, et puis quelqu'un avait croassé « Freedom ! », en anglais, parce qu'ils avaient compris que c'était des tanks américains. Et ils s'étaient tous mis à crier « Freedom ! », et « America ! », et eux, ces soldats qui avaient vécu pas mal d'horreurs pendant cette guerre, étaient restés sans voix, juchés sur leurs trois chars d'assaut, et des larmes s'étaient mises à couler sur leurs visages de gamins. Les profs adoraient faire venir ce vieux type en classe d'histoire pour qu'il répète son récit, mais si vous mentionniez ça devant sa famille ils levaient tous les yeux au ciel et augmentaient le volume de la télé.

Je n'ai pas oublié la désinvolture avec laquelle Shelby avait accueilli mes questions sur Ventisco et la fascination de sa tante pour l'Espagne en répondant qu'elle y avait passé un moment dans sa jeunesse et qu'elle s'y était plu. J'avais trouvé l'explication un peu courte : une femme qui est allée en vacances dans un pays étranger rapporte des poteries et autres babioles, pas du bétail et un mec moustachu.

— Tout va bien avec Tante Candace ? me demande Shelby dès qu'elle a terminé de me décrire sa vie.

— Ça va.

— Elle peut être dure, des fois. Elle a des idées très arrêtées sur la manière dont il faut se comporter.

— Comme presque tout le monde. Même un type peinard comme Bill : tu devrais voir dans quel état il se met s'il te voit tondre la pelouse dans la longueur au lieu de la largeur.

Elle m'offre un petit sourire amusé.

— Ouais, mais ses idées à elle sont tellement vieux jeu…

— Je ne sais pas. Elle veut qu'on parle correctement, qu'on soit polis, qu'on s'intéresse à l'art, à d'autres cultures… Y a rien de mal, dans tout ça. C'est essentiellement ce qui nous rend différents des animaux.

— Waouh, quelle profondeur, Kyle ! dit-elle en riant. Tu es déjà devenu un petit disciple de Tante Candace ! Si je m'attendais à ça…

Elle se moque de moi et je ne comprends pas pourquoi, là non plus. Elle est riche, elle a de la classe et je sais qu'une bonne éducation est une chose importante pour elle. Elle flippe complètement si elle récolte seulement un A moins à un examen, elle veut continuer dans une université de l'Ivy League, et pourtant elle est dingue d'un type comme Klint, qui se contente d'une moyenne à peine dans les C et pense qu'aller en autobus à Pittsburgh pour voir une partie des Pirates équivaut à un voyage à l'étranger. Ce n'est pas la première fois qu'elle réagit à l'une de mes fines observations sur le ton condescendant de quelqu'un qui félicite un gosse d'avoir débité sans se tromper une devinette idiote.

— Comment va Klint ?

Sa question me met encore plus les boules, mais je me raisonne en me disant qu'elle ne se rend pas compte que ça a un pareil effet sur moi.

— Bien, à peu près. Le changement a été plus difficile pour lui.

— Il déteste toujours Tante Candace ?

— Il ne la déteste pas ! C'est pas elle. Il a horreur de la nouveauté. Papa était pareil.

— C'est super, le coup du pick-up.

— Oui ! - Je sors de mes idées noires, soudain. - Il est géant !

— Mon père a piqué une crise, quand il a appris ça.

— Comment ça ?

Elle rougit d'un coup.

— Eh bien… Il a… Il s'est un peu inquiété, voilà. Il ne voudrait pas que Tante Candace… s'emballe et dépense trop d'argent.

J'essaie de dissimuler ma colère.

— Klint n'a jamais réclamé ce bahut. C'était entièrement une idée de ta tante. Et il va le lui rembourser. Je te l'ai dit, non ?

— Oui, Kyle, et c'est très élégant de sa part, mais tu imagines combien de temps ça prendra de payer un pick-up avec un petit boulot dans une laiterie ? Soyons réalistes : c'est Tante Candace qui a dépensé cet argent. - Elle me sourit à nouveau. - Tu crois qu'il m'emmènera faire un tour ?

— Hein ? Il emmènerait l'abominable homme des neiges.

Elle éclate de rire. Elle glousse tellement qu'elle s'affale sur moi et m'attrape le bras pour ne pas tomber. Je ne cherchais pas à être drôle mais le résultat n'est pas déplaisant.

Au moment où on décide de rebrousser chemin, on s'aperçoit qu'on est allés plus loin qu'on pensait. Le soleil est presque couché, il se met à faire frais, ni elle ni moi n'avons de manteau et nous redoutons tous deux la colère de Miss Jack si nous sommes en retard au dîner. En arrivant enfin à la maison, on échange un regard vaguement paniqué. Il y a deux autres autos garées près de celle de Shelby, et des gens dans la véranda éclairée par des foyers de lumière colorée. Miss Jack adore les bougies. En fait, les invités viennent à peine d'arriver et je m'en fiche, après tout. Je manque de me gondoler en voyant Klint perché tout raide au bord d'un fauteuil, à la merci de Miss Jack et de sa famille sans que j'aie été là pour l'assister.

L'une des voitures est une grosse Cadillac noire avec une plaque d'immatriculation personnalisée, JPCOAL1. Pas difficile de déduire que c'est celle du père de Shelby. L'autre, une petite Mercedes argentée, doit appartenir au petit type argenté que Miss Jack me présente comme Bert Shulman, « un ami cher qui a été très proche de mon feu frère ». Il a une petite moustache et des cheveux argentés, et même ses yeux qui brillent comme des billes bien astiquées derrière ses lunettes ont cette teinte. Son costume est gris perle, il a une chemise rose et un nœud pap violet. Il me sourit gentiment, me donne une solide poignée de main et dit qu'il est heureux de faire ma connaissance.

Cameron Jack ne pense pas pareil, visiblement, parce qu'il me jauge de la tête aux pieds comme si j'étais peut-être le garnement qui avait bombardé sa porte d'œufs pourris la nuit précédente. Sa main est molle et moite.

— Alors, voilà l'autre garçon, dit-il.

— Euh… Oui. Je m'appelle Kyle. Enchanté.

Il se rassoit sans rien ajouter. La mère de Shelby est beaucoup plus agréable à regarder et plus bronzée que lui, avec un sourire de pub pour dentifrice et une masse de cheveux très brillants. Elle ne se lève pas pour m'accueillir, et quand je me penche pour serrer la main qu'elle me tend mes yeux tombent forcément sur ses nichons qui menacent de jaillir de sa robe couleur sorbet à l'orange, laquelle laisse à l'air une bonne partie de ses jambes. Comme je ne suis jamais très à l'aise devant des seins de mère, même quand ils sont chouettes comme ceux-là, je me force à regarder fixement son visage. De loin, elle était jolie mais je me rends compte maintenant qu'elle a la figure aussi plissée et craquelée que celle de ma tante Jen. Ce ne sont pas des rides de vieillesse naturelles comme en a Miss Jack ; ça vient d'avoir été trop peinturlurée et cuite aux UV.

Elle me dit qu'elle a l'impression de déjà me connaître, tellement Shelby lui a parlé de moi, et c'est très agréable à entendre. Ensuite, elle me présente à son chien, Baby. Je ne l'avais même pas vu, blotti comme il était entre la hanche de sa maîtresse et le bras de son fauteuil. Au son de son nom, il essaie de sauter sur ses cuisses, glisse et retombe deux fois sur le coussin en couinant, fait une dernière tentative, ce qui tire de petits cris extasiés à la mère de Shelby. Finalement, elle le prend dans ses deux mains et me le tend. Qu'est-ce que je suis censé faire ? J'avance mon index et je lui tapote la tête en marmonnant :

— Gentil chien-chien.

Miss Jack avait raison : Mister B est au moins trois fois plus gros que ce Baby. Je me demande comment il le trouverait. Certainement qu'il ne penserait pas que c'est un clebs, mais plutôt une espèce de rongeur pelé handicapé.

Starr, la sœur de Shelby, est la dernière à faire connaissance. Elle est installée aussi loin que possible des autres, balançant ses longues jambes gainées dans un jean moulant et terminées par des bottes noires à talons hauts sur le côté d'un fauteuil en rotin bleu. Elle fume une cigarette, et à chaque fois qu'elle s'incline pour la taper sur le bord du cendrier posé par terre ses cheveux tombent sur sa figure comme un rideau en soie blonde. Ce mouvement me donne aussi une bonne vue sur ses seins, mais dans son cas ce n'est pas un problème, parce que je ne me suis fixé aucune restriction personnelle en ce qui concerne le matage des nichons de sœur.

Les siens ne sont pas tout comprimés comme ceux de sa mère, mais libres et doux sous son chemisier bleu et gris pas mal déboutonné. J'ai l'impression qu'elle n'a pas de soutif. J'aurais bien aimé que Klint soit le genre de frère avec qui on peut partager ce genre d'information.

Shelby m'a raconté en partie son passé mouvementé. Elle avait seulement quinze ans quand ses parents l'ont attrapée dans leur lit avec un petit ami. Elle a été arrêtée pour consommation d'alcool avant l'âge légal, et renvoyée de l'une des nombreux écoles privées par lesquelles elle est passée pour avoir bombé « Gros culs du monde entier, unissez-vous ! ». Elle s'est aussi enfuie en Australie pendant trois mois en compagnie d'un vieux type de trente ans et en est revenue toute seule, avec un bras cassé et deux thermos à soupe Campbell remplies de dizaines des plus belles opales que Shelby ait vues de sa vie. Elle a bousillé deux voitures, s'est entièrement rasé la tête un jour, et elle est capable de se servir de baguettes chinoises avec ses doigts de pied.

Devant elle, j'ai l'impression de présenter mes respects à une sorte d'Amazone moitié princesse, moitié guerrière, qui se dispose sans doute à me torturer et à me réduire en esclavage, et je suis pas vraiment contre cette perspective.

Elle me regarde de haut en bas comme son père, mais sans hostilité, juste une forme de curiosité distraite. Elle fume avec une nonchalance sensuelle, pas du tout avec l'avidité frénétique de ma mère et de Tante Jen quand elles tirent sur leurs clopes. Elle garde un léger sourire aux lèvres et se tait.

Je vais m'asseoir près de Klint, et je vois une telle gratitude dans ses yeux que j'oublie complètement de lui en vouloir d'avoir été aussi connement distant avec moi, ces derniers temps.

Tout le monde a un verre. Miss Jack demande à Shelby d'aller nous chercher des boissons gazeuses. Elle et son neveu boivent du whisky, la mère de Shelby sirote un truc rose et glacé, Bert a un martini, Klint un coca. Starr boit une bière à la bouteille. Elle n'a que dix-neuf ans, je crois, mais allez essayer de dire à une fille pareille qu'elle n'a pas l'âge de faire ci ou ça...

M. Jack se met à parler à Bert des niches fiscales et autres trucs de business. Sa femme pérore sur une virée shopping qu'elle veut faire avec ses filles le week-end prochain, et sur son idée de rénover deux des salles de bains dans leur maison de Floride. Miss Jack la fixe avec l'air de souffrir en silence, et de temps en temps elle détourne les yeux vers un grand vase de roses jaunes sur la table basse près d'elle. Starr fume et ne dit toujours rien. Elle observe tout ce monde d'un regard détaché mais vigilant, celui d'une belle et dangereuse panthère couleur de miel et de blé.

Shelby revient avec nos cocas. Elle s'empare de Baby et le pose d'autorité sur son ventre, où il se recroqueville en une balle frissonnante pas plus grosse qu'un poing. Toutes les deux minutes, il lève sa tête d'épingle et jappe dans ma direction. Ça me fait sourire. Je donnerais cher pour que Mister B arrive maintenant, mais il ne s'approchera jamais d'une foule pareille.

Soudain, un vrombissement caractéristique couvre toutes les voix, accompagné du bruit de tôles bringuebalantes que seul le pick-up de Tyler arrive à produire. Miss Jack sursaute avant de se lever pour aller se placer sur le perron, là où elle accueille toujours ses hôtes. Elle a l'air très aristo, ce soir, en jupe longue et veste en velours bleu nuit, et un chemisier avec plein de dentelle autour du cou.

Klint me jette un coup d'œil amusé. Tyler est fier comme tout de son pick-up, un Chevy 1990 bleu layette qu'il a payé six cents dollars et totalement retapé lui-même. Il s'est bien débrouillé, mais on ne peut pas dire que l'échappement soit des plus discrets.

Il saute si vite à terre qu'on a l'impression que son bahut n'était pas encore complètement arrêté. À part l'enterrement de Papa et le banquet All-Star de l'an dernier, je l'ai encore jamais vu aussi bien fringué : chemise blanche sous un pull vert foncé, pantalon en flanelle marron et pompes de ville noires ultra-astiquées. Il fonce vers les marches avec quelque chose dans une main, et il me faut deux secondes pour distinguer ce que c'est. Un bouquet d'œillets et de chrysanthèmes dans son emballage de supermarché. Depuis que je le connais, il a toujours été coiffé en brosse. Il dit que les cheveux longs sont une perte de temps. La combinaison de son habillement, de sa coupe de cheveux et des fleurs lui donne le look d'un jeune des années cinquante venu chercher sa petite amie chez ses parents. Il monte les marches jusqu'à Miss Jack et lui offre le bouquet.

226

— C'est un très grand plaisir, Miss Jack. Mon nom est Tyler Mann, vous pouvez m'appeler Tyler et même, je suis connu par tous les supporters de base-ball à la ronde comme « The Man », tout simplement. Merci de m'accueillir dans votre magnifique maison.

Elle prend les fleurs.

— Merci, Tyler.

Le sourire de Klint s'est effacé, il est bouche bée. Je me penche pour chuchoter à son oreille :

— Tu sais bien qu'on peut jamais savoir, avec Tyler. Il joue le rôle qui lui chante, pas celui qu'on attend de lui.

— Il est encore tôt, répond mon frère d'une voix tout aussi basse.

— J'ai l'impression qu'il existe comme une relation entre nous, Miss Jack, poursuit-il, parce que quelques membres de ma famille ont eu le privilège de travailler chez J&P. Mon grand-père et son frère étaient mineurs à la Lorelei, j'ai un oncle qui a été employé à la Marvella et un autre qui conduit encore aujourd'hui l'une de vos haveuses-chargeuses à Beverly. Mon père lui-même serait descendu à la mine s'il n'était pas affligé d'une peur irrationnelle des espaces confinés et sans lumière depuis que deux de ses cousins l'ont enfermé dans un coffre à bagages de voiture et qu'il y a passé toute une nuit, enfant...

Il se met à rire bruyamment à ce souvenir, comme si c'était la vanne la plus marrante qu'il ait jamais entendue.

— Je félicite votre famille d'avoir tissé de tels liens avec les Houillères J&P, lui dit Miss Jack lorsqu'il s'est calmé, mais je n'ai rien à voir avec le fonctionnement de la compagnie. – Elle fait un geste en direction du père de Shelby. – Mon neveu, Cameron Jack, en est le directeur général.

En deux bonds, Tyler entre dans la véranda et arrive devant Cam Jack, en train de s'extraire de son fauteuil. Il saisit sa main molle et la broie dans la sienne.

— C'est un honneur, sir !

— Merci, fait l'autre, un tantinet abasourdi.

Miss Jack le présente ensuite à Bert Shulman, puis à la mère et à la sœur de Shelby.

— Je dois m'excuser, annonce Tyler en souriant à l'une et à l'autre. Si j'avais su que tant de belles dames allaient être présentes ce soir, j'aurais apporté des fleurs à chacune de vous. Madame Jack, il est facile de voir de qui Shelby tient sa grande beauté.

La mère lâche un petit rire confus et ravi. Même Starr et Miss Jack sourient à Tyler. Il faut être gonflé pour sortir un si grand nombre de platitudes à la minute, mais on les lui pardonne à cause de la sincérité évidente avec laquelle il les enchaîne. Et puis, les femmes adorent les compliments, n'est-ce pas ? Même les plus creux.

Discrètement, j'interroge Klint :

— Tu avais imaginé que ça lui plairait vraiment de venir ici ?

— Non. Et toi ?

— Non plus.

— Puis-je vous proposer à boire, Tyler ? demande Miss Jack.

Après nous avoir gratifiés d'un sourire, il s'installe dans un fauteuil et pose sa cheville sur le genou tel un jeune banquier d'affaires.

— Un Jack Daniel's avec des glaçons, je vous prie.

Shelby laisse échapper un rire cristallin.

— Je crains de ne pouvoir vous offrir qu'une boisson non alcoolisée, pour le moment, rectifie Miss Jack sans manifester ni surprise, ni amusement devant sa requête, mais vous pourrez certainement avoir du vin au dîner.

— Génial.

Il lance un sourire triomphant à Shelby puis, sans crier gare, il bondit hors de son siège, retourne sur le perron et renverse la tête pour observer la maison, mains sur les hanches.

— Personne n'a jamais sauté de ce toit ? interroge-t-il à la cantonade.

— Sans intention suicidaire, vous voulez dire ? demande Miss Jack.

— Ouais.

— Pas à ma connaissance, non.

Il secoue tristement la tête, ne dit plus rien et commence à s'éloigner en longeant la façade.

— Où va-t-il ? s'étonne Cam Jack, et je me sens obligé d'expliquer :

— Il a du mal à tenir en place, voyez-vous, mais il va revenir tout de suite. Il ne rate jamais un repas.

La salle à manger de réception ressemble beaucoup à celle où nous dînons d'habitude, à part qu'elle est plus grande et qu'elle a un énorme lustre tout en verre bleu qui fait penser à une chute de larmes gelées au-dessus de la table. Le sol est en carreaux peints à la main, ici aussi, avec un motif d'oiseaux bariolés, et il y a plein de tableaux dans le style impressionniste que Miss Jack aime tant. Comme pour les autres pièces, les peintures forment une collection de thèmes qui n'a pas vraiment de logique : de petites maisons blanches au bord d'une mer couleur bleu-vert, une scène de bar bondé et enfumé, une fille en tutu rose assise avec raideur sur une chaise, un champ de bataille couvert de cadavres et de mares de sang écarlate, un chasseur et son chien qui tient un lièvre mort dans la gueule, un gros bonhomme dansant tout seul… Je me fais tout de suite la réflexion qu'il n'y a pas un seul taureau ni un seul torero.

La table est dressée avec une telle quantité d'assiettes, de verres et de couverts en argent qu'on se dit que ce n'est pas un dîner qu'on va faire, mais dix. À peine sommes-nous assis que deux femmes en tablier blanc surgissent, l'une avec une carafe d'eau, l'autre portant une bouteille de vin qu'elle présente à Miss Jack, qui approuve d'un signe de tête.

Luis sort de la cuisine, très sérieux, en chemise blanche sans col et pantalon noir. Il a un tire-bouchon à la main. Sans dire un mot, il s'empare de la bouteille que la fille tenait, avec la même violence que si elle avait essayé de la voler. Il la débouche et verse un fond de verre à Miss Jack. Elle le porte à son nez, puis le goûte, sous le regard insistant de Luis. Elle plisse les lèvres, incline à peine la tête sans lui accorder un coup d'œil. Il ne sourit pas, mais une lueur triomphante s'allume dans ses yeux. Après avoir pris une autre bouteille sur la desserte et l'avoir ouverte, il sert tout le monde, y compris les jeunes. Il chuchote une consigne aux deux extras embauchées pour la soirée, elles se hâtent vers la cuisine et il s'apprête à les suivre, mais s'arrête net quand Bert Shulman se met debout et lève son verre vers Miss Jack.

— Je voudrais porter un toast, si vous permettez. À notre charmante hôtesse et au fabuleux dîner qu'elle nous a invités à partager avec elle. Et aussi à Kyle et Klint : bienvenue dans le cercle fermé de ceux qui ont le privilège de connaître Candace Jack !

Tyler bondit sur ses pieds en brandissant son verre.

— Et à moi aussi ! J'ai maintenant le pirvi… privilège, moi aussi !

— Et à Tyler, complète Bert. Bienvenue !

De sa place, Miss Jack sourit à l'auteur du toast. Luis les fusille du regard et s'en va, ses semelles de cuir claquant avec colère sur le carrelage. Quelques minutes plus tard, il revient avec les deux femmes. Ils portent tous les trois des assiettes remplies de ce qui ressemble à du riz, mais noir, et les placent devant chacun de nous.

— *Chipirones con morcilla de arroz negro*, annonce cérémonieusement Luis une fois que chacun a été servi.

— C'est quoi, ça ? grommelle Cam Jack.

— Encornets et saucisse de riz noir, traduit sa tante.

— Qu'est-ce que c'est, ces trucs à cornes ?

— Des encornets, chéri, lui explique sa femme. Des céphalopodes. De la même famille que les poulpes et les pieuvres. – Elle vide son verre d'un trait et adresse un sourire charmeur à Luis. – Encore un peu de vin, c'est possible ?

Il la sert avec la deuxième bouteille. Je suis épaté par l'étendue du savoir de la maîtresse de Baby, et puis je me rappelle que Shelby m'a raconté un jour qu'en plus d'être accro aux concours de beauté sa mère a suivi des études de biologie marine et rêvait de travailler au Sea World avant de rencontrer Cam Jack et d'opter pour la profession de femme de riche.

— C'est leur encre qui rend le riz noir, nous apprend-elle encore.

— Super ! commente Tyler. De l'encre de pieuvre. Ça a des pouvoirs particuliers ? interroge-t-il sans s'adresser précisément à quiconque.

Je jette un coup d'œil à Klint pour voir comment il prend la réaction enthousiaste de Tyler, mais il est trop occupé à fixer son assiette avec des yeux vitreux, livide, pour avoir prêté attention à cette nouvelle trahison de la part de son meilleur pote. Même si c'était couvert et de bacon et de cheddar fondu, ou noyé dans le ketchup, il ne goûterait à ça pour rien au monde.

— Il est hors de question que je touche à ça, déclare Cam Jack.

Les yeux de Klint papillotent dans sa direction.

— Ne sois pas impoli, Cam, le gronde sa femme.

— Comment tu me parles ?

— Pardon. Simplement, je…

— Tu sais ce qui est « impoli » ? Je vais te le dire, moi ! C'est de servir aux gens quelque chose qui va sûrement les rendre malades ! C'est de parler devant eux une langue que personne ne comprend, juste pour les faire se sentir idiots !

Luis observe Miss Jack. Dès qu'elle a pris sa première bouchée de riz, il va à elle et se penche près de son oreille :

— Puis-je demander comment vous trouvez le plat ?

— *Bueno.*

Cette réponse semble le mettre en rage, parce qu'il attrape les bouteilles vides avec brusquerie et quitte la pièce d'un pas indigné.

Au début, j'ai pas mal la trouille d'essayer ces bestioles. L'image de tentacules s'agitant en tous sens et le mot de « spongieux » tournent avec insistance dans mon esprit, mais comme j'ai aimé tout ce que Luis nous a préparé jusqu'ici je ferme les yeux et je dépose un morceau de chair dans ma bouche. C'est tendre, légèrement salé, et même si je n'ai jamais vu la mer je sens que je viens de découvrir le goût de l'océan.

Klint n'y touche pas, préférant se bourrer de la ciabatta de Luis et de beurre, mais je remarque que M. Jack a attaqué son assiette et la laisse vide. Pendant que nous attendons la suite, la mère de Shelby rompt brusquement le silence :

— Notre Shelby a une grande nouvelle à vous annoncer, Tante Candace.

— M'man, je pensais lui dire après le dîner ! proteste sa fille. Je ne voulais pas en faire toute une histoire.

— Mais c'en est une ! la corrige sa mère d'un ton extasié, et elle entreprend de tout nous dire avant que Shelby puisse en placer une. La meilleure amie de sa fille, Whitney, part vivre à Paris avec ses parents et ils l'ont invitée à venir avec elle, pour l'aider à s'acclimater. Elle va rester au moins deux mois, plus si ça lui plaît. Elle voudra peut-être même poursuivre des études là-bas. Pour l'instant, tout est arrangé avec son école, elle suivra le programme par Internet et ne prendra pas de retard. – Son annonce terminée, elle tend la main à travers la table pour tapoter celle de sa fille et conclut, aux anges : – C'est tellement excitant !

— C'est merveilleux, Shelby, lui dit Miss Jack avec un sourire de contentement. Je t'ai toujours encouragée à découvrir d'autres pays.

Shelby, qui est assise à côté de moi, me lance un regard gêné.

— Je voulais te le dire plus tôt mais je n'ai pas pu, dit-elle à voix basse.

— Pourquoi ?

— Parce que je savais que ça te déplairait.

— J'aurais pas fait une scène, quand même, ou je t'aurais pas supplié de ne pas partir. Ça ne servirait à rien de te supplier, non ?

— C'est seulement deux ou trois mois…

Je baisse les yeux au sol, m'attendant à voir une gigantesque fissure s'ouvrir sous mes pieds et ma chaise osciller au bord d'un gouffre de solitude sans fond. Je me sens incapable de perdre encore quelqu'un, mais c'est impossible de le dire à Shelby. Elle ne comprendrait pas. Elle croit qu'on est seulement amis, ce qui est le cas jusqu'à présent, mais comment je pourrais aller plus loin avec elle si elle n'est plus là ? Quelques mois à Paris, ce n'est pas pareil que quelques mois dans une

ville minière de Pennsylvanie. Elle va avoir une vie plus remplie, plus intense, plus rapide. C'est comme la différence
entre les années pour les chiens et celles pour les êtres
humains.

On croirait que Starr, qui nous observe de l'autre côté de la
table, a deviné mes pensées, parce qu'elle dit :

— Deux mois seulement à Paris, ça peut te changer pour la
vie. La bouffe, le vin, les mecs… Là-bas, tu peux boire. Aller
en boîte. Embrasser un beau brun sur les bords de la Seine…

Miss Jack lui lance un regard irrité.

— Ouais, j'ai entendu dire que c'est très romantique, Paris,
renchérit Tyler. Ils vendent des fleurs dans les rues et tout le
monde parle français.

— Il y a aussi la beauté de la ville elle-même, intervient
Miss Jack. Et la mode, et la vie culturelle… Le théâtre, l'opéra,
les musées, les galeries d'art !

Ses yeux se mettent à briller pendant qu'elle dresse sa liste.
Si elle aime tout ça à ce point, je pige pas pourquoi elle y va
pas ! Paris ou l'une des villes espagnoles qu'elle adore, mais
Shelby dit qu'elle ne voyage jamais.

Une odeur enivrante de viande rôtie nous parvient avant
même que les extras passent à nouveau la porte, chargées
d'assiettes contenant le plat suivant.

— *Rabo de toro guisado con ruibarbo, mostaza y miel*, déclame
Luis, provoquant des « oooh » et des « aaaah » chez Bert et la
mère de Shelby.

— Queue de taureau en sauce à la rhubarbe, moutarde et
miel, traduit encore une fois Miss Jack.

— Pas possible ! s'exclame Tyler. C'est vraiment sa queue ?

— Avec les joues, la queue est la partie la plus savoureuse
et la plus tendre de l'animal, lui explique Miss Jack.

Elle goûte. Moi aussi. C'est plus que délicieux.

— *Riquísimo*, Luis, déclare-t-elle.

Il n'a aucune réaction notable, mais lorsqu'il repart à la cuisine ses pas sont silencieux, cette fois.

Tout le monde mange, même Klint. Après la nouvelle de
Shelby, les conversations se font rares. C'est surtout Mme Jack
qui tente de les lancer, et son mari qui y met fin en la

tournant en ridicule ou en lui envoyant quelque vacherie. Je suis mal à l'aise d'être témoin de ça. Je voudrais prendre sa défense mais je me dis aussi que c'est leur fonctionnement de couple et que je dois rester en dehors. On avait à peu près la même chose, à la maison, sauf que c'était Maman la partie agressive et Papa celui qui essayait de la calmer et d'arrondir les angles.

Quand je la vois se débattre avec Cam Jack, la mère de Shelby me rappelle beaucoup mon père. Elle tente de tourner en plaisanterie les méchancetés qu'il lui sort, et elle boit sec pour se sentir mieux, mais je retrouve souvent dans ses yeux la même expression étonnée et chagrinée que je voyais dans ceux de mon père. C'est la même impossibilité de comprendre d'où vient toute cette haine.

En réalité, je suis préoccupé par mes pensées. Je n'arrête pas d'imaginer Shelby dans un beau café parisien, buvant du vin avec un Français séduisant qui l'amènera ensuite à une exposition et saura dire exactement ce qu'il faut à propos de chaque tableau. Il n'existe même pas encore, ce mec, mais je donnerais tout pour être à sa place.

Starr finit rapidement son assiette, puis se contente de siroter son verre en couvant Klint des yeux. Je me dis qu'elle doit être attirée par lui, comme la plupart des filles. Ça me déçoit. Klint est bien trop sage pour une fille de son genre.

— Alors, il paraît que tu es un as du base-ball, lui dit-elle en maintenant ce regard insistant sur lui.

— Je suis pas trop mauvais.

Tyler m'envoie un coup de pied sous la table. La fausse modestie de Klint le met toujours hors de lui.

— Assez bon pour jouer chez les pros ?

— Peut-être.

— Les équipes pros recrutent les types dès qu'ils finissent le lycée, non ?

— Klint veut aller à l'université.

J'ai répondu à sa place et Starr me sourit, pour la première fois. C'est plus une moue amusée, rien à voir avec le sourire éclatant de Shelby, et pourtant, elle me fait plus d'effet, parce que je devine que c'est bien plus difficile de la faire sourire, elle.

— Vraiment ? – Elle a déjà recommencé à regarder Klint. – Lesquelles seraient intéressées par toi ?

Mon frère débite quelques noms à toute allure. Toutes ces universités sont à des centaines, voire des milliers de bornes d'ici. La plus proche est en Virginie, à six bonnes heures de route de chez nous. Je me risque :

— Western Penn a fait une bonne saison.

— Western Penn ? répète Klint d'un ton railleur. Qu'est-ce qu'on en à battre, de Western Penn ?

— Hé, Ben Varner joue pour eux ! remarque Tyler.

— Ben Varner ? Me fais pas rire.

— Ouais, Ben Varner ! se défend Tyler. Ah, comme on oublie vite, quand même ! À la quatrième partie du tournoi régional l'an dernier, fin de huitième manche, deux points derrière, ce pitch qu'il a fait ! – Emporté par son récit, il se lève. – Ce lancer, on aurait dit une balle courbe qu'aurait pas été courbe. En dedans, très basse mais pas vraiment avec effet. On croyait tous que c'était fini et *bam* ! – Il réunit ses mains et balance un projectile imaginaire. – Dans le champ gauche ! Ça passe ! Non ! Si ! Pas possible ! Elle y est, mec !

Une petite danse de victoire sur place, puis il se rassoit et se remet à manger. Klint hausse les épaules.

— Un seul beau lancer dans toute ses années juniors. Super-impressionnant.

— Ah, mais lui c'était une abeille ouvrière, explique Tyler entre deux bouchées. Le type qui fait son boulot, régulier, fiable, sans que personne le remarque. Il avait pas besoin de coups d'éclat. Tout le monde ne peut pas faire des étincelles comme toi, la vedette ! – Il se tourne vers moi. – Eh oui, il marche très bien, à Western Penn. Sa moyenne de puissance et de présence est en hausse. Il s'entend bien avec le coach.

— Vous savez, moi aussi, j'ai fait du sport, au lycée.

M. Jack se joint à notre conversation pendant que nos assiettes sont débarrassées. On le regarde, Klint, Tyler et moi. C'est la première fois qu'il nous adresse la parole depuis sa poignée de main avec Tyler.

— Du football, pas de base-ball. J'étais sacrément bon. En seconde, j'étais déjà dans la sélection principale. Je voulais continuer quand je serais à l'université. Mon père n'a jamais assisté à un seul match. Il n'aimait pas le sport. Attention, c'était un sportif, il aimait la chasse, la pêche, il était capable de vous casser la figure s'il en avait envie, mais il n'avait pas d'intérêt pour les sports d'équipe. Donc, à mon seizième anniversaire, il est venu me trouver et il m'a donné les clés d'une Thunderbird décapotable. La voiture la plus classe que j'aie jamais vue. Il l'avait payée presque sept sacs, ce qui était une petite fortune, en ce temps-là. Et il m'a dit : « Maintenant, tu peux rester un adolescent et t'amuser au ballon ou tu peux être un homme et faire de l'argent. » J'ai compris sur-le-champ ce qu'il voulait dire. J'ai pris les clés et j'ai arrêté le football. Pas à cause de lui. Ça a été ma décision.

Revenu sans bruit, Luis annonce brusquement le plat suivant :

— *Perdiz roja en dos vinos.*

— Perdrix rouge en deux services, l'un en sauce au vin blanc, l'autre en sauce au vin de garde.

La mère de Jack vacille un peu sur sa chaise, se rattrape en posant un coude sur la table. Elle loge son menton dans sa main. Elle et ses seins se penchent vers son mari.

— C'est triste, chéri.

Il fronce les sourcils, furibard.

— Pourquoi ça, triste ?

— Parce qu'il y a d'autres façons d'être un homme que de faire de l'argent.

— Ah oui ? Cite-m'en une.

Elle laisse son regard errer, puis s'arrêter sur les deux femmes en train de servir les oiseaux dorés à point.

— Cuisiner des perdrix en sauce.

— Tu es soûle, tranche-t-il d'un ton écœuré.

— Non !

— Tu es toujours soûle !

— Et pourquoi cela, Cameron ? lance Miss Jack.

— Euh, monsieur Jack, j'ai entendu une théorie intéressante, cette semaine… – Je m'interpose comme j'avais l'habitude de le faire dans les disputes entre ma mère et mon père : en essayant de les distraire. – C'est que le capitalisme est fondé sur le principe que pour que quelqu'un réussisse, quelqu'un d'autre doit souffrir.

Silence complet dans la pièce. Tous les visages sont tournés vers moi et je lis dessus, à des degrés divers, la surprise, la pitié et l'hostilité. Même les extras s'interrompent dans leur tâche et me surveillent du coin de l'œil comme si j'étais peut-être fou.

— Juste comme le mariage, mon petit, dit la mère de Shelby, et, tendant la main par-dessus la table, elle tapote la mienne.

Je fais de mon mieux pour ne pas zyeuter ses nichons, mais je n'y arrive pas. Ils sont simplement trop évidents et trop fascinants. C'est comme essayer de ne pas regarder la rivière quand on roule sur un pont.

Au moment où je lève les yeux pour croiser les siens, elle se met à pleurer.

J'ai l'impression que mon intervention est arrivée au mauvais moment, mais mes intentions étaient bonnes. Depuis le début de la soirée, je guettais l'occasion de balancer l'idée de Doc à Cameron Jack. Je me disais que ce serait un sujet intéressant à aborder avec un grand patron.

— T'INQUIÈTE, J'AI PASSÉ UN MOMENT SUPER, me dit Tyler tout en cueillant une feuille sur l'un des rhodendrons de Miss Jack et en commençant à se curer les dents avec l'extrémité pointue. Voir d'autres familles se prendre le chou, j'adore. Et en plus... t'as vu la sœur ?

— Je trouve que Shelby est plus jolie.

— Hé, on s'en fout ! Moi, je sais à quoi je vais rêver, cette nuit... - Il colle ses mains paume contre paume et je vois son sourire gourmand même dans la pénombre. - Sandwich de sœurs !

Il se plie en deux pour ramasser une poignée de gravier et se met à l'examiner à la recherche d'un caillou qui vaille la peine d'être lancé.

— Alors, qu'est-ce qu'il a, ton frère ?

Klint ne lui a pas dit un mot de la soirée, et quand le dîner a tourné en eau de boudin, avec la mère de Shelby en larmes et Cam Jack quittant la table en pétard, il s'est levé et il est parti, lui aussi.

— Je crois que tu lui as mis les boules. À mon avis, il t'avait invité juste parce qu'il pensait que tu allais taper sur les nerfs de Miss Jack et qu'il se paierait une bonne rigolade en regardant ça. Je suis sûr qu'il s'attendait à tout sauf à ce que tu acceptes de goûter à cette bouffe.

Il garde une pierre de la taille d'une bille et l'envoie fuser dans la nuit d'un moulinet du bras. J'ai l'impression qu'il s'écoule une éternité avant qu'on l'entende frapper le toit de la grange.

— Tu rigoles ? J'ai eu l'occasion de becqueter de l'encre de pieuvre. Les orques bouffent les pieuvres ! La vérité, je me sens gonflé à bloc ! – Il piétine sur place comme un boxeur, expédie quelques directs dans le vide. – Sans blague, je serais partant pour en prendre tous les jours. Tu crois que ce Luis me dirait où il la trouve ?

— Il fait plein de commandes par Internet et c'est livré directement ici. Je pense que ça doit coûter bonbon, d'ailleurs.

— Logique. Tu veux boire de l'encre de pieuvre ou faire un voyage en navette spatiale, tu dois être plein aux as. Mais c'est pas très juste, tu crois pas ? C'est des trucs qui devraient être accessibles au commun des mortels, non ?

On s'approche de son pick-up. Au-dessus de nous, le ciel est une masse de nuages encore plus noirs que la nuit. La lune et les étoiles n'ont aucune chance de percer à travers cette mélasse.

— Mais sérieusement, qu'est-ce qu'il a, Klint ? insiste Tyler. Je parle pas seulement de ce soir. En général. Y a quelque chose qui tourne pas rond chez lui.

— Qu'est-ce que tu veux dire ?

J'ai du mal à parler de ça. L'image de mon frère écrasé, étouffé par sa vie est encore là.

— Il est pas pareil, c'est tout. On dirait qu'il se fiche de tout. Bon, je comprends ce que ça a été, avec la mort de votre père, et je sais qu'on encaisse pas un coup comme ça facilement. Peut-être que c'est impossible à encaisser, même. Mais il faut bien continuer à vivre, non ? Tu me comprends ? – Il me regarde comme s'il voulait que je confirme sa théorie, alors je hoche la tête et il continue : – Comme je le vois, moi, quand un truc aussi atroce t'arrive, le seul moyen de le surmonter, c'est de continuer comme avant, même si t'as plus envie de rien au fond de toi-même. Parce que si tu reprends tes habitudes pendant assez longtemps, elles recommencent à avoir un sens.

C'est ce que j'ai fait après le départ de Maman, et c'est ce que je fais encore maintenant, mais ces histoires de « continuer à vivre comme avant » me donnent la nausée, des fois.

Littéralement. Moi qui pensais que la tristesse n'était qu'un état d'âme… Je ne savais pas encore qu'elle peut troubler la digestion et l'équilibre.

— Tu dois ça à la personne qui est morte, poursuit Tyler. Réfléchis ! Imagine comme ton père serait furax s'il apprenait que Klint a arrêté le base-ball parce qu'il n'est plus là.

— Mais non, c'est impossible ! – J'ai presque crié. – Klint laissera jamais tomber. C'est toute sa vie. C'est son rêve. Devant moi, il a jamais parlé d'arrêter. Au contraire, il parle de la prochaine saison comme si tout était normal.

Tyler s'arrête devant la portière de sa voiture. Il a l'air soucieux, une expression qui ne va pas du tout avec son visage toujours ouvert et détendu.

— Il m'a rien dit non plus à ce sujet mais… je sais pas. En tout cas, je trouve un peu craignos qu'il continue à aller chez Bill pour y passer des plombes sur les marches, à mater votre ancienne maison. Je l'ai trouvé comme ça trois ou quatre fois. Ça signifie quoi ?

— Rien de grave, je t'assure. Tout ira bien pour lui.

J'ai tenté d'éliminer le doute dans ma voix. Il me serre l'épaule, me sourit et se hisse sur son siège.

— Ah, espérons ! C'est aussi à ma pomme que je pense, tu sais ? dit-il par la fenêtre ouverte, les hoquets et les pétarades du moteur le rendant un instant presque inaudible. – Parce que quand il sera pro, j'ai bien l'intention d'être le copain raté qui lui tape de la thune, traîne dans toutes ses soirées et se tape toutes les filles qu'il a pas le temps de s'envoyer. Je voudrais pas voir mes projets d'avenir fichus en l'air, moi !

— Je croyais que tu voulais être grizzly, plus tard ?

— Si seulement je pouvais, mon mec, répond-il d'un air mélancolique, si seulement…

Quand il s'en va, je suis son pick-up des yeux en me disant que je donnerais cher pour être dedans. La voiture du patron de J&P n'est plus là. Il s'est barré sans sa femme, à la plus grande horreur de Miss Jack. Elle a fait tout ce qu'elle a pu pour convaincre sa belle-nièce ivre de se laisser reconduire par Bert ou Shelby, mais l'autre a sangloté qu'elle comptait ne plus jamais rentrer chez elle, et Miss Jack a pincé les lèvres tellement fort qu'elles ont pris la couleur de sa veste.

Alors que Starr observait tout ça très flegmatique, Shelby a été visiblement bouleversée par la scène. Quand sa mère est retournée en titubant à la véranda pour chercher son Baby – parce que Miss Jack avait refusé de le laisser entrer dans la maison, lui et son couffin tapissé de fourrure et orné de cabochons en cristal –, Shelby lui a couru après, puis Miss Jack s'est excusée et a quitté la table à son tour, puis Bert les a suivies, puis Klint s'est levé sans un mot. En le regardant rester debout à côté de moi, je me suis rendu compte pour la première fois depuis que nous vivions ici à quel point ses yeux étaient cernés, et que sa lèvre inférieure tremblait légèrement. J'ai ouvert la bouche pour dire quelque chose, mais avant que j'aie pu décider quoi il était déjà sorti de la salle à manger.

Tyler et moi avons réattaqué nos perdrix pendant que Starr s'éclipsait dans une autre pièce et revenait avec un flacon en verre taillé plein d'un liquide ambré. Elle en a versé dans son verre à vin et en a bu de petites gorgées jusqu'à ce que Shelby revienne et nous annonce en pleurant comme une fontaine que Baby avait disparu. Là, Starr s'est levée à contrecœur, elle a pris son verre dans une main et elle a dit qu'elle allait aider aux recherches. On s'est proposés, nous aussi, mais comme Shelby a répondu qu'on ferait mieux de terminer notre repas, et on s'est pas fait prier.

Quand Luis est venu voir si tout allait bien et qu'il a découvert la table désertée, avec seulement Tyler et moi en train de dévorer ses perdrix, j'ai cru qu'il allait se mettre à hurler mais non, il s'est contenu et il s'est comporté comme s'il n'avait cuisiné que pour nous, sans accorder un coup d'œil aux six assiettes abandonnées encore pleines. Il a même tenu à nous apporter lui-même le dessert, un gâteau aux amandes avec de la glace à la poire arrosée de caramel. Tyler et moi, on a convenu qu'aucune prise de tête familiale n'aurait pu nous empêcher d'aller jusqu'au bout d'un festin pareil, et c'est ce que nous avons dit à Luis. Il s'est incliné dignement et il a dit : « *Me alegro*. »

La soirée n'a pas du tout évolué comme j'aurais voulu. Sur ce point, on est dans le même sac, Luis et moi. Je m'étais fait tout un ciné à l'idée d'impressionner favorablement les parents de Shelby, et de l'amener elle-même à commencer à m'envisager comme un petit ami potentiel. Au lieu de ça, son père m'a pris en grippe et je me suis retrouvé être l'auteur de la remarque qui a mis sa mère dans tous ses états, sans parler d'avoir flanqué tout le dîner par terre.

Je sais même pas où sont passés tous les autres, maintenant. Je serais presque tenté d'aller jusqu'à la piaule de Jerry, une petite maison à peine plus grande qu'une cabane à plus d'un kilomètre sur un chemin qui serpente dans la forêt, derrière le manoir de Miss Jack. Je l'ai découverte par hasard un jour que je me promenais tout seul. Je ne lui ai posé aucune question mais je suis sûr que c'est là où il crèche, parce que j'ai vu la chemise en flanelle qu'il porte tout le temps posée sur le dossier d'un rocking-chair sous le porche, et sa carabine appuyée contre le mur près de la porte d'entrée. Ce jour-là, j'ai déduit qu'il était là, puisqu'il avait laissé son arme en évidence, mais je n'ai pas voulu le saluer pour la même raison que je ne veux pas aller le trouver maintenant : parce que Jerry est le genre de type qui aime qu'on le laisse en paix. J'aimerais bien être comme lui.

— Baby ! Reviens, Baby !

La voix de Shelby s'élève soudain, tellement proche que j'en sursaute. Je me tourne dans sa direction. Le faisceau blanc d'une lampe de poche et le point rouge d'une cigarette allumée flottent au milieu de l'allée. J'entrevois deux silhouettes féminines et je me dispose à aller les rejoindre quand je capte, très distinctement, ce que Starr est en train de dire à sa sœur :

— Non, honnêtement, baiser un prof peut être cool en termes de pouvoir, mais à moins qu'on soit portée sur le fantasme du « je me tape mon père », c'est jamais un plan cul sympa. Ce sont des vieux. Ils sentent comme des vieux. En plus, s'ils couchent avec toi, ça veut dire qu'ils le font avec d'autres étudiantes, ou qu'ils en ont l'intention.

Après ça, je décide qu'il serait plus avantageux d'écouter en douce la conversation des deux sœurs que d'essayer d'y prendre une part active, et donc je me dépêche d'aller me planquer derrière la Mercedes de Bert. Par-dessus l'aile arrière, je les vois arriver devant le perron et s'arrêter.

Moi qui avais toujours cru que Shelby était plutôt naïve sur ces sujets-là, je pensais qu'elle serait choquée par la tirade de Starr, mais apparemment ça a l'air de lui faire ni chaud ni froid, puisqu'elle enchaîne par une question :

— Qu'est-ce que Papa va faire à ton sujet ?

— Rien ! Comme d'habitude. Me refiler de la thune et me dire de déguerpir de sa vue.

— Et toi, qu'est-ce que tu vas décider ?

— J'en sais rien, mais ce qui est sûr, c'est que je laisse tomber la fac.

— Mais tu n'as fait qu'une année !

— Et alors ? C'est pas comme si j'avais besoin de trouver un boulot un jour ou l'autre…

Elle tire sur sa cigarette, jette la tête en arrière et souffle une délicate colonne de fumée dans l'air de la nuit.

— Mais tu n'as pas envie de faire quelque chose dans la vie ? insiste Shelby. Tu crois pas que tu t'ennuieras ?

— Me payer ce que je veux avec le fric de Papa sera ennuyeux, mais passer mes journées dans un bureau pourri le serait pas ? Tout est chiant.

— Sky a suivi des études alors qu'elle n'est pas moitié aussi intelligente que toi.

— T'as pas besoin d'être intelligente pour aller à l'université ! Ha ha ! D'où tu sors ça, toi ? Sky a fait des études parce que c'était encore une autre façon d'avoir une vie sociale excitante. Elle s'est inscrite à une association d'étudiantes triées sur le volet, elle a pris le cursus le plus fastoche qui existe pour parvenir à sa véritable ambition, qui est de se dégotter un mari friqué. Cet été, elle va recevoir son diplôme en sciences du temps perdu, et ensuite elle passera les deux années suivantes à planifier sa réception de mariage avec Maman.

Elles s'assoient sur la marche du bas. Avec les lumières de l'entrée dans leur dos, elles ne sont que deux ombres noires, mais leurs cheveux dispersent des lueurs cuivrées ou dorées à chaque fois que l'une ou l'autre bouge la tête.

Tyler les voit comme deux tranches de pain humain entre lesquelles se glisser. Pour moi, elles sont un trésor à découvrir, puis à dépenser.

— Tout le monde n'est pas programmé pour les études, c'est tout, poursuit Starr. Toi, par contre, tu vas aimer ça. C'est exactement ton genre.

— Qu'est-ce que tu entends par là ? La manière dont tu le dis, c'est comme une insulte.

— Mais non. Et puis tu pourras peut-être suivre ton petit chéri. À l'université des grosses balles…

Mon cœur se met à battre plus vite. Je devine qu'elles parlent de Klint, et Starr l'appelle le « petit chéri » de sa sœur…

— Tu ne m'as jamais dit ce que tu penses de lui.

— Il est beau gosse, mais c'est tout.

— Tu ne le comprends pas.

— Qu'est-ce qu'il y a à comprendre ? Il a la subtilité d'une bûche.

— Tu peux parler, toi, avec les garçons que tu t'es choisis…

— Hé, je suis la première à admettre que je suis sortie avec des nazes complets, mais je savais ce que je faisais ! Baiser un mec juste pour le fun tout en voyant bien que c'est un nombriliste et un abruti, tu t'en fous, puisqu'il est gaulé à tomber et qu'il est fantastique au lit… Mais bon, c'est pas n'importe quelle fille qui peut faire ça. Toi, tu es pas comme ça, Shel, et je te demande pas de l'être. Toi, il va falloir que tu sois *amoureuse* avant d'aller au charbon. Ton problème, tout de suite, c'est que Klint t'attire physiquement mais qu'au lieu d'accepter le fait que c'est un obsédé du sport bête comme sa queue tu le transformes en malheureux génie incompris de tous. Comme ça, tu peux te convaincre que tu es amoureuse de lui alors que c'est pas le cas. Tu le trouves bandant, c'est tout.

Elles se taisent un moment et j'en profite pour me glisser entièrement sous la caisse de Bert. Comme ça, je suis aussi près d'elles que possible, et invisible.

— Et son frère ? reprend brusquement Starr.

— Kyle ? Il est gentil comme tout.

— Et mignon.

— Oui, sans doute… Mais c'est un gosse.

— Ah ? Je croyais qu'il avait ton âge.

— Il va avoir quinze ans le mois prochain.

— Et alors ? Tu viens d'en avoir seize. Un an, la belle affaire…

— Klint est un homme, lui.

— Oh non, pas du tout ! Fais-moi confiance, là-dessus.

Starr se lève en envoyant sa cigarette dans l'herbe.

— Enfin, rien de tout ça est important, Shel. Il y a un Français craquant qui va bientôt te faire perdre la tête. – Shelby a un petit rire embarrassé. – Même si tu n'as aucune histoire sérieuse avec un type là-bas, au bout de deux mois en France les mecs d'ici vont te sembler tellement immatures et sans intérêt. Et tu donneras tout pour repartir en Europe. Allez, viens, rentrons.

— Mais… et Baby ? S'il s'est vraiment perdu ? S'il est allé jusqu'à la route et qu'il se fait écraser par une voiture, ou manger par quelque chose dans la forêt ?

— Bah, Maman portera son deuil pendant deux jours et le remplacera par un pékinois. Allez, je te dis ! – L'attrapant par une main, Starr l'aide à se mettre debout. – Je vais dire à Bert de me ramener en ville. La vie de famille, ça me suffit pour ce soir. Toi, il faut que tu restes avec Maman et que tu arrives à la convaincre de te laisser la reconduire à la maison. On peut pas la laisser là. Ce serait pas chic pour Tante Candace.

Je reste dans ma planque jusqu'à ce qu'elles soient rentrées et qu'elles referment la porte derrière elles. Ce que je viens d'entendre me donne le tournis.

J'essaie de trier le bon et le mauvais. Shelby et Starr me trouvent toutes les deux mignon. C'est bon, très, même. Shelby pense que je ne suis pas un homme. C'est mauvais. Starr estime que Klint n'en est pas un non plus. Je n'aime pas entendre parler mal de mon frère, mais ça pourrait jouer en ma faveur, ça. Shelby est beaucoup plus intéressée par Klint que je le croyais, au point de demander à sa grande sœur son avis sur lui. Mauvais. Elle me trouve « gentil comme tout ». Bon, ou peut-être mauvais, maintenant que ladite grande sœur lui a expliqué que s'envoyer en l'air avec des salauds n'est pas un problème, du moment qu'on sait qu'ils le sont.

Alors que je suis tapi depuis une éternité sous cette voiture, la figure plaquée par terre, considérant le monde d'un point de vue de fourmi, quelqu'un me donne soudain un coup dans le pied droit.

— Hé !

La surprise me fait relever brusquement la tête, que je cogne contre le châssis.

— Aïe !

Une main m'attrape par la cheville et me tire de ma cachette. Je suis d'abord soulagé de voir que c'est Klint, et furax tout de suite après. Je m'assois sur le sol, en essayant d'enlever la poussière de mes habits, et je commence à retirer les cailloux qui se sont incrustés dans ma joue.

Klint s'est changé. Terminée, la recherche vestimentaire. Il a passé un vieux jean troué et un haut de survêtement à capuche gris avec l'emblème des Flames. Et qu'est-ce que je vois dépassant de la poche centrale ? La tête de Baby.

— Tu l'as retrouvé !

— Je l'ai pris, corrige-t-il.

— Hein ? Comment ça ?

— Je l'ai pris. Quand ils ont tous commencé à se barrer et que j'ai compris que ton grand soir était fichu, j'ai eu l'idée d'escamoter le clebs. Je savais que Shelby et sa mère allaient s'affoler. Ensuite, j'ai eu une autre idée : je te refilerais le chien, tu serais le super-héros qui l'a sauvé et tu marquerais des points, plein.

Je reste sans voix. Qu'est-ce qui est le plus ébouriffant, l'ingéniosité de son plan ou la générosité qui l'a inspiré ?

— Je... Merci.

— Je sais qu'elle te plaît.

Il s'assoit à côté de moi et nous nous adossons ensemble à la voiture. En me voyant, Baby s'est enfoui dans la poche de Klint.

— Ouais, bon, et ça me fait une belle jambe, lui dis-je en tâtant prudemment la bosse sur mon front du bout de l'index. Elle, c'est toi qui lui plais.

— Pas vraiment. C'est une histoire qu'elle se raconte.

— J'imagine que ni l'un ni l'autre ne compte, maintenant qu'elle va partir à Paris.

— Elle reviendra.

Il retire de son survêt' le modèle réduit de chien, le soutient d'une main contre sa poitrine et lui passe un doigt sur le crâne. Baby ferme les yeux.

— Cette soirée a été une cata pour tout le monde.

— Sauf pour Tyler, remarque Klint.

Je souris.

— Ouais. Je crois qu'il va se shooter à l'encornet, à partir d'aujourd'hui. – Les traits de mon frère se durcissent. Je me hâte d'improviser pour l'empêcher de basculer à nouveau dans son humeur noire. – Sans doute que ça a à voir avec son grand projet d'être un ours. Les ours aiment le poisson, tu sais… – Klint ne desserre pas les dents. – Je me rappelle quand j'étais petit et que vous vous déguisiez pour Halloween, tous les deux. Toi, tu étais toujours en joueur de base-ball et lui, il avait ce costume de grizzly qui était dix fois trop grand pour lui… C'est marrant, après toutes ces années, vous avez gardé chacun le même rêve !

— Jouer au base-ball n'est pas mon rêve. C'est ce à quoi je suis bon.

Je rigole un peu.

— Ouais, c'est ça… Et dans ce cas, ton rêve, c'est quoi ?

— J'en ai pas.

— Tu es forcé d'en avoir un.

— Ah ouais ? Qui a dit ça ?

Je me creuse la cervelle à la recherche de quelqu'un de célèbre qui ait dit que tout le monde devait avoir un rêve. Tout ce que je trouve, c'est Martin Luther King Junior, mais il a dit qu'il avait un rêve, lui, pas que n'importe qui d'autre devait en faire autant.

— Tu sais ce que Coach Hill répète sans arrêt, fait remarquer Klint : « Les gagnants gagnent, les perdants rêvent. »

— Donc, devenir joueur de base-ball professionnel, c'est ton… but.

— J'ai pas de but non plus, réplique-t-il sèchement. Je pratique le base-ball. C'est ce que je *suis*. Point final. C'est ce que je *fais* au lieu d'être poivrot ou balayeur.

Il se redresse, agrippant Baby dans sa paume droite comme s'il allait s'en servir pour virer un adversaire de la troisième base.

— Les gens font tout un foin parce que je suis bon à ce jeu mais ça me rend pas meilleur que quiconque. Je suis pas le chevalier sans peur et sans reproche. Et je suis certainement pas comme les personnages des romans de pédé que tu aimes tant, tous ces ados qui « ont un rêve »… J'aurais pu prendre n'importe quel chemin. Plein de routes ou d'impasses, mais j'ai eu de la chance : Papa m'a mis une batte de base-ball dans la main quand j'étais petit et il m'a encouragé à m'en servir. Et quand j'ai été capable de faire ce qu'il attendait de moi avec cette batte, j'ai vu que ça le rendait heureux. C'est ce que je voulais, au début : lui faire plaisir. Et puis, à un moment, je me suis aperçu que ça me rendait heureux, moi aussi, parce que c'était un truc où j'étais bon. Et puis encore plus tard, ça a cessé de me rendre heureux mais j'ai compris que c'est pas ce qui compte, parce que c'est simplement tout ce que je sais faire.

C'est la plus longue tirade que Klint m'ait jamais sortie depuis que notre père est mort, et même probablement depuis que Maman est partie.

Je voudrais continuer à le faire parler. Malheureusement, je choisis sans doute la pire question à lui poser :

— Qu'est-ce que tu veux dire, que ça ne te rend plus heureux ?

Il me tourne le dos avec un soupir exaspéré et commence à s'éloigner. Je me remets debout à toute vitesse pour lui courir après.

— Écoute ! Tu n'as pas joué une seule partie depuis la mort de Papa. Attends seulement ce printemps et tu verras, et tu verras que tout va bien se passer…

— C'est pas important. Rien est important.

— C'est pas vrai !

Il s'arrête, se retourne d'un bloc :

— Et toi, alors ? Tu en as un, de rêve ?

— J'ai des buts.

— Des buts, des rêves… Tu peux appeler comme ça te chante, c'est que des conneries. Tout est le hasard. Tu piges pas ? On peut rien contrôler, rien ! Il aurait pu me mettre une clope dans la main, ou une canette de bière, ou la commande de la télé, et tout aurait tourné différemment. Mais voilà, ça a été une batte de base-ball.

Il me regarde sans me voir, et pourtant il arrive à discerner mes craintes et il essaie de m'en débarrasser en disant :

— Te fais pas de souci pour moi. Je vais jouer. Je jouerai toujours. J'ai pas le choix. Pareil que ton foutu chat qui se sent obligé de tuer tout ce qui lui passe sous le nez. – Il me tend Baby. – Tiens, prends-le.

Quand j'attrape la petite bête frissonnante, je perçois presque de la réticence à la lâcher dans son mouvement.

— Où tu vas ?

— Me pieuter. Je suis fatigué. Je suis tout le temps fatigué.

Il s'en va en soulevant à peine les pieds, le dos voûté.

Je pense à Cam Jack et à son père déposant dans la main de son fils les clés d'une voiture de course flambant neuve. Je pense à El Soltero debout au milieu d'un enclos noyé de soleil, avec un tablier de sa mère transformé en cape de torero apparu dans sa main, que personne ne lui avait donné mais dont il s'était emparé lui-même.

Je ne sais pas si je dois avoir pitié de mon frère ou l'envier. Parce que la seule chose que Papa ait jamais mise dans ma main, c'était la sienne.

14

CANDACE JACK

J'AI LAISSÉ RAE ANN DANS L'UNE DES CHAMBRES D'AMIS À L'ÉTAGE, sanglotant de plus belle après avoir appris de ses filles tout juste revenues de leur battue que celle-ci s'était soldée par un échec et que Baby restait porté disparu. Elle affirme qu'elle ne s'en ira pas sans son chien. J'affirme le contraire. Bert ou Shelby, l'un des deux, la raccompagnera chez elle.

J'ignore depuis combien de temps je suis là, derrière la maison. J'avais une telle hâte de sortir que je n'ai même pas songé à attraper mon manteau. Bien que je ne sois plus capable de supporter le froid comme jadis, je me suis aperçue que je le recherche encore plus. J'aime sentir cette morsure glacée sur mon visage et mes mains. Elle me donne la sensation d'être toujours vivante. La chaleur et le confort ressemblent trop à la mort.

Une ondulation dans l'herbe attire mon regard. Le chat de Kyle surgit à pas feutrés, portant une forme inerte et de bonne taille dans ses mâchoires. Lorsqu'il est assez près pour que je distingue quelle est sa victime, je retiens un soupir de déception. C'est un lapereau. Moi qui espérais que ce serait ce maudit chihuahua.

Il le laisse tomber à me pieds en ronronnant très fort. Quand je me penche pour le caresser, il reprend aussitôt son butin, croyant que j'allais le lui retirer. Je gratte sa fourrure entre les oreilles et il plisse ses yeux dorés au-dessus de la dépouille qu'il tient entre ses dents. Je n'ai pas vraiment envie de savoir ce qu'il va en faire après, et puis je ne peux plus continuer à retarder l'échéance : il faut que je parle à Luis.

Je le trouve à la cuisine, un verre de vin rouge dans la main et une chanson de Joaquín Sabina en fond musical, les yeux fixés sur un ramequin d'anchois marinant dans le vinaigre. Les extras sont rentrées chez elles. Deux lave-vaisselle tournent doucement. Tout est en ordre, impeccable, excepté les restes encore sur le plan de travail. Il me jette un bref regard, me tourne le dos, boit une gorgée de vin, pose son verre et croise les bras d'un geste vexé. Je n'ai rien à dire. Je sais que ses silences boudeurs durent généralement trente secondes au plus.

— Regardez ça ! s'exclame-t-il brusquement en pivotant sur les talons et en montrant d'un mouvement de la main les perdrix dédaignées. Qu'est-ce qu'il en dirait, Manuel ?

— Manuel n'est plus là.

— Il est partout ! C'est le problème. Et il est certainement là où on traite des perdrix avec ce mépris !

— Vous savez bien qu'elles ne sont pas perdues. Vous en ferez quelque chose de succulent. Pourquoi pas des *empanadas* ?

— Facile à dire, pour vous ! C'est peut-être vous qui allez décortiquer tous ces petits os ?

— Vous aimez faire ce genre de choses.

— Ne me dites pas ce que j'aime ! Vous n'en savez rien.

Il me présente à nouveau son dos. Je prends un des verres sur le présentoir et je le remplis du même vin. Je l'observe du coin de l'œil. Il s'en veut affreusement de ne pas me servir lui-même. C'est un gentleman accompli.

— Je suis désolée pour le dîner, Luis, mais ça a échappé à mon contrôle.

— Vous saviez très bien comment ça aller tourner !

— Comment pouvez-vous dire cela ?

Il fait un pas vers moi, et maintenant ses mains volettent dans tous les sens.

— Quel mélange ! s'exclame-t-il en montrant d'abord du doigt la porte de la salle à manger, puis les cieux au-dessus de nous, puis la stéréo d'où sort la voix rocailleuse de Sabina en train de chanter qu'il pardonne à la femme qu'il a trompée de l'avoir forcé à lui être infidèle. Mais enfin, aucun être sensé n'aurait eu l'idée de réunir un groupe pareil ! – Il m'étudie un instant. – Je sais pourquoi vous avez fait ça. C'était du spectacle. Vous vouliez que Cameron vous voie avec les garçons. Vous vouliez lui mettre le nez là-dedans !

— Et lui, alors ? Sa seule raison de venir ce soir, c'était la curiosité. Il voulait voir comment ces gamins se comportent ici. Et ensuite, tout ce qu'il a eu en tête, ç'a été de se montrer grossier et de les remettre à leur place. Par ailleurs, depuis quand vous souciez-vous à ce point de Cameron ?

— Depuis que vous avez gâché mon dîner.

— *Moi*, j'ai gâché votre dîner ?

— « *Bueno*, *bueno* », fait-il en imitant ma voix. Vous saviez très bien que ce serait l'un des meilleurs repas de votre vie et c'est tout ce que vous trouvez à dire, « *bueno* » ?

— J'ai aussi dit « *riquísimo* ».

— Bah ! *Riquísimo* ! Vous auriez dû dire… *fabuloso* ! Et en plus, j'avais raison, pour le vin, mais comme toujours…

Je ne réponds pas. Il avait raison, c'est incontestable. Celui que nous buvons maintenant n'est pas mal non plus. J'en reprends une gorgée tout en couvant les perdrix d'un regard d'envie. Je n'ai pas eu l'occasion de beaucoup manger, ce soir.

— Vous êtes au courant ? reprend Luis. Non, bien sûr ! Puisque vous vous cachiez.

— Je ne me cachais pas. Je me suis occupée de Rae Ann pendant une heure et je suis sortie prendre un peu d'air frais.

— Kyle a retrouvé le chien. Ha ! – Il tape dans ses mains en souriant de toutes ses dents. – Je vois votre tête ! Vous espériez qu'il serait mort. Une vieille dame méchante comme ça, il faut le faire !

— Vous détestez cet animal autant que moi.

— Ne me dites pas ce que je déteste !

— D'accord, peu importe. – Je prends une assiette qu'il m'arrache aussitôt des mains. – Tout cela est idiot ! dis-je sans plus contenir ma colère. J'ai essayé de demander pardon, j'ai essayé de monter sur mes grands chevaux, et vous continuez à être déraisonnable, à faire l'Espagnol !

Il recule comme s'il avait reçu une gifle.

— Et vous, vous faites la… la péquenaude !

252

Je lâche un rire incrédule mais il me montre la porte donnant sur le jardin d'un index ingénieux.

— Allez, fille de mineur, péquenaude de Pennsylvanie ! Prenez vos grands chevaux et qu'ils vous emmènent loin de ma cuisine !

Avec un autre petit rire, je réponds à son souhait, non sans m'être emparée de la bouteille et de mon verre. En me dirigeant vers l'escalier pour monter à ma chambre, je remarque que la porte d'entrée est grande ouverte et que toute une foule semble s'être rassemblée dehors. Je ne veux pas qu'on me voie. Me plaquant contre le mur, j'avance en silence jusqu'à me placer près du chambranle.

On dirait que tous ceux dont je voulais me débarrasser ce soir se sont donné rendez-vous à la véranda. Shelby, Starr et leur mère couvent Kyle de regards extasiés et roucoulent autour du chien aux yeux de crapaud, enveloppé dans une petite couverture rose et pratiquement enfoui entre les seins de Rae Ann, qui le serre de toutes ses forces. Bert se tient près du groupe, comme toujours impeccable, tenant sous le bras l'absurde couffin de Baby, un machin rose fluo tapissé de fausse fourrure et décoré de breloques en cristal. Il me fait penser à la vision qu'a un scénariste homophobe d'un médecin gay qui fait des visites à domicile.

— Mais il faut qu'on dise bonne nuit à Tante Candy ! geint Rae Ann entre deux gloussements hoquetants et quelques restes de sanglots à l'idée d'avoir presque perdu son chien-rat.

Son maquillage n'est pas beau à voir. Quelqu'un devrait expliquer à cette femme qu'on trouve du mascara waterproof, de nos jours. On devrait même lui en présenter un tube avec son premier verre de la soirée, en lieu et place d'un bol de cacahuètes.

— Non, non, non, fait Bert en posant une main consolatrice sur l'épaule de la maîtresse de Baby. Je suis sûr que Candace est déjà couchée. La soirée a été rude pour elle.

Sois béni, cher ami !

— Bert a raison, M'man, intervient Shelby. Le principal, maintenant, c'est de vous ramener à la maison, Baby et toi.

— Je ne veux pas voir ton père ! siffle Rae Ann en essayant de redonner une certaine dignité à ses traits enflés par l'alcool et maculés de traînées noires.

— T'auras pas à le voir, la rassure Starr. Il ronfle devant la télé dans son bureau, à l'heure qu'il est.

— C'est vrai, oui... - Elle paraît moins accablée par les émotions, soudain. - J'espère qu'il n'aura pas oublié d'enlever ses chaussures.

Ils se mettent enfin en route. Il ne reste plus que Kyle qui, en haut du perron, leur adresse des signes d'adieu comme s'il était le maître de maison. Ce spectacle m'arrache un sourire. Il est attiré par Shelby, je le sais, mais voici la preuve que sa tendresse pour elle ne va pas jusqu'à suivre plus loin la larmoyante Rae Ann et son escorte pleine de sollicitude mielleuse. Il n'a pas raccompagné l'objet de son affection jusqu'à la voiture. J'attends que les feux de position aient été engloutis par la grotte ténébreuse formée par les arbres de mon allée et je sors, laissant la bouteille sur la console de l'entrée.

— Hello, Kyle.

Il jette un coup d'œil par-dessus son épaule, surpris.

— Oh, bonsoir Miss Jack. Je croyais que vous étiez couchée.

— Non. Je me... cachais, faute de meilleur mot. Et j'écoutais aux portes, aussi.

— Mon père disait que c'est impossible d'être indiscret quand on est chez soi. On a le droit d'entendre tout ce qui se dit sous son toit.

— Je trouve que ton père avait entièrement raison.

Je le rejoins. Nous regardons la nuit ensemble. Au bout d'un moment, je reprends :

— Il faut que je te remercie.

— De quoi ?

— D'avoir retrouvé ce chien.

— Ouais... - Il ébauche un demi-sourire. - Je crois que Mme Jack était pas mal retournée.

— C'est peu de le dire.

— Je suis content d'avoir pu aider.

— Mais je suis sûr que tu aurais aimé voir Shelby passer la nuit ici.

— Je... Je sais pas. Enfin, ça aurait été sympa de la voir un peu plus, vous savez, mais...

— Et les filles de ton école ?

— Oui ?

— Est-ce que tu es... ami avec certaines ?

— Je sais pas. Il y en a quelques-unes de bien, c'est sûr...

Encore un aspect des adolescents d'aujourd'hui auquel je me suis initiée : quand vous leur posez une question, ou bien ils « savent pas », ou bien ils présument que « vous savez ». Si j'étais à la tête d'un pays, tous mes espions seraient des garçons comme lui : aucun ennemi n'arriverait à leur soutirer la moindre information. « Tu veux un verre de jus de fruits ? — Je sais pas. » « Tu as vu de bons films, ces derniers temps ? — Je sais pas. » « Qu'aimerais-tu pour ton anniversaire ? — Je sais pas. » « Où se trouvent les plans de la nouvelle base militaire secrète ? — Je sais pas. »

— Je dois aussi présenter des excuses pour la manière dont ma famille s'est comportée ce soir.

— Ça ne m'a pas choqué. Ils ont l'air d'être à peu près comme n'importe quelle autre famille.

— Sans compter le remarquable dîner que Luis a préparé et que je n'ai pas eu la chance de savourer, je crois que le clou de la soirée a été l'ami de ton frère.

— Tyler ?

— Oui. « The Man ».

Un vrai sourire s'installe sur ses lèvres, cette fois. Il est assez charmant, quand il sourit. Cela estompe la tension qu'il y a presque tout le temps dans son regard, et du coup il paraît son âge.

— Ouais. Il est intéressant, Tyler...

— Il est surtout la preuve vivante que la considération envers les autres et l'ouverture d'esprit ne sont que peu déterminées par la classe sociale d'un individu. Bien qu'encore mal dégrossi et plutôt turbulent, Tyler a de très bonnes manières et il a montré qu'il avait de la conversation. J'aimerais pouvoir en dire autant de ton frère.

— Klint en est encore à chercher ses repères, il...

— Je pense que tu lui cherches trop de circonstances atténuantes. J'ai la forte impression qu'il a toujours été ainsi.

— Peut-être, mais ça ne fait pas de lui un mauvais type ! Il y a pire que de n'être pas trop à son aise dans des dîners chicos !

Je souris à mon tour, amusée par cette dernière remarque.

— Oui, tu as sans doute raison.

Je lui fais signe de me suivre dans la maison. Après avoir refermé et verrouillé la porte, je présume qu'il va me dire bonne nuit et monter dans sa chambre mais il s'attarde dans le hall, les bras ballants, et je devine qu'il a quelque chose à ajouter.

— Il faut que voyiez Klint jouer sur le terrain, se décide-t-il à me déclarer. Et après, vous lui pardonnerez pratiquement tout.

— Tiens donc ! Et pourquoi ?

— Parce qu'il a un don. Vous savez ? Comme quand les gens ne font pas attention si un grand écrivain est un alcoolo, ou un grand musicien un camé. On leur pardonne parce qu'ils sont tellement bons dans ce qu'ils font, et que personne ne peut être aussi bons qu'eux là-dedans.

— Je ne partage pas ce point de vue.

— Oui, et El Soltero, alors ? C'était tout le temps un mec génial ou bien il lui arrivait de faire des trucs débiles ? Et dans ce cas, on ne l'excusait pas parce que c'était un grand torero ?

Sa question me désarçonne, non seulement parce qu'elle constitue une grossière atteinte à ma vie privée, mais aussi parce qu'elle est étonnamment perspicace. Manuel était imprévisible, à tout le moins. Et c'est un fait qu'il lui arrivait de dépasser les bornes mais qu'on ne lui en tenait jamais rigueur. Même les pères outragés de filles à la réputation ruinée finissaient par retourner grossir les rangs de ses admirateurs.

Paradoxalement, c'était ce qui m'attirait le plus, chez lui : ce côté excessif, cette pulsion autodestructrice confinant au désespoir qui le brûlait et le faisait affronter un taureau en train de charger. Il était diamétralement l'opposé de Stan, dont chaque décision était soigneusement calculée et qui ne semblait jamais guidé par une émotion quelconque. Si tous deux refusaient de se plier aux règles, Manuel ne niait pas leur existence, au moins, et se donnait parfois la peine de simuler le remords pour les avoir enfreintes. Stan, lui, n'en reconnaissait aucune.

Kyle a dû lire l'effarement et la contrariété sur mes traits, car il s'empresse de battre en retraite :

— Pardon. C'est pas mes affaires, de toute façon. Luis m'a dit que vous étiez amoureuse de lui, et que vous l'avez vu se faire tuer, et... Attendez, c'est pas qu'il me l'a raconté pour le plaisir de raconter, ou quoi ! On était dans la grange, j'ai remarqué les photos de vos taureaux et je me suis mis à lui poser des questions. Vous savez ? Il ne voulait pas parler, au début. C'était clair.

— Ce n'est pas grave, Kyle.

— Je suis désolé pour ce qui vous est arrivé.

À nouveau, je suis décontenancée par la hardiesse de ce garçon, mais elle ne m'irrite pas, cette fois, et la sincérité de sa sympathie n'est pas sans m'émouvoir. Je viens aussi de m'apercevoir qu'il est couvert de poussière et qu'une feuille morte est plantée dans ses cheveux.

— Ma tante Jen a eu une expérience comparable et je crois que ça l'a vraiment atteinte, poursuit-il. Quand elle était au lycée, son petit ami s'est tué d'un coup de fusil par accident.

— Par accident ?

— Ouais. En pleine tête. Je pense qu'elle a jamais surmonté ça. Enfin, je veux dire qu'après ça elle a connu plein d'autres types, vous savez, mais elle ne s'est jamais mariée... Enfin, si, elle s'est mariée une fois mais ils ont rompu si vite que ma mère dit que ça ne comptait pas.

Je n'arrive pas à décider s'il attend que je fasse un commentaire sur les misères de sa tante. Il enfonce les mains dans ses poches pendant que ses yeux errent nerveusement dans le hall et s'arrêtent sur l'escalier. Lorsqu'il se remet à parler, sa question jaillit avec impétuosité. Elle devait le démanger depuis fort longtemps :

— Ce que je ne comprends pas, c'est pourquoi vous avez gardé le taureau ? Vous deviez le haïr. Je sais pas, mais c'était lui qui avait tué votre amoureux, non ?

J'ai la gorge sèche. Je n'ai pas vraiment envie de poursuivre cette conversation. En fait, je me suis efforcée de l'éviter toute ma vie.

— Permets-moi de te poser une question à mon tour, Kyle. Est-ce que tu détestes la voiture que ton père conduisait à sa mort ou que tu blâmes l'alcool qu'il avait bu ? Ou est-ce que tu admets qu'ils font partie des risques qu'il prenait chaque jour de sa vie ?

Bien que mon intention n'ait sûrement pas été de lui faire de la peine, le résultat est patent : son visage se décompose.

— Vous étiez au courant qu'il était soûl, murmure-t-il.

— Pardon, mais je pensais que c'était de notoriété publique.

— Oui… Oui, faut croire.

— Ce que j'essaie de t'expliquer, c'est que Calladito ou le pick-up de ton père ont été les causes de la mort de l'un et de l'autre, non la raison. Vois-tu, Manuel et Calladito n'étaient pas des ennemis, pas même des adversaires dans une compétition. Ils étaient les deux parts égales d'un bel ensemble.

Son regard croise le mien.

— La corrida, vous voulez dire. Luis a essayé de m'expliquer. Que c'est un art, pas un sport. – Il se tait un instant. – Je pense que je comprends. Donc, vous avez dû vous convaincre que c'était… acceptable. Comment il est mort, pourquoi il est mort. Il fallait que vous vous forciez à défendre le taureau. C'est comme un garçon que je connais, son frère a été tué en Irak l'an dernier et maintenant ses parents se sentent obligés de continuer à soutenir la guerre parce que s'ils reconnaissent que c'était une erreur, ça voudra dire que leur fils est mort pour rien.

Je tends la main pour retirer la feuille de ses cheveux et je la lui tends. Il l'accepte en prenant un air embarrassé.

— C'est un peu ça, Kyle, mais pas entièrement. Viens t'asseoir avec moi un moment, que j'essaie de t'expliquer.

Je l'entraîne vers le grand salon. Au passage, mes yeux tombent sur la bouteille et le verre que j'avais laissés. Je les emporte. Il s'installe sur un canapé tendu de velours orangé et se plonge dans la contemplation de la pendule sur le manteau de la cheminée, son dôme surmonté par un taureau dressé sur ses postérieurs, aux yeux en pierres précieuses, et par un torero plaqué or qui balance sa muleta à droite et à gauche à chaque fois que l'heure exacte sonne. Je remplis mon verre avant de prendre place dans un siège en rotin teinté écarlate, au dossier en éventail et aux coussins en chintz doré, que Shelby aime appeler mon « trône de l'Île fantastique ». Je commence par quelques explications basiques :

— Habituellement, une corrida réunit trois toreros combattant deux taureaux chacun. Le jour où Manuel est mort, il exécutait une corrida en solitaire, un événement spécial organisé dans sa ville natale à l'occasion de son trentième anniversaire. En temps normal, si un matador est grièvement blessé ou tué, l'un des deux autres revient dans l'arène et continue à affronter le taureau à sa place. Il était seul, ce soir-là, et donc Calladito aurait dû être ramené à l'arrière des arènes et achevé avec un couteau de boucher par un quidam. Il serait mort dans la honte. Il avait été admirable, un vrai *toro bravo*, comme on dit. Manuel lui-même aurait souhaité que sa mort soit honorable.

Kyle m'écoute intensément.

— Je ne vous suis pas, là. Comment un taureau peut-il mourir dans la honte ou avec honneur ? C'est qu'un animal, quand même…

— Il est vrai que l'honneur est une des qualités qui séparent l'homme des créatures inférieures. Un animal n'obéit qu'à son instinct, qui lui dicte de manger, de dormir, de procréer. L'honneur ne se situe pas dans ce que l'on veut ou doit faire, mais dans ce que l'on se sent obligé de faire. Seuls les êtres humains sont capables d'éprouver cette motivation…Et encore, très peu d'entre eux. Mais les Espagnols ne considèrent pas le taureau comme un animal parmi les autres. À certains égards, il est l'égal de l'homme, pour eux. Et donc, il est capable d'avoir de l'honneur.

Alors que je jugeais ma démonstration assez claire, le garçon ne semble pas convaincu et c'est pourquoi je tente d'être encore plus précise :

— Cela paraît difficile à concevoir, je l'admets. Moi-même, je n'aurais pas été en mesure d'accepter cette idée jusqu'à ce que je commence à comprendre la corrida, mais dès que l'on sait ce qu'il faut regarder, on peut distinguer presque tout de suite un mauvais taureau. Celui qui est distrait, ou peureux, ou fou, ou vicieux. Les Espagnols ont un terme pour cela. Ils disent : « *Este toro no tiene casta.* » Ce qui signifie qu'il n'a pas de classe. Quand l'un de ces taureaux manifeste de manière criante l'un de ces défauts, ou tous à la fois, on lui fait grâce et on le renvoie à sa pâture. C'est la pire honte qui soit, pour lui et pour l'éleveur.

Kyle secoue la tête d'un air interloqué mais il est captivé, je le vois.

— Alors, la récompense pour être un taureau génial, c'est d'être tué ? Et celui qui est minable, on le laisse vivre ?

— C'est une façon de voir les choses. Mais encore une fois, ce n'est pas une question de récompense et de punition. Ce n'est pas un « jeu ». Pour les Espagnols, la corrida est une allégorie. Un résumé symbolique de l'existence, et elle se termine par la mort, comme la vie elle-même. Un Américain aura tendance à penser que la conclusion est le moment où le taureau va être tué, que c'est la victoire du torero dans une compétition entre l'homme et la bête. « J'ai gagné, je te tue. » Un Espagnol amateur de corrida se dira : « Le destin a vaincu. Il est temps pour toi de mourir. »

Je me laisse aller contre le dossier de mon siège en fermant les yeux quelques secondes.

— Et le taureau nul qui a le droit de retourner à son ranch ? Pourquoi il n'est pas temps de mourir, pour lui aussi ?

Luis apparaît dans le salon, chargé d'un plateau. Il se charge aussitôt de répondre à Kyle :

— Parce que le destin ne s'intéresse pas à lui, dit-il d'un ton grave. Le destin se fiche des faibles et des idiots. – Sa voix redevient tout de suite très amène. – Un peu de lait et des gâteaux, Kyle ?

Il pose sur la table une assiette de ses croquants aux amandes, qu'il saupoudre toujours de cristaux de sucre rose, puis lui tend un verre de lait.

— Bois. C'est bon pour tes os. – Il me jette un regard noir. – Vous devriez en prendre, vous aussi, mais vos os sont irrécupérables.

— Comment ? Ils vont très bien !

Il pousse un « Ha ! » dubitatif.

— J'ai demandé à Luis de venir en Amérique avec moi afin de m'aider, vois-tu. Il savait que j'ignorais tout de ce que requiert l'élevage d'un taureau.

Je prends un gâteau et Luis n'objecte pas, preuve que la pâtisserie constitue une offre de trêve. Kyle avale son lait, manque de s'essuyer la bouche avec sa manche et se sert d'une des petites serviettes disposées sur le plateau avant d'avaler son troisième croquant.

— C'était chic de votre part, annonce-t-il à Luis tout en mastiquant.

— Oui, très chic, comme tu dis.

— Vous étiez payé, fais-je remarquer.

— Eh quoi, j'aurais dû le faire pour rien ? s'écrie-t-il. Partager mes connaissances et mes capacités pour la beauté du geste ?

— Je n'ai pas dit cela.

— Ces trucs de corrida, ça a l'air super, nous interrompt Kyle, mais aussi assez horrible.

— Oui ! s'enflamme Luis. C'est la rencontre de la beauté et de l'horreur qui fait toute sa force. On appelle ça *el duende*, l'esprit qui libère la passion. Le *duende*, ce n'est pas une affaire d'expérience ou même de talent, c'est la capacité de l'artiste à s'abandonner complètement au moment. Dans ces instants, il arrive à créer quelque chose de prodigieux, mais c'est parfois en payant un prix terrible lui-même.

— Je crois qu'il y a du *duende* dans le base-ball, aussi, avance Kyle.

— Je ne crois pas, non, contre Luis avec un petit reniflement sceptique. Ça ne se trouve que dans le *toreo*, le flamenco et la poésie.

— Mais si ! Vous n'avez jamais vu Klint quand il est sur le marbre. On dirait qu'il est possédé. Des fois, son expression est tellement concentrée qu'elle fait presque peur. C'est comme s'il distinguait des choses qui échappent aux autres. Comme s'il était… dans un autre monde.

— Oui ? Et où est la beauté, au base-ball ?

— Il faut que vous voyiez un lancer bas intérieur qui évolue en flèche à la troisième base !

J'annonce à la cantonade :

— Je n'ai jamais assisté à un match de base-ball de ma vie.

— C'est vrai ? s'exclame Kyle. Pas une ? Même pas quand vous étiez jeune ?

— Non.

— Il faut, Miss Jack ! Tout ce foin à propos de l'Espagne et des corridas ! Vous pouvez pas être américaine et jamais aller à une partie de base-ball ! Il faut que vous veniez avec moi voir Klint, ce printemps. Je m'occuperai bien de vous.

Luis m'observe, un sourcil levé. Je ne puis rester insensible à l'enthousiasme du garçon.

— Cela me paraît très intéressant, Kyle. Nous en parlerons le moment venu.

— Bon. Merci pour les gâteaux, Luis.

— *De nada.*

— Bonne nuit.

Dès que Kyle a quitté la pièce, je fixe Luis d'un regard insistant.

— Depuis combien de temps étiez-vous derrière la porte ?

— Suffisamment longtemps.

Il va chercher un verre à whisky dans le buffet et revient se servir une sérieuse rasade de vin.

— Qu'est-ce qui m'a pris, Luis ? Vous demander de partir en Amérique avec moi... Vous étiez si jeune ! À peine quelques années de plus que ces deux garçons. Je vous ai enlevé à votre famille, à votre pays.

— Vous n'avez rien enlevé du tout. Je suis parti de ma propre volonté. C'était ma décision. Après la mort de Manuel, je ne voulais pas rester en Espagne, de toute façon. Et ma famille, je l'aime beaucoup mais je suis content de l'aimer à distance.

— Oui, mais vous étiez, vous êtes intelligent, vous avez du talent... – Il accepte mes compliments avec un hochement de la tête. – Vous auriez pu vous consacrer à autre chose, une fois ici. Et avec succès.

— Le succès, c'est de faire ce que l'on aime.

— Confucius ?

— Non. Luis.

— Excusez-moi, Miss Jack... – Je me tourne vers le seuil, sur lequel Marjorie vient d'apparaître. – Oh, bonsoir, Luis, se hâte-t-elle d'ajouter.

— Bonsoir, Miss Henry.

— J'allais me retirer, Miss Jack, mais j'ai pensé vous rappeler que vous m'aviez autorisée à prendre ma journée demain pour aller à l'anniversaire de mon neveu.

— Mais oui, bien sûr. Amusez-vous bien.

Luis lui tend l'assiette de gâteaux.

— Je vous en prie, offre-t-il.

— Juste un, alors...

Elle s'empare d'un croquant avec empressement, mord dedans et sourit à Luis de ses lèvres scintillantes de sucre rosé.

— D'accord, d'accord, dis-je d'un ton exaspéré en congédiant Marjorie d'un geste. Bonne nuit. – Dès qu'elle est sortie, je fais face à Luis : – Vous avez pourri cette fille. Vous êtes le seul et unique responsable de son problème de poids.

— C'était il y a quinze ans et je n'ai rien pourri du tout, proteste-t-il. Je lui ai donné les meilleurs mois de sa vie.

— Oui, et quand vous avez arrêté de la combler d'amour, vous l'avez gavée de tartes glacées au whisky et de crèmes catalanes.

— Personne ne la force.

— Savez-vous comment je peux deviner à chaque fois que vous vous apprêtez à laisser tomber l'une de vos conquêtes féminines ? C'est quand vous vous mettez à les bourrer de desserts.

— Ça soulage le chagrin.

— Ça soulage votre conscience, surtout !

Il m'adresse un sourire plein de superbe.

— Quand on prive quelqu'un d'une douceur, on doit la remplacer par une autre.

15

DEPUIS QUE J'AI ASSISTÉ À MA DERNIÈRE CORRIDA, il y a bien plus de quarante ans, j'ai perdu mon aptitude à supporter les rassemblements de masses humaines. J'évite comme la peste les célébrations collectives, remises de diplômes, mariages, enterrements ou cérémonies à l'église. Par ici, on ne m'a jamais vue à un défilé, aux soldes de Presidents' Day, à une fête foraine ou à un vide-grenier.

Je n'admettrai jamais qu'il s'agisse d'une phobie. Je préfère penser que cette attitude s'explique à la fois par le fait d'être une femme mûre dotée d'un bon goût indéniable – je ressens rarement le besoin d'aller démolir des piles de boîtes de conserve ou d'échanger quelque vieillerie contre une autre – et par celui de ne plus éprouver le désir de partager des émotions personnelles avec une horde d'inconnus envahissante. L'amour, la foi, le chagrin ou la jubilation d'acheter une parure de lit à moitié prix sont des sensations auxquelles je préfère m'abandonner seule.

La proposition de Kyle il y a un mois, celle que je me rende à un match de Klint au printemps, m'a plongée dans une perplexité aussi tenace qu'inconfortable. Certes, le début de la saison de base-ball est encore fort loin. Son premier jeu n'aura lieu que dans vingt et une semaines exactement, précision obtenue par Bert quand je l'ai chargé de téléphoner au département sportif du lycée à ma place. Et puis, Kyle ne l'a peut-être pas faite sérieusement. Il pourrait oublier son invitation, ou changer d'avis, mais il n'empêche que depuis qu'il a formulé cette idée, à la fin d'une soirée de perdrix dédaignées et de traque au chien-rat, elle n'a cessé de me trotter par la tête.

J'imagine que je serai obligée d'y aller. Comment m'habiller ce jour-là, c'est l'énigme absolue. Et que dire à quelqu'un assis sur les gradins à côté de moi et qui va discourir pendant des heures de « balles courbes » et de « doubles volées » ? Attendra-t-on de moi que je mange un hot-dog ? Jugera-t-on ma question déplacée si je m'assure auprès du vendeur que la saucisse est pur bœuf ? Serai-je censée crier des encouragements ?

Il y a quelque temps, je suis tombée sur une partie de base-ball professionnel à la télévision et, pendant les deux ou trois minutes où je suis restée sur cette chaîne, la foule a exécuté ce qui s'appelle « la vague », paraît-il. C'était un spectacle non dénué d'intérêt, mais j'avoue que la perspective d'être forcée à participer à ce genre de pantomime me perturbe quelque peu. Toutefois, que diront les autres si je reste assise à ce moment-là ? Je sais que je me pose trop de questions. Le fait est que j'aimerais assister à l'un de ces matchs, et pas seulement parce que je penserais que c'est mon devoir mais aussi par simple curiosité.

L'autre jour, en revenant de ma marche quotidienne, j'ai rencontré Marjorie, qui était sortie sur le perron de l'entrée de service pour l'une de ses innombrables pauses-cigarette et que Jerry avait rejointe. L'air de rien, j'ai prêté l'oreille à leur discussion. Ils commentaient avec une passion surprenante les prouesses qu'ils espéraient voir Klint accomplir au printemps prochain. Je précise que j'ignore tout des sports d'équipe, à commencer par le base-ball, et que je suis toujours médusée par la ferveur que ces jeux puérils continuent à inspirer à des adultes, hommes ou femmes. C'est donc avec étonnement que je me suis sentie soudainement intriguée par leur conversation. Et il y avait de quoi : deux individus responsables, dont la jeunesse était loin derrière eux, qui s'enflammaient ainsi en évoquant la capacité d'un garçon à envoyer une balle à l'autre bout d'un terrain, ainsi que les conséquences que cela pouvait avoir sur le moral de tout le comté… Et ils se souvenaient visiblement de chaque point que Klint avait marqué l'an dernier, alors qu'à cette époque aucun de nous ici ne le connaissait personnellement ! Et ce respect presque révérencieux quand ils parlaient non seulement de son style, mais de sa puissance et de son sang-froid ! Il était difficile de croire qu'il était question du garçon bougon, voire franchement rébarbatif, qui dîne à ma table chaque soir sans avoir provoqué en moi guère plus que de l'irritation et de la préoccupation.

Bien que mes relations avec Klint se soient améliorées, elles sont encore à mille lieues d'être amicales. Devant moi, il se montre poli et il a épuré son vocabulaire. Quand je lui adresse la parole, il réagit, maintenant. Et chaque samedi matin il frappe à la porte de mon bureau et me remet gravement cinquante dollars à défalquer du prix payé pour son pick-up, une somme qui doit absorber la majeure partie de son salaire, le reste passant sans doute en essence. Malgré tout cela, pourtant, il est clair qu'il n'a pas l'intention de m'ouvrir son cœur ou de m'accorder sa confiance.

Aussi paradoxal que cela paraisse, c'est à chaque fois qu'il me rembourse le cadeau que je lui ai fait de bon cœur qu'il a l'air le plus content de me voir, le plus détendu, et que nous bavardons le plus librement. Il n'est à l'aise avec moi que s'il est en train de prouver qu'il ne me doit rien.

Abandonnant pour l'heure mes réflexions au sujet de Klint, j'attrape la dernière lettre de Rafael sur la table. En voilà encore un affligé d'une fierté terrible – comme tous les toreros, certes –, mais contrairement à son grand-oncle il manque d'un ego assez développé pour l'assumer entièrement. Au contraire, il a une sérieuse tendance à s'autoanalyser et à douter de lui-même, deux modes de pensée auxquels Manuel ne sacrifiait jamais. Mon frère non plus. Quant à Klint, je ne suis pas encore en mesure de savoir avec exactitude ce qui se passe dans sa tête.

Je suis dans mon jardin d'hiver, au milieu de fleurs fraîchement écloses et de vieux livres. C'est là que je prends mon petit déjeuner quand il se met à faire trop froid pour m'asseoir dehors. Nous avons eu notre première gelée sérieuse la nuit dernière, et ce matin le vallon derrière la maison était comblé par un brouillard aussi blanc et dense que du lait. Une fois qu'il s'est dissipé, chaque brin d'herbe de la pelouse luisait d'un givre opalescent.

Par un froid vif comme celui-là, Ventisco va être plein de feu. Il respirera par courtes saccades embuées et chargera sans raison. Je ne l'ai pas revu depuis deux mois, depuis ce jour où Shelby m'a priée pour la première fois de laisser Kyle et Klint venir vivre avec moi. Je me rappelle combien l'idée m'avait paru absurde, à l'époque, et il m'arrive de me demander si j'ai bien fait d'y céder. De temps en temps, je doute vraiment de leur être d'une aide quelconque.

Rafael a joint deux coupures de presse à sa missive. Conformément à son honnêteté naturelle et à la réalité de sa carrière, l'une est élogieuse, l'autre non. Après son très bon comportement pendant la *feria* d'automne de Madrid, la principale revue tauromachique d'Espagne, *6 Toros 6*, lui a consacré sa couverture, accompagnant sa photographie d'un titre en forme de constat : « *Lo lleva en la sangre.* » « Il a ça dans le sang. » On le voit exécuter un impeccable *derechazo* grâce auquel il fait passer le taureau derrière lui. Le second article, à propos de sa participation à la *feria* de San Miguel de Séville au cours de laquelle il n'a pas réussi une seule estocade du premier coup, est illustré par un cliché où son visage éclaboussé de sang exprime une sorte de désespoir épuisé tandis qu'il pointe l'épée de son grand-père devant lui, ses yeux sombres fixés sur la bête à la tête baissée.

Un troisième bout de papier tombe de l'enveloppe. Celui-là été découpé dans un hebdomadaire de la « *prensa rosa* », cette source inépuisable de cancans et d'images glamour à laquelle les Espagnols aiment tant s'abreuver. La photographie le montre se hâtant sur le trottoir d'une grande ville en tenant par la main son actrice américaine, une blonde mince comme un clou et affublée d'énormes lunettes de soleil.

Chère Tante Candy,

La saison est finie. Je suis descendu dans l'arène soixante-cinq fois dans les derniers six mois, j'ai tué cent trente taureaux et reçu cinquante-huit oreilles. Tout ça pour arriver classé huitième à l'escalafón *de* 6 Toros 6... « *La zone tiède* », comme on dit. C'est ce que je suis : ni chaud, ni froid.

Je ne me plains pas de mon sort. J'ai eu une temporada satisfaisante. De très grands moments, mais aussi beaucoup de décevants. J'ai vingt-sept ans, je suis à un point crucial de ma carrière. Est-ce que je vais enfin surmonter cette irrégularité dont je fais preuve et m'imposer comme un nom majeur du toreo, ce dont je pense être capable, ou est-ce que je vais sombrer dans l'oubli ? Terminer dans la cuadrilla d'un type plus jeune et plus apprécié ? Ou abandonner entièrement la vocation ? Dans le genre de Lucio Sandín, ce grand torero des années 70 qui avait perdu un œil à la Maestranza de Séville et s'est reconverti en fournisseur de matériel pour opticiens !

J'y pense beaucoup, ces derniers temps, et à chaque fois je me sens retenu par cette magie que personne ne peut expliquer, qui existe chez nous comme dans tous les arts, et que je crois avoir. Le problème, c'est que je n'arrive pas à la contrôler tout le temps. Oncle Manuel était différent, lui. Il a eu ses mauvais jours, évidemment, parce qu'il était humain après tout, mais la magie a toujours été avec lui. J'ai écouté les anciens, et quand ils parlent de certains des pires corridas d'El Soltero ils le font avec la même admiration qu'en évoquant ses meilleures. Le taureau pouvait être affreux, ou le public, ou le temps, il pouvait avoir le cœur ou l'esprit occupé par les soucis les plus communs, mais son style n'en souffrait jamais, ni sa détermination.

Mais bon, assez causé métier !

Le film est terminé. Je ne crois pas qu'ils oseront le sortir ici, tellement il est bourré de stéréotypes et d'idées fausses sur la culture espagnole.

Il y a une scène où le torero est en train de dîner avec sa cuadrilla et il se lance dans une explication comme quoi c'est normal de tuer le taureau, qu'ils l'aiment et le respectent mais que sa mort est nécessaire, et il le compare à... un soldat sacrifiant sa vie pour son pays ! J'ai dû me pincer, quand je les ai vus filmer ça. J'ai cru un moment que c'était une scène comique. Je me suis imaginé faisant le même discours à mes

hommes, à la fin, ils pleureraient tous tellement ils rigole-
raient. Mais c'était très sérieux ! J'ai essayé de leur expliquer
qu'un torero non seulement ne prononcerait jamais ces mots,
mais ne les concevrait même pas. Qu'on ne « pense » pas à
notre relation au toro parce qu'elle est non négociable, qu'elle
existe et point final, que c'est comme celle qui nous lie à notre
mère ou à notre enfant.

On s'est beaucoup disputés à ce sujet, mon actrice et moi. Elle
m'a traité de tous les noms, parmi lesquels « assassin » et
« barbare ». Un soir où elle avait un peu trop bu, elle a fondu
en larmes et s'est mise à pleurnicher que c'était horrible de
penser comme le taureau doit être effrayé quand il sait qu'il
va mourir. Je lui ai répondu qu'il n'y a pas un seul instant où
il éprouve de la peur, dans l'arène. Celui qui a peur, c'est
moi ! Comme Antonio Ordoñez l'a dit : « Le taureau est pour
moi un ami, un grand ami dont j'ai une peur mortelle une
fois dans l'arène. »

J'ai voulu lui expliquer que c'était l'une des principales différences entre l'homme et l'animal, la crainte de la mort ou
non. Les animaux n'ont pas de notion de la fin de la vie. Ils
sentent le danger, ils réagissent pour s'en préserver, mais ils
n'ont pas peur de la mort. Pour les êtres humains, c'est difficile à concevoir puisque nous sommes obsédés par la mort. Les
gens qui ont de la peine pour le taureau l'affublent de traits
humains. Ils en font un sujet de bande dessinée. Ce sont les
mêmes qui disent que leur chien est leur enfant, ou qui
habillent leur chat. Ils aiment les animaux de compagnie, pas
les animaux tout court.

Je n'ai pas pu lui faire entendre raison. Finalement, elle est
rentrée en Amérique et j'ai terminé la temporada. Là, je suis
en visite chez ma grand-mère, qui t'envoie son salut, ainsi
qu'à Luis. Elle espère le voir en décembre, quand il va venir
passer un moment avec sa famille.

J'ai lu avec intérêt ce que tu m'as écrit au sujet des deux garçons qui ont perdu leur père, et je suis flatté que tu me
demandes conseil. Leur histoire est tragique mais c'est la leur
et on ne peut rien y faire. À toi de décider si tu es destinée à
en faire partie. Je suis sûr que tu découvriras toi-même la

269

réponse dans ton cœur. Personnellement, je crois que ces deux jeunes auraient beaucoup de chance de te compter dans leur vie, pas seulement comme bienfaitrice mais en tant que femme qui a énormément de sagesse et d'amour à partager.

Et s'il te plaît, assez de parler de la Vieja Compañera, *Tante Candy ! Tu m'inquiètes. Tu me dis que tu as appris à ne pas la craindre, d'accord, mais ne deviens pas trop intime avec elle ! La mort est ma vieille amie, celle de tous les toreros, mais non la tienne.*

Je t'écrirai une nouvelle lettre bientôt.

Besos,

Rafi

En rangeant les coupures et la lettre, je me dis que je dois lui répondre à propos de ce qu'il dit de Manuel, de sa magie. Il était habité par elle, indubitablement, mais c'était tout ce qu'il possédait.

La voie de Rafael est plus torturée, non parce qu'il aurait moins de talent mais parce que c'est un être complexe. Si son *duende* n'a pas pu grandir jusqu'à dominer toute son âme, c'est parce qu'il doit partager la place avec des préoccupations et des émotions simplement humaines. Le démon intérieur de Manuel, lui, avait tout l'espace pour lui.

Au courrier, il y avait aussi une carte postale de Shelby, qui semble heureuse et très occupée. Elle promet de donner plus de nouvelles d'ici peu. Je finis mon petit déjeuner et j'attends le retour de Luis. Dix minutes s'écoulent, puis dix autres. Je décide d'aller le chercher pour lui montrer la carte et la lettre.

Il occupe un ensemble de pièces spacieuses près de la cuisine, avec son propre salon, sa chambre à coucher et sa salle de bains. Tout est bien arrangé, sobre et aéré, murs blancs, mobilier en bois sombre et cuir, mais l'amour espagnol des couleurs se manifeste par les coussins rouges du canapé, une cruche en céramique jaune et verte ou le tapis aux teintes rappelant la queue d'un paon.

Très chatouilleux sur sa vie privée, il serait furieux de me surprendre chez lui sans avoir été invitée à entrer, mais comme sa porte est grande ouverte, son ordinateur allumé avec à côté du clavier une tasse de café fumante et une napolitana entamée, je me risque à l'intérieur.

— ¿ Luis ? ¿ Está aquí, Luis ?

Bien qu'il connaisse mes préventions, il lui arrive de fumer un cigare ici et une odeur de tabac froid s'attarde en se mêlant au parfum citronné de l'encaustique. Je suis persuadée que c'est leur passion commune pour les produits d'entretien qui a d'abord rapproché Luis et Marjorie, il y a des années. Ils passaient des heures autour de la table de la cuisine à comparer les mérites respectifs du Comet et de l'Ajax ou à décider si le Pledge valait mieux que l'Endust pendant que Luis lorgnait les longues jambes de ma gouvernante et qu'elle gloussait à chaque fois qu'il appelait le Mister Clean Don Limpio. Inutile de préciser que j'avais surpris ces scènes par hasard, car je ne tenais pas particulièrement à être témoin de leur flirt.

Tout un mur du salon est couvert d'étagères accueillant des photographies encadrées de sa nombreuse famille, rangées par âge et génération, depuis sa mère qui a dépassé depuis longtemps les quatre-vingt-dix ans jusqu'à sa toute dernière petite-nièce d'à peine quatre mois. Au milieu de cette exposition familiale, il y a une photo en noir et blanc de Manuel après un combat, offrant un sourire éblouissant à la foule et tenant son chapeau à bout de bras dans le salut traditionnel du matador. À côté du cadre, un verre est posé. C'est celui dans lequel Manuel a bu au bar du père de Luis lors de leur première rencontre, cinquante ans plus tôt.

Les gens qui sont au courant de notre cohabitation sous ce toit seraient étonnés d'apprendre que Luis et moi n'étions pas du tout des amis lorsqu'il est arrivé en Amérique avec moi. Nous étions simplement réunis par notre amour pour le même homme, et nos univers personnels venaient d'être simultanément annihilés par la trajectoire infortunée d'une corne de taureau. Nous étions perdus, tous les deux, et à la recherche d'un moyen d'aller de l'avant.

J'avais fait de mon mieux pour ne pas avoir de problèmes avec les hommes qui entouraient Manuel et j'avais globalement réussi. Ils me respectaient parce qu'ils avaient conscience du respect que je leur portais. Je n'étais pas envahissante, j'essayais de ne pas distraire Manuel. Je voyageais de mon côté, près d'eux mais jamais avec eux, parce que je savais qu'une femme dans l'entourage d'un torero était considérée comme le summum de la *mala suerte*, du mauvais œil. Je rendais Manuel heureux mais je ne le comblais pas ; comblé, il aurait perdu son ardeur.

Tout cela n'avait pourtant pas suffi à me gagner la confiance de Luis. Au risque de simplifier excessivement les choses, je dirais que nous étions en compétition pour le même homme et que cette rivalité interdisait l'amitié. Ses sentiments envers Manuel étaient d'une autre nature que les miens, bien sûr. Manuel était mon amant ; le désir que j'avais de lui naissait de la passion poétique et du besoin physique qu'il m'inspirait. Il avait changé mon existence au point de constituer brusquement toute ma vie. Pour Luis, c'était une idole, un ami, un guide et un sauveur. Manuel lui avait donné l'occasion d'échapper aux limites contraignantes d'une famille nombreuse dans une petite ville et aussi toute une nouvelle philosophie, une autre façon de voir le monde. Il avait changé sa vie en lui permettant de se couler dans la sienne.

— ¿ *Qué le pasa ?* – Il est arrivé derrière moi. – On espionne ? On fouille à la recherche de cigarettes et de matériel pornographique ?

— Oh, par pitié, Luis ! Je suis venue vous montrer la carte postale de Shelby et la lettre de Rafael, c'était ouvert, je suis entrée. – Je les lui tends. – Où étiez-vous ?

— Dehors. Je marchandais avec ce type qui vend des lapins.

— Et alors ?

— Alors, je vois pas mal de *conejo con ciruelas* dans notre futur proche.

Je souris en m'asseyant dans l'un de ses fauteuils.

— Du lapin aux pruneaux ? – Bonne idée. – Sinon, on dirait que Shelby est enchantée d'être à Paris. Du coup, elle m'a fait réfléchir à Kyle et à Klint. J'ai l'impression que je ne m'occupe pas assez bien d'eux. Je devrais élargir leur horizon, pas seulement les nourrir. Je pensais que nous pourrions leur donner des leçons d'espagnol.

Lâchant les coupures de presse envoyées par Rafael sur la table, Luis lève les deux mains devant lui en roulant des yeux effarés.

— ¿ Se ha vuelto loca o qué ?

— Inutile de faire un drame ! Non, je ne suis pas folle. Qu'y a-t-il de mal à vouloir leur faire apprendre une autre langue ?

— Vous pouvez le vouloir, *vous*, mais tant qu'ils ne le voudront pas, *eux*, ça n'arrivera sûrement pas.

— Et un petit voyage à Pittsburgh, alors ? Je pourrais les amener au musée, ou au théâtre. Ou bien quelque chose d'historique ? Une excursion à Gettysburg ?

— Oh oui, oui, ce serait excellent ! s'exclame-t-il avec un enthousiasme feint. C'est exactement ce qu'ils aimeraient ! Deux heures de voiture juste pour se geler dans un champ pendant que vous leur causerez de fusils à poudre et d'esclavage. Enfin, ce sera instructif, venant de quelqu'un qui était déjà né en ce temps-là…

— Très drôle.

— Je crois que vous en faites bien assez pour eux.

Je me lève avec l'intention de quitter la pièce, mais mes yeux tombent sur un dessin posé près de l'ordinateur de Luis.

— Qu'est-ce que c'est ?

— Rien !

Luis se précipite sur moi et tente de me reprendre la feuille de papier.

— On dirait votre frère Javier ! C'est une superbe caricature. D'où vient-elle ?

Les reflets d'une intense lutte intérieure passent sur le visage de Luis. Je ne vois pas une seule raison pour laquelle il voudrait me cacher l'identité de l'auteur de ce croquis, et je m'apprête à l'interroger encore quand il concède d'un air défait :

— C'est de Kyle.

— Kyle ?

— Oui, Kyle ! Il fait tous mes frères et sœurs. Ça, ce sera mon cadeau de Noël pour Miguel.

J'étudie le dessin de plus près.

— Je ne savais pas du tout qu'il dessinait.

— Et il peint, aussi.

— Vraiment ? Vous avez vu des peintures de lui ?

— Oui.

— Pourquoi ne m'en a-t-il rien dit ? Il voit tous ces tableaux chez moi, il a bien dû comprendre que j'aime la peinture !

— Je m'en suis seulement rendu compte parce que je l'ai vu dehors avec carnet de croquis, un jour, et qu'il a été forcé de m'expliquer. Il est timide, sur ce plan. Presque gêné d'avoir du talent. Il n'a pas encore confiance en lui.

— Eh bien, il faut lui en donner !

Luis s'empare du dessin et le range dans un tiroir.

— Il n'en aura jamais si vous lui tombez dessus comme une livre de briques.

— Une tonne de briques, on dit.

— Peu importe. Même une seule brique, c'est beaucoup, quand on vous la lance à la tête ! Vous ne ferez que l'effrayer et le décourager. Il faut être subtil.

— Je peux l'être.

— Non, vous en êtes incapable.

Deux cents plans se forment déjà dans mon cerveau.

— Il va sans doute avoir besoin de matériel de première qualité. Et je peux l'autoriser à transformer l'ancien bureau de Stan en studio, là-haut. Il devrait prendre des cours. Et...

Luis m'arrête d'un regard impérieux.

— Un grand artiste doit trouver sa voie tout seul. Il n'a pas besoin d'être coaché comme un joueur de base-ball !

— Ce n'est pas mon intention. Je veux seulement l'encourager. Il doit se sentir soutenu.

— Il doit sentir qu'on lui fiche la paix !

Contournant Luis, j'ouvre le tiroir et je m'empare du dessin.

— Après avoir vu cela, on ne peut pas le laisser en paix.

Luis laisse échapper un soupir.

— Je sais.

Les jours suivants, je me triture l'esprit pour trouver un biais par lequel aborder ce sujet avec Kyle. Luis n'avait pas tort d'insister sur la nécessaire subtilité, car tous les scénarios que je caresse semblent décidément trop évidents, et je finis par me résigner à attendre que l'occasion se présente spontanément. C'est ce qui arrive le dimanche après-midi suivant, lorsque je le croise dans le couloir de l'étage, une rareté. De plus, il n'est pas accompagné de son frère et il n'a pas l'air particulièrement pressé. Il me salue. Je lui fais signe de venir vers moi.

— Que penses-tu de ce tableau ? – J'ai fait halte devant une reproduction de *Los Borrachos*, que nous contemplons ensemble un moment. – Vois-tu, presque tout ce que j'ai ici est original mais j'ai aussi quelques copies de mes œuvres préférées qui appartiennent à la catégorie des inaccessibles, si je puis dire. Tu as devant toi une reproduction du très célèbre tableau d'un peintre espagnol tout aussi fameux. As-tu entendu parler de Vélasquez ?

— Non.

— Ah... Et de Goya, si, certainement ?

— Non.

— Non ? Que vous apprennent-ils, à l'école ?

— Je ne sais pas. Pas mal de trucs, je crois, mais pas grand-chose sur les peintres espagnols.

— Picasso, cela te dit quelque chose ?

— Bien sûr. Tout le monde connaît Picasso. Même les gars de l'équipe de Klint savent qui c'est.

— Ah bon ? dis-je, agréablement surprise. Tu veux que dire que ces joueurs de base-ball ont parlé de l'œuvre de Picasso avec toi ?

— Pas exactement. Un jour, je dessinais en attendant que Klint termine l'entraînement et un des gars est passé par là, il me l'a pris, il l'a montré autour de lui et ils se sont tous marrés. Et après, à chaque fois qu'ils me voyaient quelque part, ils disaient tout haut entre eux : « Hé, regardez un peu, c'est le frangin de Klint ! Il se prend pour un putain de Picasso ! »

Ma brève lueur d'espoir s'éteint lamentablement.

— Pardon pour le langage, s'empresse d'ajouter Kyle.

— Mais c'est affreux !

— Mais non, c'est rien, affirme-t-il en se débarrassant de ce souvenir d'un haussement d'épaules. – Ouais, ce tableau, je l'aime bien. Je l'avais déjà remarqué. Les expressions qu'ils ont tous, c'est très réaliste et... – Il cherche le mot juste, le trouve. – ...très moderne. Ils ressemblent à des types que je connais. Ils pourraient être les potes de bowling de mon père. Ils sont soûls, c'est ça ?

— Oui. C'est le titre du tableau. *Los Borrachos*, les ivrognes. Ce personnage, là, c'est Bacchus, le dieu du vin.

— Il a peint ça quand ?

— Au début du XVIe siècle.

— C'est plutôt cool, de voir qu'il y a cinq siècles les gens étaient à peu près pareils qu'aujourd'hui.

— Oui ? Moi, j'ai toujours trouvé qu'il était déplorable qu'ils aient si peu changé.

Il sourit, et je suis alors saisie par l'envie de lui montrer le tableau que je chéris le plus.

— Suis-moi, Kyle. J'ai un autre tableau à te montrer.

Je le fais entrer dans ma chambre. C'est une grande pièce à haut plafond, toute en baies vitrées sur deux côtés, peinte et décorée dans des tonalités reposantes de vert pâle. Comme je ne supporte pas de dormir dans un espace encombré, il n'y a que très peu de meubles et ils sont dépourvus du bric-à-brac – coffrets à bijoux, flacons de parfum, photos sous verre – dont la plupart des femmes couvrent leurs commodes et leurs tables de nuit. Et je n'ai accroché qu'un seul tableau.

— Voici mon trésor, Kyle. Un original de Joaquín Sorolla. Il a été donné à Manuel par un riche admirateur qui était aussi un collectionneur d'art. Voyant à quel point je l'aimais, Manuel me l'a offert.

Kyle observe avec attention. Une fillette et un garçon debout sur une plage, se tenant par la main devant la mer que le soleil irise. Torse nu et pieds nus, le garçon baisse les yeux sur sa sœur cadette en robe rose que le vent gonfle. Elle cherche à l'entraîner dans l'eau et il la regarde avec une patience émouvante.

— C'est beau, souffle-t-il simplement.

Il continue à étudier le tableau. Une étrange tristesse apparaît sur ses traits.

— Qu'y a-t-il ?

— La fille. Cet air qu'elle a… Elle ressemble beaucoup à ma sœur.

— Tu ne parles pas souvent d'elle.

— Y a pas grand-chose à dire. Je la vois pas.

— Mais tu aimerais la voir ?

— Évidemment…

— Pourquoi ne le dis-tu pas à ta mère ?

— Je sais pas. C'est assez difficile de parler de trucs comme ça avec elle.

— Tout de même, tu peux lui demander à voir ta petite sœur.

Je tente de contenir ma colère vis-à-vis d'une femme que je n'ai rencontrée qu'une seule fois, mais qui a réveillé en moi une hostilité éternelle.

— Elle le prendrait de travers et elle se fâcherait.

— Comment pourrait-elle… – Il paraît tellement mal à l'aise que je préfère abandonner le sujet. – Je voulais que nous parlions de ce que tu peins toi-même, Kyle. La panique surgie dans ses yeux devrait suffire à me faire renoncer à continuer mais je ne peux plus reculer, maintenant. – J'ai découvert que tu étais doué, vraiment. J'aimerais t'aider. Organiser des cours de dessin, par exemple, ou…

— Non, me coupe-t-il en secouant la tête. Je ne veux pas d'aide, Miss Jack. C'est pas une question d'aide. C'est juste quelque chose que je fais.

— Mais tu ne voudrais pas te perfectionner ?

— Je sais pas. Si, sans doute… Mais je ne veux pas en faire toute une affaire.

— Quelques cours de technique, ce n'est pas « toute une affaire ».

Il rougit violemment.

— Non ! Pas de cours.

— Tu es timide ?

— J'ai participé à un concours de peinture, une fois. Je n'y serais pas allé si je l'étais.

— Et alors ?

— J'ai obtenu le second prix.

— Mais c'est merveilleux !

La vague de fierté absolument irrationnelle qui vient de m'emporter est à tout le moins surprenante.

— Non. Vous voyez ? C'est ce que je disais. C'est pas important.

— Mais si !

— Mais non.

Tandis que je cherche à comprendre son expression tourmentée, les mots de Luis me reviennent soudain en mémoire. Si Kyle était en train de se faire bombarder par des briques bien réelles, il n'aurait pas l'air plus affolé.

— Je te demande pardon, Kyle. Je t'ai embarrassé. Changeons de sujet.

— Merci.

— Me permettras-tu de voir des exemples de ton travail, quand même ?

Il tourne à nouveau son regard vers le tableau, dont la vue paraît le calmer. Je discerne dans ses yeux une forme de tolérance dont je me sais moi-même dépourvue.

— D'accord.

Ce sera la première preuve de confiance qu'il me donnera, et ma première mise à l'épreuve en tant qu'ange gardien.

16

KYLE

TOUT LE MONDE PENSE QUE SI ON PEINT QUELQUE CHOSE, c'est avec l'intention que les gens puissent le voir. Il y a une certaine logique là-dedans mais moi, ce n'est pas ma raison. Je n'aime pas montrer ce que je peins ou dessine. Je préférerais me retrouver à poil devant quelqu'un que de lui montrer mon travail et croyez-moi, je suis pas précisément fou de mon corps.

Ma mère disait que le dessin a été une obsession chez moi depuis tout petit. Il n'y avait aucune fierté dans sa voix quand elle racontait ça. Mon père était un peu plus indulgent. Il prenait le temps de regarder les feuilles que je lui présentais, et alors je captais une lueur d'émerveillement dans ses yeux avant qu'elle soit noyée par la perplexité. Il ne comprenait pas ce que je faisais, ni pourquoi, ni comment j'en étais capable. Ma facilité était une remise en cause de ses conceptions et un affront à l'amour-propre de ma mère. Dans leur esprit, ma motivation était seulement de montrer que j'étais différent d'eux. Si je devais citer un trait de caractère qu'ils avaient en commun et qui les empêchait particulièrement d'être de bons parents, c'est qu'ils prenaient tout personnellement.

J'étais peut-être différent d'eux, mais ce n'était pas un fait exprès. Je voyais les choses d'une autre façon : des angles et des ombres à la place des objets, de la lumière et de la couleur à la place d'une situation donnée. Et ce que je voyais, j'avais besoin de le mettre sur le papier. Je n'ai pas changé.

Quand j'ai terminé un dessin ou une peinture, le montrer me fait la même impression que si on fouillait dans mes affaires. Je ne parle pas de ceux que je réalisais pour Krystal, ou sur lesquels je suis en train de travailler pour Luis : quand c'est pour quelqu'un en particulier, c'est différent. Et c'est pas de la gêne, non plus. Je me fiche qu'on déteste mes dessins, je cherche pas les compliments. La seule chose que je trouve pire que les gens qui se moquent des artistes, c'est ceux qui se prosternent devant eux. Si je n'aime pas qu'on regarde ce que j'ai fait, c'est parce que je trouve que personne n'a le droit d'avoir une opinion, point final.

Miss Jack a aimé ce que je lui ai montré. Elle sait de quoi elle parle sur ce sujet, et puis ce n'est pas une baratineuse, donc son opinion à elle compte, pour une fois. Elle n'a pas non plus commencé à pousser des cris hystériques en disant que j'étais un génie. Elle a surtout commenté mes « potentialités ». J'ai apprécié qu'elle ait l'air si sûre que j'allais continuer à dessiner. Et elle a tenu sa promesse : pas une seule allusion à ces histoires de cours particuliers. À la place, elle m'a acheté deux livres d'art, un sur le musée du Prado à Madrid et l'autre consacré à Joaquín Sorolla. Elle m'a dit que je devrais copier certains tableaux reproduits dedans. J'ai répondu que c'était mal de copier. Pas dans le cas des peintres, elle a dit. Au contraire, il faut reproduire les œuvres des « maîtres » pour perfectionner sa technique et apprendre l'histoire du style. Est-ce que je n'avais jamais vu des étudiants en art faire des esquisses devant les tableaux dans des musées ? C'était pourquoi, d'après moi ? Quand je lui ai dit que j'avais jamais mis les pieds dans un musée, elle a fait la même tête indignée que la fois où je lui ai annoncé que je ne connaissais pas Goya. J'ai regretté de ne pas avoir tenu ma langue au début, parce que je me suis vu embarqué bientôt dans une visite obligatoire à un musée pas trop loin d'ici... mais je me suis rendu compte que cette idée était pas si déprimante, en fait.

J'ai ces livres depuis une quinzaine de jours et bon, la vérité est qu'ils occupent tous mes moments libres. Je n'arrête pas de regarder ces tableaux, longtemps, et après les images restent inscrites dans mon cerveau, j'arrive à les revoir très clairement même quand je m'endors le soir. Des fois, je me souviens d'un détail précis sur une certaine toile et j'ai l'impression que je vais devenir dingue si je ne me relève pas du lit pour aller vérifier dans le livre.

J'ai même commencé à emporter celui de Sorolla avec moi à l'école – celui du Prado est trop gros. Il est bourré de tableaux de gosses jouant dans les vagues ou de femmes se promenant dans des jardins sous des ombrelles, et la couverture est rose avec le titre en violet, alors je le laisse caché dans mon casier et je le sors uniquement quand je suis certain que personne ne va me voir. Une fois, je l'ai même emporté aux chiottes. Je prends un risque énorme, je sais, mais c'est plus fort que moi. C'est pareil que quand il a fallu que je dessine le poisson en verre de Maman sur le mur de la cuisine. Les conséquences sont secondaires.

J'ai finalement sélectionné deux tableaux que j'essaie de copier. Le premier, c'est une scène de bataille par Goya, très sombre et très compliquée. Le second, une plage au soleil traitée à la manière impressionniste par Sorolla, ressemble à la toile que Miss Jack a dans sa chambre, sauf que les rôles sont inversés : on voit une fille plus âgée qui cherche à entraîner son petit frère dans les vagues.

Comme Klint a commencé l'entraînement d'hiver avec l'équipe, j'ai repris son job à la laiterie des Hamilton pour qu'on puisse continuer à rembourser le pick-up. Klint est le seul à le conduire mais elle me botte tellement, cette caisse, que je suis content d'aider à la payer. Par temps chaud, les gens viennent de partout pour déguster les célèbres glaces Hamilton, préparées dans des glacières à tambour tradition-nelles, et le magasin est plein du matin au soir. L'hiver, c'est autre chose : il ne reste que les clients réguliers, ceux qui vien-nent chercher tous les jours leurs œufs frais, leur lait et leur beurre, et c'est surtout le matin. Aux heures où je bosse, il y a une pointe d'activité entre quatre et six heures du soir, quand les gens s'arrêtent ici sur la route de chez eux après le travail, mais après, jusqu'à la fermeture à huit heures, je suis pratiquement seul. Je me suis mis à prendre le Sorolla, et je dessine sur un carnet quand je n'ai rien d'autre à faire. Je sais que j'aurai toujours le temps d'escamoter mon matériel dès que je verrai les phares de quelqu'un arrivant sur le parking.

Ce soir, c'est encore pire que d'habitude. L'hiver s'est installé pour de bon et les gens ne sont pas encore habitués au froid. Personne n'a envie de mettre le nez dehors, sauf pour le strict nécessaire. Je suis assis au comptoir depuis un bon moment avec mon carnet et le livre, et je suis tellement absorbé dans mon esquisse que je ne remarque rien jusqu'à ce que la clochette de la porte tinte. Je lève les yeux au moment où Chad et Danny Hopper entrent dans le magasin, suivis par leur ombre vivante, North Campbell.

Les deux premiers habitent pas loin de notre ancienne maison, avec leur grand-mère, dans une double caravane très souvent visitée par les services sociaux et les chiens errants attirés par l'odeur des centaines de vieux cartons à pizza qu'ils empilent autour de leur terrain au point qu'ils forment comme une enceinte de forteresse. Ils sont dans la classe de Klint. Chad aurait dû terminer le lycée l'an dernier mais il a redoublé deux fois. Si son cerveau ne lui a pas permis d'avoir le diplôme, je trouve qu'il devrait l'avoir rien que pour sa taille et l'abondance de ses poils de barbe. Danny est célèbre pour avoir été envoyé en maison de redressement après avoir donné une raclée à sa mère quand il n'avait que dix ans. Elle lui a pardonné tout de suite, mais par contre elle a flingué le père en proclamant que c'était lui qui avait appris la violence à son fils. Elle est en taule depuis aussi longtemps que je me souvienne. Pour ce qui est de North, personne sait dans quelle classe il est.

— Hé, tête de nœud ! crie Danny en me voyant, ce qui prouve qu'il m'a reconnu.

— Salut.

Je referme le carnet de croquis et le livre, je les fourre sous le comptoir, mais je n'ai pas été assez rapide. Chad m'a vu. Je suis foutu.

— I m'faut des œufs, annonce Danny. Une douzaine d'œufs.

— Tu sais qu'ils sont moins cher au Bi-Lo…

C'est juste pour gagner du temps, en espérant stupidement que j'arriverai à les faire partir avant que la petite cervelle de Chad finisse par réagir à ce qu'il a surpris et le pousse à me demander ce que je planque.

— Ça t'défrise que j'achète mes œufs ici ?

Il ne plaisante pas du tout.

— Non.

— Tu crois que tes œufs sont trop chéros pour moi ?

— Non, non…

— C'te crémerie pourrave est sur mon chemin ce soir, donc j'y prends mes œufs, pigé ?

— Oui, bien sûr.

Il se penche au-dessus du comptoir et je reçois en pleine figure son haleine chargée de tabac à chiquer et de sauce barbecue. Je vois toute sa vie résumée dans le strabisme qu'il se trimbale depuis la naissance, ses dents tachées, toutes de traviole, la cicatrice qui fait une virgule d'un rose brillant sur sa joue et où ses poils ne poussent pas. Chad et North viennent se placer de chaque côté de lui. Je suis en face d'un trio de museaux de brutes qui pointent sous la visière de leur casquette de base-ball. Des ours, mais pas comme Tyler les voit.

— Alors aboule ces putains d'œufs !

Je me précipite vers l'armoire réfrigérée. Du coin de l'œil, je vois Chad se plier en deux par-dessus le comptoir, tâtonner une seconde et sortir mon carnet et mon livre.

— Pourquoi tu bosses ici, d'ailleurs ? s'étonne Danny pendant que son frère se met à feuilleter le bouquin et que North, qui le regarde faire, commence déjà à glousser. J'croyais qu'vous étiez riches, maintenant…

Je reviens avec un carton d'œufs. J'essaie d'expliquer la situation :

— La personne chez qui on vit est riche, pas nous. C'est sa thune, pas la nôtre.

— Ah ouais ? Et le pick-up de ton frangin, alors ? Il a dû troncher la vioque, pour l'avoir ? – Très content de sa vanne, Danny éclate de rire mais il s'arrête d'un coup en constatant

283

que les deux autres ne l'ont pas imité. – Qu'est-ce que vous foutez, vous ?

— Vise un peu ce truc, dit Chad d'un ton ravi.

— C'est quoi ?

— Je sais pas !

Danny lui arrache le livre des mains, tourne les pages si vite qu'il manque de les déchirer. Il relève la tête et me fixe d'un regard mauvais.

— T'es un foutu pédé ?

— Quoi, t'as besoin de poser la question ? commente North.

Chad ouvre mon carnet de croquis.

— Eh matez c'qu'i gribouille là-dedans ! Eh, il est tout nu, ce gosse !

Je cherche à expliquer, encore :

— C'est un bébé, et c'est…

— De Dieu, non seulement c'est un pédé mais aussi un d'ces, un d'ces… comment qu't'appelles les mecs qui baisent des gosses ?

Sans réfléchir, je lui donne l'information :

— Un pédophile.

— Ouais ! font Danny et Chad ensemble.

Je quitte mon abri derrière le comptoir, tout à fait au courant de l'inutilité de ma démarche mais ça m'écœure trop de les voir démolir mon travail et le beau livre de Miss Jack.

— Écoutez, c'est juste un truc que je faisais pour le cours de dessin. Vous pouvez me le rendre ?

— « Juste un truc que je faisais pour le cours de dessin » ! singe Danny en prenant une voix suraiguë.

— Allez, quoi…

Je tends la main vers le livre mais Chad le lève très haut au-dessus de ma tête et North me repousse d'une bourrade dans la poitrine.

Je suis en train d'hésiter sur la marche à suivre quand la clochette tinte à nouveau. C'est mon frère. Peut-être avec un peu trop de jubilation, je crie :

— Hé, Klint !

Si j'avais été coincé par n'importe qui d'autre, sa seule apparition aurait calmé le jeu. Pratiquement tout le monde sait qui c'est, à l'école, et a du respect pour lui, si ce n'est de l'admiration. Malheureusement, les qualités que la majorité des types apprécient chez Klint sont celles qui le rendent détestable à ces trois-là. Après avoir évalué la situation d'un coup d'œil, il prend son masque de joueur de poker.

— Hé... - Il les salue vaguement d'un signe de tête. - Qu'est-ce qui se passe ?

— On mate les œuvres de ton pédé de frère, annonce Chad.

Klint m'adresse un regard exaspéré parce qu'il doit me trouver idiot de m'être fait pincer, mais il n'a pas l'air de m'en vouloir d'être comme je suis.

— Rendez-lui ses affaires, qu'on puisse fermer et se rentrer chez nous, dit-il.

— Sans ça, quoi ? - Danny avance d'un pas vers lui. - Si on lui rend pas, qu'est-ce que tu vas faire ?

— M'oblige pas à faire quoi que ce soit. Rends-lui son matos.

J'essaie de m'emparer du livre, qui est maintenant dans les mains de North. Il le jette à Danny. Chad arrache une feuille du carnet et la déchire lentement en deux.

— Arrête !

Je saute sur lui. Il m'envoie bouler contre l'un des freezers.

— Laisse-le, toi ! crie Klint.

Son bras se détend et il baffe Chad en pleine poire. Un jet de sang jaillit de son nez. Tout de suite, Danny intervient. Je vois son poing arriver sur le menton de mon frère, dont la tête part en arrière. Je m'agrippe au dos de Danny, quelqu'un me tire au moment où Chad envoie un sale coup dans le ventre de Klint, qui a les deux bras immobilisés par North. La douleur le casse en deux et il reste un instant comme ça, et puis il part soudain à reculons en entraînant North dans un rack couvert de bouteilles de lait vides qui dégringolent sur sa tête. North est K-O mais Chad fonce sur Klint et... je ne sais pas ce qui arrive ensuite, parce que Danny me fait passer par-dessus son épaule et que j'atterris brutalement sur le dos. Il commence à me bourrer de coups de pied. Je ne peux plus respirer, donc pas bouger non plus.

— T'es mort, pédé ! beugle-t-il.

Il me saisit par mon tee-shirt pour me relever et me frappe au visage. Quand je vacille en arrière, je vois le coin du comptoir arriver à toute allure vers moi.

Je ne sens rien, pourtant. Il y a juste un choc sourd accompagné d'un craquement, et le bruit paraît venir de l'intérieur de mon crâne. Je tombe au sol. Maintenant, c'est comme de l'eau sous pression qui envahit mes oreilles, un son bizarre brusquement interrompu par celui de la porte ouverte à toute volée. Dans un brouillard, j'aperçois une grosse femme aux traits contractés par la fureur, et c'est elle que j'entends hurler :

— Qu'est-ce que vous fichez depuis tout ce temps, là-d'dans ? Où sont mes œufs, sacrénom ?

La grand-mère Hopper en a eu assez d'attendre dans la voiture, et c'est ce qui nous a sauvés.

Après, nous remettons de l'ordre dans le magasin avant de procéder au bilan des dégâts personnels. J'ai le front ouvert et un œil au beurre noir et, Klint une vilaine coupure à la lèvre qui ne veut pas arrêter de saigner ainsi que la main droite tout enflée, avec les phalanges écorchées. On sait qu'on ne peut pas laisser Miss Jack nous voir dans cet état. Nous avons besoin de quelqu'un qui sait traiter des blessures de castagne, qui n'a pas froid aux yeux et qui est capable de garder un secret. Je crois que je connais la personne idéale.

De tout le personnel de Miss Jack, Hen – Marge Henry pour les non-initiés – est la seule, avec Luis et Jerry, à vivre en permanence sur les lieux. Elle a un appartement au-dessus du garage. Dit comme ça, ça paraît un peu minable, mais vu que le garage de Miss Jack est plus grand que la maison de la plupart des gens, elle est pas mal installée. Il lui arrive de travailler tard, ou d'aider Luis à ranger après le dîner, mais en général elle finit sa journée en début de soirée. Après avoir vérifié qu'il y a de la lumière à ses fenêtres, nous montons doucement l'escalier extérieur en nous cramponnant à la rampe et en grimaçant de douleur à chaque marche. Si ça se trouve, les blessures internes sont encore plus graves que ce qui est visible.

Elle réagit exactement comme je m'y attendais : ni choquée, ni apeurée, ni scandalisée par notre dégaine. Une fois qu'elle nous a fait entrer, elle nous étudie d'un œil expert.

— Combien ils étaient ?

Je réponds pour nous deux :

— Trois.

— Armés ?

— Non.

— Une embuscade ?

— Non. Ils ont attaqué direct.

— À propos de quoi ? Une fille ? Une question d'argent ?

— Un cas de vandalisme, dit Klint.

— Asseyez-vous, ordonne-t-elle en nous précédant dans un living immaculé.

Elle revient très vite avec une trousse de premiers secours, un sac de glace, un bol d'eau bouillante, deux serviettes et une assiette de *marquesitas* de Luis.

C'est étrange de la voir habillée normalement, mais elle a l'air aussi impeccable qu'en uniforme avec sa jupe longue en velours chamois, son pull rose et ses chaussons en satin blanc brodés de roses roses.

Elle s'occupe d'abord de moi, tout en disant à Klint de poser la glace sur son poing gonflé.

— Cette plaie sur le front demanderait deux ou trois points de suture mais ne t'inquiète pas, je fais des miracles avec les pansements cicatrisants. Ça ne laissera même pas de marque, mais de toute façon on s'en fiche, non ? Tu es un mec et les filles sont folles des cicatrices.

— Pas celles qui l'intéressent, intervient Klint. Elles, c'est plutôt les voyages à Paris et les BM décapotables qui les branchent.

Hen lui jette un coup d'œil tout en s'activant.

— Tu parles de Shelby ?

— Ferme-la, Klint !

— Elle est très gentille et très jolie, mais à mon avis elle est trop immature pour toi.

— *Elle* ? Trop immature pour *moi* ?

D'un doigt, elle passe sur la plaie une sorte de crème qui brûle atrocement.

— Bon, je ne la connais pas bien, et même pas du tout, mais ça saute aux yeux qu'elle est gâtée et protégée comme tout. Toi, tu comprends le monde.

— Comment ça ? Eh, c'est elle qui est en France !

— Il y a plein de types qui sont présentement assis au bar de mon père et qui ne sont jamais allés plus loin que Centresburg mais qui connaissent le monde mieux que personne. Je ne parle pas d'être capable de se balader à travers toute la planète. Je parle de savoir comment le monde fonctionne.

Quand elle applique le premier bandage transparent sur la coupure, elle s'applique tellement qu'elle pointe le bout de la langue. Elle se recule pour apprécier son travail et, satisfaite, elle en pose un autre.

— Vous allez devoir raconter à Miss Jack ce qui est arrivé, les amis, déclare-t-elle. N'importe comment, vous ne pourrez pas le lui cacher, et elle va apprendre très vite que vous avez été mêlés à une bagarre.

— Surtout pas ! Elle va téléphoner aux flics ou, encore pire, débarquer chez les Hopper et leur faire une conférence sur l'aberration de la violence gratuite.

Klint se marre. Je suis étonné. Après ce qui est arrivé, je m'attendais à ne pas pouvoir lui tirer un sourire pendant six mois.

— Mais non. Elle mettrait jamais les pieds dans une caravane.

— Je ne serais pas aussi catégorique là-dessus, glisse Hen avec un sourire entendu, comme si elle connaissait un secret particulièrement juteux. Vous voulez entendre une bonne histoire ?

Sans attendre de réponse, elle se laisse tomber sur le canapé entre nous et c'est ainsi que, tous les trois serrés comme des sardines, elle se lance dans son récit :

— Miss Jack avait passé une annonce pour une gouvernante et j'y ai répondu. Je ne venais pas d'un milieu excellent, je n'avais aucune expérience, mais je lui ai écrit que je m'y entendais pour briquer une maison de fond en comble, et elle m'a donné ma chance. Tout allait très bien jusqu'au jour où mon père s'est pointé ici. J'avais vingt ans, j'étais assez grande pour mener ma vie, mais il ne voyait pas les choses comme ça. Il pensait que je devais m'occuper de lui et trimer à son bar jusqu'à ma mort, que ça me plaise ou non. Il m'a attendue dehors, dans son camion, et quand je suis sortie pour lui parler il m'a enlevée. Il avait son flingue avec lui !

Je me redresse d'un bond.

— La vache !

— Eh oui…

Elle qui a déjà le teint rosé normalement, elle est presque pivoine, maintenant, et ses yeux bleus scintillent. Elle prend le ton de la confidence :

— Et je ne sais pas du tout comment Miss Jack a découvert ce qui s'est passé mais plus tard, le même soir, elle est entrée dans le bar.

Klint lâche un sifflement épaté.

— Miss Jack est allée à La Calotte du mineur ?

Hen sourit de toutes ses dents.

— Carrément ! Il y a eu un grand silence, tout le monde s'est arrêté. Je n'avais jamais vu une chose pareille. Elle est allée directement au comptoir et elle a dit à mon père : « Je cherche le propriétaire de cet établissement. » – Franchement, elle imite Miss Jack à la perfection. – Mon père l'a regardée comme si elle venait de descendre d'une soucoupe volante. Il a fini par répondre : « C'est moi. » Et elle, avec cet air qu'elle a des fois : « Dans l'avenir, monsieur Henry, je dois vous prier de vous abstenir d'entrer sur mes terres sans y avoir été autorisé, ainsi que de vous mêler des occupations de mes employés. Si cela se produit encore, je serai contrainte d'alerter les autorités compétentes. » – Elle frappe dans ses mains, transportée par ce souvenir. – Et ensuite, elle s'est tournée vers moi et elle a dit : « Marjorie ? » Au début, j'ai presque regardé derrière moi pour voir à qui elle s'adressait. Depuis toujours, tout le monde m'appelait Hen. Je ne suis même pas sûre que mon père savait que mon nom était Marjorie. J'ai suivi Miss Jack dehors et ça a été terminé : mon père n'est plus jamais venu m'embêter, et personne d'autre qu'elle ne m'appelle Marjorie.

Elle termine son histoire aussi soudainement qu'elle l'avait commencée. Elle se lève d'un bond, s'empare d'une serviette, plonge un coin dans le bol d'eau chaude et se met à nettoyer la lèvre de Klint.

Une fois qu'elle a fini de nous soigner, on dit merci et on s'en va. On est en retard pour le dîner et il va falloir expliquer pourquoi, donc on est pressés d'expédier cette corvée.

En passant, on s'arrête au pick-up pour reprendre nos sacs d'école et celui qui contient l'équipement d'entraînement de Klint. Il est le premier à s'apercevoir que j'ai laissé mon carnet de croquis sur le siège, tout à l'heure. Quand il le prend, ma réaction instinctive est de le lui retirer des mains, mais une sorte de scrupule me retient. Je sens que ce ne serait pas bien, après la bagarre à la laiterie. Est-ce qu'il me défendait moi, ou est-ce qu'il voulait protéger mes dessins ? Je ne suis pas sûr, et je me demande s'il réalise que c'est la même chose.

Il escalade le perron, s'immobilise devant la porte, sous la lanterne, et il feuillette rapidement le carnet. Il n'a encore fait aucun commentaire sur ce qui a provoqué le grabuge avec les frères Hopper. Je me prépare à quelques mots d'engueulade écœurée. Il s'arrête sur une esquisse que j'ai faite en cours de sciences, d'autres élèves assis dans ma rangée. Je me prépare à une vacherie bien sentie. Au lieu de ça, il me pose une question :

— Quand tu dessines comme ça, est-ce que ça t'empêche de penser à d'autres trucs ?

— Euh… ouais.

Il referme le bloc de feuilles et me le rend sans rien ajouter. C'est seulement une idée, mais je me dis qu'il vient peut-être de se rendre compte que j'avais besoin de trouver un moyen d'échapper à notre vie, moi aussi.

17

J'AI JAMAIS ÉTÉ FANA DE NOËL. Je dis pas que j'aime pas. Comme n'importe qui, j'apprécie de recevoir des cadeaux, de manger de la dinde et de voir la famille réunie. Le problème, c'est que toutes ces bonnes choses, dans ma famille, s'accompagnent de quelques mauvaises.

Je ne me rappelle pas une seule année de ma vie où ma mère n'ait pas été d'une humeur de chiotte à partir de novembre et jusqu'à janvier. Elle se plaignait d'avoir à décorer, à cuisiner, à faire le ménage, ce que je trouvais plutôt dur à avaler puisque c'était Papa et nous, les enfants, qui nous occupions du sapin et des lumières, que sa définition de cuisiner était de saupoudrer de sucre glace rouge et vert les cookies meringués qu'elle achetait tout prêts, et que la maison était autant en désordre à Noël que le reste du temps.

Et mon père était toujours stressé, lui aussi, parce qu'il devait supporter les jérémiades de Maman et parce qu'il se faisait du souci pour tout l'argent que nous dépensions alors et que nous n'avions pas. Il buvait plus que d'habitude, à cette période, et il pouvait devenir vachement sentimental en parlant de la luge que Santa Claus lui avait apportée quand il avait six ans et qu'il avait explosée contre un arbre en récoltant quinze points de suture sur le crâne. Ou bien, il évoquait avec des trémolos dans la voix le Noël où Grandma Bev avait mis le feu au col en tulle de sa robe en se penchant sur des bougies et où elle s'était brûlé le cou au troisième degré. Ou encore, les yeux humides et un sourire tremblant aux lèvres, le soir de Noël où ses copains et lui s'étaient glissés dans le fortin qu'ils s'étaient construit avec de la neige après la tombée de la nuit, que l'un des voisins, bourré, avait pris sa carabine en pensant qu'il s'agissait de ratons laveurs et qu'il avait criblé de plomb les fesses d'un pote.

Il y avait de la casse dans tous ses souvenirs de Noël, tandis que Maman n'en avait aucun, ou en tout cas aucun qu'elle voulait partager avec nous. Et Tante Jen, pareil. Quand je me risquais à leur demander comment les Noëls de leur enfance avaient été, je récoltais quoi ? Un regard vide et l'une ou l'autre attrapant la première bouteille à portée de main.

Malgré tout, le grand jour en question commençait assez bien, d'habitude. Le matin, nous nous levions pour ouvrir nos cadeaux pendant que nos parents, enveloppés dans des peignoirs rouges décorés de rennes de dessins animés, les yeux gonflés et les cheveux dressés sur la tête, luttaient contre leur gueule de bois avec plusieurs tasses de café et des tas de cigarettes. Vers midi, Maman se sentait assez bien pour s'habiller, sa tenue de Noël consistant en l'un de ses pulls de fête tellement chatoyants qu'ils donnaient mal à la tête, une minijupe en velours noir et des bottes rouges vernies à talons hauts que mon père appelait ses bottes de lutine coquine.

Pendant quelques heures, ils s'échangeaient des déclarations d'amour, flirtaient, s'embrassaient et buvaient à leur santé respective. Et ils nous aimaient, nous aussi. C'était encore au temps où Klint et Maman n'étaient pas à couteaux tirés ou à s'éviter, où elle le serrait dans ses bras quand il revenait d'un match, ébouriffait tendrement sa tignasse quand il dévorait son petit déjeuner et lui donnait un baiser chaque soir avant le coucher. L'espace d'un moment, nous formions une famille heureuse qui s'agrandissait avec l'arrivée de Tante Jen, à chaque fois de sale humeur parce qu'elle n'avait pas de cavalier ou parce que celui qu'elle avait lui déplaisait. Puis Bill se pointait, affublé d'une fausse barbe blanche et d'un bonnet de Santa Claus, chargé d'une caisse de bière et d'un sac de cadeaux. Maman se chargeait de remonter le moral de sa sœur, Bill ouvrait une canette, s'asseyait à côté de Papa et l'écoutait raconter pour la centième fois l'histoire du Noël où sa mère avait pris feu. Le déjeuner commençait, tout allait bien, mais en milieu de repas il y avait toujours quelque chose qui mettait Maman en colère. Papa essayait de la calmer. C'était impossible, parce que quand elle avait décidé de se fâcher, rien ne pouvait la faire changer d'avis.

Finalement, les cris, les claquements de porte et les lancers d'assiettes devenaient un peu trop pour nous, les enfants. Avec Klint et Krystal, on ramassait nos nouveaux jouets, on allait se barricader dans l'une de nos chambres en poussant une commode pour en interdire l'entrée et on faisait notre fête à nous. C'était le moment que je préférais toujours, ce calme après la tempête. Même Krystal, qui avait tendance à pâlir et à être prise de tics nerveux à chaque fois que nos parents se disputaient, retrouvait vite une joie tranquille.

Ça a été un soulagement pour moi de constater que Miss Jack ne fait pas tout un plat de Noël. Jerry installe un sapin dans le salon, Luis une crèche, et ça s'arrête là. Je crois que son peu d'intérêt pour cette fête vient de ce que Luis n'est pas là, puisqu'il passe presque tout le mois de décembre en Espagne, avec sa famille.

Il est parti il y a une quinzaine de jours, super-sapé – costume anthracite et manteau noir à col en fourrure –, très souriant et sifflotant *Jingle Bells* pendant qu'il chargeait dans le coffre de la voiture quatre énormes valises qui ne contenaient pratiquement que des cadeaux. Ce doit être une vedette quand il débarque dans sa petite ville natale : l'oncle d'Amérique bardé de présents qui travaille pour une riche héritière et a été dans le temps un proche d'El Soltero...

J'ai pu finir les caricatures avant son départ. Ça n'a pas été facile, j'ai bossé dessus tous les jours pendant un mois mais ça valait la peine, parce qu'il les a beaucoup aimées et me les a payées trente dollars pièce, soit deux cent quarante au total ! Il a dit qu'il aurait dépensé plus que ça en cadeaux quelconques et superflus, alors que ces dessins étaient uniques, représentaient une attention spéciale.

Sur le coup, ça m'a donné la pêche et je me suis dit que je pourrais gagner ma vie en dessinant, et puis j'ai réfléchi que ces deux cent quarante sacs représentaient un mois entier de travail et que ça faisait pas lourd, au final. Mais c'est quand même sympa et stimulant de penser que des dessins avec ma signature vont se retrouver sur les murs de maisons d'un pays

293

différent, de l'autre côté d'un océan, appréciés par des gens qui se fichent du base-ball.

Avant de partir pour l'aéroport, Luis nous a laissé des instructions concernant Miss Jack, à Klint et à moi. Pas vraiment des consignes précises sur des trucs qu'on serait censés faire mais plutôt un rappel des limites et déficiences dues à son grand âge. On savait qu'elle était pas loin et pouvait tout entendre, mon frère et moi, et Luis devait le savoir aussi. « N'oubliez pas que Miss Jack est très vieille », il a dit en enfilant son manteau et ses gants ; « faites bien attention qu'elle ne tombe pas et se casse pas quelque chose ». Et il a ajouté : « Rappelez-vous qu'elle est un peu sénile, aussi. Il faut que vous vérifiiez de temps en temps qu'elle n'a pas fait de bêtises. » Et après ça : « Enfin, n'oubliez pas que Miss Jack a l'habitude que je fasse tout pour elle. On ne s'attend pas à ce que vous preniez ma place, et Dieu sait que personne n'a jamais pu... – là, il a levé les yeux au ciel comme lui seul en est capable – ... mais il ne faut pas que vous vous fâchiez si elle se met à vous donner des ordres et à vous traiter en esclaves comme elle le fait. Simplement, rappelez-lui que vous êtes libres. Et dites-lui que son esclave respire enfin et prend un peu de bon temps sans elle. »

Il a aussi préparé des tonnes de plats à l'avance et les a mis au congélateur pour nous. On s'est rendu compte peu à peu qu'il réussit tout, pas seulement la cuisine espagnole mais aussi ce qu'il y a de mieux dans la bouffe américaine : les lasagnes, la pizza, la sauce au jus de viande, les tacos, le poulet frit, les macaronis au fromage, les côtes de porc farcies et les meilleures frites que j'aie jamais mangées. Et ça l'embête pas du tout de cuisiner ça. Au début, j'ai cru qu'il allait se sentir insulté, mais il a dit que c'était Miss Jack qui voulait tout le temps de la cuisine espagnole. Il est capable de faire toutes sortes de plats, à condition d'y ajouter sa touche à lui.

Ces derniers temps, Miss Jack a été assez sombre. J'ai un peu de peine pour elle, mais je sais que c'est surtout pour moi que je devrais en avoir. Parce que c'est mon premier Noël sans Papa. C'est une épreuve, d'après le psychologue qui nous voit à l'école. Je suis censé crouler sous des tonnes de souvenirs déchirants. Il serait très déçu, s'il savait que je vais pas chialer toutes les larmes de mon corps aujourd'hui, seulement, Papa ne me manque pas plus aujourd'hui que n'importe quel autre jour. C'est peut-être parce que Noël a cessé d'être un grand truc sentimental depuis que Maman et Krystal sont parties. Comme si elles avaient emporté tout l'esprit de la fête, en plus des décorations de Noël. Par chance, on avait découvert que le magasin de tracteurs et de matériel agricole avait un peu de déco publicitaire au moment des fêtes, et c'est pour ça que depuis leur départ notre sapin a toujours été décoré avec des moissonneuses-batteuses John Deere miniatures et des bonshommes de neige en tenue de chasse et fusil en bandoulière.

Ce qui me déprime le plus aujourd'hui, c'est que Shelby ne soit pas là. Ça devait être l'occasion de passer une fête importante avec elle ; au lieu de ça, elle a décidé de rester en France. Elle m'envoie de temps à autre des textos pour s'extasier sur tout ce qu'il y a de génial à Paris et me remercier encore et encore d'avoir sauvé Baby, mais à part ça c'est quelqu'un de plus à avoir disparu de ma vie.

Miss Jack m'a dit qu'en temps normal on aurait eu son neveu et sa famille à la maison toute la journée, mais puisque les parents de Shelby ont préféré la rejoindre à Paris et que Skylar fête Noël avec son fiancé, ça n'a pas été possible cette année. Elle ne m'a paru bouleversée plus que ça. Starr, elle, a choisi de rester seule à la maison, mais elle doit normalement passer chez Miss Jack plus tard dans la journée et c'est la seule chose que j'attends avec impatience. En fait, je sais pas pourquoi l'idée de la revoir m'emballe tellement, à part le fait évident qu'elle est super-sexy, mais elle me donne les foies, aussi. Dans ma tête, je la vois comme une chatte très racée et très dangereuse parcourant les pièces de l'immense maison de Cam Jack, à la recherche d'une proie digne d'elle, et même si je sais que je ne suis pas assez appétissant pour qu'elle veuille me bouffer il y a toujours une chance qu'elle me saute dessus rien que pour se distraire de son ennui.

Miss Jack est assise à côté du sapin, dans un fauteuil à dossier raide tendu de satin rayé, en tenue des grands jours. Jerry a allumé un feu pour elle ce matin et les flammes qui dansent dans la vaste cheminée donnent une note de gaieté et de chaleur au salon. C'est notre première fois ici depuis notre visite générale à la recherche d'une télé ou d'un fantôme, Klint et moi. C'est très beau, mais à peu près aussi accueillant qu'une salle de musée ; il manque seulement les cordons en velours rouge et le guide expliquant à voix basse l'histoire des tableaux accrochés, le style et la période des meubles, ainsi que l'identité du célèbre sculpteur qui a taillé le manteau de cheminée en marbre bleu, ou celle du peintre auteur de la fresque représentant une scène de chasse sur le haut plafond.

Presque toutes les pièces de la maison sont intéressantes, pleines de couleurs et reflètent les goûts de Miss Jack, mais celle-ci reflète uniquement qu'elle est très riche. Comme nous avons eu mal aux fesses rien qu'en jetant un coup d'œil aux sièges, Klint et moi avons préféré nous allonger par terre au pied du sapin, en bas de pyjama et tee-shirt, alors qu'elle est installée cérémonieusement dans son fauteuil, portant une robe longue en soie verte à col montant, deux grandes émeraudes pendant à ses oreilles.

Un soir, à dîner, elle nous a annoncé qu'elle désapprouve les gens qui font toute une histoire de Noël, et encore plus quand ils achètent des quantités absurdes de cadeaux. Elle a déclaré qu'un seul présent peu coûteux mais choisi intelligemment vaut plus qu'une vingtaine de trucs hors de prix qui ont pour seule fonction de prouver combien d'argent quelqu'un peut claquer en un minimum de temps et sans se donner la peine de réfléchir. Comme tout le reste en Amérique, l'échange de cadeaux est devenu une compétition, d'après elle. En entendant ça, on a échangé un regard désolé, Klint et moi. On avait espéré des tonnes de présents irréfléchis, mais on a poliment convenu avec elle qu'un seul serait grandement suffisant. Pourtant, en voyant maintenant le modeste tas de paquets emballés sous l'arbre gigantesque qui scintille d'or et d'argent, j'en viens à me dire qu'on aurait mieux fait de la fermer.

— Eh bien, allons-y, donc, dit Miss Jack en se levant avec un sourire. – Elle passe le bras sous les branches basses pour en sortir deux boîtes, une pour chacun de nous. Ça vient de notre mère. – Je crois que vous devriez ouvrir ceux-là en premier.

On se consulte d'un œil sceptique et résigné, mon frère et moi. Le papier d'emballage orange est décoré de petits piments rouges surmontés de bonnets de Santa Claus et fendus d'un sourire. Même Noël, il faut qu'ils le fassent de travers, en Arizona.

Je me sens moins déprimé quand je me demande si Krystal m'a fabriqué quelque chose, cette année. Autrefois, j'y avais tout le temps droit. C'était une gosse bourrée d'imagination qui collectionnait les jeux de construction, les cahiers de découpages et autres machins qui lui permettaient de créer tout ce qu'elle voulait, des bijoux aux bougies. Elle aimait aussi improviser à partir de ce qu'elle avait sous la main. Une fois, elle avait monté toute une ferme miniature dans un bocal de mayonnaise vide, avec des arbres et une grange en papier, des vaches et des moutons en plastique collés autour d'un bout de papier alu qui représentait la mare… Un des meilleurs trucs que j'aie vus. Elle avait aussi confectionné à Mister B un débardeur en découpant deux trous pour ses pattes de devant dans la manche d'un vieux tee-shirt de Papa, puis en cousant dessus des cœurs en paillettes rouges et un « Mister B » en perles. Quand j'ai essayé de le lui passer, il a failli m'arracher la figure avec ses griffes mais ça valait la peine parce que après avoir tout fait pour s'en débarrasser, et s'être résigné à ne jamais pouvoir l'enlever tout seul, il a eu la réaction de chat typique : il s'est assis sur son derrière, s'est léché et s'est comporté comme si tout était normal et qu'il avait lui-même décidé de le porter. Même Klint n'avait pu se retenir d'éclater de rire.

Le premier Noël après son départ avec Maman, ma sœur m'avait offert un coussin brodé au sigle des Pirates, mais l'an dernier j'ai reçu un bonnet et des gants qui avaient sans doute été choisis par notre mère. Chaque année, je me pose la question : comment se passent les fêtes pour elle ? Est-ce qu'elle repense à nos Noëls au temps où on formait encore une famille ? Est-ce qu'elle se rappelle comme notre arbre était beau, ses boules et ses guirlandes préférées ? Et Maman qui fredonnait à l'unisson les dizaines de CD de musique de Noël qu'elle avait ? Et Papa assis avec Bill déguisé en Santa Claus, leur canette de bière entourée d'une guirlande festive, se rappelant entre deux éclats de rire tout le sang qu'il avait versé en percutant le vieil érable avec sa luge toute neuve ? Est-ce qu'elle a oublié que nous sortions jouer dans la neige, que je la promenais pendant des heures sur notre traîneau, que nous sucions des stalactites, que nous sculptions des bonshommes et des anges de neige, tous ces trucs bébêtes que les enfants sont censés faire sans penser une minute qu'ils seront privés de tout ça un jour ?

Est-ce qu'elle est triste, ou bien elle préfère sa nouvelle vie là-bas ? Est-ce qu'elle s'est convertie aux bizarreries de l'Arizona, comme d'aller à la piscine ou jouer au tennis le jour de Noël ? Est-ce qu'ils ont un sapin synthétique ? Ou pas de sapin du tout, mais juste un cactus qu'ils décorent ? Est-ce qu'ils mangent de la dinde, ou plutôt un barbecue dehors, avec des hamburgers de Noël et une salade de macaronis rouges et verts ? Est-ce que Jeff se souvient de son enfance, lui aussi, et leur raconte des anecdotes de fêtes passées en buvant des margaritas avec de petites ombrelles en papier posées au bord du verre ?

Nous nous rendons compte en même temps de ce qu'il y a dans nos paquets. Ahuris, nous en sortons des sweaters et des casquettes aux couleurs des Diamondbacks d'Arizona. Nous les tenons du bout des doigts, comme s'ils risquaient d'être porteurs d'une maladie mortelle.

Si on était des pays, on considérerait ça comme une déclaration de guerre ouverte.

— Elle a vraiment la haine contre moi, dit Klint à mi-voix.

Il replace l'insulte dans sa boîte et la repousse aussi loin que possible. Je fouille dans la mienne pour voir s'il y a encore quelque chose. Une carte de supermarché avec seulement « Love, Krystal ».

— Il y a un problème ? interroge Miss Jack en voyant notre mine. Vous portez ce genre de casquette et de pull tout le temps. Je croyais que vous aimiez le base-ball.

— On aime le base-ball, mais pas cette équipe.

— Et cela fait une différence ?

Klint continue à secouer la tête d'un air aussi rebuté qu'incrédule. Le haut de ses oreilles a viré au rouge carmin.

— Ouais, dis-je. Une grosse différence.

Je tends un paquet à Miss Jack.

— Pour vous…

— Qu'est-ce que c'est ?

— Un cadeau de ma part.

— Ce n'était absolument pas nécessaire !

Elle a un ton sec, mais elle ne peut pas cacher l'agréable lueur de surprise dans ses yeux. Elle retire très soigneusement le papier d'emballage comme si elle comptait s'en resservir et sort un foulard en soie dans des nuances pastel de rose, de vert et de jaune. Elle le déplie devant elle, tâte le tissu.

— Je suis très touchée, Kyle. C'est magnifique.

— Je sais que vous aimez les foulards.

Elle le pose sur sa tête, rit comme une petite fille qui s'amuse à s'habiller en grande, et pendant quelques secondes je vois la femme qu'elle aurait pu être si elle avait eu la chance de passer sa vie avec Manuel, et peut-être d'avoir des enfants à elle. Elle n'est pas malheureuse, ni méchante. Elle est incomplète.

Elle retire le foulard, le replace dans la boîte.

— Je promets de le porter bientôt. Et maintenant, à votre tour !

Son regard se pose sur le plus gros des deux cadeaux, un paquet rectangulaire et plat. Je le fais glisser à moi sur le parquet et je déballe un caisson en bois muni d'un fermoir doré et d'une poignée en cuir. À l'intérieur, il y a toute une batterie de crayons, de fusains, des pinceaux de toutes les tailles et des tubes de peinture.

— C'est géant ! J'ai jamais eu un matériel pareil ! D'habitude, je pique ce qu'il me faut en cours de dessin.

Miss Jack a un grand sourire, et l'air encore plus ravie que moi.

— Contente que cela te plaise. Je suis sûre que tu vas amplement t'en servir. Et maintenant, Klint, celui-ci est pour toi !

Depuis qu'il avait découvert le « cadeau » de Maman, Klint s'était retranché dans son monde et ne s'intéressait plus à nous, ce qui me convient parfaitement parce que je sais très bien ce qu'il pense des foulards et des mallettes de peintre. Miss Jack a le doigt pointé sur un paquet qui a la forme d'un livre, ce qui est évident pour moi mais ne l'est sans doute pas pour mon frère, pas précisément un fana des bouquins. Je me dis que ça doit être un classique dans le style *Moby Dick*, ou peut-être « L'art de se tenir à table pour les nuls », mais le titre est : *Clemente. Passion et grâce du dernier héros du base-ball.*

En découvrant le visage de Roberto Clemente sur la couverture, Klint semble près de se mettre à chialer, mais je n'arrive pas à décider si c'est parce qu'il est touché ou parce qu'il se dit qu'il va être forcé de le lire.

— Merci, dit-il, et il y a de la perplexité mais aussi une sorte de respect dans sa voix : il vient de se rendre compte qu'elle s'est débrouillée pour le conduire à entreprendre quelque chose qui est à la fois contraire à sa volonté et complètement irrésistible.

Il ne reste qu'un petit paquet à côté des cadeaux que nous nous sommes faits l'un à l'autre. Nous savons que ce sont des jeux vidéo puisque nous les avons choisis et achetés ensemble. Klint le prend et l'offre à Miss Jack.

— C'est de moi.

— Merci, Klint.

Elle l'ouvre. Un cheval en verre du même rose vif que les chaussettes d'El Soltero. Je le reconnais à l'instant.

— Il était à ma mère, l'informe-t-il d'un ton neutre et détaché comme si Maman était morte depuis des années.

— Klint, je ne sais que dire… Est-ce qu'il ne lui appartient pas encore ?

— Non. Kyle et moi, on le lui avait acheté quand on était gamins. Tu te rappelles, Kyle ?

Un souvenir dérangeant me tombe dessus, celui de l'amour que j'avais éprouvé pour Maman au moment où mes yeux étaient tombés sur ce petit trésor délicat perdu parmi des tonnes de vieilleries derrière la vitrine poussiéreuse de la boutique de l'Armée du Salut à Centresburg, quand j'avais compris dans un éclair d'instinct puéril que je ne désirais rien de plus dans ma vie que lui faire plaisir. Incapable de parler, je fais oui de la tête.

— Quand elle est revenue chercher le reste de ses affaires, elle l'a pas pris avec elle, explique Klint à Miss Jack. – Il réfléchit une seconde et maintenant sa voix est distante, plus grave, plus dure. – C'était une erreur de lui offrir ça. Mais c'est pas ma faute si je m'en rendais pas compte. C'était ma mère. Je lui faisais confiance.

Une fois qu'il a terminé cette étrange déclaration, Miss Jack me lance un rapide regard comme si elle me demandait en silence comment elle devait réagir, mais je n'ai pas de réponse. Je ne suis même pas sûr d'avoir vraiment compris ce qu'il voulait dire. Ce que je sens, par contre, c'est que ça n'a rien à voir avec un petit cheval en verre.

— Je voulais pas le jeter, complète Klint. Vous, vous aimez les jolies choses, alors je me suis dit que vous apprécieriez peut-être.

Elle le lève devant ses yeux et le fait tourner doucement entre ses doigts pour attraper les reflets des lumières du sapin, admirant la finesse des détails de la crinière et de la queue de la jument, l'élégance de ses jambes effilées et le scintillement de ses yeux en faux saphirs bleus.

— Je suis réellement très touchée, déclare gravement Miss Jack en déposant le petit cheval sur la table basse près de son fauteuil, et nous gardons tous les trois nos yeux fixés sur lui. Bizarrement, il devrait passer pour un petit bibelot minable au milieu d'un décor aussi somptueux, et pourtant il garde une force surprenante, toute sa valeur symbolique.

Starr devait déjeuner avec nous mais elle a téléphoné pour dire qu'elle pourrait seulement passer plus tard. Nous avons mangé de la dinde avec tous les accompagnements traditionnels. Comme Luis n'était évidemment pas en mesure de préparer le repas aussi longtemps à l'avance, Miss Jack a fait appel à un traiteur puisqu'elle insiste sur le fait que personne d'autre dans son équipe, même Hen la polyvalente, n'est capable de se mettre aux fourneaux.

Après, je retrouve Miss Jack au salon, en train de se chauffer devant le feu. Soudain, elle se lève, fait quelques pas dans la pièce et s'arrête devant un tableau que je n'avais pas remarqué. Je la rejoins. C'est le même type avec qui j'ai été forcé de passer mes nuits, le même costume de croque-mort et le même regard implacable.

— C'est votre frère ?

— Oui.

La chose est officielle, donc : le banquier du diable est le « Fumier total » comme l'a appelé Jerry.

— Quel genre d'homme il était ?

Elle pince les lèvres et les tapote avec son index tout en réfléchissant à la question.

— Il était très ambitieux. Très déterminé.

Je hoche la tête. Ambitieux, déterminé : deux façons polies de dire « fumier ».

— Très sûr de lui, continue-t-elle. Extrêmement énergique.

Je fais encore oui. Deux façons polies de dire « fumier total ».

— Est-ce qu'il a eu une mort instantanée ?

— Quelle drôle de question ! – Elle me dévisage avec curiosité, laisse retomber sa main de côté, étudie de nouveau le portrait de son frère. – Je pense que oui, en fait. Il a eu une crise cardiaque foudroyante un soir qu'il se reposait à la maison.

— Luis a dit qu'El Soltero est mort sur le coup.

— Oui... – Elle hésite. – C'est ce que les journaux ont dit.

— Le flic m'a dit que mon père est mort pareil. J'en... Je n'en suis pas certain.

— Est-ce important pour toi ?

— Oui, je crois. Je n'aime pas l'imaginer avoir peur, tout seul...

— Je pense qu'il est malheureusement impossible d'éviter d'être seul, quand on meurt. On l'est même vivant, alors... On peut s'entourer de gens, de bruit, de gloire, de biens matériels... Cela ne change rien au fait que nous devons affronter l'important en tête-à-tête avec nous-mêmes.

Elle continue à regarder le portrait et je suis sûr que c'est à lui qu'elle parle, pas à moi.

Brusquement, un carillon de clochettes retentit dans la maison. Surprenant. Le bruit se rapproche. Baby entre au galop. Il porte des bottines rouges, un manteau rouge, un bonnet de lutin bordé de fourrure blanche et des petites cloches.

— Oh, Seigneur ! laisse échapper Miss Jack.

Sans nous accorder un regard, le chien file devant notre nez et saute sur le fauteuil qu'elle venait de quitter. Miss Jack devient blanche comme un drap. Avant qu'elle puisse faire quoi que ce soit, Starr déboule dans le salon, tout en noir : cuissardes qui escaladent ses jambes, pantalon en cuir, pull parsemé de breloques qui font penser à des étoiles dans le ciel de la nuit la plus obscure. Elle ne poursuit pas le chien, c'est évident : elle avance avec une lenteur calme, pas du tout harassée ou paresseuse, juste comme quelqu'un qui est programmé génétiquement pour ne jamais se presser.

— Joyeux Noël, Tante Candace.

— Fais sortir cet animal d'ici. Immédiatement.

— J'ai promis à Maman que je ne le laisserais pas seul un jour de fête.

Tous ensemble, nous fixons le Baby frissonnant qui lui-même nous fixe de ses yeux minuscules, deux billes noires prêtes à jaillir de son crâne.

— Il ne peut pas entrer dans la maison, insiste Miss Jack.

— Oh, quand même, pour une heure ou deux... – Elle me contourne pour aller attraper Baby. – Salut, Kyle.

Elle se souvient de mon prénom ! C'est excitant pendant quelques secondes, et puis je me mets à me creuser la tête pour essayer de trouver quelque chose d'intéressant à lui dire. Si seulement elle m'avait vu un mois plus tôt, quand j'avais un œil au beurre noir et une méga-cicatrice sur le front... Elle est exactement le genre de fille faite pour apprécier la valeur d'un mec qui est capable d'encaisser deux ou trois coups. Cela dit, la bagarre à la crémerie ne m'a pas rapporté toute la célébrité que j'espérais. J'avais pensé qu'on causerait un peu du fait que j'avais essayé de riposter, et que mon cocard me donnerait la dégaine d'un mec qui en a. Le problème, c'est que les frères Hopper et leur toutou de North se sont empressés de raconter partout que j'étais un pédé qui se baladait avec un livre de peinture et plein d'images pornos de gosses à poil et une fois qu'ils ont servi leur baratin, tout le monde est tombé d'accord pour dire que je méritais de me faire démolir le portrait. Et comme d'habitude Klint est passé pour un héros, parce qu'il m'avait défendu.

Je me suis attendu à plus d'ennuis, du genre à me faire coincer dans un couloir ou traîner au fond du parking à la fin des cours, mais les deux Hopper ne m'ont pas cherché. C'est pas plus rassurant, en fait, et je reste à l'affût du prochain emmerdement. J'en suis arrivé à les imaginer comme deux météorites gigantesques tournant autour de la planète en attendant le moment de la démolir, et je sais qu'il sera trop tard pour réagir quand ils me fonceront dessus.

— Salut.

Fantastique réponse, pas de doute. Elle ne sourit pas, mais je vois dans ses yeux qu'elle est amusée.

— Le roi de la batte, où il est ?

— Par-là.

— Tiens. – Elle me jette pratiquement Baby dessus avant de prendre Miss Jack par le bras. – C'est toi qui lui as sauvé la vie, tu peux t'occuper de lui. Moi, je vais passer un moment avec ma tante Candace.

Laquelle, après avoir lancé un regard meurtrier au chien, m'en adresse un à la fois implorant et reconnaissant.

Je vais rejoindre Klint dans sa chambre. Nous passons un moment sur nos jeux vidéo tout en amusant le chien-chien. Au bout d'une heure, à peu près, Starr arrive et nous dit que Miss Jack voudrait que nous venions regarder *La vie est belle* avec elle, une de ses traditions de Noël. C'est une blague ou quoi, dit Klint.

— Non, malheureusement. Elle y tient chaque année, mais si tu es OK pour envoyer ton petit frère lui tenir compagnie on pourrait boire une bière ensemble, nous deux.

Il est obligé de détourner son regard de l'écran.

— Y a pas de bière, ici.

— J'en ai apporté. Elles sont dans ma caisse. Qu'est-ce que tu en dis, base-ball-man ?

Je proteste :

— Pas question ! Vous allez pas m'obliger à rester devant un film à pleurnicher avec elle !

M'ignorant complètement, Starr s'approche de l'ordinateur et, en deux clics de connaisseuse, éjecte le jeu qui occupait tellement Klint.

— Allez, on y va.

Sans broncher, il se lève et la suit.

Je suis le bon gars. Je regarde le film avec Miss Jack, en me demandant de temps en temps où Starr et Klint sont passés, et ce qu'ils font. Soudain, j'entends la porte d'entrée se refermer et Starr apparaît peu après. Elle a remis son manteau et porte le chien toujours aussi tremblant.

— Je pars, annonce-t-elle.

Elle embrasse sa tante, me dit au revoir de loin.

Quand le film est fini, je cherche Klint un peut partout dans la maison. Est-ce que c'était lui qui partait, tout à l'heure ? Mais où il serait allé, et pourquoi ? Je passe mon blouson avant de sortir sur le perron. Le ciel de la nuit est caché par une couche de nuages d'hiver aussi blancs que la neige qui couvre le sol. C'est un monde indéfini, sans lumière et sans obscurité, privé de sons et d'ombres. Tout est froid, étouffé, incolore, mais pas repoussant. Assis sur les marches, j'ai la sensation que j'ai glissé à travers une déchirure dans le tissu de la réalité et que je me suis tombé dans un univers parallèle qui a commencé comme une page blanche et restera comme ça à jamais.

Un frémissement dans cette pâleur immobile, que je n'ai pas vraiment le temps de comprendre parce que le chat surgi d'un buisson a déjà bondi sur les marches. Pendant l'hiver, Mister B reste presque invisible. Depuis qu'il fait froid, il passe la nuit dans la grange et, dans la journée, seules les traces de ses pattes sur la neige rappellent son existence. Il s'arrête d'un coup et m'observe, essayant de décider si je suis

305

un animal fiable. Dans la nuit blanche, ses yeux sont noirs et implacables. Des yeux de fumier total, diraient les écureuils.

Il monte encore deux marches, me reconnaît, se met à ronronner. Je l'attrape et je l'installe dans mon blouson ouvert. Très vite, sa chaleur et la vibration de son ronronnement m'amènent au bord du sommeil. Je me dis que je vais rentrer me mettre au lit quand je vois Klint remonter l'allée, tête basse, les mains dans les poches. Il ne m'adresse pas la parole, ne me regarde même pas lorsque je lui demande d'où il vient.

Je libère Mister B et je reviens à l'intérieur. Klint s'est déjà éclipsé. Avant de grimper l'escalier, je m'arrête devant la crèche installée par Luis, un dernier rappel de la signification de ce jour de fête qui est déjà terminé. Tous les petits personnages sont tournés vers le bébé emmailloté, en adoration, tous sauf un berger qui porte un agneau dans ses bras et garde les yeux levés vers les étoiles. Ses traits crispés sont censés exprimer une extase mystique, mais moi j'y vois quelque chose qui ressemble beaucoup plus à de l'angoisse.

Jésus. En voilà un, personne a jamais prétendu qu'il était mort sur le coup.

18

LUIS

AH, *MI FAMILIA*...

J'arrive à les supporter deux jours, et basta.

Les liens familiaux sont l'un des grands mystères de l'existence. Comment expliquer que l'on puisse aimer des personnes qui nous rendent fous ? Et que nous ayons envie de prendre nos distances avec ces mêmes personnes qui nous manquaient tellement, après avoir partagé une seule paella avec elles et avoir eu le temps de tirer quelques bouffées d'un cigare cubain ?

J'ai une famille merveilleuse, qui me traite royalement à chaque fois que je reviens les voir. C'est une successions de dîners interminables, de toasts portés à ma santé, de bénédictions prononcées sur ma tête par ma mère, de présentations de nouveau-nés récemment ajoutés à la tribu ou de futurs époux pour mes grands neveux ou nièces. Je n'ai pas le droit de faire quoi que ce soit, de laver une assiette, de faire mon lit ou même de conduire. On me demande mon avis sur tout et n'importe quoi, depuis les meilleurs investissements en Bourse et la musique rap jusqu'à mon explication de la raison pour laquelle les Américains ont élu Bush à deux reprises, ou si Angelina Jolie et Brad Pitt vont rester ensemble.

En plus de leur foi aveugle dans ma connaissance des affaires américaines, ils sont convaincus que j'ai le pouvoir de résoudre les difficultés et les interrogations de chacun d'eux. Ainsi, je me retrouve entraîné dans la moindre discorde familiale, dérisoire ou majeure. Ils veulent savoir si je juge approprié que le fils aîné de Miguel, José, qui dirige maintenant l'hôtel-restaurant fondé par mon père, ait décidé d'y ajouter une piscine et un bar « relaxant », comme ils disent, ou s'il est juste que ma sœur Sofia continue à être fâchée avec ma belle-sœur Maria pour avoir autorisé sa fille à rater le baptême de l'un de ses petits-enfants. Est-ce que je pense que Jaime devrait acheter une Peugeot ou une Ford ? Est-ce que la fille d'Ana devrait accepter l'offre de travail qu'on a lui a faite en Colombie ? Javier, qui reste jusqu'à ce jour le petit chouchou, mérite-t-il d'hériter de l'humidificateur à cigares de Papa ? Est-ce que je trouve bien que la petite Leticia, âgée de cinq ans, se fasse percer les oreilles ?

Tout cela est au-dessus de mes forces. Je suis devenu un solitaire, ou plutôt je l'ai toujours été mais j'appartiens à une culture et à une famille qui ne laissent guère de place à l'individualisme. Manuel était pareil. Je crois qu'il avait tout de suite perçu ce point en commun entre nous, ce besoin d'être seul de temps en temps, d'avoir des moments d'isolement et de réflexion.

Ce trait de caractère m'a aussi permis de m'adapter à mon pays d'adoption.

Dans l'immensité américaine, les gens ont toujours aimé avoir leur espace. Ceux qui ont forgé l'Amérique étaient des êtres attachés à leur individualité et prêts à se confronter au vide vertigineux de la Prairie ou au danger des forêts afin de continuer à repousser les frontières d'un territoire déjà vaste. Après avoir voyagé pendant des mois en chariot, une famille choisissant de s'installer n'allait pas rejoindre une agglomération existante ou en fonder une avec d'autres, mais préférait vivre à part, dans quelque modeste cabane perdue au milieu de nulle part.

Ce choix et cette manière de vivre sont inconcevables pour un Espagnol. Je n'irai pas jusqu'à dire que nous craignons l'espace, mais il est certain qu'il nous met mal à l'aise. Même quand nous vivons à la campagne, nous sommes avant tout un peuple urbain qui ne se sent bien que dans des villages resserrés où chacun se mêle des affaires du voisin, où le bruit est un fidèle compagnon dont nous avons besoin pour garder notre esprit éloigné de la vacuité hostile qui nous entoure.

De nos jours, les rues étroites de Villarica résonnent chaque soir d'excitation et de tapage : les gens discutent bruyamment au pied des maisons de pierre, les enfants courent partout en essayant d'ignorer le plus longtemps possible les appels tonitruants de leurs mères, des roquets laissés sans laisse aboient hystériquement, des scooters passent en vrombissant comme des moustiques géants ; on klaxonne à tout bout de champ, les jeunes s'interpellent par des sifflements perçants, les vieux sortent leur chaise dehors pour jouer aux cartes et bavarder avec les passants.

Comparez ce vacarme avec les quelques bruits feutrés produits par une ville américaine, dont les habitants vivent essentiellement calfeutrés dans de vastes demeures entourées de grands jardins, où ils communiquent peu les uns avec les autres, même quand ils vivent sous le même toit... À mon arrivée aux États-Unis, j'avais trouvé cela triste, dérangeant. Depuis, je me suis accoutumé à avoir beaucoup d'espace et j'ai besoin de calme. Chaque fois que je reviens en Espagne, les villes me flanquent des attaques de claustrophobie et le tintamarre – à l'exception de la trêve bénie de la *siesta* – me pousse au désespoir. Je passe la moitié de mon temps à hurler « ¡ *Callate !* » aux chiens et aux gamins, avec pour seul résultat qu'ils me lancent un regard surpris et assez condescendant, comme s'ils ne comprenaient pas ce qui me poussait à exiger le silence.

Mes neveux et nièces m'ont surnommé *Tío Puro Nervio*, Oncle Boule-de-nerfs. Ils trouvent mon manque de patience très attendrissant.

Avant, je proposais toujours à Candace de m'accompagner dans ces voyages. Comme elle refusait à chaque fois j'ai fini par renoncer. Ayant choisi de ne jamais révéler à sa famille ou à ses connaissances l'existence de son histoire avec Manuel, et de ne jamais aborder le traumatisme qu'a été sa mort, elle n'a jamais été en mesure de réduire l'intensité de ces souvenirs, non plus. Ils sont restés emprisonnés en elle pendant plus de quarante-cinq ans sans qu'elle échappe un seul jour à leur impact ; si elle leur avait permis de s'échapper, ils ne seraient plus maintenant que d'inoffensives fumerolles, susceptibles de revenir flotter parfois autour d'elle, mais qu'elle pourrait disperser simplement en agitant la main.

Elle n'a parlé de Manuel qu'à moi, à son frère et désormais à Kyle. Jusqu'à ce qu'elle se confie si facilement au petit, je n'aurais jamais pensé qu'il suffisait tout bonnement de lui poser deux ou trois questions pour qu'elle livre son secret. Je crois qu'il est très positif qu'elle ait ce garçon à qui se raconter. Même si elle ne lui a pas dit grand-chose, j'ai remarqué un changement en elle : une vanne a été ouverte.

Les membres de sa famille sont trop occupés d'eux-mêmes pour s'être jamais intéressés à son passé. Shelby, qui est pourtant la plus généreuse et la plus curieuse de la bande, n'échappe pas à ce fait. Elle n'a pas eu le désir d'explorer la jeunesse de sa tante, ou d'essayer de trouver une explication à sa fixation irrationnelle sur l'Espagne.

Parmi les miens, c'est exactement l'inverse : l'aventure de Manuel et de Candace est un récit proche du mythe que je suis forcé de raconter à toutes mes visites, et que je dois à chaque fois débuter par le jour où ils se rencontrèrent.

Le temps que Manuel Obrador ne passait pas dans l'arène, il le consacrait à courir après les femmes qui ne le poursuivaient pas. Il était engagé dans un jeu du chat et de la souris permanent, où tout devait s'arrêter pour celui qui était à la chasse des autres. C'était puéril, et lassant, au bout d'un moment.

Si ses conquêtes me laissaient admiratif, elles me posaient problème, aussi, parce que j'étais un garçon qui avait de nombreuses sœurs, toutes dotées d'un fort tempérament, et une mère qui sur bien des plans était l'égale de mon père. Autant il était tendre et attentionné avec ces femmes avant d'obtenir ce qu'il voulait, autant il devenait froid et distant après. La plupart de ces passades n'étaient que l'affaire d'une nuit, et les rares qui se poursuivaient plus avant se bornaient à quelques rendez-vous trépidants. Il brisait des cœurs un peu partout et je ne pense pas qu'il soit exagéré de dire qu'il a ruiné plusieurs vies. C'était ce qui me gênait.

Quand j'ai commencé à voyager avec lui, j'avais à peine seize ans. La sexualité occupait beaucoup mes pensées mais jamais plus, hélas. La nuit, dans la chambre d'hôtel que je partageais avec Paco, le principal *banderillero* et le plus âgé comme le plus respecté des membres de la *cuadrilla*, je restais longtemps sans trouver le sommeil, trop conscient de ce qui se passait au même moment dans la pièce d'à côté, chez Manuel. Plus tôt dans la journée, j'avais été chargé d'aller trouver celle qu'il avait repérée parmi les admiratrices féminines pressées autour de l'autobus nous ramenant de l'arène ou musardant dans le hall de l'hôtel où les toreros étaient toujours logés. Si aucune n'était à son goût, j'étais parfois envoyé à la recherche d'une charmeuse professionnelle.

Bien que les maisons de passe aient été officiellement interdites en 1956, la prostitution n'était pas illégale, ni entachée du même opprobre qui l'entourait et l'entoure encore en Amérique. Compte tenu du contrôle tatillon que la société espagnole exerçait traditionnellement sur ses femmes, notamment en matière de sexualité, d'aucuns pouvaient plaider que les prostituées offraient un service indispensable. La plupart des hommes que je connaissais alors avaient été dépucelés par l'une d'entre elles.

J'attendais avec impatience que cela m'arrive aussi. À un âge où le désir physique pur surpassait de loin des émotions plus chastes ou les vagues notions que je pouvais avoir de ce que l'on devait éprouver en tombant amoureux, je n'étais cependant pas entièrement capable de faire la distinction entre la femme considérée en tant qu'être humain ou comme un assemblage d'attributs anatomiques, de sorte que dans mes rêveries j'imaginais une conversation à la faveur de laquelle je trouverais la fille absolument fascinante avant de l'aider à se déshabiller.

Et j'étais convaincu que ce serait facilement réalisable dans la vie réelle. À chaque fois que je conduisais une femme à la chambre de Manuel, je me tenais près d'elle en admirant les courbes sous la robe ajustée et m'enivrant de sa chevelure parfumée. Inévitablement, elle finissait par m'adresser la parole, soit pour me demander avec appréhension si Manuel avait beaucoup de maîtresses, soit pour répéter le prix qu'elle demandait, soit pour maugréer en me jetant un regard excédé : « *¿Qué estás mirando, chico ?* » – qu'est-ce que tu regardes comme ça, petit ? Je trouvais irrésistibles chacun des mots qui sortaient de la bouche de toutes ces femmes.

Manuel ouvrait la porte en peignoir, pieds nus, les cheveux encore mouillés par la douche. Il adressait à la fille l'un de ses sourires ravageurs tout en me tendant son habit de lumière que je devais emporter pour le nettoyer dans la baignoire de ma chambre. Est-ce qu'il mesurait le privilège qui lui était conféré ? C'était la question que je me posais en m'en allant, accablé par le poids du costume chargé de broderies et par la conscience de son manque de scrupules. Comprenait-il la valeur de ce qu'on allait lui donner ?

En plus de ses conquêtes d'un soir, il avait aussi des relations respectables, fréquentait des filles de magnats ou d'aristocrates, mais ces dernières le fatiguaient vite, exigeant de lui une attention qu'il n'était pas prêt à leur accorder et répondant moins aisément à ses attentes sexuelles.

Il avait près de trente ans et j'en étais venu à penser que son comportement ne changerait jamais quand il a fait la connaissance de Candace.

Nous étions à Madrid, comme des dizaines de fois déjà. Manuel avait une corrida le soir même. Il faisait une chaleur terrible. Sous le ciel d'un bleu vibrant, le monde semblait trempé dans un épais sirop de canicule. Nous venions de sortir de notre hôtel, le Reina Victoria, afin de rejoindre le reste de la *cuadrilla* pour déjeuner.

Les terrasses à l'ombre commençaient à s'emplir d'une foule bruyante. Les hommes retiraient chapeaux et vestons, desserraient leurs cravates, les femmes sortaient cigarettes et éventails de leur sac à main. Les serveurs circulaient entre les tables serrées, leurs plateaux surchargés de pichets de sangria écarlate et de verres de bière dorée qui seraient déjà tièdes avant la première gorgée.

Nous étions en train de traverser la plaza Santa Ana lorsqu'une femme qui passait nous a obligés tous deux à ralentir le pas et à nous arrêter sans même que nous en ayons conscience.

Plongée dans ses pensées, elle marchait lentement, un guide touristique à la main. Elle était vêtue aux couleurs de cette journée : une robe d'un bleu un peu moins foncé que celui du ciel, pincée à la taille d'une large ceinture de la couleur du soleil, assortie à ses chaussures à talons hauts et à son chapeau à grand bord, orné d'un ruban bleu, sous lequel cascadaient des cheveux cuivrés aussi soyeux et engageants que la crinière pomponnée d'un poney de compétition.

Même si nous ne pouvions pas voir ses traits, nous avons compris d'instinct, Manuel et moi, qu'une femme gratifiée d'un tel corps, d'une telle chevelure et de telles jambes, habillée de cette façon, ne pouvait être que belle comme un ange.

Revenu de son saisissement, Manuel s'est hâté derrière elle et je me suis dépêché de le suivre. Je savais qu'il était intrigué. Malgré les modestes progrès réalisés dans les relations entre les sexes dans notre pays, les hommes espagnols restaient persuadés que les femmes étaient soit des saintes, soit des putains. Que l'une d'entre elles puisse être les deux à la fois en faisait l'être le plus extraordinaire de la Création. Celle-ci était vêtue avec trop de recherche pour être considérée comme une entraîneuse, mais elle était extrêmement attirante ; elle semblait trop indépendante et sophistiquée pour être une sainte et pourtant elle dégageait quelque chose d'innocent, de fragile.

— Il faut que tu ailles lui parler, m'a-t-il dit tout bas.

— Pourquoi vous n'y allez pas, vous ? ai-je répliqué sur le même ton.

— Je veux regarder ça de loin. On peut déduire énormément de choses sur le caractère d'une femme à la façon dont elle réagit quand elle est abordée par un inconnu.

— Depuis quand c'est leur caractère qui vous intéresse ?

Elle s'est arrêtée devant la statue de Calderón de la Barca. Il a fait de même. Elle s'est retournée. Ses yeux scrutaient la cohue comme si elle était en train de chercher quelqu'un. Son visage était splendide.

— J'ai une idée ! a-t-il murmuré, très excité. Je vais venir à son secours. Toi, tu vas faire semblant de vouloir lui voler son sac.

— Jamais de la vie ! ai-je protesté.

— Alors, va lui parler. Demande ton chemin, n'importe quoi.

— C'est elle qui devrait le faire. Elle n'a pas l'air d'ici. Et elle a un guide à la main.

— Et alors ?

— Je ne parle pas d'autre langue ! ai-je tenté d'expliquer, exaspéré par la crainte qu'il m'oblige à me ridiculiser. Pourquoi est-ce que je demanderais mon chemin à une étrangère alors qu'il y a des centaines de gens autour de nous qui parlent ma langue ?

— Tu raisonnes trop.

— Je n'ai pas envie d'être pris pour un idiot.

— Va, je te dis ! – Il m'a donné une petite bourrade. – N'aie pas peur. Je serai juste derrière toi.

Je me suis approché d'elle à contrecœur, jetant à plusieurs reprises des regards à Manuel par-dessus mon épaule, lui laissant en vain l'occasion de me faire signe de rebrousser chemin. Se postant sous l'auvent d'un café, il a allumé une cigarette. En costume gris et chemise blanche, très nonchalant, il attirait presque tous les yeux sur lui, parce qu'il était célèbre et parce qu'il avait la même beauté qu'elle, de celles qui doivent être contemplées.

Je n'avais pas la moindre idée de ce que j'allais lui dire. Mon seul espoir, c'était qu'elle aperçoive soudain celui qu'elle cherchait du regard et s'empresse de le rejoindre, ou simplement qu'elle décide de passer son chemin sans raison particulière. Malheureusement, elle n'a fait ni l'un, ni l'autre. Après avoir examiné la foule un instant, elle s'était plongée dans la lecture de son guide et ne paraissait pas disposée à bouger.

« *Con permiso, señorita, ¿ tiene fuego ?* » Tout de suite après, je me serais giflé d'avoir été aussi stupide : je lui avais demandé du feu mais je n'avais pas de cigarette.

— Je ne sais pas, m'a-t-elle dit avec un sourire gêné avant de continuer dans un espagnol hésitant : *No sé. No hablo español. Lo siento.*

De près, elle était encore plus ravissante, avec un teint de perle rose, des yeux verts comme la mer dans une crique tranquille.

— Excusez-moi. – Manuel nous avait rejoints. – Puis-je vous être utile ? – Il s'adressait à elle en anglais, tout en me surveillant d'un regard méfiant. – On n'est jamais trop prudent, vous savez. Il m'a tout l'air d'avoir eu l'intention de vous voler votre sac.

J'allais protester mais il m'a saisi fermement par l'épaule, me faisant comprendre que j'avais intérêt à me taire.

— Je ne pense pas, non, a répondu la femme en souriant encore. – À moi et non à Manuel ! – Il ne me fait pas du tout cette impression.

Je me suis rengorgé. Elle prenait ma défense, et elle l'avait fait en face de Manuel, quelqu'un que personne n'osait contredire, pas même son imprésario qui était pourtant l'un des *apoderados* les plus influents du pays.

— On n'est jamais trop prudent, je le répète. Vous êtes en visite dans notre ville, apparemment.

— Oui. Je suis américaine.

— Ah, évidemment ! Américaine…

Il l'a fixée de ses yeux enjôleurs, formant lentement ce sourire sensuel qui transformait la plupart des femmes en poupées gloussantes ou en louves assoiffées de plaisir. Elle a souri, elle aussi, mais son regard amusé est revenu sur moi comme si elle pensait, ou savait, que tout cela n'était qu'une mise en scène à laquelle je participais, tout en étant dans son camp.

— Êtes-vous allée au Prado ? Au Retiro ?

— Oui.

— Avez-vous vu une corrida ?

— Oui.

— Et qu'en avez-vous pensé ?

— C'était très intéressant.

Manuel a paru déconcerté par sa réponse.

— Intéressant ? Vous vous rappelez quels toreros vous avez vus ?

— Non, mais je me souviens des taureaux.

De sa seule initiative, elle s'est mise à parler de chacun des six *toros* qu'elle avait regardés. Elle ne connaissait pas leur nom, ni même de quel élevage ils provenaient, mais elle gardait un souvenir précis de leur allure, de détails comme la courbure de leurs cornes ou le nombre de marques au fer rouge sur leur robe, et aussi de leur comportement, qu'elle a décrit : tour à tour volontaire, perplexe, réticent, agressif, majestueux, vicieux. Manuel écoutait de toutes ses oreilles. Je ne l'avais encore jamais vu prêter une telle attention aux paroles d'une femme.

— Est-ce que vous avez été choquée qu'ils soient tués ?

— Non. Il fallait ?

— Je me posais la question parce que vous avez l'air de tellement les apprécier...

— Tous, vaches et taureaux, finissent par être tués pour leur viande. C'est leur place dans ce monde.

— Et la vôtre, quelle est-elle ?

— La mienne, c'est de manger la viande.

Manuel a souri, spontanément cette fois.

— Ce soir, vous irez à la corrida ?

— Non, malheureusement. Je ne suis revenue à Madrid que ce matin et il n'y a plus de billets.

— Je pourrais vous en avoir un.

— Comment ?

— J'ai les contacts nécessaires.

— Je vois.

— Où êtes-vous logée ?

— Au Reina Victoria.

Le sourire de Manuel s'est encore élargi.

— Saviez-vous que c'est là où tous les toreros descendent quand ils viennent à Madrid ?

— Oui. C'est ce que j'ai déduit en voyant toutes les photographies et les têtes de taureaux empaillées aux murs. – Elle m'a lancé un autre de ses regards entendus. – Et maintenant, pardonnez-moi mais je dois m'en aller.

— Votre nom ? Pour que je vous laisse le billet ?

— Candace. Candace Jack.

Sans prendre congé, elle lui a tourné le dos et elle s'est remise à marcher. Ce que je me rappelle le plus clairement de cet instant, à part le balancement de ses hanches et l'éclat lustré de ses cheveux, c'est qu'elle ne lui a pas demandé comment il s'appelait.

Ce soir-là, elle était sur les gradins. Manuel a été fantastique. Trop occupé par les capes et les épées, je ne l'ai pas aperçue une seule fois mais Manuel, qui connaissait exactement la place qu'elle occupait, s'est arrangé pour marquer une pause juste devant elle quand il a exécuté le tour d'honneur de l'arène au son d'un paso doble, sous les vivats de l'assistance extasiée, tandis qu'une pluie de fleurs, de châles et de gourdes de vin tombait à ses pieds, sûrement pour s'assurer qu'elle reconnaissait en lui l'inconnu de la plaza Santa Ana.

Pourtant, elle ne faisait pas partie de la bousculade des admirateurs massés devant la porte des toreros dans l'espoir de voir passer leurs idoles à leur départ des arènes. Manuel était persuadé qu'elle l'attendrait au bar de l'hôtel. Elle n'y était pas non plus.

Nous sommes montés à sa chambre. Je l'ai aidé à se dépouiller de son habit et il m'a aussitôt renvoyé en bas, avec l'ordre de guetter son retour pendant qu'il prendrait sa douche. Elle n'est pas rentrée.

Renonçant à un bon dîner avec ses hommes, il s'est contenté de tapas dans sa chambre pendant que je poursuivais ma surveillance. Sur ses ordres, j'ai demandé au réceptionniste s'il l'avait vue. Il m'a appris qu'elle était sortie plus tôt dans la soirée et qu'elle n'était pas revenue.

Finalement, Manuel est descendu au bar. En compagnie d'un cigare et d'une bouteille de son whisky préféré, il a passé un long moment, acceptant les félicitations du bout des lèvres et repoussant les avances. Il était si peu dans son état normal qu'aucune femme n'a partagé son lit cette nuit-là.

Le lendemain matin, nous avons dû partir tôt, la corrida suivante devant avoir lieu à plusieurs heures de route de la capitale. Pendant que nous chargions la camionnette, Manuel faisait nerveusement les cent pas dans l'entrée. Ne résistant plus à son agacement, il est allé à la réception et a exigé le numéro de sa chambre. L'employé n'a pas osé lui refuser cette information : El Soltero était l'un des princes que l'hôtel était là pour servir.

Il a grimpé l'escalier en courant pendant que nous levions les yeux au ciel en secouant la tête, puis nous nous sommes mis à surveiller l'heure au clocher de l'église d'en face.

C'est un lieu commun et une vérité : quand les hommes comme Manuel tombent sur une femme qui ne se montre pas intéressée, ils font tout pour l'avoir.

J'ignore ce qu'ils ont pu se dire. Tout ce que je sais, c'est que le soir, à Valencia, elle était à la corrida, et qu'ensuite il a dîné avec elle en tête-à-tête.

C'est la fin d'une longue journée de Noël, un cycle interminable de repas, de libations, d'échanges de cadeaux, de disputes, de rires, de visites à l'église et de plaisanteries sur le compte de Javier pour être resté le chouchou de Maman.

Les caricatures de Kyle ont eu un grand succès, en particulier celle de notre petit frère habillé en nourrisson, buvant un biberon installé sur les genoux de notre mère dix fois plus petite que lui. J'attends avec impatience de dire à Kyle qu'il peut compter sur d'innombrables commandes de la part de ma famille, au cas où ce travail l'intéresserait.

Je suis sorti un moment prendre l'air. Cette année, c'était le tour de Teresa de nous recevoir. Son mari et elle ont une très belle *finca* à la sortie de la ville, l'un des nombreux avantages rendus possibles parce que toutes les plantations d'oliviers à la ronde leur appartiennent. Demain, je rendrai visite à la sœur de Manuel, Maria Antonia. Rafael sera là aussi, nous parlerons de corrida et je serai à nouveau envahi par un chagrin familier, et par la joie.

Le ciel est très clair cette nuit, bleu indigo saupoudré d'étoiles et envahi par une lune pleine qui, si on la fixe trop longtemps, semble agitée de remous comme une tasse de lait bousculée.

À six mille kilomètres de là, dans quelques heures, Candace va s'endormir sous la même lune. J'espère qu'elle aura passé une bonne journée avec Kyle et Klint.

Mon séjour a été agréable, comme toujours, mais je serai heureux de rentrer à la maison. J'ai vécu en Amérique deux fois plus d'années que je n'ai passées en Espagne. Jusqu'à aujourd'hui, je me sens espagnol lorsque je suis là-bas, et complètement américain quand je suis ici.

Les gens me demandent souvent lequel des deux pays je préfère, et si j'envisage de revenir un jour à celui qui m'a vu naître. J'essaie de leur faire comprendre qu'il n'y a pas de compétition entre eux. La question n'est pas d'évaluer leurs avantages et inconvénients respectifs. Je suis autant attaché à l'un qu'à l'autre. La tension n'existe que dans la différence qui existe entre choisir un être aimé ou être choisi par lui. J'appartiens à l'Espagne tandis que l'Amérique m'appartient.

III

EL DUENDE

19

KYLE

MON PÈRE, QUI A PASSÉ SA VIE À JOUER AU BASE-BALL, à en parler et en rêver, ne connaissait rien à ce jeu hormis le plus important : l'effet qu'il avait sur lui.

Il était nul en maths, incapable de mémoriser résultats ou classements. Les PP (points produits), les MPM (moyennes de points mérités), la vitesse constante d'une balle rapide, les quatre tonnes de force déployées à l'instant où la batte entre en contact avec la balle, tout ça était du latin, pour lui. Dans la moitié des cas, il n'arrivait même pas à se rappeler le score des joueurs. Il détestait les hommes qui se cachaient derrière ces chiffres, les analystes étudiant les constantes et les logarithmes de jeu sur leur ordinateurs, les médecins sportifs et les chercheurs enchaînant expériences et rapports dans le but de déterminer quelle puissance et quel angle de rotation sont nécessaires à un lanceur pour faire fuser une balle à plus de cent soixante kilomètres à l'heure.

Il se méfiait tout autant des philosophes du truc, chercheurs et écrivains qui ne sont jamais allés sur le marbre mais sont capables de tirades sans fin sur le base-ball comme élément de compréhension de la psyché américaine, ou sur le fait qu'il symbolise la pulsion éternelle de l'Homme à revenir au « home », à la base de départ.

Pour lui, tous ces types tapaient à côté de la plaque. Le base-ball était un jeu, rien de plus, rien de moins, mais un sacré bon jeu, bourré d'imprévus et de moments terriblement chiants qui explosaient soudain en feux d'artifice de prouesses physiques et de coups de génie : une balle manquée, une autre arrêtée, un double transformé en triple, une base volée, un amorti accompli au seul endroit qu'aucun voltigeur ne peut atteindre, tellement incroyables à voir s'accomplir sous ses yeux qu'il avait soudain l'impression d'appartenir à quelque chose de plus grand que sa petite existence merdique, d'avoir été initié à je ne sais quel secret de dimension cosmique.

Ce savoir et ce bonheur l'accompagnaient quand il retournait au travail le lendemain. Parce qu'on est tous pareils, ni meilleurs, ni pires : tous, on se raccroche à l'espoir que quelque chose de fabuleux va brusquement se produire.

Mais je crois que ce que mon père préférait dans le base-ball, c'était que dans ce jeu, le résultat est déterminé par les erreurs. Qu'une équipe soit techniquement supérieure ne compte pas autant que le nombre de mauvais choix que l'autre parvient à l'amener à faire. Du coup, le plus important n'est pas qu'un type surpasse son adversaire, c'est qu'il pousse le type d'en face à se planter. Papa se retrouvait totalement là-dedans.

Je me rappelle pas une seule partie disputée par Klint sans que mon père ait été présent. Combien de spectateurs assis sur ces bancs le savent ? Je sais que Bill est au courant, mais il est tellement préoccupé par le fait qu'il n'a jamais vu Klint jouer sans que mon père soit là qu'il en oublie de s'inquiéter pour mon frère.

Je suis presque sûr que Coach Hill le sait mais on peut jamais être certain, avec lui. Pas parce qu'il garde ses émotions pour lui – à chaque partie, il en exprime tout un éventail, depuis l'énervement jusqu'à la rage en passant par la colère noire –, mais parce qu'il ne veut jamais penser à ce que les autres peuvent ressentir. Ses joueurs ne sont pas censés éprouver quoi que ce soit, juste avoir un mental positif qui leur permet seulement de penser aux réactions correctes qu'ils devront avoir pendant la partie et à la pizza qu'ils avaleront une fois la manche terminée. Je doute qu'il se fasse du souci pour Klint, d'autant que mon frère n'a jamais aussi bien joué que pendant ce dernier mois d'entraînement. Tout ce qui intéresse son coach, c'est que ses aptitudes physiques soient intactes. Il se fiche de ce qui peut se passer dans sa tête et dans son cœur. Il ne le voit pas à la maison, ne l'entend pas errer dans les couloirs la nuit alors qu'il devrait dormir, ne se rend pas compte qu'il ne fait plus jamais de farces ou de blagues comme avant, ne sait pas qu'il a plus de mal que d'habitude dans toutes les matières à l'école, n'a même pas remarqué qu'il a perdu son goût pour les Doritos et les gâteaux Little Debbie.

Moi, je m'inquiète pour Klint mais je ne sais pas exactement pourquoi et ça rend difficile de faire quoi que ce soit pour arranger ça. Des fois, je me dis que c'est moi qui ai un problème et qu'il va très bien, en fait. Par exemple, j'avais la trouille qu'il s'effondre et soit incapable de jouer cette saison, alors qu'en fait il s'est montré meilleur que jamais. Au lieu de me soulager, ça a provoqué en moi une sorte de trouille bizarre. À chaque fois que je l'ai vu aller sur le marbre à l'entraînement et que j'ai entendu la balle frapper la batte avant de fuser au-dessus de la tête de l'arrêt-court, au lieu de bondir sur mes pieds et de hurler de joie, j'ai senti ma gorge se serrer et mon estomac se nouer.

Zut ! C'est son premier match de sélection aujourd'hui. Je suis sûr qu'il va bien jouer et je sais déjà que c'est justement ce qui va me tracasser.

Le public est plutôt nombreux pour une journée pourrie comme aujourd'hui. Comme nous jouons dans un bahut pas trop éloigné, plusieurs des parents purs et durs, ceux qui ne manquent jamais une rencontre à cause du mauvais temps, ont fait la route pour venir. Il y a une vingtaine de mecs de l'école, aussi.

C'est le 1er avril, le printemps est encore loin mais tout le monde a déjà rangé les manteaux et les bottes en les remplaçant par des sweats et des chaussures de sport, maintenant trempées et couvertes de boue. Les spectateurs se serrent les uns contre les autres, pliés en deux pour se protéger du froid, capuche sur la tête, tapant des pieds et se frottant les mains. Quand il caille, ces gradins en fer font le même effet sous les fesses qu'une plaque de glace.

Si les Flames ont leurs supporters réguliers, c'est aussi parce qu'ils font partie des meilleurs. Au niveau de l'État, seulement seize équipes par division sont admises au championnat. L'an

325

dernier, nous avons été sélectionnés mais éjectés aux premières éliminatoires à cause d'un point, un malheureux point perdu à cause d'une erreur, évidemment. C'est Brent Richmond qui l'a commise.

Même si c'est un connard, on a tous eu de la peine pour lui parce que son père est devenu complètement dingue, à cause de ça. Les cours étaient finis et il est tout de suite parti quinze jours en vacances avec sa famille. Ils sont rentrés sans Brent, et tout un tas de rumeurs ont commencé à circuler. Certains ont dit que son père l'avait flingué dans la résidence des îles Vierges où ils ont un appart qu'ils partagent, puis qu'il avait embarqué le corps sur un voilier et l'avait jeté dans la mer des Caraïbes. D'autres ont soutenu que ses parents l'avaient envoyé dans un camp d'entraînement de base-ball à Cuba ou dans une colonie de scouts protestants du Mississippi. Ou encore, qu'ils l'avaient ramené, que son père l'avait tué chez eux et enterré son cadavre sous les fondations de l'une des nouvelles maisons qu'il construisait dans la dernière tranche de sa zone résidentielle de Sunny Valley. Richmond père était tellement en pétard contre Brent qu'il a même donné des noms très zarbis aux rues de cette partie du lotissement. C'était il y a presque un an et il y a encore des gens qui refusent d'acheter une baraque allée du Chien-Gémissant.

En réalité, Brent a passé son été dans une sorte de centre disciplinaire destiné aux jeunes sportifs dont les performances sont en chute libre, histoire de leur donner un avant-goût de l'armée au cas où ils ne ressaisiraient pas vite fait et n'arriveraient pas à décrocher une bourse sport-études pour aller à l'université. Même si ses parents ont largement de quoi lui payer l'enseignement supérieur, son père clame qu'il ne veut pas lui servir son avenir sur un plateau d'argent, ce qui ne l'empêche pas de lui filer cent dollars pour refaire le plein de son 4 × 4 tout neuf et de l'autoriser à garder la monnaie.

M. Richmond est là, aujourd'hui. Debout sur un côté du terrain, en imperméable brun clair, sous un énorme parapluie noir qu'il garde ouvert alors qu'il ne pleut plus, il parle dans son téléphone portable, les sourcils froncés. Sa femme est absente. Elle ne sort jamais quand il fait mauvais.

— On dirait que ça se dégage, me dit Bill.

Je regarde le ciel. Pas un seul coin de bleu mais les nuages ont commencé à perdre de l'épaisseur et à passer du gris plomb au gris chaussette sale.

— Ouais...

Bill a déjà ouvert l'un des nombreux sacs de chips dont il se munit pour chaque partie. Il me le tend. J'en prends une poignée. Il a toujours avec lui une tasse à café Big Gulp, fermée par un couvercle, qu'il remplit de bière. Après avoir aspiré une gorgée par la paille rouge, il jette un regard innocent autour de lui. Il n'a fait aucun commentaire sur ce qu'il y a d'étrange à être présents ici sans Papa. Il ne m'a même pas interrogé au sujet de Klint, à part les deux ou trois questions habituelles sur notre vie chez Miss Jack, auxquelles j'ai répondu comme toujours, en disant que ça allait. Et je ne mentais pas. Ce n'est pas aussi bien que d'être avec des parents qui vous aiment mais Miss Jack est plutôt cool, en fin de compte. Je peux comprendre que les gens la trouvent méchante et la traitent de snob, mais d'après moi, elle est seulement distante. Elle n'aime pas les gestes affectueux et elle a des opinions très arrêtées, c'est vrai, sauf qu'elle écoute toujours les vôtres avant de déclarer que vous vous trompez. J'ai l'impression que je pourrais lui soumettre à peu près n'importe quel problème et qu'elle ferait de son mieux pour aider. Je voudrais lui parler de Klint, mais je ne sais pas quoi lui dire.

— Tiens, le voilà ! me dit Bill en me donnant un coup de coude.

Klint est sorti une minute de l'abri des joueurs. Alors que son maillot rouge avec le numéro 8 cousu dans le dos est encore propre, son pantalon blanc et ses chaussettes sont déjà maculés de boue après l'échauffement. Son gant de frappe, blanc aussi, dépasse de sa poche arrière. Les bras croisés, il fixe la clôture tout au bout du terrain, le point où il espère envoyer quelques balles cet après-midi.

— Hé, Klint ! crie Bill en mettant ses mains en portevoix.

Mon frère a toujours refusé de regarder quiconque l'appelle des gradins, même notre père, mais il consent à lever une main pour montrer qu'il a entendu. Bill a un sourire épanoui. Voilà au moins un rite qui vient d'être accompli.

J'ai encore les yeux sur Klint quand je remarque Doc et son frère Nate, l'entraîneur de base-ball à Western Penn, qui se dirigent vers le pentagone. Ils croisent le coach de Klint, qui échange quelques mots avec Nate avant de s'absorber à nouveau dans ses notes, puis ils continuent en direction des gradins. D'habitude, les entraîneurs d'université s'abstiennent de venir repérer les nouveaux talents aux matchs scolaires, parce qu'ils sont trop occupés par leur saison, mais le campus de Western Penn n'est pas loin et je sais que leur équipe n'a pas de rencontre ce soir, donc j'en déduis que Coach Pankowski a quitté leur séance d'entraînement pour venir jeter un coup d'œil ici.

Je ne salue jamais un prof, même un que j'aime bien. C'est un principe, alors j'évite soigneusement de regarder du côté de Doc mais nos yeux finissent par se croiser, il me salue de la main et me fait signe de venir les rejoindre. Je me lève avec toute la réticence possible et en prenant un air ronchon. Je descends les marches en fer avec la démarche de quelqu'un qui a pas le choix.

— Hé, Kyle !

— 'jour, m'sieur Pankowski.

— Kyle, voici mon frère, Nate, le coach principal à Western Penn.

— Ouais, je sais.

Il me tend la main en souriant, serre la mienne vigoureusement.

— C'est super de te rencontrer enfin, Kyle. J'ai déjà fait la connaissance de ton frère et de ton père. Mes condoléances.

— Ouais, ça va, merci.

À première vue, Doc et son frangin ne se ressemblent pas du tout, mais ensuite on se rend compte qu'ils sont presque comme deux gouttes d'eau, à part que le premier est maigre comme un clou et fait plus vieux que son âge à cause de son air méditatif alors que le second est trapu, souriant, plein de peps, avec la tête que Doc devait avoir quand il avait dix ans. Et il parle avec les mains tandis que son frère enfonce les siennes loin dans les poches de sa veste en velours use.

328

— Kyle est l'un de mes meilleurs élèves, dit-il à Nate. Il a un brillant avenir devant lui.

Je fais une petite grimace.

— Ouais, si mon avenir est de répondre vrai ou faux à des questionnaires sur la Rome antique.

Ils rient tous les deux, et je me sens assez content de moi.

— Et l'avenir de ton frère, comment est-il ? demande Nate.

Je me renfrogne tout de suite. Doc intervient :

— Ce n'est un secret pour personne que ses résultats scolaires laissent à désirer, en ce moment.

— Aussi bon qu'il soit au base-ball, il n'aura jamais de bourse avec un mauvais carnet, tu sais, ajoute Nate.

— Je suis au courant.

— Qu'est-ce qu'il envisage ? Il a des idées de campus ?

— Je sais pas. Rien en particulier, je crois. À la fin de l'été, il y a eu beaucoup d'universités qui l'ont approché : South Carolina, Florida State, Wichita, Virginia…

Nate hoche la tête en souriant.

— De grands noms. De grandes équipes.

— Ouais. C'est ce qu'il veut. Il s'est fourré dans la tête que s'il ne va pas sur un campus qui a une équipe dans le peloton de tête national, ça voudra dire que c'est un raté.

— C'est dommage, estime Nate. Il y a plein de jeunes qui raisonnent comme ça sans comprendre que tout ça peut avoir l'air très bien sur le papier mais ne pas leur convenir du tout. Ce ne sont pas des machines à jouer au base-ball, mais des êtres humains qui ont une personnalité, un passé et des plans d'avenir spécifiques. Ce qu'ils ne voient pas non plus, c'est qu'ils peuvent obtenir autant de soutien financier d'une université moyenne que d'une grosse. J'aimerais vraiment parler de tout ça à Klint.

— Ah oui ? Eh bien, bonne chance…

Il rigole.

— On dirait que tu n'as pas trop confiance dans mes capacités de recruteur. – Il baisse la voix, prenant un ton de conspirateur. – Tu n'as pas entendu dire que j'ai approché Shane Donner ?

— Si. Je me demandais si c'était vrai. Il a atteint 152 km/heure avec une balle rapide, non ?

— Et comment ! Tout le monde a été scié qu'il ne signe pas une lettre d'intention l'automne dernier. Il finit le lycée dans deux mois et il a tous les rabatteurs du pays qui lui tournent autour. Il pourrait sans doute être pris à la troisième ou quatrième série et décrocher un contrat d'un demi-million de dollars chez les professionnels, mais ses parents veulent absolument qu'il fasse des études et ils adorent Western Penn. Son frère et sa sœur ont tous les deux étudié chez nous. – Il réfléchit une seconde. – Klint ne lui a jamais fait face sur le terrain, si ?

— Il aurait pu, si seulement nous étions arrivés en demi-finale l'an dernier.

Instinctivement, nous nous tournons tous les trois vers M. Richmond, toujours en train de blablater au téléphone.

— C'est quelque chose que j'aimerais voir, dit Nate d'un air rêveur. Espérons que ça arrivera cette année.

— Et toi, Kyle ? interrompt Doc. Où ça te plairait qu'il joue, ton frère ? Ça te plairait de le savoir là-bas, en Floride, ou aussi loin que dans le Kansas ?

— Eh bien, il me manquerait, évidemment, mais c'est sa vie.

— Et tu continuerais à habiter chez Candace Jack ?

— J'imagine... Je sais pas. J'en ai pas parlé sérieusement avec elle, ni avec ma mère.

— Que penses-tu de Western Penn, comme université ?

— Je sais pas. C'est sans doute une bonne fac. Si Klint y allait, on pourrait continuer à vivre ensemble tous les deux.

— Quoi, dans sa résidence ? s'étonne Nate. Où tu dormirais ?

— Je pourrais m'accrocher au plafond la tête en bas, comme une chauve-souris.

Ils éclatent de rire, à nouveau.

— Je vois que tu as sérieusement réfléchi à la question, dit Nate. Dis, j'aimerais que vous veniez voir le campus un de ces jours, Klint et toi. Assister à un entraînement, rencontrer l'équipe... Hé, tu pourrais même visiter les chambres ! – Il me lance un clin d'œil. – Histoire de prendre les mesures... – Il sort une carte de visite de sa poche et me la donne. – Envoie-moi un e-mail ou téléphone-moi quand tu veux.

— OK, pas de problème.

— Bon, on va te laisser reprendre ta place, me dit Doc. Ils commencent à annoncer l'ordre des frappeurs. À demain en cours, alors.

J'entends le nom de Klint sortir des hauts-parleurs mais je ne me retourne pas pour le regarder aller se placer sur la deuxième base. Quand ils annoncent Tyler et que des applaudissements enthousiastes se déclenchent, par contre, je m'arrête et je le suis des yeux tandis qu'il rejoint la première base à petites foulées, un grand sourire aux lèvres, les deux bras levés en un V triomphal. Il a une grande famille, tous ses frangins et frangines sont là et leurs parents vont arriver dès qu'ils auront fini leur journée de travail. Il est très populaire parmi les supporters de l'équipe, aussi.

Je l'acclame comme les autres. Son escouade de sœurs me fait des signes, auxquels je réponds avant de m'asseoir. Deux minutes plus tard, l'une d'elles vient se poser sur les gradins près de moi. C'est une beauté aux longs cheveux blonds bouclés, aux yeux bleus immenses. Elle est tout le temps en mini-jupe en jean bordée de dentelle et elle met un parfum que j'adore, mentholé. En plus, elle est folle de moi.

Mais elle a six ans. C'est bien ma veine.

— Salut, Britney.

— Hé, Kyle ! – Elle se serre contre moi en souriant. – J'ai quelque chose pour toi...

Sa gentillesse, son odeur de bonbon, la douceur et la chaleur de son poids sur mon bras m'envoient un coup au cœur inattendu. Elle me rappelle trop Krystal à son âge.

— Sans blague ? Qu'est-ce que c'est ?

Britney sort le dessin qu'elle cachait dans son dos. C'est un classique enfantin, un pommier, une maison et une famille réunie devant, très nombreuse dans son cas. Elle a ajouté un chien, même s'ils n'en ont pas, qu'elle a dessiné plus grand que les humains, et deux chats roses qui font fortement penser à deux petits cochons. C'est plein de couleurs et très gai malgré de gros nuages noirs dans le ciel qui crachent des gouttes de pluie menaçantes.

Derrière, elle a écrit : « Les roses sont rouges, les violettes bleues, aujourd'hui il fait mauvais, je t'aime à jamais. »

— Tu as inventé ce poème toute seule, Britney ?

— Oui ! Nikki m'a juste aidée pour l'orthographe.

— C'est super-joli.

— Tu vas l'accrocher dans ta chambre ?

— Bien sûr.

— Tyler dit que vous habitez une maison de star, maintenant.

— Ouais, une sorte, si tu veux…

— Vous avez une piscine ?

— Non.

— Une salle de cinéma ?

— Non.

Son petit front se plisse pendant qu'elle essaie d'imaginer dans quelle maison de star bidon je peux vivre. À ce moment, Bill bondit sur ses pieds en hurlant :

— C'est quoi, ça ? Sacrénom, où t'avais les yeux, Martelli ? T'as pas vu un truc pareil ? T'es bigleux ou quoi ? Sors-toi la tête du cul, à la fin !

Britney me regarde, inquiète.

— Est-ce que Tyler a fait une bêtise ?

— Non, pas lui. Le voltigeur de gauche.

Bill n'est pas le seul à manifester sa déception devant l'erreur, mais l'indignation de la foule se calme rapidement. Personne n'est choqué par les insultes et quelques jurons de-ci, de-là. C'est une réaction saine, estime-t-on. Elle prouve l'attachement des supporters à leur équipe, qui explique leur désir ardent que celle-ci gagne et donc le besoin de faire savoir clairement à certains joueurs qu'ils sont trop nuls.

Moi, je préfère nettement ce genre d'expressions énergiques au comportement de certains spectateurs que j'ai pu observer lors des matchs disputés dans d'autres écoles. La première catégorie qui me met particulièrement les boules, c'est celle des mères friquées et snobinardes qui tiennent salon plutôt qu'elles ne regardent leur fils jouer et qui ne suivent aucune action tellement elles sont affairées à se vanter de la cuite qu'elles ont prise pendant leurs dernières vacances au Club Med ou du prix des nouveaux plans de travail en marbre de leur cuisine. Ensuite, il y a celle des parents bien propres sur eux qui gardent un sourire béat aux lèvres même quand leur équipe se fait rétamer, apportent des casse-croûte « diététiques » auxquels personne d'autre ne voudrait toucher et sortent des crétineries incroyables à chaque fois qu'un type se plante, du style : « L'important, c'est de participer », ou : « Tu feras mieux la prochaine fois », ou, la pire de toutes : « On est tous gagnants ! »

Non, tout le monde n'est pas gagnant, j'ai envie de leur crier à la figure. Et dire à des perdants qu'ils sont le contraire de ça est une connerie sans nom. Comment des types qui n'assurent pas peuvent se ressaisir et faire mieux, si on les gave de mensonges pareils ?

Je dis pas que nos parents sont parfaits, attention. Des fois, ils poussent le bouchon un peu loin, comme le jour où le père de Cody Brockway a enlevé la ceinture de son pantalon et couru après son fils tout autour du terrain pour lui donner une raclée après une balle ratée au rebond dans une manche de ligue débutants. Mais pour l'essentiel ils sont honnêtes avec nous, et c'est ce qui compte. Ils ne se demandent pas s'ils vont blesser notre amour-propre ou nous traumatiser à vie. Non parce qu'ils ne nous aiment pas, mais parce qu'ils savent que dans notre situation il est important que nous entendions la vérité sur ce que nous sommes plutôt que du baratin sur ce que nous serons jamais.

— Un double, un fichu double ! grommelle Bill en se rasseyant.

— Regarde un peu, Shel ! Je crois qu'on a de la compétition…

Ma tête pivote toute seule sur mon cou. J'ai reconnu immédiatement la voix de Starr, mais je n'arrive pas à croire ce que je vois : Shelby était pratiquement sûre de ne pas pouvoir venir et j'ignorais que sa sœur était encore parmi nous. La dernière fois que Miss Jack avait fait allusion à elle, Starr s'était enfuie en Inde.

— Bonjour ! lance Shelby à Britney avec un sourire trop charmant. Comment tu t'appelles ? Moi, c'est Shelby.

— Britney.

— Tu es la petite amie de Kyle ? fait-elle en me clignant de l'œil.

— Ah, non ! glousse la gamine.

— C'est une des sœurs de Tyler.

— Ah bon !

— Tu ferais mieux de retourner avec les autres, Brit.

M'obéissant, elle s'éclipse avec l'agilité d'une fille qui pratique les gradins des terrains de base-ball depuis sa prime enfance.

Je suis tellement content de voir Shelby que j'arriverais presque à oublier qu'elle n'est pas là pour moi, mais pour regarder Klint jouer. Et je suis content de voir Starr, aussi. J'ai jamais pu convaincre mon frère de me raconter ce qui s'était passé entre elle et lui le jour de Noël. C'est un sujet classé confidentiel, comme tant d'autres chez lui.

Starr porte une de ces casquettes pied-de-poule que les vieux Irlandais ont toujours dans les films mettant en scène une histoire de vieil Irlandais, un gros sweater crème et son ensemble habituel, jean ultra-moulant et bottes à talons hauts. Elle est entièrement couverte mais aussi complètement nue dans mon imagination, et je suis incapable de la regarder en face. Shelby vient s'asseoir à la place que Britney a libérée. À nouveau, il y a une présence chaude à côté de moi, une douce odeur de fille, mais cette fois l'ensemble produit sur moi un effet très différent. Ce n'est plus la souffrance psychologique d'être privé de ma sœur, mais la souffrance physique d'un excès de désir.

Je voudrais passer mon bras autour de ses épaules. Elle frotte les siens pour se réchauffer, donc j'aurais une raison de le faire, ça devrait être facile et c'est impossible.

Avant qu'elle parte en France, j'étais trop intimidé par nos milieux différents pour essayer de tenter ma chance. Maintenant qu'elle est de retour, c'est la différence entre l'ancienne et la nouvelle Shelby qui me paralyse. Elle a passé six mois à Paris, finalement, et elle en est revenue incroyablement sophistiquée. Elle discourt avec passion sur la politique internationale, le surréalisme et les fromages. Elle émaille sa conversation d'expressions en français. Ses tenues parfaitement coordonnées de jadis ont cédé la place à toute une garde-robe de collants fantaisie, de minijupes en patchwork et de hauts destructurés, noirs ou d'une couleur neutre. Elle a toujours une écharpe enroulée autour du cou, même quand il fait bon. Et elle embrasse tout le monde sur les deux joues.

Elle est passée à deux reprises chez Miss Jack depuis son excursion dans cet univers cosmpolite que je n'arrive pas à imaginer, et à chaque fois elle a consacré tout le temps de sa visite à sa tante. Même si j'étais invité à participer à leur conversation, je me suis senti complètement hors du coup au bout de quelques minutes. Quand je me suis rappelé ce que Hen avait dit le soir de notre bagarre avec les frères Hopper, qu'elle trouvait Shelby limitée alors que je lui donnais l'impression de connaître le monde, j'ai failli éclater de rire.

— Où est ton tombeur de frère ? me demande Starr.

— Deuxième base, là-bas…

J'ai à peine fini ma phrase qu'une balle touche le sol entre la deuxième et la troisième position. Klint la reprend au premier rebond, touche le coureur qui arrivait et élimine le frappeur de la première base. C'est une combinaison qu'il pourrait exécuter dans son sommeil, et qui ne lui attirera pas des compliments extasiés du coach, mais la fluidité et la beauté de ces trois mouvements enchaînés – récupération, toucher et renvoi à Tyler – suffisent à faire lever toute l'assistance.

« Un es-tra-or-dinaire double-jeu de Klint Hayes ! » beugle le commentateur dans la sono. Shelby pousse des piaillements ravis que j'aurais plus attendus de Britney, frappe dans ses mains, siffle, danse sur place. Starr s'est mise debout, elle aussi, mais seulement pour pouvoir continuer à regarder. Elle n'applaudit pas, ne crie pas, se contentant de me sourire en me montrant du menton Shelby avec une mine amusée, puis elle se rassoit et sort un paquet de cigarettes de sa poche.

Quand elle se penche pour allumer une clope, ses cheveux masquent son visage. Elle les écarte de ses doigts et me découvre en train de l'observer. Je m'empresse de tourner la tête vers le terrain de jeu. Shelby m'attrape le bras, tout émue.

— Tout ira bien pour lui, chuchote-t-elle.

— Ouais, il est bon…

Le frappeur suivant sert une chandelle à Matt Martelli, lui donnant l'occasion de se racheter.

Klint et ses coéquipiers retournent à l'abri en trottant.

— Eh, vous ! – Une femme assise devant nous se tord le cou pour fusiller Starr du regard. – On ne fume pas, ici.

Starr retire lentement sa cigarette de la bouche et lâche un long jet de fumée dans sa direction.

— Depuis quand ?

— C'est un lieu public ! s'indigne la femme.

— Et alors ?

— Il y a des enfants, ici !

— Et alors ?

— Le tabac tue !

Starr se penche en avant, les coudes sur les genoux.

— Vous inquiétez pas, m'dame. Vous avez beaucoup plus de risques de claquer d'une crise cardiaque à cause des trente kilos en trop que vous vous trimbalez que de pâtir de deux minutes de tabagisme passif en plein air.

Elle se redresse avec un sourire satisfait, prend une autre bouffée et lâche encore un panache. Tout le monde se tait autour de nous. La bonne femme attrape son sac et s'en va, accompagnée d'une autre grosse installée près d'elle.

Shelby est devenue rouge de honte. Je suis pas mal embarrassé, moi aussi. Les gens se demandent pourquoi les connards mènent le monde. C'est parce qu'on choisit tous de se lever et d'aller s'asseoir ailleurs, au lieu de leur faire face. Starr s'est conduite connement mais je lui pardonne immédiatement. On peut difficilement en vouloir à une fille aussi canon. Shelby n'est pas de cet avis, pourtant. Je sens qu'elle est réellement indignée par le comportement de sa sœur, encore une preuve de la maturité qui lui est venue depuis son voyage. L'ancienne Shelby cherchait l'approbation de Starr, lui demandait conseil, admirait ses provocs même si elle ne les approuvait pas. Là, au contraire, elle a l'air presque dégoûtée par sa sœur.

Cody Brockway, depuis longtemps remis des menaces de raclée de son père, est celui qui creuse la différence en notre faveur. Après avoir balancé une balle à effet dans le champ intérieur gauche, il parvient facilement à la première base, surtout grâce à sa vitesse de course. Les deux frappeurs suivants sont retirés après trois prises, et c'est au tour de Klint de revenir sur le marbre.

Les voltigeurs rectifient leur position. C'est nettement plus complexe que lorsque j'étais gosse et qu'on se contentait d'aller le plus loin possible. Maintenant, tout le monde, à l'intérieur comme à l'extérieur, essaie de se placer pour combler les trous tout en sachant que même s'ils ont une bonne occase ça ne servira à rien.

Les deux premiers lancers sont des balles. Le troisième est une prise, orientée à l'intérieur, et je devine que Klint a la haine contre lui-même à la façon dont il abandonne sa place. M. Hill lui crie quelque chose. Il ne réagit pas.

Comme il swingue plus vite que la plupart des frappeurs de son âge, il a la possibilité de prendre son temps pour se concentrer. La balle a déjà parcouru un tiers de la distance vers lui et il est encore immobile, seulement je devine qu'il s'est décidé en le voyant reporter son poids sur son pied-pivot et resserrer ses poings sur la batte. À cet instant, il ne regarde plus le lanceur mais l'espace en face de lui. Un coup monumental, la balle explose dans l'avant-champ droit, rebondit deux fois avant de rouler au pied de la clôture, et il a déjà atteint la première base alors qu'il semble encore pris dans le mouvement de la frappe. Le voltigeur de droite court comme un dératé, Klint touche la deuxième base sans manifester l'intention de faire un double trop facile, et Cody est déjà sur la plaque.

Tous les supporters bondissent de joie, à nouveau. Ils n'ont plus froid, ne sont plus trempés et grelottants. Klint glisse sur le sol. Le troisième-base touche la position mais il n'a pas été assez vif.

Bill gueule tellement fort qu'il a des larmes dans les yeux.

Il saisit mon bras comme Shelby tout à l'heure, et il prononce les mêmes mots qu'elle : « Tout ira bien pour lui »...

Je regarde mon frère se relever. L'espace de quelques secondes, je suis sûr qu'il est couvert de sang, mais ce n'est que de la boue.

20

ALORS QUE STARR A DISPARU DÈS LA FIN DE LA PARTIE, Shelby s'est attardée assez longtemps pour pouvoir dire bonjour à Klint. Je les ai observés debout près de son pick-up, elle tout en noir parisien et écharpe rose, lui dans son uniforme de base-ball taché de boue. Il n'a pas ouvert la bouche, se contentant de hocher la tête de temps à autre, pendant qu'elle jacassait en lui décochant des sourires adorateurs.

Même six mois en France ne l'ont pas fait changer d'avis sur le compte de Klint. C'est incroyable : elle a cessé d'aimer le cheddar, mais pas mon frangin.

Klint a une caisse. Il a une fille belle et riche qui est folle de lui. Il a de quoi devenir un grand sportif professionnel. Il a tout le monde qui se fait du souci pour lui. Et il a de la chance d'être mon frère, parce que sans ça je le détesterais.

Personne ne s'inquiète pour moi. Peut-être quelques-uns pendant un petit moment, mais ils ont vite oublié. Personne ne s'est fait des cheveux blancs en se demandant quelles notes j'aurais après la mort de Papa. Et quand ils ont vu que j'avais récolté un A à mon premier examen de géométrie, ils ne sont pas tous tombés dans les bras les uns des autres en criant : « Tout ira bien pour lui ! » Personne n'a demandé si je continuais à peindre, ou si j'avais perdu l'appétit, ou si j'arrivais toujours à me masturber de manière satisfaisante.

Le plus dingue, c'est que Maman est le seul être au monde à avoir jamais eu l'air de se soucier plus de moi que de Klint, mais qu'est-ce que ça m'apporte, en fait ? Puisque qu'elle a pu aussi se réveiller un matin et décider de se foutre complètement de moi.

La rencontre de jeudi s'est bien passée. Les Flames l'ont emporté par 4 à 1. Une victoire les doigts dans le nez à la cinquième manche, 12-2. Klint a frappé un triple et deux simples, obtenu deux points-produits et marqué deux fois. Brent Richmond a réussi un home run avec deux joueurs présents dessus. Cody Brockway a rempli les bases avec un amorti suivi d'un sprint époustouflant, et ensuite Tyler a exécuté le double qui a ramené deux types au marbre.

Là, on est un samedi, et comme le match s'est terminé plus tôt que prévu une partie des joueurs a l'intention de passer un moment au bowling avant d'aller bouffer au Quaker Steak & Lube. Ils m'ont proposé de les rejoindre. Ils sont beaucoup plus sympas avec moi, cette année, peut-être parce qu'ils ont de la peine pour moi depuis que Papa est mort, ou parce que j'ai pris dix centimètres en un an, ou parce que je suis au lycée maintenant et qu'ils ne peuvent plus me considérer comme un minus. Je me bats l'œil de leurs raisons, d'ailleurs. Je compte bien profiter de la moindre occasion d'améliorer ma vie sociale. En plus, il est connu que les joueurs de base-ball attirent les plus jolies meufs dans les parages.

J'entre dans la chambre de Klint juste quand il a fini de se doucher. Il a déjà renfilé son jean et fouille dans le tiroir plein de tee-shirts, même s'il ne porte que les trois mêmes tout le temps. Dès qu'il a trouvé l'un de ces trois-là, il le déplie et passe sa tête dans l'encolure. Je me dépêche de lui annoncer ma découverte :

— Tu sais combien de thune Miss Jack se fait avec le sperme de Ventisco ?

— Hein ?

— Je blague pas. Ils vendent ce qui lui sort des couilles. Vingt mille la rasade de crème de taureau de concours.

— Tu me charries ?

— Non, je te dis ! Je viens d'entendre Luis et Jerry en parler dans la grange. Ils se préparent à ramener Ventisco pour lui brancher dessus une machine qui… le branle, quoi.

Klint fait une grimace écœurée.

— Assez. Merci.

— J'ai hâte de le voir, enfin.

— Ouais, c'est ça. Super. Tant mieux pour toi. Vous pourrez éventuellement lâcher votre purée ensemble, tous les deux.

Il s'assoit au bord de son lit pour mettre ses chaussettes.

— Je le ferai sans problème, si on me paie vingt mille dollars pour.

— Toi ? On te donnerait même pas vingt cents !

— Personne le prendrait, même pour rien.

Quand il se redresse après avoir lacé ses chaussures, je vois que Klint sourit pour de bon. Mon regard passe sur le lit défait. Je remarque que le tas de couvertures et de draps en désordre remue. M'approchant, je vois Mister B s'étirer, rouler sur le dos et ouvrir un œil pour m'observer. Je suis estomaqué.

— C'est quoi, ce merdier ? Qu'est-ce qu'il fabrique ici ? Il a pas le droit d'être dans la baraque !

— Elle le sait pas.

Je me pose près de mon chat, je lui caresse la tête et il se met à ronronner mais ça ne me fait pas vraiment plaisir, contrairement à d'habitude. Shelby, c'est déjà assez dur, même si elle a jamais été à moi, mais ça, c'est une trahison totale. Mister B et Klint se sont toujours mutuellement détestés, non ? Soudain, pourtant, je me rappelle comment Baby se serrait contre lui et comment Klint avait paru avoir du mal à renoncer au chien. Furax, je lui lance :

— Je croyais que tu pouvais pas le sentir !

— Une nuit où j'arrivais pas à dormir, je suis sorti faire un tour et il m'a suivi dans la maison quand je suis rentré. Je crois qu'il avait froid. C'est un vieux chat, après tout.

— Il est pas vieux !

— Mais si. Regarde-le un peu. Tu sais même pas quel âge il avait quand tu l'as trouvé.

Je continue à le caresser mais ses ronronnements s'atténuent plus vite que dans le temps. Je lui jette un coup d'œil : il s'est déjà rendormi. Génial ! Encore une perte en perspective. Mon chat va mourir. Brusquement, je ne veux plus de lui. Je préférerais qu'il soit déjà parti. J'ai pas envie de devoir attendre sa fin.

— Tu vas le prendre avec toi à la fac ?

— T'es malade ou quoi ? Ce chat est venu s'étendre sur mon lit, point final. C'est aussi con que ça. Et c'est ton chat. J'en veux certainement pas.

La tristesse me tombe dessus aussi vite que la colère tout à l'heure. J'ai l'impression que je vais me mettre à pleurer sur Mister B parce que Klint le rejette.

— Tu sais qu'il va bientôt falloir que tu penses sérieusement à l'université ?

— Eh, j'en suis qu'au printemps de la première ! Il y a plein de mecs qui décident seulement quand ils sont sur le point de terminer le bahut.

— Pas si tu es sérieux. Pas si tu veux vraiment les bons établissements et les bons programmes d'aide financière. Tu vas devoir t'engager par écrit dès cet automne.

— Lâche-moi !

— Et si tu allais à Western Penn la semaine prochaine, voir un peu l'équipe et tout ? Le coach te laissera manquer un entraînement, c'est sûr.

Je commence vraiment à lui taper sur le système. Ça se voit au bout de ses oreilles qui ont viré rouge vif.

— Mais qu'est-ce qui te prend, bordel ? C'est toi qui fais tout un cinéma sur mon avenir et maintenant tu veux que j'aille dans une boîte merdique ?

— Western Penn n'est pas merdique. C'est juste moins grand que les autres qui t'intéressent. Tu sais qu'ils pensent avoir accroché Shane Donner ?

— Shane Donner ! Quelle foutaise ! Il va directement en professionnel, Shane Donner !

— Pourquoi tu envisages toujours le pire pour les autres ?

— Ah, gagner des tonnes de fric comme lanceur dans une équipe pro, c'est envisager le pire pour lui ?

— Je sais pas.

— Et toi, pourquoi tu fantasmes autant sur les études ? – Comme je ne réponds pas tout de suite, il s'énerve un peu plus. – Tu crois que je serai jamais pris dans les meilleures sélections, c'est ça ?

— Mais non ! Seulement… Et s'il y a un truc qui coince ? Les plus grands joueurs du monde, il peut leur arriver un pépin.

— Et tu penses qu'un diplôme quelconque me sauvera le cul ?

— C'est quelque chose de concret, au moins. J'ai pas envie de te voir devenir un de ces paumés aux espoirs en miettes qui végètent dans une équipe pourrave et se pintent tous les soirs.

« Comme Papa », complétons-nous tous deux en silence.

— T'as raison, vaut mieux que je sois un de ces paumés avec un diplôme bidon qui végètent dans un bureau et se pintent tous les soirs. Ton problème, c'est que tu penses trop à l'avenir.

— Et toi, t'y penses jamais.

— Peut-être que je m'en fous. Que j'ai pas besoin d'avoir un avenir.

— Ça veut dire quoi, ça ? Tu en as un, que ça te plaise ou non, alors autant faire en sorte qu'il soit pas trop mal, non ?

— Pas d'avenir, non. C'est mon choix. C'est même le seul putain de choix que personne peut m'enlever.

— Mais de quoi tu parles ? - En deux foulées, il est déjà à la porte. - Eh, attends-moi !

— Pas question. Tu restes ici et tu me lâches la grappe. J'ai pas besoin de t'avoir sur le dos et de t'entendre te faire du mouron pour moi toute la journée comme un putain de pédé.

Je le suis dans le couloir.

— Allez, Klint !

Il continue sans se retourner. C'est sa manière de traiter les problèmes : les ignorer. Je sens des larmes brûler mes yeux. Je voulais sortir, faire quelque chose. J'en ai marre de ne jamais m'amuser.

Je jette un coup d'œil dans la chambre de Klint. Mister B bâille dans ma direction.

— Faux jeton !

Après lui avoir hurlé cette insulte, je claque la porte, je fonce dans ma chambre, je m'enferme et je me laisse tomber sur mon lit.

Là, tout de suite, mon père me manque terriblement. De toute sa vie, il n'a jamais réglé un seul problème, mais il arrivait toujours à m'empêcher de prendre au tragique ceux que je pouvais avoir. S'il était ici avec moi maintenant, il n'accepterait pas que je commence pas à parler de mes ennuis. Il ne m'écouterait pas traiter Klint de sale égoïste, puisqu'il me laissait jamais dire un mot de travers sur mon frère. Il ne prendrait aucun intérêt à m'entendre bavasser de Shelby, de ce qu'elle a dit de moi – qu'elle me trouvait gentil et mignon, le pire truc qu'une fille puisse dire pour ruiner les espoirs de baise d'un mec –, de l'attachement de Mister B envers moi, dont j'ai compris qu'il n'avait aucun sens vu qu'il resterait avec n'importe quel connard qui lui offrirait un lit chaud, de la déprime que j'ai quand je pense que Krystal peut plus me souffrir, de la nostalgie de Maman qui m'accable tous les jours...

Il ne voudrait pas écouter parce qu'il aurait aucun moyen d'arranger tout ça et que ça lui mettrait les boules, mais il ne voudrait pas non plus que je continue à broyer du noir parce qu'il m'aimerait et donc, à la place, il m'emmènerait avec lui au Wal-Mart acheter des caleçons longs pour notre prochaine expédition de chasse, ou à la piste de kart et me laisserait le dépasser à chaque fois, ou bien il me laisserait conduire son pick-up dès que nous aurions quitté la route principale, ou encore il me dirait simplement de venir m'assoir près de lui pour regarder la télé et partager une bière.

Papa n'était pas doué pour les solutions, mais pour les distractions. Et quand aucun de vos problèmes n'est soluble, quelqu'un qui arrive à vous distraire peut être votre meilleur ami.

On frappe à la porte. Je suis sûr que c'est Miss Jack, qui a sans doute entendu mon chahut. Sans bouger, je crie :

— Je fais mes devoirs !

— Tu rigoles ? Un samedi après-midi ? Pas marrant à ce point-là, c'est impossible !

La voix de Starr. J'ai même pas eu le temps de lui dire au revoir après le match de jeudi. Elle s'est évaporée dans les airs comme elle sait le faire. Des fois, je suis convaincu qu'elle n'est pas tout à fait réelle.

Je vais lui ouvrir.

— Je croyais que c'était Miss Jack...

J'essaie de paraître aussi cool que peut l'être un gars qui passe son samedi tout seul dans sa chambre sans même une téloche ou une console de jeux.

— Tiens, tiens, persifle-t-elle en regardant par-dessus mon épaule. Je peux entrer ?

— Bien sûr.

Elle passe sur le côté. Resté sur le seuil, je me retourne et je la regarde. C'est la première fois que je la vois jambes nues. Elle a une minijupe noire et des talons hauts. Sa chemise blanche pourrait être celle d'un homme d'affaires, mais elle a roulé les manches et laissé pas mal de boutons ouverts. Elle porte un sac, un blouson en cuir noir et la casquette qu'elle avait l'autre jour. Après avoir jeté le tout sur mon lit, elle pivote pour me faire face.

— Je suis venue voir ma tante et je me suis dit que je devrais monter te dire bonjour. Parce que c'est poli.

Je fais tout pour ne pas mater ses jambes mais elles sont tellement longues et tellement nues que c'est impossible. Et si je lève les yeux, je tombe sur ses nichons dans un soutif noir très visible par la chemise entrouverte. La regarder dans les yeux est le pire de tout, j'ai l'impression qu'elle est capable de lire tout ce qui se passe dans mon cerveau.

Je consacre tant d'efforts à décider où je dois regarder que je ne parviens pas à trouver comment engager la conversation. C'est elle qui s'en charge :

— J'ai aperçu ton frère qui s'enfuyait de la maison avec cet air gracieux qu'il a toujours. Ça lui arrive jamais, de sourire ?

— Il… Il est pas mal préoccupé.

— Ça se voit.

Elle reprend son sac, en sort une flasque, l'ouvre, boit un coup et me la tend.

— Quel âge tu as, Kyle ? me demande-t-elle pendant que j'avale une gorgée d'un liquide brûlant.

Du whisky. J'ai pas l'habitude d'en boire, mais je tente de garder une expression dégagée, même si je manque de m'étrangler sur ma réponse.

— Arrgh… Quinze ans.

Elle se met à faire le tour de la pièce en touchant un peu à tout, s'arrête devant le portrait de Stan Jack. À ma grande horreur, je m'aperçois que j'ai oublié d'enlever le tee-shirt, ce matin. Elle l'arrache, éclate de rire en découvrant que c'est son grand-père.

— Il a de quoi vous mettre les foies, ce salaud, non ?

— Un peu.

Elle couvre à nouveau le tableau et continue son inspection.

— Quinze ans, dit-elle pensivement. Je me rappelle quand j'avais quinze ans. C'est quand j'ai perdu ma virginité. Un ami de mon père. Il m'a fait salement picoler pour me soûler. Après, j'ai gerbé mes tripes. – Elle lâche un petit rire. – Eh, tu devrais voir ta tête ! T'inquiète pas, il m'a pas violée ni rien. J'étais consentante. En fait, je l'avais vachement allumé, depuis un temps… – Elle boit encore à sa flasque. – Je croyais que j'avais envie de le faire, mais quand le moment est arrivé j'étais plus du toute partante. Sauf que c'était trop tard.

— Comme quand on est engagé dans un lancer, genre… – J'ai avancé cette comparaison sans être trop sûr de moi. J'ai pas trop l'habitude de bavarder de ce sujet explosif avec une fille. Et je me crois obligé d'expliquer l'image : – Une fois qu'on a commencé le swing, on doit continuer, même si on sent que la balle va être mauvaise.

— À peu près ça, oui, approuve-t-elle avec un sourire. Dis donc, tu t'y connais, en base-ball !

— Pas mal.

— Mais tu joues pas, toi. C'est à force de regarder ton frère ?

— Faut croire.

— Pourquoi tu joues pas ?

— Le sport, c'est pas mon truc.

— Alors, c'est quoi, « ton truc » ?

— Je sais pas.

Elle s'immobilise devant la mallette de peintre que Miss Jack m'a offerte pour Noël et que j'ai laissée ouverte à côté de la toile sur laquelle je travaille en ce moment. Elle prend un pinceau entre ses doigts.

— On dirait que c'est la peinture, ton truc. Eh, voilà un sujet intéressant, pour un garçon de quinze ans…

— Je... c'est pour ma sœur.

— Je savais pas que tu avais une sœur. Où elle est ?

Je la rejoins devant le chevalet de bureau qui soutient mon tableau, quatre fées représentant la terre, le ciel, la mer et le feu. Le ciel est une blonde diaphane enveloppée dans des voiles blanc argenté et bleu pâle, le feu une rousse en robe écarlate avec des ailes qui ressemblent à deux flammes dans son dos. La mer a des boucles couleur lavande tressées d'algues vertes, le corps couvert d'écailles scintillantes et chatoyantes comme celles d'une truite arc-en-ciel. La terre, une brune, n'a rien de plus sur elle qu'un bikini en feuilles mortes ; elle ressemble énormément à Shelby et je prie pour que Starr ne le remarque pas.

— Elle est dans l'Arizona, avec ma mère.

— Alors, ta mère a pris ta sœur et s'est barrée comme ça ? Ton père était d'accord ?

— Non, mais il avait pas trop le choix.

— Comment ça ? Évidemment qu'il avait le choix ! On peut pas s'en aller avec un gosse et laisser l'autre parent en plan. Il aurait pu prendre un avocat.

Je fais non de la tête. Elle me passe la flasque et j'avale encore une rasade.

— On avait pas les moyens de se lancer dans des trucs pareils, et en plus je pense que mon père a trouvé que ça aurait pas de sens de forcer à revenir quelqu'un qui voulait plus être avec lui. Il n'avait pas envie de se battre avec elle. Et il arrivait pas à la détester, même si plein de gens lui disaient qu'il aurait dû.

— Il avait l'air sympa, ton père. Qu'est-ce qu'il faisait ?

— Il a été mineur, au début, mais il a été licencié.

— Ah, ces bonnes vieilles Houillères J&P ! – Elle lève la flasque à ma santé et s'envoie une lampée. – Quel tas d'enfoirés nous sommes, dans ma famille !

Je complète en baissant la voix :

— Son dernier travail, c'était au service d'entretien d'une boîte.

— Dans ce cas, tu devrais être fier de toi. Et ton frangin aussi. Vous vous en tirez bien, tous les deux. Vous allez progresser dans la vie. Monter les échelons.

Je comprends ce qu'elle sous-entend mais je ne dis rien, parce que je serais incapable d'expliquer à quelqu'un comme elle la manière dont je vois mon père. De lui dire que je finirai peut-être plus haut que lui, mais pas mieux que lui.

— C'est un très beau tableau, affirme-t-elle.

— Il n'est pas fini. Il y a encore beaucoup de boulot dessus. Et je veux ajouter des paillettes. Elle adorait tout ce qui brille. Je sais pas si c'est encore le cas...

Starr va s'asseoir au pied de mon lit. Je la contemple. « Où » je la regarde n'a plus d'importance. J'ai bu seulement deux traits de whisky mais je me sens déjà un peu bizarre. C'est pas désagréable, juste différent.

— Peut-être que tu peindras quelque chose pour moi, un jour ?

— Peut-être.

— Je pourrais poser pour toi. Tu crois que je serais bien, en fée ?

— Je te verrais plus en sorcière.

Elle m'offre l'un de ses sourires mystérieux, bandants et inquiétants à la fois.

— J'aime ça ! – Elle tapote le matelas près d'elle, me faisant signe de venir m'asseoir près d'elle. J'obéis. – La fée, ce serait plutôt Skylar, chez nous. Tu ne l'as pas encore rencontrée, hein ? Elle est très belle mais très conne. Attention, te trompe pas : je l'adore. Je l'aime comme une sœur. Mais question jugeote, elle est pas au top...

Avant que j'aie le temps de comprendre ce qui m'arrive, elle s'est mise à califourchon sur moi, sa minijupe remontée sur les hanches, ses cuisses enserrant les miennes. Ses seins pointent droit dans ma figure. Je me raccroche des deux mains au matelas. Elle se laisse aller un peu en arrière pour m'observer.

— Et Shelby, tu en penses quoi ?

— Je... Quoi ?

Elle pose son index sur mes lèvres comme pour m'empêcher de le dire.

— T'es pas forcé de répondre. Je sais que tu es dingue d'elle. Qu'est-ce que tu penses de moi ?

— Toi, tu es… trop belle.

Elle retire son doigt, le fait descendre sur mon menton, mon cou.

— C'est facile, ça. Qu'est-ce que tu penses de ma personnalité, de mon caractère ?

— Je… Tu as l'air très cool.

Elle pouffe de rire.

— Vachement convaincant !

Elle se laisse glisser sur le sol, entre mes jambes. Agenouillée sur le parquet, elle ouvre les derniers boutons de sa chemise.

— Je te fais peur ?

Je secoue la tête. Quand elle se libère de la chemise, je me retrouve en face de vrais seins de fille réelle, à peine couverts par deux minuscules bouts de tissu transparent.

Les nerfs au bout de mes doigts se mettent à brûler, les muscles de mes bras à trembler. Je donnerais n'importe quoi pour les prendre dans mes mains mais je ne suis pas encore certain que j'aie le droit.

— Même pas un peu ? – Je fais signe que non, à nouveau. – Mais tu respires comme si tu avais peur.

Elle lève une main et la pose sur mon sexe. Pendant deux secondes, j'ai la conviction que je viens d'avaler ma langue et que je vais avoir la honte de ma vie en crevant à bout de souffle devant elle.

Elle tripote ma queue tendue sous le jean, la frotte presque pensivement.

— Enfin, j'imagine que tu aurais pas *ça*, si tu avais vraiment la trouille… – Elle se met debout. – C'est ta première fois, Kyle ?

J'essaie de répondre mais ma gorge est bétonnée, rien n'en sort. Je fais non de la tête, encore.

— Tu voudrais ? Maintenant ?

— Je… Oui. Je suppose. Plein de mecs voudraient…

— Pas tous, non. Pas ton frère.

— Qu'est-ce que tu veux dire ?

Elle envoie balader ses chaussures, fait glisser sa jupe à ses pieds. Je la regarde, je la bois des yeux et je me rends compte que je ferais tout pour l'avoir. Que je promettrais n'importe quoi, que je renoncerais à tout, que je rejetterais ceux que j'aime, que j'irais contre toutes les lois, que j'accepterais les pires humiliations.

C'est un désir plus puissant que tout ce que j'ai jamais pu penser ou même ressentir physiquement. Et qui me rend merveilleusement conscient. Soudain, j'ai l'impression que je comprends jusqu'à la foi religieuse. Si des dieux arrivent à inspirer aux gens la même chose que ce que j'éprouve maintenant pour cette fille, pas étonnant qu'ils puissent convaincre leurs adorateurs de leur sacrifier leurs moutons, leur sens de l'humour et leur premier-né.

Elle revient sur moi, me chevauche à nouveau, me repousse sur le lit par les épaules. Sa main s'active sur la fermeture éclair de mon jean pendant que sa langue vient lécher mon oreille et qu'elle murmure contre mon tympan :

— Il peut pas bander, lui...

Je tends enfin mes mains vers elle. Elle dégrafe son soutien-gorge pour moi.

— T'inquiète pas, dit-elle tout haut. Je prends la pilule. Et je suis OK. Je fais le test tout le temps.

Un rire nerveux m'échappe. Rien n'est plus éloigné de mon esprit que l'idée de la paternité, de la maladie et de la mort, mais en même temps ce sont des risques que je suis entièrement prêt à prendre.

Elle m'attrape dans sa paume et me guide fermement en elle. Je ferme les yeux, parce que je ne veux pas voir. Je m'attendais à quelque chose de spongieux ou de charnu, à peu près comme ma main mais plus tendre et plus moite, au moins. En réalité, ça dépasse tout ce que j'avais pu imaginer. C'est comme de plonger dans une huile chaude et dense qui apaise et rend fou.

Elle commence à aller et venir sur moi, glisse une main entre ses jambes et se caresse en m'annonçant :

— Je vais m'aider un peu, parce que je crois pas que tu vas tenir très longtemps.

Elle a raison.

21

CANDACE JACK

PENDANT LES MOIS DE FROIDURE, je ne peux pas prendre mon petit déjeuner sur la véranda, et comme il est pour moi exclu de le faire au lit – si on est assez éveillé pour se sustenter, on l'est aussi pour s'habiller et s'asseoir à une table –, je le prends habituellement au jardin d'hiver, d'où j'ai une très belle vue sur les arbres et les collines. Mes tendances insomniaques s'accentuent, m'obligeant à me lever de plus en plus tôt et j'en suis venue à être debout au moment où Klint et Kyle se préparent pour l'école.

Ils prennent leur petit déjeuner à la cuisine, eux, et bien que leur passage dure rarement plus qu'un quart d'heure, cela leur suffit pour claquer les portes de placard, pour malmener la vaisselle, pour échanger des grossièretés, bref pour produire plus de tapage que si ma maison abritait un réfectoire de prison. Dans l'espoir que ma présence les conduirait à plus de modération, j'ai commencé à me joindre à eux pour le premier repas de la journée. Ils ont fait quelques progrès, certes, mais il y a certains gestes – ouvrir le réfrigérateur ou une nouvelle boîte de céréales, par exemple – qu'ils semblent incapables d'accomplir sans bruit. C'est plus fort qu'eux, visiblement. Est-ce inscrit dans leurs gènes ? Les inviter à mâcher discrètement est aussi vain que de supplier un éléphant d'avancer d'un pas léger.

Aujourd'hui, c'est la première fois depuis novembre que j'ai essayé de prendre mon petit déjeuner dehors. Fin avril, les matins sont encore frais mais il a fait très doux ces derniers jours, et un parfum de printemps est perceptible dans l'air. Les arbres sont couverts de bourgeons d'un vert éclatant, les crocus parsèment l'herbe de points blancs et violets.

Il pourrait encore très bien neiger la semaine prochaine. En Pennsylvanie occidentale, le temps est imprévisible, au mieux. Généralement, nous sommes gratifiés d'une dizaine de jours merveilleusement trompeurs en mai avant d'être accablés par un mois de juin obstinément pluvieux, et l'été n'arrive pour de bon qu'en juillet. Mais j'ai connu un si grand nombre de printemps que mes os se sont accoutumés à détecter le moment où les pires frimas sont passés, et je sais que c'est le cas pour cette année.

Protégée par ma veste et le foulard que Kyle m'a offert pour Noël, je sirote mon thé en lisant le journal quand la porte de la maison s'ouvre et se referme bruyamment, puis une cavalcade qui fait penser à une petite horde de bisons ébranle le perron.

— Les garçons ! – À mon appel, ils s'arrêtent net. Klint est chargé de son sac de sport, que j'ai essayé en vain de soulever une fois, en plus du sac d'école qu'ils trimbalent l'un et l'autre. Celui de Kyle, qui contient des livres, est le plus lourd. – Moins de bruit, je vous prie.

Ils s'approchent de moi. Alerté par le vacarme, Luis apparaît dans l'embrasure, portant mon toast sur une assiette qu'il tient à bout de bras.

Kyle, lui, a trois sandwichs à la mortadelle empaquetés dans chaque main. Tous les matins, il en prépare une dizaine pour son frère.

— 'jour, Miss Jack. On se demandait où vous étiez.

— J'ai décidé de m'asseoir dehors, ce matin.

— Il fait encore froid, non ?

— L'air frais est bon pour moi. – Je désigne les sandwichs du menton. – Tu n'as donc nulle part où les mettre ?

— Si, bien sûr.

Il les pose sur la table, fait pivoter son frère pour pouvoir ouvrir la fermeture Éclair du sac qu'il porte dans le dos.

— Allez ! dit Klint, on va être en retard.

Après m'avoir servi mon toast, Luis s'attarde pour une raison que je saisis très bien : il veut me regarder me comporter
avec les garçons pour m'expliquer plus tard pourquoi je ne
l'ai pas fait correctement.

— Eh, regarde ça ! s'exclame Kyle en sortant un livre du sac
de son frère. Tu l'as commencé, finalement ?

C'est la biographie de Roberto Clemente que je lui ai choi-
sie à Noël.

— Remets ça à sa place, gronde Klint. Faut que je lise un
bouquin sur un type important en politique ou en philosophie. C'est pour mon cours de sciences sociales.

— Je croyais que c'était un joueur de base-ball, dis-je inno-
cemment.

— C'était aussi un grand exemple pour les autres, m'informe
Kyle. Il avait le *duende* !

— Peut-être, concédé-je, uniquement pour agacer Luis. Il
était hispanique, n'est-ce pas ?

— Ouais. De Porto Rico. Mais vous voulez dire quoi ? Que
les gringos peuvent pas avoir le *duende* ?

— « Gringos », répète Luis avec un petit ricanement.

— Eh ben, qu'est-ce qu'il y a de mal à dire « gringo » ?

— Ce n'est pas un mot qu'on utilise en Espagne, sauf en
plaisantant. C'est un terme mexicain.

— Et comment les Espagnols appellent ceux qui ne sont
pas espagnols, alors ?

— Infortunés.

J'essaie de ne pas sourire. Il ne faut pas qu'il se sente
encouragé. Kyle remet le livre dans le sac de Klint et entasse
les sandwichs dessus.

— Vous allez venir au match ? me demande-t-il.

Je vois que Luis me regarde avec de grands yeux.

— Je ne pense pas, non. Pas aujourd'hui. Je me sens fatiguée.

— Mais vous venez de vous lever, observe Luis.

— Merci, mon cher, je le sais. Je voulais dire en général.

— En tout cas, faudra que vous veniez un jour, insiste Kyle.
Vous devez voir jouer Klint. Il a le feu !

Je dévisage son frère. Il n'est pas facile de l'imaginer « ayant le feu ». Il me fait plutôt penser aux ruines fumantes d'une maison ravagée par un incendie.

— Allez on y va ! insiste Klint.

Lorsqu'ils sont déjà loin, Luis intervient :

— Vous devriez vous rendre à ce match. Nous avons une star du base-ball sous notre toit. Vous ne lisez donc pas les journaux ?

Au lieu de répondre à sa question, je prends celui que j'étais en train de feuilleter et je le brandis devant moi.

— Vous savez bien que je n'aime pas sortir.

— Mais il y a quelques jours encore, vous l'avez fait.

— Pour aller voir Bert.

— Ah, c'est différent, je sais ! Rien ne pourrait vous retenir de voir Bert. Aucun genre de phobie.

— Pardon ? Je n'ai pas de phobie !

— Si. La phobie des gens.

— Ils ne me font pas peur. Et je suis allée consulter Bert sur un plan strictement professionnel.

— Oui ? C'est pour ça qu'il vous a envoyé deux douzaines de roses jaunes le lendemain ?

Je repose le journal sur la table.

— Oh, par pitié ? Que croyez-vous qu'il se soit passé ? Nous avons fait passionnément l'amour sur son bureau, peut-être ?

— Passionnément, j'en doute. Poussiéreusement, disons.

— Assez !

Il lève les mains en l'air comme s'il se rendait à un shérif du Far West.

— Votre vie amoureuse ne me regarde pas, c'est vrai.

— Je n'ai pas de vie amoureuse.

— Quand on parle du diable, on en voit la queue…

— L'expression correcte, c'est « quand on parle du diable, on en voit les cornes ». Je vous l'ai dit dix mille fois…

Je me retourne sur ma chaise afin de comprendre ce qui l'a poussé à employer cette remarque proverbiale. Jerry vient de sortir de la grange et se dirige vers la jeep.

— Luis ! Vous êtes l'être le plus horripilant, le plus mesquin, le plus impitoyable, le plus…

— Ah, vous voyez ! m'interrompt-il avec un sourire triomphant. La passion est là ! Elle est peut-être pour Jerry, non pour Bert…

— Elle est pour vous !

Nos regards se croisent un bref instant avant que la gêne nous fasse détourner les yeux ensemble. Je suis sûre que j'ai rougi.

— Bien l'bonjour, Miss Jack ! lance Jerry de l'autre côté de l'allée.

— Bonjour, Jerry, dis-je d'un ton délibérément enjoué. Comment allez-vous, ce matin ?

— On a pas à s'plaindre. Bonjour, Luis.

— Également, répond Luis en s'emparant d'un grand geste de l'assiette sans que j'aie eu le temps de mordre dans mon toast.

Je soupire. Il y a eu une époque où je lui aurais donné l'ordre de me laisser mon petit déjeuner, où je l'aurais renvoyé à la cuisine avec la mission de me préparer des œufs brouillés bien que je n'aie pas eu du tout faim. Je n'ai plus l'énergie pour cela. Les disputes et les confrontations me paraissent être une perte de temps accablante. Luis, au contraire, cherche toujours une raison de s'affronter à moi. Je ne le lui reproche pas. Il est à un stade différent de sa vie. J'ai fêté mon soixante-dix-septième anniversaire il y a quelques mois, et je serai bientôt octogénaire. Luis est de dix ans mon cadet. Pour des jeunes tels que Kyle, Klint, Shelby ou Starr, cet écart ne représente rien, parce que nous sommes simplement deux vieilles personnes, à leurs yeux ; pour moi, cette dizaine d'années compte beaucoup.

Quand on est à mi-chemin de son existence, une décennie n'a pas autant de signification. Avoir trente ans ou quarante, c'est presque pareil même s'il faut arriver à mon grand âge pour s'en rendre compte. C'est durant l'enfance et la vieillesse que les années paraissent capitales, et interminables. Aux yeux d'un gamin de dix ans, un jeune de vingt ans est un impensable vieillard, alors qu'un septuagénaire regardera un sexagénaire avec envie. Parce que le temps passe moins vite au début et à la fin d'une vie. Pour un enfant, il est lent, lourd et doux comme un sirop, mais aussi quelle impatience de devenir « un grand » ! Ensuite, nous entrons dans l'âge adulte et le temps nous échappe comme l'eau entre les doigts, puis il ralentit encore au crépuscule de notre vie, prenant la consistance du gras que l'on retire à la surface d'un bouillon de poulet, et il ne nous reste plus qu'à attendre la mort. Et il n'y a rien de morbide à considérer les choses de cette manière. C'est la réalité de la vie : elle finit par s'arrêter.

Dans sa dernière lettre, Rafael mentionnait la peur de la mort qui étreint les humains alors que les animaux l'ignorent. Je l'ai crainte, moi aussi, mais c'est fini. La peur vient de l'inconnu, mais avant qu'il puisse y avoir de l'inconnu il faut qu'il y ait du connu. Les bêtes n'ont jamais à faire face à ce dilemme. Elles sont gratifiées par l'ignorance que donne une existence entièrement instinctive, sans interférence du conscient.

Dernièrement, j'ai l'impression de retomber dans une sorte de lucidité animale. Ma conscience est saturée. J'ai vu le monde changer à l'excès. J'en sais trop sur tout.

Je me sens étonnamment peu concernée par la vie qui a été la mienne. Elle ne me satisfait pas plus qu'elle ne me déçoit. Je ne suis pas impressionnée par ce que j'ai accompli, ni assaillie pas les regrets. Je ne me morfonds pas en déplorant d'avoir raté l'occasion d'un voyage à Bali, ou de ne pas avoir appris le piano, ou de n'avoir jamais répondu au coup de fil de Ted Kennedy.

Mes pensées semblent se concentrer presque entièrement sur mon corps, mon *moi* animal. Je suis fatiguée. J'ai mal ici ou là. Ma vue baisse. Mes papilles ne réagissent plus comme avant. Ma vessie est prise de spasmes alors que mes intestins sont pratiquement frappés d'immobilité.

Au milieu de cette débâcle, un magnifique rayon de lumière est apparu, pourtant : je me suis aperçue que j'ai vécu autant que je le voulais.

Les toreros appellent parfois la mort *la vieja compañera*, la vieille amie. Parce qu'elle est toujours avec eux. J'en suis venue à la considérer de la même façon. Si je ne suis pas encore prête à l'accueillir dans mes bras, il y a du réconfort à savoir qu'elle m'attend dans les moments où je ne me sens pas bien du tout et où certain Espagnol bardé de sa supériorité morale a décidé de me tourmenter à propos d'un incident survenu il y a quarante ans.

Je ne sais pas exactement ce que Luis attendait de moi. Que je ne me donne plus à quiconque après avoir appartenu à Manuel ? Que je m'enferme dans une sorte de chasteté perverse, obligée de rester fidèle à un fantôme ?

Je me demande comment il aurait réagi si j'avais été une femme comme les autres, qui aurait voulu se marier et avoir des enfants ou qui, armée de l'argent et du physique que je possédais, se serait transformée en garce impénitente. Quelle tête aurait-il faite si j'avais organisé une kyrielle de soirées et de réceptions, accumulant les aventures sentimentales, plutôt que de tuer le temps un après-midi avec un employé dans ma grange ?

C'était un jour d'été. J'étais passée par la grange comme des centaines de fois auparavant. Jerry entassait de la paille à la fourche. Il avait retiré sa chemise. Il était mince mais très musclé, et luisant de sueur. J'avais trente-cinq ans. Manuel était mort depuis six ans et il me restait plus de la moitié de mon temps à vivre. En surface, j'étais encore jeune et belle même si mon âme était vieille et mon cœur hideux.

J'avais été radicalement seule, assaillie de désirs sexuels inassouvis. J'avais besoin de compagnie. Je voulais me sentir adorée et protégée. J'avais envie de faire l'amour à nouveau, mais avec un homme seulement, un homme qui était mort. Malgré tous mes efforts, je n'arrivais pas à changer, sur ce point.

Nous nous sommes salués, Jerry et moi. Je lui ai fait remarquer qu'il avait l'air d'avoir très chaud et je lui ai proposé de lui apporter une boisson fraîche. Il m'a répondu qu'il avait des canettes de bière dans une glacière. Je lui ai demandé si je pouvais en avoir une. Il a paru surpris, et un peu embarrassé, mais il a accédé à ma requête.

Une bière glacée par un après-midi d'été dans une grange, avec un garçon solide, taciturne et indépendant qui n'avait même pas terminé le collège et qui, d'après le peu que je connaissais de lui, n'avait aucune ambition en termes de richesse matérielle, d'influence, de création artistique ou d'accomplissement d'un destin : n'était-ce pas la chose la plus simple au monde ?

C'est cette simplicité qui a conduit au sexe. La sensation que, pendant un court instant, je serais capable de faire taire mon esprit, de me détacher de mes émotions, de reprendre possession de mon corps et de ne percevoir le monde qu'avec ma peau.

C'est moi qui me suis approchée de lui, c'est moi qui l'ai embrassé. Il a lâché sa canette, qui s'est répandue sur le sol. L'espace de quelques secondes, j'ai pensé qu'il avait peut-être peur de moi, ou de mon frère, mais son hésitation n'a pas duré longtemps.

Je voulais qu'il me remplisse. Je voulais être saisie, transpercée. Il a répondu à mes attentes, et c'était bon, sur le coup, mais cela ne m'a pas empêchée de continuer à penser.

Jusqu'à ce jour, j'ignore comment Luis l'a découvert. Je suis certaine que Jerry ne lui en aurait jamais parlé. Il a dû nous voir sans être vu, probablement sorti à ma recherche alors que je tardais à revenir à la maison. Il est vrai que nous avons refait l'amour encore une fois, tout de suite après.

Ensuite, il ne m'est jamais venu à l'esprit que cela pourrait se reproduire. Peut-être Jerry a-t-il envisagé cette possibilité. Je ne sais pas. Le fait est qu'il passe un temps fou dans la grange, depuis.

Je me lève. Resserrant le foulard sur ma tête, je pars pour ma promenade quotidienne sans dire à Luis où je vais. Je commence par descendre l'allée, aujourd'hui. Je ne suis pas tentée d'aller patauger dans les prés ou de couper à travers les bois sans être accompagnée. Il y a trop d'obstacles sur lesquels trébucher.

J'avais l'intention de demander à Luis de m'emmener à la recherche de Ventisco en jeep. Je ne l'ai pas revu depuis le matin de septembre où Shelby m'avait accompagnée durant ma marche. Si je me rappelle bien, c'était le jour où elle m'avait suppliée de prendre Klint et Kyle sous mon toit.

Ce taureau manifeste une aptitude grandissante à se cacher, et une réticence toujours plus grande à s'approcher des humains. Il y a quelques semaines, quand le moment de son examen vétérinaire annuel est arrivé, Jerry et Luis ont mis cinq jours à le localiser et il leur a donné tellement de fil à retordre qu'ils n'ont même pas essayé de le ramener avec eux.

C'est aussi le moment où nous prélevons son sperme pour le vendre à des éleveurs. Si cette pratique ne m'a pas jamais enchantée, elle m'a rapporté des sommes considérables, jusqu'ici. Ce ne sera pas le cas cette année, peut-être jamais plus, d'ailleurs.

Ventisco s'est révélé le plus sauvage de mes taureaux. Il n'a aucune tolérance pour les gens. Je me suis souvent demandé comment il se comporterait dans une arène, et à chaque fois cette question me ramène à une fantaisie que je chéris. En esprit, je les vois, Manuel et lui, se rencontrer ici, dans la solitude de ces prés glacés et silencieux, loin du soleil cuisant et des foules bruyantes d'une *plaza de toros* espagnole. Je regarde Manuel avancer sur l'herbe dense, vêtu simplement, une cape d'entraînement pliée sur le bras. Sans verroterie, sans *bande-rilleros*, sans épée, il se campe sur ses pieds et déploie le tissu d'un geste magnifique en criant : « Hé, *toro !* » Ventisco charge, ils se mettent à danser ensemble avec les collines éventrées et brumeuses en arrière-plan, et j'assiste enfin à la réunion des deux grands amours de ma vie : un Espagnol splendidement voué à la mort épousant ma belle Pennsylvanie empoisonnée.

Le père de Ventisco, Viajero, était un animal plus sociable. Je crois que son caractère s'explique en grande partie par le fait qu'il était un spécimen physiquement remarquable et que, comme toutes les créatures d'une beauté exceptionnelle, il avait un besoin compulsif d'être admiré. Je n'exagère pas, non. Je suis convaincue qu'il savait prendre la pose. J'ai plus de photographies de lui que de mes deux autres taureaux. Que dis-je ? J'ai plus de photos de Viajero que du mariage de Cameron !

Le plus paradoxal est sans doute que mon favori ait été Calladito, celui qui avait pris la vie de Manuel, ou bien est-ce parfaitement logique, puisque c'était le seul des trois que Manuel ait connu ? Dès l'instant où je l'ai vu tomber au sol, j'ai été consumée par le désir irrépressible de sauver l'animal qu'il admirait tellement, mais seul un concours de circonstances exceptionnel m'a permis d'y parvenir.

La propriétaire de l'élevage dont provenait Calladito, Carmen del Pozo, se trouvait présente en cette soirée fatidique. Au cours de l'année que j'avais passée avec Manuel, nous étions devenues amies, elle et moi, et elle avait été proche de mon amant pendant la majeure partie de sa vie. C'était une femme remarquable, tour à tour charmante et terrifiante, qui avait repoussé aussi loin que possible les limites imposées par la condition féminine dans l'Espagne de Franco. Sa famille élevait des taureaux depuis des générations. Son frère aîné, Bonifacio, aurait été l'héritier logique de la *ganaderia* familiale mais il n'avait pas le sens des affaires, il était dépourvu de caractère, sans ambition, voire paresseux, et il n'éprouvait aucune attirance envers les animaux qui avaient permis aux del Pozo d'atteindre une prospérité et une réputation notables dans le pays.

Attiré superficiellement par le prestige de la corrida dans sa jeunesse, il s'était lui-même essayé à l'art du *toreo* sans mesurer le travail et le danger que cela supposait, et il avait misérablement échoué. Ses *faenas* étaient maladroites, ses mouvements hésitants, son maintien raide et affecté n'attiraient que les moqueries. Même les taureaux ne le prenaient pas au sérieux, aurait-on juré. Après avoir donné quelques coups de corne en direction des soubresauts nerveux de son *capote*, ils plantaient solidement leurs sabots dans le sable et jetaient un coup d'œil circulaire aux visages sur les gradins, l'air de dire : « C'est une blague, ou quoi ? »

Les aficionados, qui n'avaient aucune indulgence envers un fils de riche *ganadero* ridiculisant la solennité de la *fiesta nacional* par son manque insigne d'élégance et de scrupules, lui vouaient une haine tenace. Ils l'avaient surnommé « *El Gato de Circo* », le chat du cirque : le seul animal de la ménagerie qui n'a rien à accomplir.

Carmen était l'exact opposé de son frère. Tandis que celui-ci dilapidait l'argent familial en jeux de hasard et en femmes, et jouait au torero uniquement pour se prouver qu'il était digne d'attention, elle était restée auprès de leur père, se rendant vite indispensable dans la routine de l'élevage. Levée tôt, couchée la dernière, elle passait ses journées à courir des étables aux enclos, à inspecter les pâtures et à effectuer sa part de tâches domestiques, ses jupes remontées sur ses bottes, un crayon planté dans sa natte noire, un gros trousseau de clés tintant sur sa hanche. Sa mère était morte quand elle était toute petite, son père ne s'était jamais remarié et une immense affection s'était développée entre eux. Un seul mot de la jeune fille suffisait à réchauffer le cœur endurci du veuf, et ses yeux assombris s'éclairaient quand il la voyait distribuer ses ordres aux servantes ou se hisser dans une jeep avec l'un des contremaîtres pour aller voir comment un jeune *novillo* se comportait dans un coin reculé de la propriété.

Carmen ne manquait jamais une occasion de souligner à quel point le comportement de son frère faisait honte à la famille, et le père del Pozo avait fini par retirer toute sa confiance au Gato. À sa mort, il lui avait laissé une pension raisonnable, mais avait légué à Carmen l'élevage, les terres et le renom de ses taureaux.

Quand je l'ai connue, elle avait atteint la cinquantaine mais son énergie et son autorité restaient intacts. Elle était encore belle, sans joliesse, cherchant à atténuer la sévérité virile de ses traits par un maquillage exubérant et des tenues d'une féminité flamboyante. Elle aimait les robes du soir en taffetas de couleurs vives rappelant les habits de ses chers toreros, vertigineusement corsetées. Dans la vie courante, sa garde-robe était tout aussi colorée, mais avec des jupes droites ajustées et des vestes cintrées aux revers et aux manchettes immanquablement chargés de broderies, de dentelle ou de perles.

Le soir de la mort de Manuel, elle est venue me saluer avant la corrida en tailleur pourpre à bordures ornées de perles fantaisie noires. À part Luis, elle était la seule dans le cercle des intimes de Manuel à être au courant de ma présence. Avec son impétuosité habituelle, elle s'est déclarée enchantée de me voir et m'a chaleureusement invitée à m'asseoir avec elle dans la loge d'honneur, mais sans me demander où j'étais passée, ni comment j'allais.

À mes yeux, elle arrivait à personnifier les deux faces de toutes les pièces : elle était à la fois homme et femme, le Nouveau Monde et l'Espagne immuable, la générosité et la petitesse incarnées, aussi fascinante que terrifiante.

Avant qu'elle ne s'achève, ma liaison avec Manuel était bien connue dans le petit monde de la tauromachie. Les gens savaient qu'El Soltero n'était plus un solitaire. Le Casanova qui avait avancé chaque année au sein de la nouvelle récolte de jeunes beautés espagnoles avec la détermination et l'efficacité d'un paysan maniant la faux se satisfaisait désormais de rester en place et d'admirer une seule rose d'Amérique s'épanouir au soleil.

Carmen était forcée de s'intéresser à moi, puisqu'elle portait Manuel aux nues. Au début, elle m'avait prise pour une conquête de plus et tolérée à contrecœur mais, le temps passant, elle avait constaté l'étonnant attachement que Manuel me manifestait et avait décidé de se lier d'amitié avec moi.

Je crois que le tournant s'est produit le jour où il m'a emmenée regarder les taureaux de Carmen à sa *finca*. D'après ce que je comprenais, c'était la première fois qu'il faisait cet honneur à une femme. C'est alors que nous avons vu Calladito. Un animal magnifique, vraiment ; une masse de muscles bleu nuit surmontée de cornes d'un blanc éclatant élégamment courbées vers le ciel, épaisses comme le tronc d'un jeune arbre, létales. Manuel l'a observé avec une intensité incroyable, retenant son souffle, ses yeux noirs illuminés par une passion que je ne lui avais vue que lorsque nous étions au lit ensemble. Il était amoureux.

À notre retour dans sa maison, Carmen m'a pris le bras pour la première fois, non celui de Manuel, et m'a conduite à l'une des terrasses ombragées où un superbe déjeuner allait nous être servi, se livrant à voix basse aux mille confidences frivoles que deux amies de longue date sont supposées échanger mais que nous n'avions jusqu'ici jamais abordées. Par la suite, elle allait parvenir à la conclusion que j'étais décidément celle qui convenait à Manuel. Le temps était venu pour lui de se stabiliser, d'avoir une compagne pour la vie, un véritable foyer, des enfants, de l'harmonie. Elle m'a parlé mariage avant lui et plus tard, à l'époque où ceux qui nous entouraient ne pouvaient plus ignorer nos affrontements relatifs à mon hésitation à quitter l'Amérique, elle a jugé de son devoir d'essayer de me convaincre que mes réticences étaient futiles. « Un pays, c'est seulement un lieu, alors qu'un homme peut être un monde », m'a-t-elle ainsi affirmé un soir où elle m'avait prise à part au cours de l'un de ses grands dîners mondains.

Sur le moment, je ne lui guère accordé d'attention. Je la savais encline aux proclamations sentencieusement métaphoriques dont elle me gratifiait toujours sur un ton de conspiratrice, en me saisissant fermement par un poignet et en plongeant son regard dans le mien jusqu'à ce que quelque chose dans la pièce attire son œil et qu'elle m'abandonne brusquement pour se hâter plus loin dans un froufrou de taffetas, un sourire éblouissant sur ses lèvres peintes.

Avec le recul, j'ai fini par comprendre la sagesse de ses paroles. Oui, Carmen avait raison. J'ai fait le mauvais choix car je ne mesurais pas la différence cruciale qui existe entre un lieu et un monde, et ce qui rend l'un infiniment moins précieux que l'autre : on peut toujours se trouver un nouveau lieu, tandis qu'un monde perdu ne se retrouve jamais.

Carmen était la seule à pouvoir comprendre mon besoin d'épargner à Calladito la honte de mourir en dehors de l'arène. Elle savait que Manuel ne l'aurait pas voulu, qu'il l'aurait exigé. Seulement, elle était aussi et surtout une femme dure en affaires et elle n'aurait jamais consenti à laisser partir l'un de ses meilleurs taureaux sans qu'il lui rapporte sa valeur exacte.

J'ai payé Calladito très cher, certes, mais il n'y avait pas d'autre solution. En plus de Carmen, d'autres exigeaient leur dû. Même avec l'appui de l'un des éleveurs les plus influents du pays, et son accord pour la vente, je n'aurais jamais été en mesure de contourner les lois et les superstitions qui gouvernent la corrida si celle-ci s'était tenue à Madrid, à Séville ou dans une autre grande ville. On ne m'aurait même pas donné la chance de présenter ma requête. Les responsables officiels occupant une place beaucoup plus importante que dans une agglomération de taille modeste comme Villarica, ils auraient été sous la surveillance permanente du public et auraient eu bien plus à perdre.

Ici, dans la ville natale de Manuel, la présidence de la corrida commémorative était assurée par un minotier âpre au gain qui m'avait été présenté un jour et qui ne demandait qu'à se faire graisser la patte. Sa contribution à la fête tauromachique se bornait à trôner dans sa loge prétentieusement ouvragée, écouter les rugissements de la foule et contempler la mer de mouchoirs blancs agités sur les gradins avant de décider s'il accorderait une oreille, ou deux, ou rien, au torero. Ce n'était pas un passionné de la corrida ni un grand connaisseur de l'art du *toreo* ; il était uniquement intéressé par le prestige local que cette fonction lui apportait, et par les invitations à boire dans les bars du coin qui pleuvaient sur lui si son arbitrage avait répondu aux souhaits du public, ce qui était toujours le cas.

Et puis, je devais faire terriblement pitié alors que je frissonnais dans mon tailleur d'été vert pâle couvert du sang de Manuel au milieu de l'un des passages souterrains mal éclairés à l'arrière des arènes, Carmen à mes côtés, mes bas déchirés, mes chaussures et mon chapeau perdus, les paumes et les genoux écorchés et sanglants, les cheveux en désordre sur mon visage maculé de larmes et de sable. Du dehors, et au-dessus de nos têtes, nous parvenaient lamentations et gémissements. Un peu plus loin dans le couloir, derrière la porte de l'infirmerie, le corps de Manuel était étendu sur un lit en métal glacé, entouré par sa famille, au milieu des sanglots et des prières. Ils avaient rarement l'occasion de le voir toréer, parce que les voyages étaient coûteux et leur travail contraignant, mais il était venu à eux, ce soir, et ils avaient tous pris place dans l'assistance, ses parents, sa sœur et le mari de celle-ci accompagnés de leur enfant de trois ans, Juan Manuel, qui allait être un jour le père de Rafael.

J'ai pu soudoyer le président, donc. En 1959, le cours de la peseta face au dollar était de soixante contre un. J'ai versé six millions de pesetas pour Calladito, soit cent mille dollars. Aujourd'hui, cela équivaudrait à débourser près d'un million en billets verts.

Je me rappelle avoir alors pensé aux hommes qui s'étaient engagés dans une grève désespérée là-bas, en Amérique, et à l'un d'eux en particulier, dont la mort avait précipité ma fuite en Espagne. Calladito avait coûté cinquante fois le salaire annuel d'un mineur de Pennsylvanie. Le prix d'une génération de travailleurs de force.

Il m'a semblé très approprié que je lui sauve la vie grâce à l'argent de Stan.

Dans l'histoire officielle espagnole, le taureau qui avait tué Manuel Obrador fut mis à mort le même soir, sur la *plaza de toros* de Villarica. C'était un élément nécessaire pour la légende de Manuel. En réalité, Calladito avait été évacué à la faveur de la nuit vers le port le plus proche, tel un fugitif recherché par les autorités. L'accompagnait un jeune Espagnol de vingt ans dont l'entêtement farouche n'était pas amoindri par le chagrin et la vénération pour Manuel si grande qu'elle s'étendait jusqu'à la femme que le maestro avait aimée.

Le bruit d'une voiture arrivant vers moi me tire de ma méditation. Stupéfaite, je vois la Cadillac de Cameron apparaître dans l'allée. Il ne vient jamais sans s'être annoncé, et même ces visites planifiées sont rares.

Il ralentit à ma hauteur et baisse sa vitre, mais comme je continue à avancer il est obligé de passer en marche arrière et de rouler lentement pour ne pas me perdre.

— Bonjour, Tante Candace.

— Hello, Cameron.

— Où vous allez, comme ça ?

— Je me promène.

— Et si vous montiez avec moi et que je vous ramenais à la maison ? J'aimerais vous parler une minute.

— Et si tu arrêtais ton automobile et que tu m'accompagnais un moment ?

— Je ne pense pas, non. Je ne suis pas habillé pour. Allez, venez !

— Je veux d'abord terminer ma marche.

— Pourquoi ? Pourquoi ne pas la finir plus tard ? Vous avez toute la journée pour marcher !

— Je l'ai déjà commencée.

— Dieu du ciel, pourquoi vous devez toujours être aussi difficile ?

— Pourquoi dois-tu être aussi paresseux ?

— Je ne suis pas paresseux ! Je suis en costume et en chaussures de ville, donc je n'ai pas envie de crapahuter sur une fichue route pleine de boue !

— Dans ce cas, je te verrai à la maison quand je serai de retour.

Il freine si brutalement que le gravier gicle sous ses pneus. Mon cœur a fait un saut dans ma poitrine mais il est hors de question que je trahisse mon saisissement. J'accélère le pas. J'entends sa portière claquer derrière moi, et un marmonnement excédé, puis il me rejoint à grandes enjambées.

— Voilà, vous êtes contente ?

Il a déjà le souffle altéré par l'effort.

— Non.

— Pourquoi ?

— Parce que tu marches avec moi.

— Mais… c'est vous qui me l'avez proposé !

— Je ne pensais pas que tu accepterais.

— Tante Candace ! – Il a encore élevé la voix. – Vous voulez bien vous arrêter une minute ?

Je fais halte.

— Que veux-tu, Cameron ?

Il réfléchit à sa réponse quelques secondes. Je regarde son visage se plisser pendant que son cerveau suppute et calcule. Finalement, les mots se ruent hors de sa bouche :

— Je voudrais vous parler de votre testament.

— Ha !

Tout en continuant à rire, je me remets à marcher, très vite. Il peine à me rattraper.

— Je sais que vous êtes allée à l'étude de Bert lundi. Je suis sûr que vous avez modifié votre testament.

Je m'immobilise à nouveau, estomaquée par son audace.

— Comment oses-tu !

— Comment j'ose quoi ?

— Fourrer ton nez dans mes affaires ! Comment l'as-tu appris ? Tu as un espion dans son immeuble ? Parce que ce n'est pas Bert qui te l'a dit, évidemment.

— Bien sûr que non ! Il ne me dira jamais rien. Il préférerait qu'on lui arrache la langue plutôt que de lâcher un mot sur vos « affaires » ! Peu importe comment je l'ai su. Vous n'allez pas donner à ces gamins une seule bribe de notre argent.

— « Notre » argent ? Ce n'est pas notre argent. Il y a le tien et il y a le mien, et je ferai ce qui me chante de mon argent.

— Vous n'avez rien fait de stupide, n'est-ce pas ?

— Je veux que tu me laisses en paix, sur-le-champ.

— Tante Candace ! Qu'est-ce que vous avez fait ? Ne me dites pas que vous avez fait de ces deux vauriens vos héritiers ? – Ma fureur est telle que j'en perds la voix un instant. Il en profite pour s'énerver tout seul. – Je contesterai ! Je ne sais pas ce que vous avez manigancé mais je me battrai contre ! Quand vous serez morte et enterrée, je traînerai ces deux minus au tribunal et je ne les lâcherai pas. Ils devront dépenser la moitié de ce que vous leur avez laissé en frais de justice avant de comprendre qu'ils ne verront jamais la couleur de cet argent !

J'ai du mal à réunir mes pensées. En baissant les yeux sur mes mains, je me rends compte qu'elles tremblent de rage. Je choisis soigneusement mes termes, que j'énonce très lentement afin d'exclure tout malentendu :

— Écoute-moi bien. Voilà des années et des années que tu me déçois. J'ai été navrée, fâchée, et même parfois dégoûtée par ton comportement, mais jusqu'à aujourd'hui tu ne m'avais pas encore inspiré de la répulsion pure et simple.

Maintenant, retourne à ta voiture et disparais de ma propriété.

Face à face, nous restons les yeux dans les yeux pendant ce qui me semble être une éternité. Toute une série d'émotions passent sur ses traits, la plupart horrifiantes, mais l'espace d'une seconde douce-amère je crois déceler dans son regard la même incompréhension que celle qu'il m'a parfois inspirée.

Il tourne les talons et se précipite vers sa Cadillac. Je recommence à marcher, décidée à l'ignorer. J'espère qu'il fera demi-tour et me passera sous le nez à une vitesse furieuse, mais cette fois encore il ralentit à ma hauteur. Contraint de se pencher sur le siège passager, il hurle par la vitre ouverte :

— Je le savais ! Je savais que vous alliez vous faire rouler dans la farine par ces deux petits salauds. Vous étiez une proie facile ! La vieille originale sans enfants ! Vous pouvez faire semblant d'en avoir, maintenant ! – J'avance, la tête haute mais les yeux envahis de larmes. – Qu'est-ce qu'ils vous racontent ? Qu'ils vous aiment ? Est-ce qu'ils vous embrassent le soir avant d'aller se coucher ?

Je réagis par un geste que, de toute ma vie, je n'avais jamais imaginé accomplir.

Je lui fais un doigt.

22

MON ALTERCATION AVEC CAMERON me laisse sur les nerfs des jours durant. Si ses apparitions m'irritent toujours, je suis généralement capable de les oublier en quelques heures. Celle-ci, par contre, ne cesse de me hanter.

Je ne sais ce qui m'a le plus heurtée : sa conviction qu'il pourrait me dicter ma conduite, sa supposition que je serais aisément manipulable, l'audace avec laquelle il s'est immiscé dans mes affaires légales, ou le constat que je n'ai pas reçu les marques d'affection qu'il croyait exister de la part des garçons, même si dans son esprit retors elles auraient seulement fait partie d'une conspiration en vue de me dépouiller de mon argent. Cette dernière idée est assez déstabilisante : est-il possible de regretter que quelqu'un n'ait pas essayé d'abuser de sa confiance ?

Lorsque j'ai accueilli Kyle et Klint chez moi, il y a huit mois, j'étais convaincue d'effectuer une véritable mission de sauvetage. Après avoir rencontré leur mère, j'ai cru que les tenir éloignés d'elle était une noble cause, comparable à l'acte de s'interposer entre deux bébés phoques et un Canadien armé d'un gourdin. C'était aussi un défi lancé à Cameron, qui avait eu le toupet de m'en dissuader. Et puis, dans une moindre mesure, j'imagine que j'avais envie de faire plaisir à Shelby.

Pas une fois, je m'en rends compte maintenant, je n'ai pris le temps de considérer ces deux jeunes comme des êtres à part entière, ni de me demander si une relation digne de ce nom pouvait ou devait se développer entre eux et moi. J'ai eu tendance à ne voir en eux qu'une expérience à mener, ou deux blocs d'argile à modeler. Je n'ai jamais réfléchi à ce qu'ils pourraient attendre de moi, en dehors d'énormes quantités de nourriture et d'un constant renouvellement de leur stock de chaussettes.

J'ai supposé qu'ils pourraient habiter ma maison comme s'il s'agissait d'un très grand bed-and-breakfast, avec cette particularité que la propriétaire ne chercherait pas outre mesure à communiquer avec ses hôtes. Je n'ai jamais envisagé l'hypothèse que je m'attache à eux ou, encore pire, que je veuille qu'ils s'attachent à moi.

Je ne pense pas leur être antipathique. C'est un point en ma faveur. Même Klint s'est un peu dégelé, bien qu'il soit difficile de deviner ce qu'il ressent réellement. Certes, il n'a pas souri une seule fois en ma présence, mais je crois qu'un certain progrès a été accompli : maintenant, il lui arrive de me regarder en face et il répond aux questions basiques sans avoir besoin d'être harcelé. Évidemment, je suis obligée de me dire qu'il s'est sans doute résigné à mes admonestations tout comme un chien de chasse rétif finit par se soumettre à un dresseur obstiné.

Je devine aussi un soupçon de respect de sa part, alors qu'il n'y en avait absolument aucun, au départ. Je mettrais ma main au feu que si j'avais été terrassée par une crise cardiaque devant lui le soir où nous avons fait connaissance, il aurait enjambé mon corps prostré et serait parti ; aujourd'hui, je suis presque certaine qu'il appellerait les urgences avant de prendre la porte.

Tout cela mis à part, je dois reconnaître que j'ai échoué à leur inspirer de l'affection. Ah, comme cette remarque semble idiote ! Jusqu'à mon altercation avec Cameron, je ne me doutais même pas que je l'aurais souhaité…

Il faut croire que je n'ai guère fait d'efforts en ce sens. J'ai passé peu de temps avec eux. Je n'ai pas vraiment essayé de mieux les connaître, hormis les encouragements que j'ai dispensés à Kyle pour qu'il cultive ses dons pour le dessin, et qui n'ont pas eu de résultats formidables. Je n'ai pas partagé grand-chose de moi avec eux.

Même sur le plan matériel, je ne leur ai pas donné énormément. Je ne les ai sûrement pas gâtés. Et pourtant voici Cameron m'accusant de vouloir en faire mes héritiers ! Deux adolescents qui restent avant tout des étrangers ! Quoi, je leur laisserais une fortune, et la demeure construite par mon frère ?

Quand j'envisage la perspective de tout léguer à Cameron, toutefois, ou de diviser l'héritage entre mes trois nièces, l'idée de choisir Kyle et Klint comme légataires ne me paraît plus si saugrenue.

J'ai de la tendresse pour Shelby, je nourris de grands espoirs pour elle, mais malgré toute l'ouverture d'esprit et la maturité qu'elle a acquises à Paris elle reste selon moi une petite fille trop choyée, encombrée d'idéaux absurdement romantiques et d'un fond d'egoïsme que j'entrevois de temps à autre à mon vif déplaisir. Les deux fois où elle est venue ici depuis son retour d'Europe, je l'ai entendue adresser à Kyle plusieurs commentaires que j'ai trouvés pleins de condescendance et à la limite de la grossièreté.

Skylar est déjà fiancée à un jeune homme fabuleusement riche et d'une niaiserie confondante. Ils vont s'offrir un mariage ridiculement onéreux, mèneront une existence ridiculement aisée avec quelques enfants aussi niais que leur père, et finiront par un divorce ridiculement coûteux. Starr n'a que dix-neuf ans, mais elle manifeste une dangereuse propension à l'instabilité, à l'autodestruction et au n'importe quoi. Elle a encore pris la poudre d'escampette la semaine dernière, sans que personne sache exactement où elle était partie, cette fois, et ce après avoir déclenché un début d'émeute dans une gargote du coin en se juchant sur le comptoir pour remuer de la croupe, les seins à l'air, point culminant d'une soirée dont la justification, d'après ce que j'ai compris, était d'engloutir des ailes de poulet sauce piquante. Un peu plus tard, elle a été arrê-tée pour conduite en état d'ivresse. Si elle reste en vie jusqu'à ses trente ans, je serai extrêmement surprise.

Un surcroît d'aisance financière ne donnera à ces filles que de nouvelles opportunités de détruire notre réputation, mais cela dit elles constituent la seule famille directe qui me reste. Alors, mon devoir matriarcal n'est-il pas de garantir qu'elles aient les moyens matériels de continuer à se dégrader et à s'abuser jusqu'au point d'avoir leur propre reality show à la télévision et leur propre ligne de sous-vêtements ? N'est-ce pas là le nouveau rêve américain ?

Dans tous les cas, ce n'est certainement pas ce que je souhaite à Kyle et Klint. L'argent n'est pas ce dont ces garçons ont besoin, ou du moins pas la seule chose dont ils aient besoin. Il peut rendre la vie plus facile, mais pas plus vivable.

Tandis que je me laissais distraire par ces pensées, j'ai reçu un appel téléphonique préoccupant de Bert, lequel venait d'en recevoir un tout aussi inquiétant de son confrère, Chip Edgars : la mère des garçons est revenue, elle veut leur rendre visite ici et voir comment ils vivent sous mon toit.

Cette demande m'a indisposée à plusieurs titres. D'abord, je suis sûre qu'une rencontre entre ces trois-là ne peut avoir aucune issue positive. À ma connaissance, elle n'a pas eu un seul contact avec Kyle et Klint depuis qu'ils habitent ici, sinon l'envoi de cadeaux de Noël qui les ont mis dans un état lamentable, tous les deux. Et je ne pense pas qu'ils aient tenté de communiquer avec elle, non plus. Ils n'ont pas fait la moindre allusion à elle devant moi, excepté l'explication torturée de la provenance du cheval en verre soufflé que Klint m'avait offert.

Ensuite, elle est parfaitement au courant de ma richesse et elle s'est déjà débrouillée pour m'extorquer une somme coquette. Son désir de voir ma maison, et ses fils dedans, pourrait n'être qu'un élément d'une nouvelle tentative de racket... C'est finalement ce qui m'a fait accepter sa requête. Pour être très franche, j'attends avec impatience de découvrir le dernier plan qu'elle et sa sœur ont ourdi.

Elles devraient être là depuis un quart d'heure. Leur manque de ponctualité ne m'étonne pas du tout. Les êtres imbus d'eux-mêmes n'arrivent jamais à l'heure.

Ce n'est pas la perspective de me confronter de nouveau aux deux pimbêches qui me rend nerveuse, mais la réaction des garçons. Je ne leur ai pas dit que leur mère allait venir. J'ai conscience qu'il s'agit là d'une forme de trahison mais je craignais trop qu'ils s'esquivent et refusent de la rencontrer, si je les avais prévenus. Or, quelles que soient mes préventions envers cette femme, et malgré le cynisme révoltant avec lequel elle se sert d'eux pour s'enrichir après les avoir abandonnés, elle reste

371

leur mère. Et ce n'est pas un lien que l'on peut ignorer. Ils peuvent ne pas vivre avec elle, ils sont libres de ne pas l'aimer et de choisir de couper tous les ponts à l'avenir, mais il leur est impossible de faire comme si elle n'existait pas.

Je ne prétends pas jouer à l'assistante sociale ou à la psychologue familiale : simplement, n'importe quelle personne douée d'un minimum de bon sens conviendrait qu'ils sont encore trop jeunes pour se détourner à jamais d'elle sans avoir d'abord clarifié certaines questions. Il faut qu'ils comprennent qu'ils pourront l'ignorer pour le reste de leur vie, mais non l'effacer.

Bert aurait voulu assister à notre petite réunion mais j'ai jugé que ce ne serait pas opportun. Je pense que le moment est venu pour « Ronnie » et moi d'avoir enfin un véritable face-à-face, son appendice de sœur mis à part.

J'ai demandé à Luis de prévoir quelques rafraîchissements, puis j'ai passé une très jolie robe en mousseline de soie couleur gorge-de-pigeon, à col et manches en dentelle gris perle.

Mon intention première était de les recevoir dans l'entrée, de leur montrer les chambres des garçons et de leur dire d'attendre le retour de Kyle et de Klint dans leur voiture, mais après en avoir discuté avec Luis nous avons convenu qu'il serait erroné de me montrer une piètre hôtesse juste parce que je devais accueillir quelqu'un qui ne mérite pas mon hospitalité. La civilité était essentielle, dans cette rencontre.

Quand elles se décident enfin à arriver, nous nous hâtons dans le hall d'entrée, Luis et moi, pour les observer par les panneaux de verre qui encadrent la porte. Luis attendait fébrilement l'occasion de voir de ses propres yeux à quoi elles ressemblent.

Elles sortent de l'automobile de « Tante Jen » comme des copies conformes, toutes deux en jeans excessivement serrés, grosses ceintures en cuir clouté, lourdes sandales à semelles compensées et tee-shirts noirs moulants, celui de Jen orné du nom d'un bar local, celui de Rhonda portant la mention « Chaude devant » en lettres argentées qui ont la forme de petites flammes dansantes. Des dizaines de bracelets tintent à leurs bras dès qu'elles font un pas.

Je suis sûre qu'elles ont choisi leur tenue ensemble, et qu'il leur a fallu pour cela plusieurs heures de palabres, un sac entier de chips à la sauce barbecue et une bouteille de soda taille familiale.

Elles gravissent le perron sur leurs jambes filiformes et leurs pattes pesantes, tendant leur long cou maigre dans toutes les directions comme des girafes ivres.

— C'est laquelle, la mère ? chuchote Luis.

— Celle qui est chaude devant.

— Ah…, souffle-t-il sans pouvoir ajouter quoi que ce soit d'autre.

Je me retire dans le grand salon, là où je reçois habituellement. J'entends des voix dans le couloir, puis Luis fait son entrée, une lueur amusée dans les yeux, suivi comme son ombre par les deux sœurs.

— Vos invitées, Miss Jack !

— Mesdames, dis-je. – Elles marmonnent quelque chose d'inintelligible. – Asseyez-vous, je vous prie.

Leurs yeux font le tour de la pièce à la recherche d'un siège familier, par exemple un vieux canapé décoré d'une couverture des Steelers. Elles se résignent à choisir une banquette en cuir aux pieds en acajou sculpté.

— Puis-je vous offrir un verre ?

— Une bière, annonce Jen avec assurance.

Rhonda hoche la tête :

— Oui, moi aussi.

— Avons-nous de la bière, Luis ?

— Je pense que je pourrais en trouver.

— Eh bien… – Je me tourne à nouveau vers le duo, désireuse de rompre la glace au plus vite. – Vous m'excuserez, mais j'ai oublié votre nom de famille. Puis-je vous appeler Rhonda ?

— Ça m'est égal.

— Alors, qu'est-ce qui vous ramène en Pennsylvanie, Rhonda ?

— Je suis venue voir ma sœur.

— Votre fille est-elle avec vous ?

— Non, elle a école. Elle est chez des amis.

— Et votre… – je crois me rappeler qu'elle n'est pas mariée à l'homme avec lequel elle vit, et je cherche le terme approprié – … votre compagnon ?

Elle ne répond pas.

— Ça a pas trop bien tourné avec Jeff, explique Jen à sa place.

— Quelle surprise…

— Ouais. Ronnie envisage de revenir par ici.

L'intéressée lui jette un regard meurtrier. Il faut croire que cette information ne devait pas être divulguée de manière aussi prématurée.

— Vraiment ?

— Ouais. Et ça impliquerait qu'elle reprenne ses gosses.

J'essaie de ne manifester ni stupéfaction ni inquiétude. Dans mes tentatives d'imaginer comment cette rencontre allait tourner, je n'avais pas du tout envisagé cette éventualité. Je regarde Rhonda avec attention.

— Est-ce exact ?

— Ben, ce serait plutôt idiot que j'habite dans le même coin que mes garçons et qu'ils soient pas avec moi.

— Tandis que s'enfuir à l'autre bout du pays avec un autre homme en les laissant derrière avec leur père, puis les vendre à une inconnue après la mort de celui-ci, ce n'était pas « idiot » ?

— Ma vie privée vous regarde pas !

— Croyez-moi, la dernière chose au monde que j'aie envie de connaître est votre vie soi-disant privée. Je tente seulement de comprendre votre logique, ce qui me paraît hélas aussi futile que de chercher à attribuer des principes moraux à un putois.

Luis réapparaît avec un plateau chargé de deux chopes de bière givrées, d'un verre de thé glacé pour moi et d'un assortiment de tapas.

— Amandes rôties au sel de mer, annonce-t-il en posant le premier bol sur la table basse. Dattes fourrées de piments *guindillas* et roulées dans une tranche de *jamón iberico*, puis passées au four.

— Merveilleux, Luis, lui dis-je avec un sourire. J'ignorais que vous alliez nous préparer de ces dattes. J'en raffole.

— Tu connais déjà, murmure Jen à Rhonda, qui a pris le même air de dégoût apeuré que j'ai vu si souvent sur les traits de son fils aîné. On a en goûté, une fois. Quand ils enroulent des trucs dans du bacon...

— *Croquetas de pollo*, continue Luis, et quelques olives, bien sûr.

— Comment que vous appelez ça ? s'enquiert Jen en montrant les croquettes. – Luis répète le nom espagnol, et elle s'étonne : – On dirait des nuggets de poulet !

— Mais oui, répond-il avec bienveillance. Disons que ce sont des nuggets améliorés. Je crois que vous allez apprécier. – Il leur fait signe de se servir. – *Por favor*...

La téméraire Rhonda lance une olive dans sa bouche pendant que Jen, qui doit avoir plus faim que sa sœur, mord dans une croquette.

— Mmm ! C'est vraiment bon. Il faut que tu essayes, Ronnie !

Celle-ci fronce les sourcils, fait rouler ses mâchoires et s'immobilise avec une mine effrayée.

— Mais elles ont un pépin !

— Un noyau, Rhonda.

— Fais très attention, ordonne-t-elle à sa sœur d'un ton sinistre.

— Oui. Nous serions navrés que l'une de nos invitées se tue avec une olive.

— Qu'est-ce que je fais du... noyau ? me demande Rhonda.

— Qu'est-ce que vous feriez d'un pépin de pastèque ?

Elle regarde autour d'elle.

— Ben, je le cracherais dans ma main...

— Exactement.

Les lèvres retroussées, elle dépose le petit caillou baveux dans sa paume. Je lui tends une soucoupe.

— Et ensuite, vous le mettez là.

Après s'être incliné avec emphase, Luis quitte la pièce, une expression énigmatique sur le visage. Jen se saisit d'une petite assiette sur laquelle elle se met à entasser des croquettes, des dattes, des amandes. Rhonda avale une longue gorgée de bière. Je me redresse sur mon siège.

— Eh bien, où en étions-nous ?

Jen, très occupée à lécher les cristaux de sel sur ses doigts, lève les yeux.

— Vous avez dit que Ronnie est pareille qu'un putois.

— Oh, oui, je me souviens, maintenant ! Donc, même si vous revenez vivre ici, quelle serait votre raison de vouloir reprendre les garçons avec vous ?

— Ce sont mes petits, déclare-t-elle avec un rictus presque attendrissant.

— Certes, et personne n'a mis en doute cette donnée, mais dites-moi : à part le besoin de clamer sans cesse sur tous les toits que vous êtes leur mère, quelles sont les obligations que la condition maternelle entraîne, d'après vous ? Vous n'avez pas manifesté le moindre intérêt envers vos fils depuis qu'ils habitent chez moi.

— Je me suis dit que ce serait mieux pour eux, si on se parlait pas de trop. Comme ça, ils ne seraient pas trop distraits en pensant à moi.

— Je vois... Remarquable abnégation de votre part. C'était pour leur bien, donc. Et avant ? Quel bien pensiez-vous leur faire quand vous les avez laissés derrière vous, il y a trois ans ?

Je l'ai énervée, à nouveau :

— Je vous ai déjà dit que j'avais de bonnes raisons de m'en aller !

— Il y a en effet plein de bonnes raisons pour une femme de quitter son mari, mais pas une seule pour une mère d'abandonner ses enfants.

Sur ces mots, je saisis un cure-dents et j'empale l'une des sublimes dattes de Luis dessus.

— Qu'est-ce que vous en savez, vous, d'être une mère ? contre-attaque Rhonda avec un ricanement méprisant. Ou même d'avoir un mari ?

Je mastique posément, puis :

— Savez-vous qui est notre secrétaire d'État actuel ?

— Hein ?

— Vous le savez ?

— Euh, non...

— Vous voyez ? Et pourtant, vous avez toujours le droit de voter.

— Qu'est-ce que ça a à voir avec ce qu'on disait ? se récrie-t-elle, indignée.

Jen vide la moitié de sa chope et lâche un petit rire joyeux.

— Je crois que je pige, moi !

— Ferme-la, Jen ! rétorque Rhonda d'une voix glaciale. Rien qu'une seule bière et tu te mettrais sur le dos pour n'importe qui. – Elle me fait face, à nouveau. – De toute façon, j'ai beaucoup réfléchi et c'est décidé : je reprends mes gamins dès que je suis installée. – Je ne réagis pas. – Vous avez rien à redire à ça ?

— Mon opinion importe peu. Ainsi que vous venez encore de me le rappeler, ce sont vos enfants. Je suis heureuse d'avoir pu les soutenir à un moment de leur vie, mais je n'ai rien à dire quant à leur avenir.

— Alors vous les laissez tomber, comme ça ?

— Pardon ?

— Faut croire que tout ce que le monde raconte est vrai ! Que vous êtes une vieille sorcière ! Vous avez eu deux gamins super avec vous pendant tout ce temps et vous vous êtes même pas attachée à eux ? Rien du tout ? Ça vous fait ni chaud ni froid que je les reprenne ?

Une vague de soulagement m'envahit alors que j'entrevois soudain le véritable motif de sa visite. La mise en garde que Bert avait formulée dès le début me revient en mémoire : on ne se débarrasse jamais de ce genre d'individus. Elle est revenue parce qu'elle veut plus d'argent.

Cette euphorie est de courte durée, pourtant. Elle se transforme vite en indignation, puis en une tristesse incommensurable quand, dans un sursaut d'autodéfense et de fierté blessée, je décide de ne pas lui donner plus que ce qu'elle a déjà reçu. Et c'est avec détermination que je réponds en mentant :

— Non. Ni chaud, ni froid.

23

KYLE

AVANT, JE TROUVAIS LES MECS QUI NE PENSENT QU'À BAISER plutôt nuls, et même un peu dégueulasses. Maintenant, je les comprends. Je veux faire ça avec une fille aussi souvent que possible. C'est mon nouveau but dans la vie, et même le seul.

Que j'aime la fille ou non, c'est pas le problème. Je crois pas que ce soit nécessaire de l'aimer beaucoup. En fait, je crois que ce sera encore mieux si je m'en fiche complètement. Quand j'imagine éprouver cet incroyable plaisir physique avec quelqu'un que j'aime, comme Shelby, je me rends compte que la rencontre de ces deux forces ferait exploser mon cœur, et même sans ça je serais foutu après, parce qu'elle pourrait avoir un pouvoir total sur moi. Je deviendrais incapable de lui dire non. Elle me commanderait de mettre une chemise rose, ou de l'after-shave, elle m'interdirait de retourner à une seule rencontre de base-ball ou de regarder du catch à la télé et je serais tellement gaga que je dirais : « Oui, chérie. Bien, chérie. Tout ce que tu veux, chérie. Et maintenant, si on baisait ? »

C'est pas pour dire que je me fiche de Starr, même si je dois admettre qu'elle comptait beaucoup plus pour moi au moment où on a fait l'amour qu'avant ou après ça. Je suis complètement sûr que c'est quelqu'un de bien, de tendre et d'incroyable, mais c'est une certitude que j'ai seulement eue quand j'ai été en elle et quand elle faisait tous ces trucs dingues avec ses hanches et ses doigts. Je n'avais plus du tout peur d'elle lorsque j'avais ses seins dans mes mains, et j'ai pas pensé une seconde qu'elle était égoïste, gâtée et sans cœur pendant que je m'agrippais à son cul fabuleux et qu'elle me chevauchait.

Pourtant, c'est drôle comme toutes ces impressions se sont envolées dès que nous avons terminé et qu'elle s'est rhabillée. En la regardant, je me suis senti bizarrement triste, et même comme berné, au lieu d'être transporté par une joie dingue.

Quand je fantasmais sur Shelby et moi ensemble dans un lit, je ne pensais jamais à « la lui mettre », ou à la « troncher », ou ces trucs dont les potes de Klint parlent tout le temps. Je voulais la découvrir, la parcourir. Admirer son corps, caresser sa douceur lumineuse, explorer les courbes et les creux que je n'ai pas. Respirer le parfum de ses cheveux et de sa peau, l'embrasser partout. Et ensuite, si elle me laissait « la lui mettre », j'aurais pas dit non.

Avec Starr, je n'ai pas eu l'occasion de faire quoi que ce soit de tout ça. Je me plains pas de ce qu'on a fait ensemble, loin de là, mais à chaque fois que j'ai revécu la scène dans ma tête – et c'est ce que j'ai fait pratiquement sans arrêt ces deux dernières semaines –, je me suis dit qu'elle ne m'avait pas accordé beaucoup plus de temps et d'enthousiasme qu'elle n'en met pour allumer une de ses clopes.

Elle ne m'a même pas adressé la parole en remettant ses fringues, quoique j'aie pas été plus causant, pour être franc. J'aurais voulu, pourtant. J'ai cherché quelque chose de bien à dire mais tout ce qui m'est venu à l'idée était soit trop nunuche, soit trop dramatique.

J'ai cru que j'allais la revoir. Je suis pas idiot, je savais qu'elle est plus âgée que moi, riche, belle, avec une vie intéressante, et donc je m'attendais pas à ce qu'elle s'attache à moi, qu'elle devienne ma petite amie ou rien de tout ça, mais je ne croyais pas non plus qu'elle ferait comme si je n'existais plus. C'était pas logique, ça l'est toujours pas : c'est elle qui a pris l'intiative, après tout. Pas moi.

En attendant d'avoir de ses nouvelles, j'ai énormément réfléchi à la condition masculine, en me servant de ce que j'ai appris avec elle. Ma grande question au sujet du sexe et des mecs, c'est : pour quelle raison on fait quoi que ce soit d'autre ? Pourquoi est-ce qu'on va à la guerre ? Pourquoi on perd notre temps avec les jeux vidéo et le sport ? Pourquoi est-ce qu'on travaille, même ? Pourquoi on vit en société ?

Est-ce qu'on devrait pas baiser tout le temps, en s'interrompant seulement pour manger quand on a faim ?

Et aussi : pourquoi les types mariés ne sont pas les plus heureux au monde ? Parce que bon, ils ont une femme à portée de main tout le temps. Ils ont pas besoin d'aller essayer d'en trouver une. Ils l'ont dans leur lit, chaque soir. Ils peuvent la voir toute nue à chaque fois que ça leur dit. Ils ont libre accès à la sexualité, constamment... Mais un jour que je regardais vaguement par la fenêtre, en cours, tout en pensant aux nichons de Starr et aux folies que je ferais rien que pour les revoir, la réponse m'est apparue brusquement : pour qu'un mec puisse baiser en permanence, il faut qu'il trouve une femme qui veut aussi ça. Et visiblement, aucune ne veut baiser en permanence. Ce qui pose une autre question, autrement plus coton : pourquoi ?

Je manque beaucoup trop d'expérience pour tenter de répondre à ça, mais rien que prendre conscience du problème m'a permis de parvenir à résoudre une question découlant de la première : que se passe-t-il quand le monde est plein de types qui voudraient baiser en permanence mais n'en ont pas la possibilité ? Réponse : sport, jeux vidéo, guerres.

C'est pas que de la théorie. C'est ma vie, maintenant. Pour la première fois, j'ai envie de jouer au base-ball et pas seulement de regarder. Descendre avec les autres sur le terrain, balancer une batte de toutes mes forces, courir sur les buts comme un dératé, m'affaler dans la boue. Parvenir loin au centre, choper une chandelle en plein vol et renvoyer la balle assez fort pour sortir un adversaire du jeu et lui casser son rêve. Mais dès que je rentre du bahut, tout ce que j'ai envie de faire c'est de zoner devant un jeu idiot sur mon ordinateur, en oubliant tout le reste.

Aussi, j'ai tendance à me tracasser pour des trucs qui m'auraient paru sans importance dans le passé. Comme Shelby a arrêté de répondre à mes textos, je me suis mis en tête qu'elle a appris ce qui était arrivé entre Starr et moi et qu'elle peut plus me sentir. Elle a aucun droit de m'en vouloir d'avoir baisé avec sa sœur plutôt qu'avec elle, puisqu'elle voulait pas le faire alors que sa sœur était partante, mais je doute qu'elle soit convaincue par ce raisonnement.

Je continue à me faire du souci pour Klint. Je n'arrive pas à oublier ce que Starr m'a dit, qu'il pouvait pas bander. Est-ce que ça signifie qu'elle lui a sauté dessus comme avec moi, mais sans résultat ? Ou qu'il pourra jamais le faire avec n'importe quelle fille ? Ou qu'il l'a déjà fait, mais que je suis pas au courant ? Si c'est le cas, pourquoi il ne s'en est jamais vanté devant moi ? Ça me tracasse. Et s'il l'avait encore jamais fait et que Starr lui a mis la honte, ça me tracasse encore plus.

Je suis également tracassé par le fait qu'ils aient remplacé les cheeseburgers de toujours par des taco-burgers, à la cantine. Et j'ai la haine de pas pouvoir baiser tous les jours.

Faire l'amour avec Starr s'est révélé être à la fois le meilleur et le pire des trucs qui me soient arrivés.

En revenant à la maison dans le pick-up de Klint, je sors la tête par la vitre comme un clebs qui s'ennuie et je pense à elle, pour changer. Le fantasme que j'ai, là, c'est qu'elle sera venue dire bonjour à sa tante quand on va arriver, et qu'on ira quelque part et que je pourrai encore baiser avec elle.

Justement, en parvenant en haut de l'allée, je remarque une voiture garée devant le perron. Mon cœur fait un saut de carpe. Un soir, il n'y a pas longtemps, j'ai surpris Luis et Miss Jack en train de parler de Starr. Sa mère venait de téléphoner, hystérique parce qu'elle pensait qu'elle avait encore quitté le pays et que personne savait où elle était allée. Peut-être qu'elle se trompait. Ou peut-être que Starr est déjà revenue ? Mais quand on est assez près je m'aperçois que la caisse n'est pas assez chouette pour être celle d'une des filles Jack.

Cette bagnole me rappelle quelque chose, mais je ne peux pas me rappeler quoi jusqu'à ce que je jette un coup d'œil à Klint et que je découvre sa mine renfrognée. C'est celle de Tante Jen. Je me demande tout haut :

— Qu'est-ce qu'elle vient faire ici ?

Depuis que nous avons emménagé chez Miss Jack, je l'ai vue deux ou trois fois. Un jour, elle est passée me prendre à l'école et on est allés manger de la tarte au Eat' N' Park. Vers Noël, elle nous a emmenés dîner, Klint et moi, et elle nous a donné à chacun un bon-cadeau Best Buy. Elle a aussi assisté à un match de Klint en tout début de saison. Klint raffole pas trop d'elle, c'est sûr, mais il ne la déteste pas autant que Maman, sauf quand elle se met à parler de sa sœur ; et elle a appris à éviter ce sujet devant lui.

Là, il a l'air irrité et dégoûté plutôt qu'inquiet. Je lui explique :

— Je lui avais dit de venir nous voir un de ces quatre, mais elle a répondu que ça arriverait jamais. Que Miss Jack voudrait pas la voir chez elle. Je lui ai demandé comment elle en était si certaine que ça et elle m'a dit que Maman et elle se sont pointées ici un jour, au temps où Maman se demandait encore si on devait vivre avec Miss Jack, et…

— Je sais ! me gueule-t-il dessus. T'as déjà raconté ça deux cents fois !

— Alors, qu'est-ce qu'elle fiche ici ?

— Qu'est-ce que j'en sais, bon Dieu ? Ferme-la !

— Me parle pas comme ça ! – Il me lance un drôle de regard. – Je rigole pas. Fous-moi la paix, d'accord ?

À partir de là, on ne s'adresse plus la parole. Il gare le pick-up, on descend et on monte le perron. Je suis le premier à entrer. En passant devant le salon dont la porte est ouverte, j'aperçois Miss Jack installée dans son fauteuil préféré. Elle a une robe très élégante et elle est en train de grignoter quelque chose au bout d'un cure-dents.

Nos yeux se croisent. J'allais lui dire bonjour quand elle détourne soudain la tête dans une autre direction. Je regarde dans la même. Tante Jen et Maman sont assises en face d'elle sur une sorte de canapé, en train d'écluser des verres de bière. Je m'arrête tellement brutalement que Klint me rentre dedans.

— Maman !

Elle pose sa chope et saute sur ses pieds. Tante Jen fait exactement pareil.

— Hé, mon bébé ! crie-t-elle avec un sourire, et elle ouvre les bras tout grands. Viens m'embrasser !

Je lance un coup d'œil à Klint, m'attendant à voir la haine et la colère habituelles embraser ses pupilles, mais c'est la première fois que Maman lui tend une embuscade sans qu'il ait eu le temps de s'y préparer, et maintenant sa figure n'est qu'un masque livide de peur.

Je vais à elle et je l'enlace. C'est comme si je serrais un fagot contre moi. Elle est encore plus maigre qu'avant, et encore plus blonde, au point que ses cheveux paraissent presque aussi blancs que ceux de Miss Jack.

— Eh, t'arrêtes pas de grandir, toi ! me dit-elle en me passant une main sur la tête.

Elle se tourne vers l'entrée, ouvre à nouveau les bras.

— Et toi, Klint ?

Il la fixe d'un air aussi hagard que si elle était un miroir dans une maison hantée, un de ceux dans lesquels on voit d'abord son reflet normal qui se décompose lentement et se transforme en monstre effrayant. Il ne fait pas un geste.

Maman laisse ses bras retomber et décoche un petit sourire à Miss Jack.

— C'est mon grand timide, celui-là. L'a jamais été très fort pour manifester son affection.

Je l'écoute sans comprendre, et puis je me rends compte qu'elle joue la comédie pour Miss Jack. Dans quel but, je l'ignore.

— Qu'est-ce que tu fais là, Maman ?

— Je suis venue passer un moment avec Jen et je me suis dit que je ferais un crochet pour voir comment vous allez, vous deux.

— Il y a une possibilité qu'elle revienne habiter ici, annonce Tante Jen.

Maman lui balance un regard à vous glacer le sang.

— Qu'est-ce qui ne va pas chez toi, Jen ? siffle-t-elle entre ses dents. Tu me laisseras donc jamais rien dire à personne.

— Euh, pardon…

— Qu'est-ce que ça veut dire ?

La voix de Klint sonne pareil que si elle venait du fond d'un puits.

— Exactement ce qu'elle a dit : il est possible que je revienne dans la région.

— Avec Jeff ? je demande.

Tante Jen ouvre la bouche pour me répondre mais Maman la fait taire avec un autre regard qui tue.

— Non, Kyle.

— Vous vous êtes séparés ?

— Quelque chose comme ça, soupire-t-elle d'un ton agacé avant de se laisser retomber sur son siège.

La représentation est finie. Jouer à la mère aimante et pleine de gaieté l'a épuisée. Elle jette une poignée d'amandes salées dans sa bouche et se met à mastiquer bruyamment.

— Et Krystal, où elle est ?

— Chez les parents d'une de ses amies.

— Elle va revenir avec toi ?

— Évidemment ! Qu'est-ce que tu crois, que je vais l'abandonner au bord d'une route d'Arizona ? Encore que pour être honnête j'aie été tentée de le faire, des fois... – Elle lâche un petit rire désabusé. – Quand elle veut, c'est une vraie petite garce. – Elle se tourne vers Miss Jack. – Je peux avoir une autre bière ?

— Je crains que nos réserves soient épuisées, déclare Miss Jack.

Je les regarde toutes d'un coup d'œil circulaire, plutôt nerveux.

— Alors, ce serait super, non ? On pourrait vous rendre visite, Klint et moi...

— Pas rendre visite, non, me corrige Maman. Vous habiterez avec nous.

Klint est toujours derrière moi, immobile. Il ne bat même pas des paupières et on croirait qu'il a arrêté de respirer, aussi. Pris d'un accès de panique, je me dis qu'il a été transformé en pierre et je braque mon regard sur Maman, m'attendant presque à voir un nid de serpents surgir de ses mèches décolorées.

— L'unique raison pour laquelle j'ai accepté cet... arrangement, c'était pour vous épargner de quitter votre école et votre équipe. – Elle a prononcé les mots « école » et « équipe » en les accentuant avec dérision, comme si c'était les deux pires absurdités du monde. – Par ailleurs, Miss Jack dit qu'elle en a assez de vous avoir dans ses pattes.

La vieille dame ouvre des yeux immenses et rejette la tête en arrière de la même façon que si une odeur horrible lui était parvenue aux narines.

— Je n'ai rien dit de tel !

— Je lui ai fait remarquer que même si je reviens vous pourriez continuer à habiter ici, vous deux, puisque vous avez vos habitudes et tout, mais elle veut pas de vous. Elle dit que c'est mieux pour vous de vivre avec votre mère.

— Je n'ai jamais dit que…

— Tu mens ! hurle Klint.

La haine et la colère que je surprenais toujours dans ses yeux dès que Maman était dans le coin ont fait leur apparition, finalement. Son visage a pris une teinte rouge sombre et il a l'air sur le point d'exploser.

— Non ! le contre Maman en criant aussi fort que lui. Elle l'a dit ! Elle a dit qu'elle veut se débarrasser de vous, et qu'elle…

Klint s'éloigne de nous à reculons, sans voir que Luis est apparu dans son dos. Quand il le découvre, c'est sans doute la seule chose qui le dissuade de bondir dehors, de prendre son pick-up et de foncer à l'ouest jusqu'à ce qu'il atteigne l'océan. L'air complètement perdu, il vacille en avant, puis se précipite dans l'escalier, vers sa chambre.

Tout le monde semble abasourdi, sauf Maman, qui reprend soudain un ton tranquille pour asséner :

— J'ai longtemps pensé qu'il était seulement bête et méchant comme son père, mais je commence à me demander s'il n'est pas fou à lier.

Je cours après mon frère. Je suis déjà à la moitié des marches quand j'entends Miss Jack m'appeler. Je ne veux pas la voir, ni lui parler, ni rien, mais il y a un point que je veux élucider, alors je fais halte et je me penche par-dessus la rampe :

— Vous saviez qu'elle allait venir ?

— Oui.

— Comment vous avez pu nous faire ça ?

Vue d'en haut de cet immense escalier, elle paraît toute petite. Elle joint les mains devant elle, s'éclaircit la gorge.

— Je… J'ai pensé que vous risquiez de refuser de la voir, si vous aviez été prévenus de sa visite. Et je trouvais important que vous lui parliez.

— Il fallait nous le dire !

Elle prononce encore mon prénom, mais cette fois je ne me laisse pas arrêter. Je fonce à la chambre de Klint. Il y est.

La porte est verrouillée. Je l'entends traîner des meubles pour la bloquer.

— Allez, quoi ! Laisse-moi entrer ! C'est complètement idiot…

J'attends qu'il me gueule dessus. Je voudrais qu'il me gueule dessus, en fait. Il se tait. Je tape des poings contre la foutue porte.

— Allez, Klint ! Ouvre, quoi !

Rien.

J'abandonne. Je vais dans ma chambre, parce qu'il est exclu que je redescende, et je me fiche que Maman ait les boules si je lui dis pas au revoir.

Je suis tenté d'entasser des meubles contre ma porte, moi aussi, seulement je sais que personne viendra me chercher.

Mon lit me rappelle Starr. Tout me rappelle Starr.

Je m'assois à mon bureau dans la lumière déclinante. Un soleil rougeoyant, couronné de nuages prune, s'en va derrière les collines. Nos montagnes ne sont pas aussi grandioses ou intimidantes que les photos de l'Ouest que j'ai vues ici et là, dans des endroits comme l'Arizona. Elles me font penser à une bande de vieux géants endormis sur le flanc, enroulés dans des couvertures grises.

Le tableau des fées que j'ai composé pour Krystal est presque fini. J'ai ajouté les touches de peinture scintillante. Il ne reste que de petits détails à terminer.

Ce que ma mère a dit à son sujet m'a inquiété. C'est nouveau. Avant, j'étais sûr qu'elle s'en tirerait bien. Elle était celle que Maman avait choisi de prendre avec elle. Elle n'avait pas été négligée, elle. Mais aujourd'hui, pour la première fois, j'ai entrevu que si Maman te veut auprès d'elle, c'est peut-être pire que si elle te laisse derrière elle.

Je me lève. Je fais quelques pas, je tombe à la renverse sur mon lit et je contemple le plafond pendant que la pièce bascule dans l'obscurité. Quand je reprends conscience, mon radio-réveil indique qu'il est dix heures passées.

Personne n'est venu essayer de me réveiller pour le dîner. Sans doute, Miss Jack a compris que j'étais vraiment fâché contre elle. Ici, l'heure du repas du soir est sacrée et il est hors de question d'être en retard. Les rares fois où on l'a oublié, Klint et moi, Miss Jack est montée à l'étage puis a donné quelques coups secs à notre porte avant de nous passer un savon à propos de la ponctualité et du respect d'autrui.

Un de ces soirs-là, Luis a essayé de s'interposer mais elle l'a enguirlandé autant que nous, au final. Et après, à chaque fois que j'étais déjà en retard, il y a eu un mot glissé sous ma porte avec « ¡ Anda ya ! » dessus, et je suis prêt à parier que c'est la façon espagnole de dire que j'avais intérêt à me bouger le cul.

Je me glisse dans le couloir aussi discrètement que possible. Devant la chambre de mon frère, je chuchote :

— Klint...

J'essaie une nouvelle fois de tourner la poignée, qui s'ouvre sans problème.

Il fait nuit noire, là-dedans. Les rideaux tirés bloquent même le peu de clair de lune. J'attends que mes yeux s'accoutument à tout ce noir et je finis par distinguer sa silhouette étendue sur le couvre-lit. Il est toujours dans sa tenue d'entraînement sale, y compris la casquette.

— Eh, tu dors ? – Pas de réponse. Je m'approche. – On a loupé le dîner. Je vais descendre chercher quelque chose à bouffer. Ça te dit ?

— Non.

— Sûr ?

— Ouais.

J'hésite une seconde.

— Ça va ?

Il ne réagit pas.

D'habitude, c'est à cette heure-là que je dis bonsoir à Miss Jack. Elle est dans le jardin d'hiver, ou dans son salon où elle a fait allumer un feu par Luis, et elle lit un livre, mais je la trouve endormie de plus en plus souvent quand j'arrive. Elle dit qu'elle n'arrive plus à lire autant qu'avant, parce que ses yeux se fatiguent trop vite. Depuis qu'il fait moins froid, elle peut aussi être dans la véranda, emmitouflée dans sa drôle de veste, la tête couverte du foulard que je lui ai acheté, les mains croisées sur les genoux, et elle regarde dans le vide comme quelqu'un qui attend le bus.

387

Elle a une maison immense mais elle se sert de deux ou trois pièces, pas plus. Elle a des millions de dollars mais elle les dépense pas. Elle connaît plein de trucs, mais elle ne partage presque jamais son savoir, parce qu'elle ne se sent bien avec personne. Des fois, je me dis que c'est l'être le plus solitaire de la planète. Pire que moi, même.

Je ne veux pas parler avec elle de ce qui s'est passé ce soir. Pas parce que je lui reproche de nous avoir caché que Maman allait venir. Ça, j'ai tiré un trait dessus. Elle aurait dû nous prévenir, d'accord, mais elle pensait bien faire. Non, si je l'évite, c'est parce que je suis pas très bon pour embêter les gens, et là j'ai un méga-service à lui demander.

Je suis arrivé en bas et je me prépare à prendre le couloir du fond pour atteindre la cuisine, mais mon regard est attiré par une symphonie de lumières derrière les vitres de l'entrée, comme si un arc-en-ciel avait implosé dans la nuit. C'est trop incroyable. Il faut que j'aille voir.

Toutes les bougies de la véranda sont allumées. Des dizaines, et ça fait comme des centaines parce qu'elles brillent dans des vasques en mosaïque de toutes les formes et de toutes les couleurs possibles, dix mille éclats différents, comme si je me retrouvais au milieu d'un kaléidoscope.

Miss Jack est là, assise en plein dans cette explosion de reflets, avec sa veste et son foulard, les yeux perdus dans le velours noir de la nuit, à guetter son bus.

Et Mister B est auprès d'elle, immobile sur le coussin d'un fauteuil en rotin, ses pupilles toutes rondes et jaunes, suivant chaque reflet des flammes de brusques mouvements de tête.

— Eh, Miss Jack. C'est cool, toutes ces bougies.

— N'est-ce pas ?

— Vous avez dû mettre un temps fou à allumer tout ça, non ?

Elle continue à regarder le vide.

— Je suis désolée, Kyle. Je n'aurais pas dû intervenir de quelque manière que ce soit. Ton frère et toi, vous êtes assez grands pour juger si vous voulez voir votre mère ou pas.

— C'est... Ce n'est pas un problème.

— Je n'en suis pas certaine. Comment va ton frère ?

— Il ne va pas sortir de sa chambre mais je lui ai parlé, il est OK.

— J'avais déjà rencontré votre mère en une occasion. Je ne l'avais encore jamais vue en votre présence, à vous deux. Je dois dire que l'effet qu'elle produit sur Klint est très... dérangeant.

— Ouais.

— Ils se sont toujours comportés ainsi, ensemble ?

— Non. C'est devenu bizarre entre eux, je sais pas... Un ou deux ans avant qu'elle parte, peut-être ?

— Bizarre comment ?

— Je sais pas. Brusquement, ils pouvaient plus se supporter, tous les deux. Et puis elle est partie, et pour lui ça a été vraiment la haine.

Je me rapproche de Mister B. J'ai arrêté de lui en vouloir, mais il m'en veut encore, lui, parce que j'ai eu le toupet de lui en vouloir. Il me jauge de la tête aux pieds comme si j'étais assez débile pour croire qu'il allait partager son siège avec moi. Je l'attrape d'une main, je m'assois dans le fauteuil et je le plaque sur mes genoux. Au lieu de se débattre et de s'enfuir, il se met à ronronner. Il se fait vieux.

— Je n'aime pas me tromper, déclare Miss Jack, les yeux toujours dans le vague.

— Qui aime ça ?

Je caresse le chat jusqu'à ce qu'il en ait assez et qu'il saute au sol.

C'est le moment idéal pour parler à Miss Jack, et même si je préférerais mille fois lui dire bonsoir et aller farfouiller dans le frigo, je sais que je vais le regretter si je ne saisis pas l'occasion tout de suite.

— Je vois bien que ça n'a pas toujours été l'harmonie totale et bon, Klint et moi, on n'est pas très doués pour manifester de la reconnaissance... – Je me suis lancé sans savoir où j'allais. Avec un sourire, j'ajoute : – Surtout Klint, en fait... – Elle n'a pas l'air amusée. – Mais bon, sincèrement, c'est super de votre part, de nous permettre d'habiter ici. Plus qu'on pourrait vous le dire, même si on essayait...

Prenant ma respiration, je ferme les yeux et je laisse tout aller d'un coup :

— Est-ce qu'on peut rester avec vous ? Juste un an de plus ? Je veux dire que moi, je peux aller vivre avec ma mère, mais Klint ne le fera jamais. L'année prochaine, il finit le lycée et il part à l'université. Ses notes sont pas géniales, d'accord, mais il assure. Il va lui arriver quelque chose de bien. C'est forcé. C'est... – Je pédale pour terminer ma tirade. – S'il vous plaît. – Et là, l'idée me vient d'ajouter : – *Por favor.*

Elle reste silencieuse pendant des plombes. Sans me regarder, non plus, au point que je me commence à me demander combien de temps je vais devoir rester assis là comme un naze. Combien de minutes on est censé accepter d'être ignoré, dans la bonne société, avant de se tirer et de remonter dans sa chambre en envoyant péter tout le monde ? Soudain, elle se décide à parler :

— Tant que j'aurai une maison, ton frère et toi en aurez une.

— Je... Merci, Miss Jack.

Je me lève d'un bond. Pour la première fois, j'ai envie de la serrer dans mes bras mais autant sa volonté m'impressionne par sa puissance, autant sa fragilité m'intimide, au point que je crains de la voir se casser en mille morceaux si je lui donne une accolade ou même une vraie poignée de main. Alors, à la place, je me penche et je pose un baiser sur sa joue.

Elle sent le lilas et le talc pour bébé. Sa peau est douce et fragile comme un mouchoir en papier.

— Luis vous a laissé à dîner à la cuisine, Kyle. Il faudra juste le réchauffer.

— Merci...

Je me dépêche de rentrer. Sur le seuil, je me retourne pour regarder encore les bougies. Miss Jack a sorti un mouchoir d'une poche de sa veste. Elle le porte à ses yeux.

24

UNE QUINZAINE DE JOURS PASSE sans que nous ayons d'autres nouvelles de Maman. Je n'en reçois pas plus de Starr ou de Shelby.

Miss Jack m'a donné des infos sur Starr, quand même. Cette fois elle est en Inde pour de bon et personne ne sait quand elle va rentrer. Alors que ça aurait dû suffire pour que j'abandonne tout espoir d'une autre rencontre sexuelle avec elle, je me suis mis à fantasmer qu'on faisait l'amour tous les deux devant le Taj Mahal.

Miss Jack m'a dit aussi que Shelby est très prise par ses études, ce qui est totalement bidon : elle avance sans effort parce qu'elle est intelligente, que tous ses profs l'adorent et qu'elle est la fille de Cam Jack. Si c'est pas avoir toutes les chances de son côté, ça, je vois pas ce qui pourrait l'être. Et même si elle était aussi occupée qu'on raconte, elle arriverait à trouver au moins le temps de répondre à mes textos. Non, elle est furax contre moi, c'est clair, et la seule raison que je vois est que Starr lui a parlé de ce qui s'est passé entre nous, mais je comprends toujours pas pourquoi ça devrait la mettre en pétard.

Je ne demanderais qu'à sortir avec elle. Je ferais n'importe quoi pour ça. Elle doit le savoir. Si je manifestais ça encore plus ouvertement, ça confinerait au harcèlement sexuel.

Conclusion : même si je ne l'intéresse pas, elle veut peut-être bien que je continue à m'intéresser à elle.

D'après ce que j'ai pigé des filles, elles veulent qu'on les désire mais pas qu'on les prenne. Elles sont comme des pâtisseries délicieuses qui préféreraient rester derrière la vitrine pour être admirées que d'être emportées et dévorées avec gratitude par quelqu'un pris d'un besoin urgent de sucre.

Shelby peut avoir les boules contre moi, même pour une raison stupide, mais elle a pas le droit de m'éviter. Une chose que je déteste vraiment, c'est les gens qui se fâchent contre vous sans vous dire pourquoi. C'était une spécialité de ma mère, ça. Et puisque Shelby joue pas franc jeu avec moi, j'ai décidé de la traiter pareil. Je sais que c'est mal, pas correct du tout, mais hier soir je lui ai envoyé un texto pour lui dire que Klint voulait qu'elle vienne à son match aujourd'hui. Elle n'a pas répondu, et maintenant j'attends de voir si elle va se pointer.

C'est une grande partie, cet après-midi : les Flames rencontrent l'équipe de Laurel Falls, une des seules capables de remettre en cause une saison où les Flames n'ont eu jusqu'ici que des victoires. Comme plein de bleds aux noms bucoliques qu'il y a par ici, Laurel Falls pourrait suggérer un joli petit village niché dans une vallée pleine d'arbres en fleurs, à côté d'un ruisseau babillant qui se termine en chute d'eau argentée, mais en réalité c'est une ville à moitié abandonnée, grise de suie, qui n'en finit pas de mourir depuis quarante ans, où les seules notes de couleur sont l'arche rouge et jaune du McDonald's et les traînées de rouille orangée sur le château d'eau.

Suffisamment de gens y habitent pour qu'il y ait un petit lycée, mais de quoi ils vivent, c'est un mystère pour moi. Vu la pauvreté et l'abandon qui règnent ici, je m'attendais à ce que les résidents de Laurel Falls soient tous maigres et pâles comme des prisonniers de guerre, mais dans le temps ils ont été fermiers ou mineurs, des hommes costauds habitués aux travaux pénibles, et au lieu que leurs corps maintenant désœuvrés se rabougrissent jusqu'à disparaître ils ont subi une mutation inverse et sont devenus plus gros que jamais, à cause de la quantité de bouffe industrielle et d'amertume qu'ils avalent chaque jour.

Leur équipe de base-ball est composée de jeunes qui ont passé des heures et des heures à traîner dans leurs petits jardins, les yeux sur le complexe minier abandonné à flanc de colline où leurs pères ne se rendent plus depuis longtemps, et à envoyer des cailloux avec de vieilles battes Lil Slugger tout écaillées et héritées de leurs frères aînés. Ils ont tous appris le base-ball avant même d'être en âge d'aller à l'école. Leur lanceur-vedette est un type que son père a formé en lui faisant expédier des balles de golf à travers une boîte de soupe Campbell's ouverte aux deux extrémités et attachée à une branche, jusqu'à ce que son bras lui fasse tellement mal qu'il ait besoin d'une poche de glace dessus et qu'il soit autorisé à rentrer à la maison pour s'asseoir devant des dessins animés.

L'autre élément en leur faveur, c'est qu'ils jouent ensemble depuis qu'ils sont tout gamins. L'équipe lycéenne est la même depuis des années, parce que personne ne s'en va de Laurel Falls et personne ne vient y habiter. Alors que dans de grands bahuts comme celui de Centresburg, la sélection junior est formée de joueurs de différentes équipes débutantes qui, il y a peu encore, s'affrontaient sur le terrain. De ce fait, ils n'ont pas les mêmes réflexes collectifs que les autres. Ils ne savent pas deviner ce que leurs coéquipiers ont en tête, ni prévoir comment ils vont réagir à une balle. Et en plus, ils sont généralement affligés de petits coqs qui se croient les meilleurs, ne pensent qu'à leur palmarès individuel et jouent à la star.

Tout l'opposé de Laurel Falls : cette équipe, c'est une machine bien graissée dans laquelle chaque type est un rouage ou une courroie en parfait état de fonctionnement. Cela étant, ils sont pas précisément réputés pour leur finesse de jeu ou la subtilité de leur tactique. Ce pour quoi ils sont connus, c'est l'énergie démente avec laquelle ils cognent leurs balles.

Les gradins sont bourrés. C'est une journée idéale pour un match de base-ball. Tout le monde est en manches courtes et profite du soleil. En plus de nos fans habituels, beaucoup d'amateurs qui ne sortent qu'avec le beau temps ont fait le déplacement : les filles de Coach Hill – mais pas sa femme –, le clan Mann, le père de Cody Brockway – qui peut seulement assister aux matchs où la mère de Cody n'est pas là, à cause de la mesure d'éloignement prise par le juge contre lui –, et les parents Richmond, qui arrivent et s'en vont toujours séparément mais s'assoient ensemble et parlent uniquement à d'autres gens. Mme Richmond porte le survêtement rose barbe-à-papa qu'elle sort à chaque fin de saison, avec une visière assortie et d'énormes lunettes de soleil. Avant, j'attendais ce moment avec impatience, la mère de Brent est plutôt canon, mais aujourd'hui je suis trop occupé à penser que je vais peut-être enfin revoir Shelby, et à me faire du souci pour Klint.

Pas pour son jeu, évidemment. Il a eu une année extraordinaire, ce qui veut dire beaucoup puisqu'il n'en a jamais eu de mauvaise.

En général, le recrutement des universités ne commence sérieusement qu'à l'été, mais il a déjà été contacté par plusieurs rabatteurs, et quelques-uns sont même venus le voir jouer d'aussi loin que le Texas. Ils disent tous que ses notes posent problème, mais aucun d'eux n'a affirmé explicitement qu'il devait les améliorer. Dans ce contexte, j'ai été halluciné quand il a accepté l'invitation de l'entraîneur Pankowski la semaine dernière pour aller voir l'équipe de Western Penn.

Je l'ai accompagné et j'ai beaucoup aimé la visite du campus. Tout le monde a été très sympa avec nous et il y avait plein de jolies filles dehors. Même les chambres de la résidence sont pas si mal. En tout cas, elles ne sont pas plus petites que celle que Klint et moi partagions dans le temps, avant que Maman et Krystal s'en aillent et qu'on ait chacun la nôtre.

Le plus intéressant de cette journée, ça a été d'écouter l'entraîneur Pankowski expliquer sa philosophie du jeu. Comme n'importe quel autre coach, il essaie de composer une équipe qui gagne, bien sûr, mais il ne se base pas que sur le talent pour sa sélection. À la place, il se sert de critères qu'il appelle les « 3P » : potentiel, personnalité et préparation physique.

Quand il a sorti ça, je lui ai dit que Klint assurait sur tout, sauf sur le plan de la personnalité. Mon frère m'a fusillé du regard, mais le coach a rigolé, puis il a expliqué qu'il n'était pas à la recherche de joueurs « avec des tonnes de personnalité ». Ce qu'il veut dire, c'est qu'il prend en compte le caractère de chaque joueur au moment de composer son équipe. Est-ce que tel gars s'intégrera bien avec les autres et, surtout, est-ce qu'il est futé, honnête et motivé ? Quel est son passé ? Comment est sa famille ? Quels buts il se fixe dans la vie ?

Je n'ai fait aucun commentaires sur tout ça.

M. Pankowski est très fier de l'aspect « potentiel » dans sa théorie des 3P. Il nous a montré les statistiques de certains de ses joueurs. Il en a une demi-douzaine qui avaient seulement des résultats moyens au lycée mais qui sont maintenant au top du top. Il a dit que l'essentiel, c'est d'être capable d'entrevoir les ressources d'un gars s'il est correctement motivé, s'il reçoit l'entraînement adéquat et si on lui laisse la liberté de se servir de son expérience pour devenir le genre de joueur qu'il a l'ambition d'être. Il a dit qu'il ne croyait pas aux entraîneurs psychorigides qui veulent une équipe avec des éléments tous coulés dans le même moule, des robots censés reproduire une seule et unique approche.

Au moment où il a fait cette remarque, j'ai jeté un coup d'œil à Klint. Je savais qu'on pensait tous les deux à M. Hill et à sa méthode d'entraînement numéro un, qui est de flanquer la trouille à ses joueurs. Le problème, c'est qu'à mon avis il a tort alors que mon frère trouve qu'il a raison.

Sur le chemin du retour, il m'a annoncé que les grandes théories de Coach Pankowski étaient faites pour les mauviettes et qu'il devait probablement être pédé, ce qui expliquait pourquoi je l'aimais tellement puisque je l'étais moi-même. Ça ne m'a pas plu qu'il parle comme ça du frère de Doc, évidemment, mais c'était un tel changement par rapport à son comportement très bizarre des derniers temps que j'en ai été plus soulagé qu'irrité.

Il mange à peine et ne dort presque pas, apparemment. Il ne sort jamais avec des potes. Il ne blague plus et ne se bat plus avec moi. Et il évite Miss Jack comme la peste même si je lui ai répété qu'elle a jamais dit ce que Maman lui a mis dans la bouche, et qu'elle est entièrement d'accord pour qu'on continue à vivre chez elle.

La seule chose qu'il continue à faire, c'est d'aller voir Bill, mais même lui commence à trouver Klint plus que zarbi : il vient seulement s'asseoir sur son perron et regarde notre ancien jardin pendant des plombes.

Il a encore maigri, il a des cernes en permanence, mais dès qu'il arrive sur le marbre personne ne peut l'arrêter. C'est comme si un microbe du base-ball lui bouffait toute son énergie et son désir de faire quoi que ce soit d'autre pour les transférer entièrement dans son swing. Tyler, qui voit bien tout ça, m'a demandé ce qui lui arrivait, d'après moi, et j'ai répondu la vérité : je sais pas. Son entraîneur ne m'a parlé de rien mais Tyler m'a raconté que la semaine dernière, pendant un match en déplacement, il a fait sortir Klint du terrain à la quatrième manche et l'a obligé à bouffer un sandwich.

Après avoir balayé du regard les gradins une dernière fois à la recherche de Shelby, je m'assois près de Bill. Elle est nulle part en vue.

— Il a pas l'air en grande forme, soupire mon voisin avant de tirer une lampée de bière sur la paille de sa tasse de soi-disant café.

On vient juste d'annoncer son nom dans les haut-parleurs et Klint rejoint sa place sous les acclamations et les huées.

— Tu gagneras pas aujourd'hui, Hayes ! crie quelqu'un. Personne peut rien faire contre une balle courbe de Tussey !

Reid Tussey, c'est le lanceur de Laurel Falls qui doit encore avoir des cauchemars dans lesquels une balle de golf tape contre le bord d'une boîte de soupe ouverte aux deux extrémités. Ils ont plein de supporters, ici. Ça va être une partie mouvementée.

Notre lanceur à nous, Joe Farnsworth, se positionne sur le monticule. Il envoie l'une des meilleures balles rapides qu'on puisse voir dans tout l'État mais c'est quand même pas du tout cuit, parce qu'il fait face aujourd'hui à une équipe qui n'est pas limitée par le stress, pas obsédée par la perspective de bourses sport-études ou de futurs contrats à plusieurs zéros. Les types de Laurel Falls jouent simplement pour le plaisir de gagner ici et maintenant, et de s'en vanter.

Au moment où je plonge la main dans le sac de chips de Bill, j'aperçois un éclat cuivré en bas, pas loin de l'abri des joueurs. Je reconnaîtrais les cheveux de Shelby n'importe où.

Elle a la tête levée vers les gradins. Comme je suis assez idiot pour présumer que c'est moi qu'elle cherche des yeux, je lui fais signe quand son regard arrive dans ma zone. Elle ne sourit pas. Elle me fixe avec une expression indéfinissable, mais qui n'exprime certainement pas la joie de me voir.

Depuis que je la connais, elle m'a toujours offert son fantastique sourire à chaque fois qu'on se retrouvait. C'est seulement maintenant que je me rends compte à quel point c'était important pour moi.

Je me lève et je commence à descendre les marches. Me tournant le dos, elle rebrousse chemin vers le parking. Elle me cherchait, oui, mais uniquement pour pouvoir m'ignorer.

— Shelby !

Elle ne s'arrête pas.

— Hé, Shelby ! – Je me mets à courir pour la rattraper, puis je la saisis par le bras. – Allez, quoi !

Elle s'arrête pour m'affronter. Je ne l'avais encore jamais vue en colère. Sa peau translucide est rose de passion, ses yeux bruns ont pris un reflet vert de félin. Ses longues mèches, illuminées d'or rouge, tombent en désordre de chaque côté de son visage. Je ne peux pas m'empêcher de penser que c'est comme ça qu'elle serait si on était en train de faire l'amour.

— En plus de tout le reste, tu es un menteur ! siffle-t-elle.

— Moi ? Comment ça ?

— Klint voulait vraiment que je vienne ? Ou c'était juste un mensonge pour m'attirer ici ?

Les mains sur les hanches, elle m'écrase de son regard. Je m'étais dit que j'allais avoir plus d'assurance devant elle, maintenant que je suis un homme avec une certaine expérience sexuelle. Je me trompais. Elle m'intimide toujours autant.

— Oui, j'ai menti. Klint se fiche que tu sois là, toi ou n'importe qui. Mais si on parlait de la façon dont tu m'as traité ? Presque un mois à me faire la tronche ! Et aujourd'hui, tu voulais venir juste parce que tu croyais que Klint avait envie que tu sois là ! Qu'est-ce que tu en dis, de ça ? – Comme elle ne répond pas, je continue : – C'est... c'est tout ce que j'ai trouvé comme moyen pour arriver à te voir, tu comprends ?

— Je ne veux pas te voir.

— Pourquoi ? Qu'est-ce que j'ai fait ?

— Tu le sais très bien.

Elle se remet à marcher. Je crie dans son dos :

— Si c'est à cause de Starr, je l'aime pas ! C'est toi que j'aime !

Dès que j'ai lâché ces mots, je me rends compte que c'était une erreur. Je n'ai pas réfléchi. J'ai spontanément exprimé la seule idée qui comptait vraiment à mes yeux. C'était un aveu sincère, capable de tout expliquer et justifier, et qui aurait dû suffire à dissiper le malentendu entre nous. Mais Shelby est une fille. Déjà que je trouvais les filles difficiles à comprendre avant d'avoir fait l'amour avec l'une d'elles, c'est encore pire, maintenant. Je pige absolument rien à leurs sentiments et à leurs réactions, sauf une chose dont je suis complètement sûr : tout ce qu'un mec pense de l'amour et du sexe est point par point l'opposé de ce qu'en pense une fille.

Elle s'arrête encore, tourne la tête. Ses yeux lancent des éclairs. Elle élève la voix, elle aussi :

— Tu m'aimes ? Tu vas me raconter que tu m'aimes après avoir couché avec ma sœur ?

— Je préférerais coucher avec toi, mais ça ne t'intéresse pas !

À nouveau, j'ai fait une remarque qui me paraît d'une logique impeccable mais dont le seul résultat est de la faire verdir de rage. Je m'empresse de corriger :

— D'accord, d'accord ! Ça t'intéresse ? Tu m'aimes ? Tu veux le faire avec moi ?

— Non ! me hurle-t-elle au visage. Non, non et non !

— Ça me dépasse. Ta sœur me drague, ensuite elle va te le raconter en sachant que tu le prendras mal, mais c'est à moi que tu en veux ?

— Elle l'a fait pour me prouver que tous les garçons sont des porcs ! Même ceux qu'on croit mieux que ça.

— Je suis un porc, moi ? Pourquoi ?

— Parce que tu as couché avec ma sœur !

Sa voix est montée dans les aigus.

— Pourquoi ? C'est parce que c'est ta sœur ? Tu serais aussi fâchée si je l'avais fait avec quelqu'un avec qui n'est pas de ta famille ?

Elle repart en avant. Je recommence à lui courir après. Tout essoufflé, j'improvise ma défense :

— Attends ! Dis-moi si je me goure ou pas ! C'est quoi, l'idée ? Je suis censé jamais baiser de toute ma vie parce que j'ai eu la déveine de tomber amoureux d'une fille qui ne m'aime pas ?

Elle ralentit le pas, fait halte. Un tonnerre d'applaudissements et de cris d'encouragement éclate derrière nous. Ensemble, on se tourne vers les gradins remplis de gens heureux.

— Est-ce que tu aimes Starr ? me demande-t-elle soudain.

— Non ! Je te l'ai déjà dit. Elle… elle me fait peur.

— Mais tu as couché avec elle.

Je hausse les épaules.

— Pas besoin d'aimer quelqu'un pour baiser avec.

— Pour moi, si.

— Pourquoi ?

— Parce que le sexe est la chose la plus intime, la plus sacrée, la plus belle qui puisse exister entre deux êtres !

Typique de la nana qui n'a jamais baisé, je me dis. À haute voix, je concède :

— Tu as sans doute raison, et j'espère qu'un jour j'aurai la chance de baiser avec celle que j'aime, mais pour l'instant je vais pas refuser de le faire avec celle que je trouve sexy.

— C'est dégoûtant !

— Mais qu'est-ce qui te prend, Shelby ? Tu as eu la révélation religieuse, ou quoi ?

Oui, elle a rejoint l'Église des histoires d'amour à l'eau de rose. Pourquoi pas ? Après tout, c'est quoi, la religion ? La foi aveugle en quelque chose que le bon sens tient pour impossible. Shelby est bien préparée à sacrifier sur l'autel de l'amour et du sexe sans douleur ni chagrin.

— On n'a pas besoin d'être croyant pour penser que c'est mal de coucher avec quelqu'un qu'on n'aime pas, réplique-t-elle d'un ton supérieur. C'est une question morale.

— Tu coucherais avec Klint ?

Au lieu de répondre, elle murmure :

— Je l'aime.

— Non, tu l'aimes pas ! Tu ne sais rien de lui. Combien de phrases complètes vous avez échangées ? Trois, au maximum ? Tu le trouves attirant, comme moi avec Starr. Rien de plus.

Je me demande comment elle réagirait si elle apprenait que sa sœur a essayé de le faire avec son Klint adoré aussi.

Elle recommence à marcher. Nous sommes presque arrivés à sa petite décapotable rouge toute pimpante, facile à repérer au milieu de tous les pick-ups et breaks cabossés, qui n'ont pas été lavés depuis des semaines. Je m'accroche.

— Tu veux faire un concours de moralité ? Tu penses que c'est « bien » que tu couches avec mon frère, mais « mal » que je couche avec ta sœur ? La différence, dans ta morale, c'est que tu aimes Klint, donc c'est bien, tandis que j'aime pas Starr, donc c'est mal. Mais moralement parlant, tu ne m'aimes pas, tu te fiches de ce que je ressens, alors en quoi ça te tracasse que je baise ta sœur ou n'importe qui d'autre ? Mais moi, parce que je t'aime, ça me blesserait vraiment si tu baisais mon frère. Sauf que ça aussi, tu t'en fous.

Elle sort son trousseau de clés de son sac, appuie sur la télécommande pour déverrouiller les portes à distance. La voiture émet un bip discret et ses phares clignotent une fois.

Je me rends compte que c'est fini. Je ne la reverrai probablement plus. En la regardant ouvrir la portière de sa caisse à soixante mille dollars qu'elle n'a pas payée, puis activer son BlackBerry bleu métallisé dont personne au monde n'a besoin à seize ans, j'éprouve comme jamais la sensation de notre éloignement complet.

L'important, c'est qu'elle sera capable de se convaincre que je l'ai trahie et que notre amitié s'est terminée à cause de ça. Tout ce qui compte pour elle, c'est d'arriver à justifier ses actes et en même temps de continuer à passer pour quelqu'un d'irréprochable. Brusquement, je comprends que ce qui s'est produit entre Shelby et moi n'a rien à voir avec Starr. Notre moment de folie lui a seulement procuré une bonne excuse pour se débarrasser de moi.

Elle remet son portable dans son sac et s'installe au volant. L'enfant effrayé que j'ai été l'aurait laissée partir sans un mot de plus mais l'être nouveau que je suis, l'homme désenchanté, a besoin de s'expliquer encore :

— Tu vois, j'ai toujours cru que tu étais gentille, que tu avais un cœur immense. Maintenant, je vois que tu es aussi égoïste que n'importe qui. La gentillesse et le grand cœur, c'est seulement pour quand c'est facile.

Elle a l'air surprise mais pas peinée, encore une preuve qu'elle se moque de ce que je peux ressentir ou penser.

— Tu oublies tout ce que j'ai fait pour toi, rétorque-t-elle d'un ton agressif, désagréable. Sans moi, tu vivrais dans un coin paumé d'Arizona avec votre horrible sorcière de mère et son insupportable bonhomme.

— C'est pour Klint que tu l'as fait, pas pour moi. J'ai été assez bête pour me persuader que c'était aussi pour moi, mais j'ai compris, maintenant. - Elle claque sa portière, démarre en trombe. - Le souvenir d'une phrase lointaine s'impose soudain dans mon esprit, et je lui crie d'où je suis : - « ¡ *Este toro no tiene casta !* »

Quand je viens reprendre ma place près de Bill, je ne suis pas d'une humeur géniale.

C'est notre équipe qui est à la batte.

— Zéro point, m'informe-t-il en me tendant le sachet de chips, que je refuse d'un geste.

La tête ailleurs, je ne suis pas du tout le jeu. À un moment, Bill m'envoie un coup de coude dans les côtes.

— Klint rentre, me dit-il. Eh, qu'est-ce qui cloche, avec toi ?

— Rien.

Les applaudissements se taisent. Klint est dans la cage. Il prend ses marques.

Tenant la balle dans son dos, Reid Tussey se casse en deux pour saisir les signes que le receveur lui adresse. Il hoche la tête, se redresse et lance. À cet instant, Klint quitte la cage.

Joueurs et supporters se mettent à crier ensemble.

Il lâche la batte sur le sol, retire sa casquette et s'éponge le front dans le creux de son bras comme s'il était en nage. Je remarque soudain que son maillot est trempé sur son dos. C'est anormal. Il ne fait pas si chaud que ça, et puis la partie vient juste de commencer. Il remet sa casquette et reste là, sans bouger, la batte toujours à ses pieds.

Les protestations du public s'amplifient. Quelques-uns de ses coéquipiers sortent de l'abri mais ne s'approchent pas trop de lui.

L'arbitre chargé du marbre arrive sur lui d'un côté, son entraîneur de l'autre, en beuglant et en faisant de grands gestes. Klint les regarde tous les deux, et se met soudain à courir pour leur échapper.

— Sacré nom de nom ! vocifère Bill en bondissant sur ses pieds. Qu'est-ce qu'il fabrique, bon sang ?

Je ne prends pas le temps de me poser cette question. Je réagis tout de suite : dévalant les gradins, je pars à la poursuite de mon frère.

Il a une longueur d'avance, et en plus c'est un sprinter redoutable, quand il veut. Il fonce à toutes jambes, en s'aidant de ses bras, comme s'il voulait remporter le point en atteignant la base en fin de circuit.

Le terrain de base-ball est dans un parc au centre-ville, loin de l'école. Maintenant, il dévale la première rue qui se présente, ses crampons cliquetant sur le trottoir. Malgré tous mes efforts, je n'arrive pas à le rejoindre et je suis sur le point de renoncer quand je le vois s'écrouler sur la pelouse d'une maison. Je repars de plus belle.

Il est à genoux dans l'herbe, les deux mains plaquées sur la figure, tout son corps secoué de sanglots affreux. Je me laisse tomber près de lui, tellement à bout de souffle que j'ai l'impression de tomber bientôt dans les pommes.

— Klint... Qu'est-ce qu'il y a ? Qu'est-ce qui s'est passé ?

Il continue à pleurer. J'ai peur de bouger, même d'effleurer son épaule.

— Dis-moi ce qui va pas, Klint.

Il bredouille :

— Je... je... je... Je pourrai pas vivre avec elle !

Je devine sur-le-champ de qui il veut parler.

— Mais non ! Tu te rappelles pas ? Miss Jack a dit qu'on continuerait à habiter chez elle.

— Merde pour Miss Jack ! On... on... on en sait rien ! On peut pas... pas lui faire confiance.

— Bien sûr que si !

— Je peux pas vivre avec elle ! répète-t-il encore plus fort.

Cette fois, il me regarde. Ses yeux sont fous de terreur.

— On n'aura pas à vivre avec elle, Klint. Je te promets.

— Je... je... je... – De nouveaux sanglots l'étouffent. – Je veux pas qu'elle revienne ici ! Je veux pas la voir !

— Tu n'auras pas besoin.

— Elle... elle m'a touché...

Il l'a dit si bas que je dois me rapprocher de lui pour l'entendre, mon front presque contre le sien.

— Quoi ?

— Elle m'a touché... partout.

— Qui ? Maman ?

— Je... oui.

— C'est ta mère, Klint. Une mère touche ses enfants, elle...

— Non ! rugit-il.

Je m'écarte brusquement. Il se remet à pleurer.

Une peur horrible naît dans mon estomac et s'étend à tous mes nerfs, couvre ma peau de quelque chose de vivant et de moite qui rampe dessus, ma bouche s'emplit d'un goût métallique, amer. Je murmure péniblement :

— Où ? Où est-ce qu'elle t'a touché ?

Sa respiration s'accélère. Il halète comme un chien battu.

— Tu sais !

403

— Tu étais petit, Klint. Tu t'es peut-être trompé, tu as cru que…

— Non ! Non… J'étais pas petit…

Je détourne les yeux sur la maison qui s'élève derrière nous. La famille qui habite là… Ils ont des secrets abominables, eux aussi ? Ou bien nous sommes les seuls ?

Est-ce que tout le monde peut voir les dégâts ? Est-ce que ça se remarque sur nous ? Combien de fois mon être en morceaux pourra-t-il être réassemblé jusqu'à ce que la colle cesse d'agir ? Qu'est-ce qui arrivera quand je ne serai plus capable de rien retenir de bon en moi, quand tout fuira par les fissures ?

Je contemple la maison, je l'imagine en flammes, mais ce que je vois, en réalité, c'est ma vie ravagée par le feu. J'entends le grondement infernal qui la consume de l'intérieur. Je regarde la charpente noircie commencer à s'affaisser, à se désagréger. Je sens ma peau brûler, éclater en plaies et en cloques. Je devrais partir en courant, mais je ne peux pas m'en aller. Tout ce que je suis est pris au piège dans cette maison, bientôt dévorée par le brasier, et ensuite ce sera comme si je n'avais jamais existé.

Klint tombe sur le flanc, se recroqueville et pleure, pleure.

Je me couche à côté de lui et je le prends par les épaules J'absorbe ses frissons, obligé d'admettre que l'être dont je suis le plus proche au monde est aussi quelqu'un que je ne connais pas du tout.

25

CANDACE JACK

LUIS EST ABSENT QUATRE JOURS, pour l'une de ses expéditions périodiques à New York.

Il a besoin d'échapper à la vie provinciale, de temps en temps, et de s'immerger dans une grande ville. Cela lui permet aussi de rendre visite aux magasins d'art culinaire et de produits gastronomiques dont il raffole. Il revient à chaque fois avec ses valises pleines de produits succulents et de nouveaux gadgets destinés à la cuisine.

À chaque fois qu'il s'absente pour ces virées new-yorkaises ou ses voyages plus longs en Espagne, il me prépare des repas et les met au congélateur. Je n'ai pas encore décidé ce que nous aurons ce soir. Au cours des dernières semaines, Klint a perdu presque tout appétit, ce qui ne manque pas de m'inquiéter, mais essayer de lui tirer quelque explication est à peu près aussi facile que de s'adresser à un mur de briques.

Si manger a toujours été l'une des grandes joies de ma vie, je commence à perdre mon sens gustatif. Les saveurs ne titillent plus mes sens aussi intensément qu'avant. Je mange beaucoup moins, moi aussi, mais à mon âge ce n'est évidemment pas aussi préoccupant qu'à celui de Klint. Ma « tuyauterie », ainsi que j'ai entendu Jerry appeler les fonctions physiologiques internes, n'est plus ce qu'elle était. Je ne peux plus digérer un repas de cinq plats. Je grignote, désormais.

Au début, Luis a pris ce changement pour une insulte personnelle, ce qui n'est pas étonnant de sa part. Il s'est convaincu qu'après avoir porté aux nues ses talents de chef pendant des décennies j'avais fini par m'en lasser. Lorsque je l'ai persuadé que ce n'était pas le cas, il s'est mis à imaginer que j'étais atteinte des pires maux ; après des semaines de supplications insistantes, j'ai cédé à ses exhortations et je suis allée consulter un médecin. Lequel a rendu son diagnostic à la suite d'une auscultation péniblement indiscrète : je suis vieille.

Les garçons sont en retard, ce soir. Je sais que Klint avait un match mais ils devraient tout de même être rentrés, à cette heure. Bien que je n'aie pas encore pu me décider à assister à l'une de ces rencontres, je garde toujours l'intention de le faire. Je n'avouerais à personne, et surtout pas à Luis, la cause profonde de mon hésitation : oui, je supporte difficilement d'avoir des gens autour de moi, non en tant qu'individus mais lorsqu'ils se présentent en groupes vociférants.

Les clameurs d'une foule me ramènent immanquablement au jour de la mort de Manuel. Je n'oublierai jamais la beauté du ciel, l'adoration et la vénération palpables dans l'air de l'humble petite ville accueillant le retour de son glorieux enfant prodige, de son prince, de sa star, à la faveur de son anniversaire.

Ils étaient tous deux d'une beauté insigne quand ils se sont fait face dans l'arène ce soir-là, Manuel et Calladito, l'homme gracieux et raffiné dans son riche habit de lumière, l'indomptable taureau, anxieux de montrer sa force, deux animaux radicalement différents qui paraissaient l'un et l'autre si certains de leur autorité alors que leur danse devait s'achever par la mort de l'un d'eux, chacun baigné dans le sang de l'autre.

Ce moment m'a transformée si profondément que je ne m'en suis jamais remise. Considéré de l'extérieur, on dira aisément que c'est parce que j'ai perdu ce jour-là l'amour de ma vie, et que je l'ai vu connaître une fin terrible, mais il y a plus que cela : c'est alors que j'ai compris que, Dieu ou pas, Destinée ou pas, tout revenait au même. Depuis des siècles, l'homme avait cherché des réponses avec ses philosophies, ses théories politiques, ses sciences et ses arts, mais cette quête n'avait pas de sens car elle ne pouvait en rien nous aider devant le plus destructeur de nos ennemis, à savoir l'imprévisibilité arbitraire de l'existence.

C'est pour cette raison que j'évite les foules en liesse. Ce n'est pas tant parce qu'elles me font peur, mais parce qu'elles symbolisent à jamais pour moi la terrible découverte que nous croyons savoir et que nous ne savons rien.

La nuit commence à tomber, accentuant mon appréhension. Je me prépare une tasse de thé que j'emporte sur la véranda. J'espère de tout mon cœur que rien de grave n'est arrivé. Dernièrement, Klint s'est montré encore plus renfermé que d'habitude, une dégradation qui s'est produite après qu'il a revu sa mère et dont je ne peux m'empêcher de me sentir en partie responsable. Je crains de ne pas avoir fait ce qu'il fallait. Avec le recul, je suis persuadée que j'aurais dû les prévenir de sa venue. Ce n'est pas le genre de femme qui puisse être une bonne surprise pour quiconque.

Je suis toujours en négociation ardue avec elle. Certes, il est hors de question que je congédie ces garçons, mais la somme qu'elle exige est aberrante. Si je ne la paie pas, néanmoins, elle prendra ses fils, leur répétera que c'est moi qui ai décidé qu'ils ne pouvaient plus vivre ici, et ils finiront par la croire, pour une raison hélas toute logique : puisqu'elle a déjà clamé devant eux qu'elle ne voyait pas d'inconvénient à ce qu'ils restent avec moi, l'impression qu'ils auront, s'ils doivent s'en aller, sera que je suis celle qui aura voulu se débarrasser d'eux.

Elle table sur la certitude que, soucieuse de leur épargner ce coup, je n'irai jamais jusqu'à leur apprendre que leur mère est un monstre qui s'est servi d'eux pour m'extorquer de l'argent. Sa machination est assez ingénieuse, je dois dire.

Je suis assise avec mon thé quand j'entends un moteur d'automobile dans l'allée. Au bout d'un instant, je décide qu'un vacarme pareil ne peut être produit que par le pick-up de Tyler Mann.

Ma déduction est juste. Dans un grondement de cylindres mal ajustés et un fracas de tôles disjointes, la vieille guimbarde vient s'arrêter au bas du perron. Tyler et Kyle en sortent.

— Bonsoir, Kyle, bonsoir Tyler.

— Hello, Miss Jack, me répond Tyler, mais je note aussitôt que sa voix n'est pas aussi claironnante que je me la rappelais.

— Que me vaut le plaisir de votre visite ?

— Ah, je sais pas si ça sera vraiment un plaisir, remarque-t-il avec une nuance hésitante.

— Que se passe-t-il, Kyle ? Tu as l'air bouleversé. Où est ton frère ?

— Je... On sait pas.

— Comment, vous ne savez pas ?

Il lance un regard à Tyler. J'insiste :

— Qu'est-il arrivé, voyons ?

— Il a eu une sorte de... panne pendant la partie, déclare Kyle.

— Comment ça ?

— Il... Bon, il a quitté le terrain. Il était à la batte, il l'a laissée tomber et il s'est enfui.

— Et où est-il, maintenant ?

— Je vous l'ai dit. On ne sait pas. Je lui ai couru après, j'ai réussi à le rejoindre et à lui parler un peu... – Baissant les yeux au sol, il se force à continuer son récit. – Je l'ai convaincu de retourner au terrain, mais il a filé à son pick-up et il est parti. On ne l'a pas revu, depuis.

Il ne relève pas la tête. Il ne m'a pas tout dit, visiblement. Tyler s'empresse de lui venir en aide :

— On l'a cherché partout, vous voyez. Les endroits où il va souvent. On a appelé les gens qu'il connaît. On a fait le tour de la ville.

— Il ne répond pas sur son portable, complète son frère.

— Qu'en penses-tu, Kyle ? Est-ce que je devrais prévenir la police ?

— Non, non ! – Il secoue la tête avec véhémence. – Pas besoin de la police. C'est pas du tout ça. Je suis sûr qu'il va finir par rentrer.

Tyler pose une main sur l'épaule de Kyle.

— Vous inquiétez pas, miss Jack. Il avait seulement besoin de décompresser.

— Ouais...

Ni l'un ni l'autre ne semblent très convaincus par cette explication.

— Voudriez-vous dîner avec nous, Tyler ?

— Non, merci, m'dame. C'est aimable à vous de m'inviter mais je dois retourner chez moi.

Sans un mot de plus, Kyle monte à sa chambre. Il ne veut pas me parler, c'est clair. Je le persuade de descendre, mais le dîner est lugubre. Il chipote dans son assiette, je ne touche pratiquement pas à la mienne. Il évite de croiser mon regard. Je trouve qu'il a l'air souffrant. Cette épreuve terminée, je l'interroge encore : que devrions-nous faire pour son frère, à son avis ? La réponse est la même : rien.

Le temps passe et Klint n'est toujours pas rentré. Kyle continue à l'appeler sur son portable, sans résultat. Enfin, je me résigne à aller me coucher, même si, je le sais, il est exclu que je trouve le sommeil. Je me déshabille, je passe ma chemise de nuit, je me brosse les cheveux et je me mets au lit, un livre ouvert sur les genoux, que je fixe un moment avant de m'apercevoir que je suis incapable de lire.

C'est l'une des situations dans lesquelles je suis handicapée par l'absence d'un quelconque statut familial. Je ne suis même pas une tutrice légale. De plus, je n'ai pas l'instinct maternel, puisque je n'ai jamais été mère. Mais je suis assez certaine que si Klint était mon fils, j'aurais déjà téléphoné à la police.

Je doute que je me montrerais aussi volontaire s'il était mon petit-fils. Dans un contexte similaire où Shelby serait en cause, je ne prendrais sans doute pas la responsabilité d'alerter les autorités. Je laisserais ce soin à ses parents. Mais ce garçon n'en a pas, du moins, pas qui soient en mesure de le protéger. Cela étant, supposons que je veille sur Shelby parce que ses parents n'étaient pas disponibles ? En voyage à l'étranger, par exemple ? Quelle serait ma réaction ? Est-ce que j'appellerais la police ? Je suis presque sûre que oui. Mais Shelby est une fille. Il y a tellement de terribles dangers qui guettent une fille de dix-sept ans et auxquels un garçon du même âge est moins exposé… Cependant, est-ce que ce sont ces sinistres éventualités qui m'inquiètent présentement ? Devrais-je redouter que

Klint ait subi quelque chose d'affreux de la part d'un inconnu ? Non. Je crois que Kyle a surtout peur que son frère se fasse mal lui-même. Délibérément, ou accidentellement.

En dépit de mon anxiété et de toutes ces pensées qui se succèdent dans ma tête, j'ai dû m'assoupir, car un coup soudain frappé à ma porte me fait bondir sur mon séant comme une folle.

Sans prendre le temps d'enfiler mon peignoir, je me hâte d'aller ouvrir. C'est Kyle. Il tremble.

— Klint vient de m'appeler. Je crois que ça va pas du tout.

— Pourquoi ? Qu'a-t-il dit ?

— Eh bien, il pleurait surtout.

— Klint ? Klint pleurait ? Que t'a-t-il dit ? Où est-il ?

— Il a rien dit de précis. Il a seulement répété et répété que je ne devais raconter à personne ce qu'il m'a dit. Tout à l'heure. Il m'a confié quelque chose, et maintenant il veut que ça reste un secret…

— Quoi ? Qu'est-ce que c'est ?

— Je ne peux pas vous le dire.

— Kyle !

Je m'apprête à le houspiller, mais il me fait taire en fondant brusquement en larmes. Entre deux hoquets, il bredouille :

— Il m'a dit que j'étais un bon frère. Il dirait jamais une chose pareille à moins… à moins que ça aille très, très mal.

Avant que je n'aie le temps de le calmer ou de mettre de l'ordre dans mes idées, le téléphone retentit sur ma table de nuit, nous faisant sursauter tous les deux. Le cœur au bord des lèvres, je me hâte d'aller décrocher.

— Oui ?

— Qu'est-ce que c'est que ce micmac, chez vous ?

Je reconnaîtrais cette voix entre mille.

— Pardon ? C'est bien vous, Rhonda ? Exprimez-vous clairement !

— Je viens de recevoir un appel de mon fils et il bégayait comme s'il avait perdu sa satanée caboche !

— Je ne comprends toujours pas ce que vous voulez dire. Je…

— C'est quoi, votre problème ? Mettez votre appareil audi-
tif, alors ! Je vous dis que Klint vient de m'appeler. Qu'est-ce
que vous lui avez fait ?

— Il vous a dit où il était ?

— Comment ça, « où il était » ? J'ai compris qu'il était chez
vous et que vous lui aviez joué un sale tour. Peut-être que
vous lui avez annoncé qu'il peut plus vivre dans votre château ? C'est une grosse erreur. Ils vont vous détester, ces gosses,
et ensuite vous…

Je l'interromps :

— Que vous a-t-il dit, exactement ?

— Mais rien ! C'est ce que j'essaie de vous expliquer. Il a
pas prononcé un seul foutu mot ! Juste bégayé, pleuré et
pleuré. Et après, il m'a raccroché au nez !

Je fais de même.

— Kyle ! – Il entre en trombe dans ma chambre. – C'était
ta mère. Klint lui a téléphoné à l'instant.

— Quoi ? Klint a appelé Maman ? Pourquoi ? Qu'est-ce
qu'il a dit ?

— D'après ce que je comprends, il pleurait dans l'appareil,
rien d'autre, et ensuite il a coupé la communication.

Le visage de Kyle perd le peu de couleurs qu'il gardait. Il se
laisse choir sur le bord de mon lit, tête basse. Ses tremble-
ments convulsifs ont repris.

— Écoute, Kyle. Tu dois tout me raconter, tout. Je ne peux
pas être d'une aide quelconque si je ne sais pas précisément
ce qui s'est passé.

Il ne lui faut que quelques minutes pour me rapporter ce
que son frère lui a confié, mais elles semblent interminables,
et lorsqu'il a fini j'ai l'impression que nous avons l'un et
l'autre vieilli de vingt ans.

Il faut que je surmonte ma colère et mon angoisse. Il faut
du calme, du sang-froid.

— Quels endroits comptent le plus pour ton frère, Kyle ?
En bien et en mal ? Où irait-il pour se manifester, pour lancer
un appel au monde ? Le terrain de base-ball ?

— La maison, répond-il dans un souffle.

— Bien sûr… Peux-tu téléphoner à Bill ?

411

— Il est pas chez lui.

— Comment le sais-tu ?

Il me lance un regard exaspéré.

— C'est le soir du buffet à volonté.

— Ah... Eh bien, allons-y.

Nous nous dirigeons vers l'escalier. Il ne m'est même pas venu à l'esprit de m'habiller.

— Luis n'est pas là, dit soudain Kyle.

— Je peux conduire.

— Ouais, je sais que vous avez dit que vous pouviez, mais c'est vrai ?

— Évidemment !

— Quand c'était, la dernière fois ?

— Peu importe ! C'est comme faire du vélo, cela ne s'oublie jamais, une fois qu'on a appris.

Dans le hall d'entrée, j'enfile mes bottes de marche.

— Je peux conduire, si vous voulez, suggère-t-il avec une mine anxieuse.

— Certainement pas !

— Mais je sais ! Mon père me laissait toujours le volant sur les routes de campagne, quand il n'y avait personne.

— Tu n'as pas le permis.

— Et alors ? C'est une urgence, comme... comme quand sa femme a un bébé.

— Un garçon de quinze ans n'est pas supposé avoir une femme et un bébé ! Ah, je devrais prendre mon sac. Où est-il ? Où est mon sac ?

— Allez ! – Il me saisit par le bras. – On a pas le temps !

Je refuse de me laisser intimider par la perspective de mettre cette voiture en marche. J'ai été dedans un nombre incalculable de fois. Je sais conduire, et même si cela fait près de trente ans que je ne l'ai pas fait il suffit de tourner la clé, d'enclencher la boîte automatique, d'appuyer un peu sur la pédale d'accélérateur et de bouger le volant. Je me souviens très bien de tout cela.

Je veille à ce que Kyle boucle sa ceinture de sécurité. Il respire bruyamment et s'agite sur son siège comme un chiot en cage. Je n'avance pas assez vite pour lui, apparemment.

Mais nous roulons. C'est facile ! Je me débrouille très bien.

Je n'oublie pas de surveiller les rétroviseurs, de contrôler ma vitesse, de serrer le volant fermement. Je me sens pleine de confiance et de compétence. Et puis nous atteignons le bout de l'allée et je dois m'engager sur la route.

— Miss Jack ! gémit Kyle. Il faut qu'on se dépêche ! Allez !

— Oui, oui, tu as raison.

J'appuie sur l'accélérateur. Je dois être pied au plancher. Ce n'est qu'une impression, toutefois, car je vois l'aiguille du compteur arriver péniblement dans la zone des 40.

— Bon Dieu ! gronde Kyle. Laissez-moi conduire, s'il vous plaît ! S'il vous plaît !

Je n'ai encore jamais vu quelqu'un d'aussi inquiet et désespéré à la fois. C'est déraisonnable au plus haut point, mais il y a incontestablement urgence.

— D'accord !

Je me range sur le bas-côté et je quitte ma place. C'est seulement quand je contourne le véhicule pour gagner le siège passager que je m'en aperçois : je n'ai rien d'autre sur moi qu'une longue chemise de nuit blanche et des bottes couvertes de boue séchée. Mes cheveux ne sont pas coiffés, pas même ramassés en queue-de-cheval. Je dois être à faire peur.

Kyle redémarre à une vitesse sidérante.

— Ralentis, Kyle. Fais attention à la route !

— Je sais !

— Je ne crois pas, non. Regarde, il y a un tournant !

— J'ai vu !

— Tu ne devrais pas aller aussi vite.

— Miss Jack ! Fermez-la ! S'il vous plaît !

Je m'apprête à le morigéner mais je vois des larmes cascader sur ses joues, et la détermination farouche dans ses yeux, si bien que je choisis de me taire. Pendant le reste du trajet, j'essaie de limiter mes commentaires au minimum ; je ne suis pas sûre d'y parvenir complètement mais du moins Kyle ne ressent-il plus le besoin de me hurler dessus, se bornant à me rappeler de temps à autre entre ses dents serrées qu'il « sait ce qu'il fait ».

Comme je ne suis jamais allée chez eux, je n'ai aucune idée de la direction que nous prenons. Nous traversons la ville, puis ce sont des champs désolés, quelques maisons isolées, deux ou trois fermes, et un chemin au goudron défoncé.

J'ai du mal à distinguer quoi que ce soit mais Kyle s'écrie soudain :

— C'est son pick-up ! Là-bas ! Il est garé devant chez nous !

Je m'attendais à ce qu'il accélère encore. Au contraire, je sens la voiture ralentir.

— Qu'est-ce que c'est ? grommelle-t-il. C'est quoi, cette merde ? Non ! J'y crois pas ! On n'a plus d'essence !

— C'est impossible, dis-je machinalement, mais sans la moindre preuve pouvant étayer cette affirmation.

L'auto cahote encore un peu, s'immobilise.

— C'est la faute de Luis !

Kyle n'a pas entendu mon accusation, car il est déjà dehors.

La portière se referme en claquant. Je reste seule dans l'obscurité.

26

KYLE

JE COURS.

À un moment, je tourne la tête en arrière et je vois qu'une apparition me suit. Je pense à un fantôme, tout de suite : quelque chose de blanc et de flottant, avec une chevelure livide agitée par le vent de la course. Et puis, je me rends compte que c'est Miss Jack. Elle est incroyablement rapide.

Je bondis dans notre jardin, sans aucun plan, sans savoir où je dois chercher, laissant mon instinct me guider.

— Klint ! Où tu es ?

Mon regard passe du porche au bac à sable, du portique au perron de Bill.

Brusquement, je le vois et un immense soulagement m'envahit, jusqu'à ce que je comprenne ce que mes yeux enregistrent.

Il est assis dans la fourche de l'arbre où nous aimions nous cacher dans le temps. Et il a une corde dans les mains. Un bout est attaché à une grosse branche qui s'élève à environ trois mètres du sol, l'autre est noué autour de son cou.

Je me remets à courir sans le quitter du regard, priant pour qu'il me regarde aussi. Je me dis, il suffira que nos yeux se croisent et tout ira bien.

Je me trompe. Quand il me remarque enfin, son regard est vide. Il ne me reconnaît pas. La vie a déjà quitté ses yeux.

Tranquillement, il se laisse tomber de la branche. Comme je l'ai vu faire tant de fois dans le passé : sans effort, sans appréhension, avec la grâce d'un sportif-né. Mais là, ses pieds n'atterrissent pas souplement sur le sol. Son corps tressaute au bout de la corde.

Je sais que j'ai crié. Un braillement inhumain, sans doute, mais je ne l'ai pas entendu. Mes genoux flanchent, je m'effondre par terre. Une seconde plus tard, pourtant, je suis à nouveau debout et j'ai sorti mon couteau de ma poche.

Il n'est pas mort. Il s'agite et tourne comme un poisson au bout d'une canne à pêche. Ses jambes pédalent dans le vide. Ses mains s'agrippent au nœud coulant. Mais il peut encore être sauvé.

Je le saisis par les jambes en essayant de le soulever. Il continue à être secoué de convulsions. Un râle effrayant sort de sa gorge comprimée. Ses yeux sont grands ouverts mais ne voient rien. Je ne sais pas comment le sortir de là. J'essaie de me placer sous lui pour le soulager de son poids sur mon épaule mais je n'arrête pas de recevoir ses ruades dans la figure. Il se débat trop et il pèse trop lourd, plus lourd que d'habitude. Les mots se forment dans ma tête, « poids mort », et je me mets à hurler.

Soudain, Miss Jack est à mes côtés. La grimace de terreur sur ses traits cendreux, sa respiration gémissante alors qu'elle cherche à reprendre son souffle : elle fait encore plus penser à un fantôme.

— Tenez-le ! dis-je d'une voix suppliante.

Elle essaie de prendre ma place. Elle a du mal. C'est une vieille femme qui tente d'accomplir ce qu'un jeune homme n'a pas réussi. Elle lève les bras, l'attrape par la taille et se glisse sous lui pendant qu'il continue à ruer et à se débattre.

Je me jette sur le tronc, cherchant des pieds et des mains les planches clouées qui nous servaient jadis de marches pour accéder à notre maison suspendue. Je rampe sur la branche jusqu'à la corde et je l'attaque avec mon couteau.

Je ne sais pas combien de temps ça prend. Une éternité, on croirait. Comme si j'allais passer le reste de ma vie à tailler une corde horriblement raidie par le poids de mon frère en train de mourir, avec ses gargouillements suffoqués et les gémissements de douleur de Miss Jack dans les oreilles.

Mais même l'éternité a une fin. Avec un bruit sec, la corde casse et Klint tombe sur Miss Jack.

Je saute à terre. Mes doigts affolés tâtonnent sur le nœud autour de son cou, tentant de le desserrer. Il râle, tressaute encore. Je ne sais pas comment l'aider. Je prends sa main, qui reste inerte dans la mienne. Je l'appelle, je répète son nom cent fois. Ses yeux ouverts regardent fixement. Je ne veux pas savoir ce qu'il voit.

Miss Jack est étendue sur le sol. Elle ne bouge pas du tout.

27

CANDACE JACK

LA PREMIÈRE CHOSE QUE JE VOIS : DEUX DOUZAINES DE ROSES JAUNES.

La seconde, c'est une femme corpulente, aux bouclettes brunes serrées sur le crâne, vêtue d'une blouse rose fluo parsemée de petits chats bleus. Elle me sourit.

J'ai entendu dire que les infirmières ont renoncé au blanc traditionnel, de nos jours, et qu'elles privilégient les couleurs vives. Jusqu'ici, je n'en voyais pas la raison mais je crois comprendre, maintenant : cela doit faire partie d'une stratégie générale qui encourage les patients à se rétablir et à libérer leur chambre au plus vite.

Elle vient vers moi, radieuse. Son badge indique qu'elle s'appelle Sandi.

— Alors, on se réveille, enfin ! Comment vous vous sentez ?

— Je... Je ne suis pas sûre.

En voulant me redresser un peu sur l'oreiller, je provoque une douleur aiguë qui envahit chaque parcelle de mon corps.

— Vous devez y aller doucement, me conseille-t-elle. Il va falloir vous donner des analgésiques. Vous êtes assez mal en point, vous savez ? – Elle se met à dresser une liste enjouée tout en s'agitant autour de mon lit : – Voyons, un bras cassé, une clavicule fracturée, deux côtes fêlées et... regardez ça ! – Elle sort un miroir du tiroir de la table de nuit et le place devant mon visage. J'avale péniblement ma salive. – Deux beaux coquards ! On dirait que vous sortez d'une rixe de bar. Mes deux fils adoreraient avoir une dégaine pareille. Ce sont des adolescents, évidemment.

418

Je ne comprends pas ce qu'elle dit. J'ignore pourquoi je suis ici. Je ne me souviens de rien, et soudain je me rappelle tout. Mon expression doit le refléter, car elle cesse aussitôt de minauder, prend un air plein de sollicitude et saisit ma main gauche, celle qui n'est pas enfermée dans un plâtre.

— Ne vous inquiétez pas ! Il va bien.

— Qui ?

— Votre petit-fils.

— Mon quoi ?

— Le garçon qui est arrivé avec vous. C'est pour lui que vous vous faites du souci ?

— Oui. – Je sens des larmes monter derrière mes paupières. – Il est vivant ?

— Tout ce qu'il y a de vivant, mon chou. – Elle me tapote la main. – Il est à l'étage au-dessus. Oh, tenez ! – Elle me tend une boîte de mouchoirs en papier. – Je comprends. Ça a été très, très juste…

— Puis-je le voir ?

— Je pense que oui, bien sûr, mais posons d'abord la question à votre docteur. Je ne sais pas s'il veut que vous vous leviez bientôt.

— Je me moque de ce que dira mon médecin. Je dois aller le voir.

— Ah, vous allez vite comprendre qu'il est inutile de discuter avec elle ! – Bert vient d'entrer, chargé de fleurs supplémentaires. – Elle obtient toujours ce qu'elle veut.

— Eh bien, je vais voir ce que je peux faire, concède Sandi en gagnant la porte. Mais vous allez avoir besoin d'un fauteuil roulant.

— Candace…, soupire Bert une fois qu'elle est sortie. – Il pose le bouquet sur la table roulante avant de tirer une chaise à mon chevet. – Les mots me manquent. J'envisageais tout un tas de difficultés, quand vous avez pris ces garçons chez vous, mais certainement pas que vous finiriez en morceaux dans un lit d'hôpital.

— Le monde entier est au courant, alors ?

— Personne n'est au courant. Kyle m'a téléphoné hier soir. Je n'ai encore prévenu personne. Je présume que c'est ce que vous vouliez ?

— Ma famille ?

— Non. Je me disposais à appeler Cameron aujourd'hui, au cas vous n'auriez pas pu.

— Luis ?

— Il est resté auprès de vous toute la nuit. Je l'ai appelé à New York. Il est venu directement ici de l'aéroport. Tout à l'heure, j'ai réussi à le convaincre de rentrer prendre une douche et de se changer, au moins.

— Pourquoi souriez-vous ?

— Parce que je pense qu'il n'a pas été là quand vous vous êtes réveillée, mais moi si. – Il lâche un petit rire. – Il va croire que j'ai fait exprès de l'éloigner.

L'idée me fait sourire à mon tour.

— Oui, je suppose que ce sera sa réaction. Et Kyle ? Où est-il ?

— Il a passé la nuit dans la chambre de Klint.

— Oh, Seigneur, Bert…

L'horreur de la scène de la veille revient m'accabler. Pauvre Kyle. Est-ce qu'un enfant peut jamais surmonter d'avoir été témoin d'une chose pareille ? Et Klint ? Que va-t-il devenir ? Bert me caresse légèrement le bras.

— Tout ira bien, m'assure-t-il.

— Kyle vous a-t-il raconté les détails ? dis-je à voix basse.

— Non. Seulement que Klint a tenté de… – il bute sur le mot –… de se pendre, et que vous l'avez trouvé juste à temps.

— Bert ? Il est trop tôt pour en parler maintenant, mais je vais avoir besoin de vos conseils professionnels. – Sentant un peu de mon ancienne énergie me revenir, je cherche à m'asseoir dans le lit mais cela me fait trop mal. – Je veux devenir leur tutrice tant qu'ils sont encore mineurs. Et je veux avoir la garantie que leur mère ne sera pas autorisée à avoir le moindre contact avec eux.

— Ce ne sera pas facile.

— Nous ferons tout ce qu'il faut, croyez-moi.

Sandi revient, poussant un fauteuil roulant. Elle prend une seringue sur le petit plateau qu'elle portait.

— Pas de panique ! Je vais mettre ça dans votre perfusion, pas dans votre bras.

Après l'avoir branchée au goutte-à-goutte, elle pose ses deux poings sur ses vastes hanches et me considère d'un œil sceptique.

— Vous êtes certaine que vous voulez vous déplacer si tôt ?

— Oui.

— OK, mais vous allez souffrir.

— Je sais.

J'ai répondu avec désinvolture car je n'imaginais pas vraiment à quel point j'allais souffrir, en effet. Sortir du lit et m'asseoir dans le fauteuil constitue sans nul doute la pire épreuve physique de toute ma vie, mais j'essaie de ne pas le montrer. Après m'avoir aidée à m'installer, Sandi se recule, souriant de toutes ses dents :

— J'espère que vous serez pas fâchée que je dise ça, Miss Jack, mais c'est la vérité : vous êtes une vieille dure à cuire.

Je me retiens pour ne pas rire trop fort.

— Je ne suis pas fâchée du tout.

Sandi me pousse jusqu'à l'ascenseur, puis le long du couloir conduisant au service où Klint a été hospitalisé. Bert nous suit en silence. Quand nous passons les portes battantes, je suis tout d'abord surprise de découvrir les murs décorés d'arcs-en-ciel, couverts de posters de chatons ou de dinosaures, et la salle d'attente au sol jonché de jouets, avec un poste de télévision branché sur la chaîne Disney. Il ne m'était pas venu à l'esprit que Klint serait placé dans l'aile pédiatrique.

Sandi m'arrête devant une porte, frappe quelques coups et passe la tête dans l'embrasure.

— Rebonjour, mon lapin, roucoule-t-elle. Tu es d'attaque pour avoir de la visite ?

Elle réapparaît en souriant, ouvre grand le battant et me pousse dans la chambre, puis elle repart après avoir chuchoté :

— Je vous laisse, tous les deux.

Il est assis dans son lit, en pyjama bleu. Il est en train de boire à une tasse munie d'une paille. Il paraît d'une jeunesse et d'une vulnérabilité à fendre le cœur.

Des contusions d'un rouge et d'un violet brutaux enflent son cou, et ses yeux excessivement cernés donnent l'impression qu'il n'a pas trouvé le sommeil depuis des mois, mais pour le reste il a l'apparence d'un garçon normal et vivant – tout ce que j'osais espérer.

Kyle est profondément endormi sur une chaise.

Klint me lance un regard étonné. Ses pupilles sont très bleues, en contraste avec ses traits d'une pâleur extrême.

— Bonjour, Klint.

Il me regarde. Soudain, son visage est l'objet d'une transformation tellement étrange que je n'arrive pas à la nommer, au début : il sourit.

— Hé, Miss Jack ! – Sa voix est basse, cassée. Mais le sourire s'agrandit. – Pardon, je sais que c'est pas drôle, mais vous êtes salement amochée...

Je souris, moi aussi.

— Oui, il paraît que j'ai l'air de sortir d'une bagarre entre ivrognes.

— Ouais, c'est vrai.

— Et il paraît que cela me va bien.

— Ouais. Peut-être...

Je jette un coup d'œil à Kyle.

— Il y a longtemps qu'il dort comme cela ?

— Un bout de temps. Depuis que je me suis réveillé.

Kyle est affaissé sur une chaise en plastique à dossier raide, le menton enfoncé dans son thorax. Il me fait penser à une pâquerette fanée, quand la corolle est devenue trop lourde pour sa tige.

— Ce ne doit pas être très confortable.

— Non...

— Avez-vous pu parler, tous les deux ?

— Ouais. J'étais conscient, dans l'ambulance. C'est vous que tout le monde croyait morte.

Nous gardons le silence quelques minutes. Le seul bruit dans la pièce est le léger ronflement de Kyle. Je ne suis pas certaine de savoir comment il faut se conduire lorsque l'on rend visite à quelqu'un qui a tenté de se supprimer une douzaine d'heures plus tôt. Quels sont les sujets de conversation appropriés ? J'écarte une à une toutes les idées qui me viennent, parce qu'elles me paraissent soit trop futiles, soit trop graves.

Finalement, je décide de lui demander s'il a besoin de quoi que ce soit à la maison. Aimerait-il que Bert lui rapporte son tee-shirt préféré, des numéros de sa collection de *Sports Illustrated*, un sandwich à la mortadelle ? Alors que j'ouvre la bouche pour poser la question, je remarque soudain que des larmes silencieuses roulent sur ses joues.

Il surprend mon regard sur lui.

— Je me suis trompé, dit-il. Je ne veux pas mourir.

— Je suis très heureuse de t'entendre parler ainsi. – Je tends ma main vers lui. Il la saisit. – Tu es quelqu'un de solide, Klint. Le problème, quand on est fort, quand on peut encaisser plein de choses, c'est que les gens finissent par croire que l'on peut tout encaisser. Et on en vient à se le dire aussi à soi-même.

Il frotte ses yeux de ses poings pour arrêter les larmes, un geste qui le fait paraître encore plus juvénile. Il se tourne à nouveau dans ma direction.

— Vous, vous pensez que vous pouvez tout encaisser ?

— Je l'ai pensé, à une époque, mais je me suis rendu compte que j'avais tort.

— Quand ça ?

Je réfléchis un instant.

— Quand ton frère et toi êtes venus habiter chez moi.

Son sourire revient. C'est une expression qui lui sied. Je pourrais aisément m'habituer à le voir sourire.

— On est difficiles à ce point, alors ?

— Non, non ! Pas du tout ! Ce n'était pas de difficultés dont je parlais, mais de l'implication personnelle. Des sentiments. J'ai bien peur de m'être peu confiée et d'avoir peu donné, pendant la majeure partie de ma vie. Et maintenant, je me demande sérieusement si ce n'était pas erreur. Parce que enfin me voilà presque au bout de la route, et je me rends compte que je n'ai pas d'amis.

— Mais Luis et Bert, ce sont des amis.

— Oui, c'est vrai, mais ils travaillent pour moi, aussi.

— Nous, on est vos amis, Miss Jack. Moi et Kyle.

— Kyle et moi.

— Kyle et moi, répète-t-il.

J'étais tellement préoccupée par la correction de sa phrase que je n'ai pas prêté attention à son contenu. Cette fois, pourtant, tout son sens m'apparaît lorsqu'il la formule à nouveau :

— Kyle et moi, on est vos amis.

— Ah... Je te remercie, Klint.

L'émotion qui bouillonne en moi me surprend et m'affole un peu. J'ai envie de pleurer. Non, je vais pleurer. Ce doit être à cause de ces médicaments. Je sors le mouchoir en papier que j'avais fourré dans la manche de ma robe de chambre.

— Merci, dis-je encore bêtement. C'est très gentil de ta part.

— On n'a pas besoin de remercier quelqu'un d'être son ami. On... – Une toux sèche lui brise la voix. Avec une grimace, il boit une gorgée à la paille. – Et en plus, je suis pas « gentil », ajoute-t-il dans ce qui est à peine plus qu'un chuchotement.

— Assez, Klint. Il faut que tu ménages ta voix. Et si, je te remercie.

Il prend un petit bloc-notes sur sa table de chevet, ainsi qu'un crayon portant le logo du Stanford Jack Memorial Hospital. Il écrit quelques mots, arrache la page et me la tend. Je lis : « Tout le plaisir est pour moi. »

— Ah, vous êtes là, vous ! vocifère Luis derrière moi. Alors, je vous laisse à peine vingt minutes et c'est la pagaille ! Vous deviez rester dans votre lit ! Où est votre bon sens ? Où est votre médecin ? Vous savez combien d'os cassés vous avez ?

Son ton est colérique mais ses yeux remplis de douceur. Il paraît reposé et énergique en pantalon kaki et pull chocolat sur une chemise mandarine. Incroyablement, sa bruyante entrée n'a pas réveillé Kyle, qui s'est au contraire remis à ron-fler.

Luis adresse un signe de tête à Klint.

— ¿ *Cómo está, caballero* ?

— Il n'a pas le droit de parler, pour l'instant, interviens-je.

— Ah, ça va ! Nous avons assez parlé cette nuit et ce matin, pendant que vous jouiez à la Belle au bois dormant.

— Justement. Lorsque je me suis réveillée, j'ai eu la chance d'avoir un prince qui attendait à mon chevet, prêt à prendre soin de moi.

— Oh oui, votre « prince » ! s'exclame Luis en levant les yeux au ciel. C'était couru que Bert serait là quand vous reviendriez à la vie. Je savais qu'il tramait quelque chose dès qu'il s'est mis à insister pour que je rentre à la maison. Comme s'il se souciait que je ne sois pas rasé et tout fripé !

Il disparaît de mon champ de vision et je sens le fauteuil roulant bouger. Par-dessus ma tête, Luis lance à Klint :

— Je ramène Miss Jack à sa chambre. Vous vous reverrez plus tard.

Malheureusement pour moi, Luis pousse un fauteuil roulant de la même façon qu'il conduit une voiture, et le temps d'être revenu en bas j'ai été si malmenée que je suis contente de retrouver mon lit. À peine suis-je à nouveau adossée aux coussins qu'il entreprend de vider une valise qui contient un petit déjeuner gargantuesque.

Il m'en donne la description tout en l'alignant sur la table roulante :

— Nous avons donc des fruits, du pain maison, de la confiture de coings, du jus d'orange frais, votre thé favori, un peu de fromage et des œufs durs.

Il termine en exhibant un mini-vase en cristal, qu'il remplit avec la carafe d'eau de l'hôpital, et un iris violet. Il pose fière-ment la fleur unique devant tous les bouquets jaunes de Bert

— Tout ceci est merveilleux, Luis, mais je n'ai vraiment pas faim. Vous avez raison. Je n'aurais pas dû me lever. Mais il fallait que je le voie, de mes propres yeux.

Il contemple son déploiement de nourriture, me dévisage longuement et commence à tout remettre dans la valise.

— Oui, vous n'avez pas l'air trop bien. Je devrais peut-être appeler une infirmière.

— Non, non, pas besoin. Je peux avoir un peu d'eau, s'il vous plaît ?

— Tout est de ma faute, soupire-t-il en me versant un verre. Si j'avais été là hier soir…

Je l'interromps :

— Cela n'aurait rien changé. La seule différence, c'est que vous seriez maintenant dans ce lit d'hôpital.

— Oh, je prendrais votre place avec joie !

— Non, pas avec joie, je vous assure.

Les traits crispés par la souffrance, je bois une gorgée d'eau tiède.

Une expression préoccupée apparaît sur le visage de Luis. Il retourne à sa valise et en sort une longue enfilade de boules sombres qu'il me présente.

— Pour vous.

— Mais… c'est un rosaire.

— Je sais ce que c'est, merci.

— Je ne suis pas croyante, et certainement pas catholique.

Maintenant, c'est un petit crucifix qu'il exhibe. Je ferme les yeux :

— Oh, Seigneur…

— Exactement !

— Franchement, Luis…

— Rien que pour me faire plaisir ?

— D'accord.

Tout en le regardant chercher le meilleur emplacement pour ses reliques saintes, je repense à mon échange avec Klint et à ce qu'il a écrit sur la feuille que j'ai glissée dans la poche de ma robe de chambre.

— Luis ? Est-ce que vous êtes resté avec moi toutes ces années uniquement parce que je vous procurais un emploi exceptionnel ?

— Un « emploi exceptionnel » ? reprend-il d'un ton indigné.

Je vois bien qu'il s'apprête à se lancer dans l'une de ses tirades où il compare son sort à celui d'un esclave égyptien traînant d'énormes blocs de marbre pour satisfaire son pharaon, mais il se ravise et devient tout d'un coup d'humeur contemplative. Après avoir regardé dans le vide un moment, il reprend d'une voix calme, presque rêveuse :

— Non, je ne suis pas resté pour l'emploi. Toi et moi, nous n'avons jamais rien eu en commun, ni un compte en banque, ni enfant, ni lit, mais il n'empêche que tu es ma femme.

28

KYLE

JE CROIS QUE LE PRINCIPAL CHANGEMENT CHEZ KLINT, depuis qu'il voit un psy, c'est qu'il ne me traite plus de pédé.

À part ça, il est à peu près le même qu'avant. Mais il parle un peu plus et il a l'air plus détendu, ça c'est positif.

J'ai toujours su que mon frère avait de la personnalité, qu'il était intelligent, attentionné et plein d'humour, mais il a fait tout ce qui était en son pouvoir pour dissimuler tout ça. Il voulait qu'on le voie comme un dur, un type qui n'a besoin de personne, qui n'apprécie personne et qui est persuadé d'être mieux que tout le monde.

Je n'ai jamais compris d'où ça venait, ce besoin de brouiller les cartes. Il tenait pas ça de notre père, c'est sûr. Papa était quelqu'un d'amical, d'ouvert, qui adorait soûler les gens de paroles et passait son temps à rigoler, la moitié pour des trucs marrants et l'autre pour des trucs tragiques. En privé, il pouvait rouspéter et se plaindre de sa déveine, mais c'était seulement parce qu'il se croyait obligé de le faire : au fond de lui, il était fier d'avoir fondé une famille et d'être capable de la nourrir, même s'il n'avait pas le job le plus excitant et le mieux payé de la terre. Il se fichait de ce que les autres pensaient de lui. Je ne crois pas qu'il se soit jamais senti gêné quelles que soient les circonstances, ou même qu'il ait eu ce terme dans son vocabulaire.

Klint avait l'air diamétralement différent, mais moi je savais que c'était seulement une façade. Je les voyais tout le temps ensemble, Papa et lui, et des fois Klint baissait la garde, et alors ils se faisaient des blagues, parlaient d'un tas de trucs et paraissaient presque pareils. Si j'étais le seul à pouvoir faire rire mon frère, Papa était le seul capable de lui apporter de la joie.

Je n'ai jamais compris pourquoi Klint se cachait sans arrêt, mais maintenant je le sais. Il était enseveli sous une montagne de honte, et il s'est convaincu que s'il y creusait même un petit trou pour révéler juste un aspect de lui, même un bon, il risquait de révéler aussi le reste, le mauvais.

Depuis qu'il s'est confié, nous n'avons pas parlé de Maman ni de rien de ce qu'il m'a raconté cet après-midi-là. Peut-être que ça n'arrivera jamais. Ça m'est égal. Il faut qu'il en parle à quelqu'un, et c'est à ça que le psy doit servir. En ce qui me concerne, le principal est qu'il sache que je suis au courant, voilà tout.

Le poids de son secret ne l'écrase plus, il peut respirer à nouveau. Quand je repense à la détérioration de son état pendant les semaines avant sa tentative de suicide, et même à la manière dont il a essayé de se supprimer, je crois qu'il était sur le point de mourir étouffé, suffoqué par la honte. Se nouer une corde autour du cou était la seule issue pour lui, à ce moment.

À part moi, il n'y a que Miss Jack et Bert qui sachent ce que Maman a fait. Miss Jack m'a seulement dit qu'elle avait dû le raconter à Bert pour des raisons juridiques, elle n'est pas allée plus loin et je lui ai rien demandé à ce sujet. C'est elle qui s'est chargée d'apprendre à Maman et à Tante Jen ce qui était arrivé à Klint. C'était il y a quinze jours et ni l'une ni l'autre ne s'est manifestée, depuis.

Si nous avons pu garder le silence sur ce point, il a été impossible de dissimuler le fait que Klint avait tenté de se suicider. Son effondrement sur le terrain avait été public. C'est une petite ville, ici, et il est l'un de ses héros, alors les gens se sentent concernés par son avenir, et donc autorisés à tout savoir de son présent. En plus, Tyler Mann est son meilleur ami, et quand Tyler apprend quelque chose, tout le clan Mann finit par être au courant. Et ensuite, c'est tout simplement exponentiel : en une heure de coups de fil, six cents mecs aux alentours le savent aussi.

Je ne leur en veux pas pour ça. C'est pas le genre de chose qu'on peut dissimuler, par ici. Il se trouve que l'un des flics alertés par mon coup de téléphone aux urgences est marié à une instit qu'on a eue au cours élémentaire ; il a dû lui en parler, et le lendemain elle l'a raconté à ses collègues pendant la pause. Et une infirmière aux urgences était au lycée avec mon père et ma mère, et le fils de la caissière de la cafétéria de l'hôpital, un mec qui roupille pendant les cours, est dans ma classe de géométrie…

Je mettrais ma main au feu que même Bill n'a pas pu tenir sa langue le lendemain soir au bar, quand tout le monde s'est mis à lui demander si ce qu'ils avaient entendu au sujet du petit Hayes, le crack du base-ball, était vrai. Dès que quelque chose de terriblement bouleversant arrive dans un petit monde comme le nôtre, chacun a besoin d'en parler. C'est la nature humaine. J'aimerais juste que les trucs terriblement bouleversants arrivent à d'autres que moi, pour changer.

La grande majorité des gens a été cool, pourtant. C'est sans doute pas facile pour certains, j'imagine : savoir se comporter avec un type qui a voulu se suicider, qui s'est réellement passé la corde au cou avant de sauter d'un arbre, ça peut réveiller toutes sortes de sentiments désagréables, de la pitié à la crainte en passant par le dégoût. Il y en a même qui pensent que c'est un péché, et d'autres une preuve de déséquilibre mental. Certains se refusent à éprouver de la sympathie pour lui, parce qu'ils se disent qu'il s'est amoché tout seul ; d'autres en rajoutent dans la compréhension et le prennent avec des pincettes, comme s'ils avaient peur qu'il se jette par la fenêtre à tout moment.

Bill est passé nous voir presque tous les jours. Il a même pris le thé avec Miss Jack. Je m'étais dit que j'allais assister au spectacle le plus tordant de mon existence, mais bizarrement, ça m'a paru complètement normal. Un soir, il est même resté dîner et il n'a pas rechigné à goûter la paella.

Tyler vient très souvent, lui aussi, toujours chargé de cartes et de cadeaux fabriqués par sa bande de sœurs, qui sont toutes des artistes-nées et qui ont toutes le béguin pour Klint, à part Britney qui est folle de moi. C'est la seule qui a pensé à moi pendant toutes ces semaines. Elle m'a dessiné une carte de vœux pour un prompt rétablissement. Quand je l'ai lue, je me suis d'abord dit qu'elle avait dû s'embrouiller les pinceaux et croire que j'avais été hospitalisé, moi aussi, mais à force de regarder son arc-en-ciel encadré d'oiseaux, sous un soleil fendu d'un sourire, j'ai réalisé qu'elle comprenait beaucoup de choses. Elle avait écrit simplement : *Cher Kyle, j'espère que tu te sens mieux.*

Il y a deux personnes qui ont brillé par leur absence et qui n'ont pas rendu visite à Klint. La première, c'est Shelby. Moi qui avais cru qu'elle se précipiterait au chevet de son grand amour, elle ne lui a même pas envoyé un texto ! Je sais qu'elle est allée voir Miss Jack à l'hôpital alors que Klint était déjà sorti, et j'étais certain qu'elle passerait depuis le retour de sa tante à la maison, mais pour l'instant on n'a même pas vu son ombre.

Je n'ai plus les boules contre elle. Je regrette plein des trucs que je lui ai balancés pendant notre prise de tête sur le parking. Ce serait bien qu'elle pense pareil.

L'autre grand absent, c'est l'entraîneur de Klint.

Un tas de coéquipiers de mon frère ont accompagné à tour de rôle Tyler quand il venait dire bonjour à son meilleur pote, et c'est toujours le cas. Ils montent à la pièce où se trouve la télé… Au début tout est calme mais très vite ils se mettent à chahuter et ça devient plutôt bordélique, là-haut.

Klint ne m'a dit pas un mot à propos de l'équipe. Je ne sais pas s'il considère qu'il en fait toujours partie, ou s'il a envie de continuer. J'ignore s'il est triste ou vexé que son coach n'ait même pas pris de ses nouvelles. Il ne fait aucune allusion au base-ball.

Il a pas raté grand-chose, à vrai dire. Cette dernière quinzaine, il n'y a eu que les séances d'entraînement pour la première manche du championnat d'État, qui commence dans quatre jours. En comptant le match à Laurel Falls, il aura seulement raté les trois dernières rencontres de la saison. Son équipe a fini par perdre devant celle de Laurel Falls d'un point, et lors des deux autres ils ont fait match nul, 1-1.

Quand Klint jouait, ils n'ont subi aucune défaite. Quelqu'un de superstitieux se serait démené pour ramener mon frère sur le terrain par tous les moyens, mais Coach Hill ne croit pas une minute à la chance, ni bonne ni mauvaise. Sa conviction, c'est qu'une équipe qui veut la victoire gagne. Mais si on poursuit sa logique jusqu'au bout, et si on admet que les Flames n'ont pas gagné parce qu'ils ne le voulaient pas, on peut aussi dire que la raison pour laquelle ils ne le voulaient pas, c'est parce que Klint manquait dans leurs rangs.

Est-ce qu'il a enfin pigé ça, ou décidé qu'il avait besoin de Klint juste à cause de ses prouesses passées ? À moins qu'il soit venu uniquement pour lui demander de rendre sa tenue ? Dans tous les cas, Miss Jack vient de m'appeler. Je descends l'escalier et je me retrouve devant M. Hill en survêt gris, avec son coupe-vent et sa casquette des Flames, planté tout raide à l'entrée du salon. Dans cette pièce super décorée, on dirait un caillou gris tombé par mégarde au milieu du coffre à bijoux d'une petite fille.

Miss Jack est debout à côté de lui, appuyée sur sa canne. Elle devrait être assise. Ses genoux étaient déjà dans un sale état, mais elle les a vraiment esquintés en courant comme une dingue pour sauver Klint. Avec son bras plâtré et sa clavicule cassée, elle n'est pas encore capable de s'habiller normalement. Elle porte une longue robe de chambre vert émeraude, avec des pantoufles assorties. Ses lunettes, retenues par une chaînette passée autour du cou, sont perchées sur le bout de son nez. Les coquards sur ses yeux, violet-gris au début, ont viré au jaune verdâtre. Un peu plus loin, Luis la surveille, les sourcils froncés. Il voudrait qu'elle retourne s'asseoir dans son fauteuil, je le sais.

— M. Hill est ici pour voir ton frère, Kyle, m'annonce Miss Jack.

— « Coach Hill », la corrige-t-il.

— Oh, désolée. J'ignorais que c'était devenu un titre officiel, comme « docteur » ou « président ».

— Eh, Kyle.

— Salut, Coach.

— Penses-tu que ce soit une bonne idée ? m'interroge-t-elle.

— Je sais pas. Vous êtes venu lui demander s'il veut jouer lundi ?

— Il veut jouer lundi ?

— Je sais pas.

Miss Jack s'interpose :

— Dois-je déduire que votre visite n'a pas pour but de vous enquérir de la santé de Klint, mais seulement de voir s'il est encore capable de jouer à votre jeu inepte ?

— Mon *quoi* ? s'étrangle Coach.

Je me dépêche de reprendre la parole, parce que je viens de me rendre compte qu'il vaut mieux empêcher M. Hill et Miss Jack de trop communiquer en direct.

— Il ne m'a pas parlé une seule fois de l'équipe.

Luis doit avoir eu la même idée. Il essaie de convaincre Miss Jack d'aller s'asseoir, mais elle l'ignore. L'entraîneur, lui, va carrément au but :

— Tu penses qu'il peut encore jouer, Kyle ?

— Mais oui. Pourquoi pas ? Il va très bien.

— Je parle pas de « là ». - Pliant le bras, il donne une claque sur son biceps. - Je parle d'« ici ». - Il tapote sa tempe d'un doigt. - Il n'est plus comme avant. Il est devenu fou.

— Il n'est pas fou ! s'exclame Miss Jack, indignée.

— Il n'est pas fou, dis-je à mon tour. Avant, il l'était, mais maintenant il est OK.

— Ah, d'accord. Fou avant ou fou maintenant, peu importe. Ce que je dis, c'est que ça a été un super-joueur. Mais maintenant, est-ce qu'il est encore capable de jouer ?

— Je ne vois pas pourquoi il le serait pas.

— C'est un sport où le mental prime tout le reste, Kyle.

— Plaît-il ? intervient Miss Jack. Le base-ball ? Je croyais que c'était un sport où une bande de jeunes gens attendaient en rond que quelqu'un leur envoie une balle avec un bâton. Je ne saisis pas le « mental » que cela suppose, sauf si l'on

433

estime que jeter des pierres dans une mare est une activité hautement intellectuelle.

La figure de l'entraîneur s'empourpre de la même manière que lorsqu'il s'apprête à faire exploser sa rage sur un joueur ou un arbitre. Pour lui éviter un esclandre qu'il pourrait bien regretter, j'affirme en guise d'explication :

— Elle ne connaît rien au base-ball, vous savez. Elle a jamais assisté à un match. Pas une fois. – Il est tellement sidéré par cette information qu'il en oublie sa colère. Je continue, toujours dans le but qu'il oublie aussi Miss Jack un moment. – Il faut absolument que Klint joue en championnat, cette année. C'est important pour son avenir.

— Je sais pas s'il en a un, d'avenir. Aucun responsable universitaire ne voudra dans son équipe un garçon qui peut craquer à tout moment sous la pression et essayer de se supprimer.

— *Coach* Hill ! fulmine Miss Jack, je ne vous laisserai pas parler de Klint sur un ton pareil !

Luis lève les yeux au plafond, au ciel.

— *Qué mierda*, dit-il tout bas.

Le coach poursuit son idée comme si elle n'avait pas ouvert la bouche :

— Un casier judiciaire pas vierge, ils peuvent passer dessus, mais quelqu'un atteint de folie…

— Vous voulez bien cesser d'employer ces termes ? s'interpose encore Miss Jack. Klint Hayes est l'un des êtres les plus équilibrés que je connaisse. Qu'il ait supporté ce qui lui a été infligé prouve un courage extraordinaire, sur le plan mental comme émotionnel, et…

Des bruits de pas dans le couloir nous coupent tous le sifflet. Klint fait son entrée au salon. Il porte un jean et un tee-shirt bleu qui laisse très apparentes les marques sur son cou. Pour Miss Jack, Luis et moi, elles ont l'air beaucoup moins horribles qu'il y a deux semaines, mais je me rends tout de suite compte que ce n'est pas pareil pour son entraîneur, qui les mate, les yeux exorbités. C'est une image qui le déprime gravement, je le vois.

— Hé, Coach. Je pensais bien avoir reconnu votre voix.

— Hé, Klint. Je… tu nous as manqué, à l'entraînement.

— Ça m'a manqué aussi.

— C'est vrai ?

— Mais oui. J'ai jamais été absent aussi longtemps, je crois.

— Tu sais que tu es le bienvenu quand tu veux. Pour tout le monde, tu fais toujours partie de l'équipe. Je veux dire que, bon, j'ai pas été enchanté par ta conduite pendant ce match à Laurel Falls. C'était complètement imbécile, et il est possible que tu aies ruiné une…

— Coach Hill ! s'écrie Miss Jack, à bout de patience.

Il lui lance un coup d'œil, secoue la tête. Même si ça l'écœure, il doit admettre qu'il n'est pas de taille.

— Ce que je veux dire, c'est que personne n'a eu l'idée de te retirer de l'équipe à cause de, euh… cet incident.

— Merci.

— C'est pas ce que tu pensais quand même ?

— Je ne savais plus quoi penser.

— Bon… Sans doute que j'aurais dû reprendre contact plus tôt mais tu connais le truc, avec la préparation pour le championnat et tout, ça m'est sorti de la tête…

Miss Jack vacille sur sa canne.

— Votre meilleur joueur vous est « sorti de la tête » ?

— Vous êtes là pour quoi, en fait ? dit Klint.

— Eh bien, je voulais m'assurer que ça allait, et peut-être voir si tu te sens de jouer ce lundi ?

— C'est pas un peu tard pour venir me demander ça ?

— Je n'ai pas attendu, tu sais. J'ai déjà mis ton nom sur la liste de la sélection.

— Merci, mais c'était pas ma question. Pourquoi vous ne m'avez pas contacté la semaine dernière ?

— Je… je voulais te laisser souffler.

Klint n'est pas convaincu, ça se voit à ses yeux. Je parie qu'il cherche à comprendre les mêmes choses que moi : le coach a-t-il cru pour de bon qu'il était fichu pour le base-ball et pensé tirer un trait sur lui, ou bien il avait juste la trouille de le revoir ? Est-ce que sa tentative de suicide l'a tellement fait flipper qu'il était prêt à compromettre leur performance au championnat plutôt que de venir vérifier de ses propres yeux son état ? On ne saura jamais ce qui s'est passé dans sa tête. Même s'il suit seulement une idée à la fois, elle passe par des tas de détours et de voies de traverse. La seule chose qui compte, c'est de savoir si Klint veut retourner à la batte ou pas.

Nous sommes tous en train de guetter sa réponse quand Klint nous surprend tous en se tournant vers Miss Jack.

— Vous allez venir au prochain match ? lui demande-t-il

Elle était là, à regarder l'entraîneur comme si elle était prête à sortir un flingue de sa robe de chambre et à lui faire sauter la tête, et voilà qu'elle se met à prendre des airs de petite meuf effarouchée.

— Oh, eh bien... je... – Elle cherche Luis du regard, puis se ressaisit. – Oui. J'y serai.

Klint avance son bras vers Hill. Ils échangent une poignée de main.

— Entendu, Coach. Vous avez votre deuxième-base.

— Super. Entraînement demain, et samedi. On se voit là-bas. – Il fait deux pas vers la sortie, se ravise. – Ah, à propos : Mme Hill envoie tous ses vœux de meilleure santé.

On hoche la tête, on attend que Luis l'ait raccompagné à la porte, et à ce moment on se regarde et on éclate de rire.

Je me sens regonflé à bloc après le départ de l'entraîneur. Je m'aperçois que j'esquivais la réalité en retardant le moment de parler à Klint de la fin de la saison parce que je craignais de le bouleverser, mais je n'ai pensé à rien d'autre, pendant tout ce temps. Ils ont vraiment une chance de devenir champions de Pennsylvanie cette année. C'est très sérieux, et c'est ce que Klint a espéré depuis la première coupe qu'il a remportée tout gamin, celle qu'il avait fièrement posée sur l'étagère à côté de la télé.

Brusquement, il a retrouvé toute sa pêche, lui aussi. Après s'être absenté quelques minutes, il revient avec deux de ses gants et une balle. Il m'en jette un, le plus vieux, et me propose :

— On s'en fait quelques-unes ?

Je sais pas combien de fois j'ai entendu mon père lui dire exactement la même phrase. À moi, jamais. Il n'a pas eu l'occasion : quand j'ai été en âge de pouvoir lancer une balle, il était déjà trop occupé par sa future superstar de fils.

C'est Klint qui m'a appris le base-ball. Nous n'avons pas joué depuis très longtemps. À un moment, quand ça a cessé d'être un amusement pour lui et que c'est devenu un boulot, envoyer des balles à son petit frère dans le jardin a dû lui paraître une perte de temps.

Aujourd'hui, par contre, on croirait qu'il y tient plus qu'à tout.

Même si Miss Jack possède des centaines d'hectares, on reste devant la maison, sur le gravier. Très vite, le soleil qui tape sur mes épaules et le bruit régulier que la balle produit en passant d'un gant à l'autre me plongent dans une torpeur agréable. J'entends une voiture au loin mais je suis trop léthargique pour remarquer qu'elle se rapproche. Un éclair rouge entre les arbres derrière Klint me fait sursauter.

Avant que je puisse décider si je dois m'enfuir à toutes jambes ou rester sur place pour me faire snober, Shelby s'est garée, me mettant au pied du mur : maintenant qu'elle m'a vu, partir me ferait passer pour un lâche ou un pauvre type.

Son apparence me redonne tout de suite espoir, pourtant. Elle a laissé tomber son trip d'élégante Parisienne. Elle porte un short blanc, une chemise sans manches jaune nouée assez haut pour révéler son ventre plat et ferme, des Converse rose fluo. Comme ses yeux sont dissimulés derrière de grosses lunettes de soleil à monture jaune, j'ignore ce qu'elle pense ou ressent pendant qu'elle se dirige vers la maison.

J'ai rien dit à Klint au sujet de Starr, mais il a deviné il y a un moment que quelque chose clochait entre Shelby et moi. Il m'a questionné. J'ai répondu que c'était pas grave, que j'avais simplement fini par en avoir assez qu'elle me traite comme de la merde. L'explication a paru le satisfaire.

On s'arrête de jouer et on reste immobiles de chaque côté du perron, comme deux sentinelles devant un palais. Klint, qui a gardé la balle, la fait rebondir une fois dans son gant.

Tchac ! Encore une fois. *Tchac !* Il suit l'approche de Shelby d'un regard soupçonneux.

Est-ce qu'elle va entrer sans nous adresser un mot, ni à lui ni à moi ? Ce ne serait plus de la froideur, mais une déclaration de guerre.

Elle s'arrête juste en face de nous. *Tchac !* fait à nouveau la balle.

— Salut, Klint, dit-elle en maintenant une bonne distance entre elle et lui. Comment ça va ?

Tchac !

— Bien.

Tchac !

— Salut, Kyle, ajoute-t-elle en baissant la voix.

— Salut.

Elle enlève ses lunettes, m'observe quelques secondes.

— On pourrait aller parler quelque part ?

Tchac, tchac, tchac !

— Sûr.

En trois bonds, Klint gravit le perron et s'engouffre dans la maison sans que j'aie eu le temps de lui jeter un coup d'œil.

— Tu veux parler où ?

— Oh, on peut rester ici…

On va s'asseoir ensemble sur la première marche. Elle arrache une feuille de l'un des rhodendrons de sa tante et se met à la faire tourner entre deux doigts.

— J'aime bien tes tennis.

— Plutôt voyantes, hein ? J'en avais marre d'être habillée comme s'il allait continuer à pleuvoir jusqu'à la fin des temps. Même si c'est « très chic », paraît-il…

— Donc, tu préfères le style glace à la fraise, maintenant ?

Elle me sourit.

— Exact.

Je me tais. C'est elle qui voulait parler, après tout. Elle se décide après avoir contemplé ses pompes pendant une bonne minute.

— Quand j'étais à Paris, je me croyais tellement mûre… J'étais toujours fringuée en noir ou gris. Je buvais du vin. Je laissais des types de quarante ans m'aborder dans la rue.

— Hein ?

Elle dissipe mon inquiétude en agitant sa feuille de rhododendron.

— Et puis, je reviens ici et je flippe complètement parce que tu as fait l'amour avec ma sœur. Tu parles de maturité… Je n'avais pas le droit de réagir de cette manière. On n'est pas ensemble, toi et moi. Tu es libre de coucher avec qui tu veux.

— Pas tout à fait. Disons plutôt que je suis libre de coucher avec qui veut bien coucher avec moi.

Elle me sourit encore.

— Je sais que Starr n'est pas un ange. Et elle est très sexy, c'est certain. Quel mec pourrait lui dire non ? Tu sais ce qui est le plus bizarre ? J'ai toujours eu peur qu'elle s'en prenne à Klint, et en fait c'est sur toi qu'elle s'est jetée. Marrant, non ?

— Ouais, assez marrant, dis-je en lâchant un rire forcé.

— Ce que j'essaie de dire, c'est que je regrette de m'être comportée comme ça, de t'avoir parlé sur ce ton.

— Oh, je t'ai sorti quelques belles vacheries, moi aussi.

— Je les méritais. Surtout quand je me suis mise à rabâcher que j'aimais Klint, que je l'adorais, que… – Elle ne termine pas sa phrase. Je vois qu'elle est tracassée par autre chose. Au bout d'un moment, elle avoue : – Lorsque j'ai appris ce qui lui était arrivé, je n'ai pas été aussi remuée que j'aurais dû.

— Comment ça ?

— Si je l'avais aimé de tout mon cœur et de toute mon âme, comme je le croyais, j'aurais dû être bouleversée. Je me serais précipitée à son chevet. J'aurais eu mal pour lui. Au lieu de ça, le seul à qui j'ai pensé, c'est… toi.

— Moi ?

— Oui. C'est pour toi que je me suis inquiétée. Et en plus, il y a que… Bon, je sais que c'est immonde de dire ça, mais de savoir qu'il a fait ça… – Elle cherche ses mots. –… Ça a changé ce que j'éprouvais pour lui.

— Il n'est pas fou, dis-je, par pur réflexe défensif, parce que je viens de repenser aux attaques de Coach Hill.

— Je sais ! s'empresse-t-elle de répondre, et elle ouvre de grands yeux pour s'excuser d'avoir donné l'impression qu'elle le pensait. Je n'ai jamais cru ça ! Mais seulement, Klint a toujours eu l'air si... fort. Comme si rien ne pouvait le faire vaciller.

— Et maintenant, tu le trouves faible ?

— Non, non, c'est pas ça non plus... – Elle réfléchit, reprend la contemplation de ses Converse. – Maintenant, il a l'air... humain.

Je ne peux m'empêcher de rigoler.

— Pourquoi, tu cherches quelqu'un d'inhumain ? – Elle rit un peu, à son tour. – Si c'est le cas, je peux te présenter Chad Hopper.

— Qui est-ce ?

— Quelqu'un qui entre dans cette catégorie.

— « Inhumain », ce n'est peut-être pas le terme juste. Disons... « irréel » ?

— Ah, c'est sûr que c'est pas Klint ou moi, ça. Plus réel que nous, impossible.

Aussitôt, elle prend ma main dans la sienne et la serre avec force.

— Tu te rappelles comment on s'est rencontrés, Kyle ?

— Il y a quatre ans à la fête foraine du comté, dis-je comme si je récitais une leçon. Tu voulais aller sur la grande roue mais ta copine, Whitney, refusait de t'accompagner. Je vous ai entendues vous disputer à propos de ça et je t'ai proposé d'y aller avec toi.

— C'était incroyable, déclare-t-elle en souriant à ce souvenir. Tu étais totalement différent des garçons de mon école. Eux, ils seraient restés entre eux, à glousser comme des idiots et à se moquer de moi. Aucun d'eux n'aurait été cap de m'emmener avec lui sur la roue, même s'il en avait rêvé, parce qu'il aurait eu trop la trouille de perdre la face devant ses potes si je refusais. Mais toi, tu te fichais de ce que les autres pensaient. Tu as suivi ton idée, et c'est tout.

Ça semble le bon moment. Je le saisis :

— Puisque tu n'es plus obsédée par Klint, ça veut dire que tu es disponible ?

— Ah, je ne veux pas avoir de petit ami maintenant, réplique-t-elle avec un sourire taquin. J'aime bien ça, être libre.

— On pourrait être libres ensemble, tu crois pas ?

— OK.

Elle se lève d'un bond et ses yeux s'agrandissent encore, d'excitation cette fois.

— Tu sais, le torero qui est sur toutes ces affiches que Tante Candace a chez elle ? El Soltero ?

— Ouais, quoi ?

— J'ai appris qu'elle était sur le point de se marier avec lui. – Elle baisse la voix, adopte ce ton pressé et confidentiel que j'aime tant. – Ils étaient fous amoureux l'un de l'autre, mais le soir où elle allait lui répondre oui, il a été tué par un taureau. Sous ses yeux ! Et c'est ce taureau qu'elle a ramené ici ! Calladito, le grand-père de Ventisco. Tu peux imaginer une histoire plus romantique que ça ?

Je ne suis pas sûr que je qualifierais ça de romantique, mais je lui souris et je hoche la tête comme si elle venait de m'apprendre une nouvelle sensationnelle.

— C'est quand je suis allée la voir à l'hôpital qu'elle m'a tout raconté. Et aujourd'hui, elle va me montrer des photos. Tu veux les voir aussi ?

— D'ac.

Nous montons les marches en courant. À la porte, Shelby se tourne vers moi et je reste captivé par ses yeux ambrés, dans lesquels passent des reflets d'un vert printanier.

— Ma tante Candace était une très belle femme, annonce-t-elle avec fierté.

— Ça ne m'étonne pas.

29

MME HILL NE VIENDRAIT ASSISTER À UN MATCH POUR RIEN AU MONDE, même pas dans l'éventualité où son mari finirait par décrocher la consécration qu'il attend depuis vingt ans qu'il entraîne des équipes lycéennes de base-ball : une victoire au championnat de Pennsylvanie.

Si ça doit arriver, ce sera pas aujourd'hui. Les Flames disputent uniquement la première manche des éliminatoires régionales. C'est le match qu'on a perdu l'an dernier à cause de la fameuse erreur de Brent Richmond. Si on gagne cette année, on arrivera en quarts de finale, puis en demi-finale et enfin, si possible, à la dernière rencontre d'où sortiront les vainqueurs du championnat.

J'explique tout ça à Miss Jack pendant que nous nous dirigeons vers nos places. Elle avance très lentement, en s'appuyant beaucoup sur sa canne. Ça fait plus de quinze jours qu'elle a été blessée, mais les vieilles personnes ont besoin de temps pour cicatriser. D'après Luis, il y a même des fois où elles ne cicatrisent jamais. Elle a encore mal partout, néanmoins elle ne se plaint pas, pas du tout.

Luis était contre l'idée qu'elle vienne. Il a dit que c'était trop tôt pour sortir, surtout pour quelque chose d'aussi fatigant, et potentiellement dangereux pour ses vieux os cassants comme du verre, que de se risquer au milieu d'une foule de supporters chauffés à blanc et de rester assise sur un banc en fer pendant des heures, sous le soleil. Plus il a plaidé qu'elle devait rester à la maison, plus elle s'est entêtée pour y aller.

C'en est arrivé au point où je me suis demandé si Luis insistait autant juste parce qu'il savait que l'esprit de contradiction de Miss Jack la pousserait encore plus à assister au match.

Finalement, ils sont arrivés à un compromis : Miss Jack a juré qu'elle mettrait un chapeau de paille et qu'elle prendrait une bouteille d'eau, et Luis m'a fait promettre que je ne la lâcherais pas d'une semelle. Quand je lui ai demandé pourquoi il ne viendrait pas avec nous plutôt, il a répondu que ce n'était pas sa place.

Le seul obstacle restant était de décider comment s'y rendre. Il y a plus d'une heure de route jusqu'au stade de Blair County, à Altoona, et comme Luis refusait catégoriquement de rester pendant la partie, ça aurait pas eu de sens pour lui de se taper un trajet pareil – et aller-retour, en plus – deux fois dans la même journée. Quand Miss Jack a envisagé qu'il nous dépose et qu'il aille examiner les ressources culturelles de ce trou total pendant qu'on serait au match, il lui a répondu par une phrase en espagnol très compliquée, dans laquelle j'ai reconnu seulement un mot, *cojones*.

Ensuite, on s'est mis à blaguer entre nous, Miss Jack et moi : qui de nous deux conduirait, si Luis refusait de nous emmener ? Là, il lui a envoyé encore une rafale bien sentie dans sa langue.

Le problème s'est réglé tout seul peu après, avec le coup de fil que Miss Jack a reçu de la mère de Shelby. Elle voulait lui dire qu'elle aurait adoré assister à une rencontre aussi importante. Après avoir raccroché, Miss Jack, la mine très étonnée, nous a expliqué que Rae Ann était apparemment une fan de base-ball brimée et qu'elle avait même eu une liaison avec un joueur de ligue junior à Miami, un Cubain nommé Pedro Juan, avant de faire la connaissance de Cameron Jack. Cette information a provoqué un nouvel échange en espagnol très animé entre elle et Luis.

Tout à l'heure, Luis nous a dit au revoir après avoir ajouté de la crème solaire, un paquet de lingettes hydratantes, un joli éventail espagnol et deux bouteilles d'eau dans l'énorme sac en paille orange de la mère de Shelby, décoré de palmiers et d'ananas. J'ai eu beau lui expliquer qu'il y aurait une buvette, il a proclamé qu'il était plus prudent que Miss Jack boive seulement l'eau de la maison.

La mère de Shelby a la même allure et la même odeur que si elle allait passer la journée à la plage : une robe courte bleu turquoise, sans manches et très échancrée, une casquette assortie sous laquelle ses cheveux sont attachés en une queue-de-cheval, des sandales à talons hauts avec des lanières cloutées couleur argent, des lunettes de soleil à verres miroir, tout un tas de colliers à boules en bois ou en verre superposés autour de son cou comme des guirlandes hawaïennes… Sa peau luit d'huile de coco. Miss Jack, elle, a l'air de se rendre à une garden-party offerte par la reine d'Angleterre : robe longue en mousseline d'un vert pareil à celui des ailes d'une sauterelle et chapeau en paille naturelle à large bord retenu par un foulard en gaze de la même couleur que sa robe, mais décoré de petites fleurs roses. Après des heures de négociation avec Luis, elle a obtenu son accord pour se chausser de mocassins en toile beige et remplacer l'attelle médicale qu'elle porte à la maison pour son bras par un châle en satin crème noué à son cou.

Dans notre petit groupe, je suis le seul à ressembler à quelqu'un qui va à un match de base-ball.

Miss Jack a paru apprécier le parc quand nous sommes arrivés. Comme elle admirait la façade en briques rouges au moment de passer les tourniquets de l'entrée, disant qu'elle s'était attendue à une construction moderne et moche, je lui ai expliqué que l'architecte avait été inspiré par les anciennes rotondes de chemin de fer qui abondaient à Altoona quand la ville était encore prospère, et que même le nom de l'équipe junior locale pour laquelle le stade a été bâti venait de l'histoire ferroviaire de la région ; en effet, la plupart des gens croient que « Courbe Altoona » vient du terme de base-ball « balle courbe », alors que c'est une référence à la célèbre « courbe du Fer à cheval », une portion de la voie ferrée édifiée sur le flanc de la montagne qui domine la vallée. Comme elle semblait impressionnée par mon savoir, je lui ai dit qu'un match de base-ball peut traîner terriblement en longueur, et qu'au lieu de s'ennuyer ferme il vaut mieux se distraire en parlant aux habitués et en lisant les brochures touristiques.

Une fois à l'intérieur, elle a été épatée par la propreté et la taille de l'enceinte avant de prendre une mine effarée, disant qu'elle n'avait jamais vu autant de personnes obèses réunies dans un seul endroit. J'ai essayé de retenir son attention en faisant encore étalage de ma science, lui apprenant que le parc a sept mille deux cents places assises, et en lui montrant les grandes montagnes russes en bois rouge au-delà de la clôture droite du terrain. Ça l'a intéressée au point qu'elle a arrêté de ronchonner que les gens feraient mieux d'oublier leurs Big Mac et d'aller marcher un peu.

On a eu des places extra, juste derrière l'abri des joueurs. Bill est déjà installé. Il nous a aperçus de loin, ce qui n'est pas étonnant, car on forme un trio assez remarquable. Il se lève pour nous faire de grands signes.

Il est impossible de ne pas remarquer que tout le monde nous dévisage et réagit bizarrement, se taisant et s'écartant machinalement sur notre passage. La tenue de Miss Jack pourrait expliquer ça à elle seule, mais j'ai aussi l'impression que les gens savent qui elle est et connaissent les légendes qui l'entourent. Avant qu'on se mette en route ce matin, Luis m'a confié qu'elle ne s'était pas montrée en public depuis quarante ans, mis à part le soir où elle a débarqué à l'improviste à La Calotte du mineur.

Elle s'est à peine assise que le père de Tyler, placé derrière nous, se penche sur l'épaule de Miss Jack. Il est entouré du clan Mann et de leurs nombreux amis, en tout quatre rangées entières de mecs et de meufs qui portent presque tous un tee-shirt avec, en lettres énormes sur la poitrine, TYLER, THE MAN !

— Pardonnez-moi, Miss Jack, mais il faut que je me présente. Harvey Mann, le papa de Tyler. Je voulais simplement vous remercier de l'avoir invité chez vous. Ça a été une expérience fantastique pour lui, réellement fantastique. Ma famille a travaillé pour J&P pendant des générations. Maintenant, les jeunes qui nous suivent espèrent bien que tous ces discours sur le charbon propre et l'embauche de plein de nouveaux mineurs dans un avenir proche ne sont pas seulement de la parlote.

Miss Jack tient à se lever pour le saluer comme il se doit. Je l'aide à se remettre debout.

— Monsieur Mann, dit-elle en lui tendant la main, je vous aurais reconnu entre mille.

— Euh, eh bien merci, faut croire, répond-il en riant.

Il a la même coupe en brosse et le même sourire que son fils. Vous ajoutez à Tyler trente ans de plus, vingt-cinq kilos et huit allers-retours à la maternité, et vous obtenez son paternel.

— Et voilà ma femme, Sally.

Miss Jack lui serre la main, également.

— Vous avez un fils charmant, affirme-t-elle.

— Charmant ? reprend M. Mann en rigolant encore. Eh bien, ce n'est pas exactement comme ça que je le décrirais, mais…

Son épouse allonge une claque sur son avant-bras épais.

— Mais si, qu'il est charmant !

Miss Jack observe les alignements de tee-shirts pro-Tyler.

— Vous avez une grande famille, je vois…

— Huit gosses.

— Mon Dieu ! s'exclame-t-elle.

Elle se rassoit. Au moment où j'allais la convaincre de prendre une gorgée d'eau, Britney surgit devant nous, accompagnée de quelques-unes de ses sœurs, tenant un feutre à bout de bras.

— On peut signer votre plâtre, m'dame ? demande-t-elle d'un ton plein d'espoir.

— Eh bien, je ne sais pas… – Miss Jack me consulte du regard. Comme je me contente de hausser les épaules, elle rend son sourire à Britney. – Mais certainement. Pourquoi pas ?

Je me laisse aller sur mon siège, m'accordant enfin le droit de me détendre un peu et de savourer l'ambiance. C'est une journée idéale pour une partie de base-ball. Le ciel est bleu, le soleil brille, l'air embaume les hot-dogs, le popcorn, la terre récemment ratissée et l'herbe coupée.

Il y a foule. Les deux séries de gradins sont presque pleines, ce qui est très impressionnant pour une rencontre lycéenne. Il faut dire que c'est un match spécial. Pour la toute première fois, Shane Donner et Klint Hayes, le meilleur lanceur de l'État et le frappeur le mieux placé vont se faire face de chaque côté de cette immensité de dix-huit mètres que la balle peut parcourir en quatre dixièmes de seconde.

Les Cougars de Blue Valley ayant terminé leur échauffement, c'est au tour des Flames d'occuper le terrain. Les deux équipes se croisent brièvement au milieu du pentagone, leurs maillots composant un moment parfaitement américain où le bleu, le rouge et le blanc s'unissent.

— Voilà Klint ! signale Bill aux deux femmes en se rengorgeant.

La mère de Shelby se lève, réunit ses deux mains en porte-voix autour de sa bouche et hurle :

— Ouais, Kliiint !

Les joueurs prennent position et commencent à s'envoyer des balles.

— Que font-ils ? demande Miss Jack.

— Ils s'échauffent.

— C'est là que Klint va retrouver, pendant le match ?

— Quand il ne sera pas à la batte, oui.

Elle regarde le terrain quelques minutes encore, puis annonce à la cantonade :

— Il faut que je parle à son coach.

— Non, Miss Jack, c'est impossible.

— Pourquoi donc ?

— Parce que personne ne peut lui parler, maintenant. La partie va commencer.

— N'est-ce pas lui, là-bas ?

Elle montre du doigt l'entraîneur debout près de la troisième base, les poings sur les hanches, en train de mastiquer vigoureusement sa chique.

— Si.

— Il ne paraît pas du tout inapprochable. Pas du tout actif, même.

— Miss Jack, s'il vous plaît…

447

— J'y vais, me déclare-t-elle.

Je lève les yeux au ciel et pousse un grognement.

Si n'importe qui d'autre avait essayé de lui parler à ce moment, même un recruteur de ligue nationale, il l'aurait royalement ignoré, mais il suffit que Miss Jack le hèle pour qu'il sursaute et vienne vers nous d'une démarche d'automate, un peu hébété. Je sais qu'il n'est pas impressionné par ce qu'elle représente. À mon avis, il réagit comme ça parce qu'il n'arrive pas à croire qu'elle soit réelle. En dépit de son farouche attachement au rite de l'échauffement et de sa fonction prestigieuse, je pense qu'il est fasciné par cet être aussi incompréhensible et inclassable qu'un extraterrestre sortant de son vaisseau spatial.

Il s'arrête à quelques pas du grillage.

— Je ne veux pas que vous soyez trop dur avec Klint, lui dit Miss Jack. Il est encore fragile.

Sous la visière, les traits de M. Hill s'affaissent avec une expression d'ahurissement incommensurable.

— Hein ?

— D'accord, Miss Jack, dis-je en la prenant par le bras pour la ramener à sa place. Il faut qu'on y aille. Le coach est très occupé, là.

Je suis en train de l'aider à remonter les marches quand la femme de Cam Jack saute sur ses pieds et se met à beugler :

— On veut un vrai lanceur, pas un amateur ! On veut un receveur, pas un glandeur ! – Elle brandit les deux poings au-dessus de sa tête et les secoue exactement sur le même rythme que ses nichons. Bluffant. Tout en remuant le bassin, elle crie encore : – Wouh ouh, ouh, allez les Flames !

Je suis pratiquement certain qu'elle n'a même pas picolé.

— Ouais ! mugit Bill à son tour, et ils se tapent dans la main avec fracas.

Ça va être un spectacle intéressant.

Mais pas sur le terrain, au début. Les premières manches sont chiantes comme la pluie. Nous n'arrivons pas à surprendre Shane Donner une seule fois. Il enchaîne les balles rapides pareil qu'une machine, et il balance aussi des courbes méchamment tordues que personne n'a envie de poursuivre.

Bien campé sur le monticule, mâchouillant son chewing-gum, il est le calme personnifié tandis qu'il fait oui ou non de la tête en réponse aux signes de son receveur avant de cogner une balle qui fuse dans le vide comme si elle sortait d'un canon.

La première présence de Klint à la batte est un moment de tension extrême. Le parc tout entier est pris d'un silence de mort. On n'ose plus bouger ni même respirer. Il se fait sortir après quatre essais : un faux-bâton et trois prises.

Bill me lance un regard chaviré par l'inquiétude. Je lui dis de ne pas s'en faire. Personnellement, je suis soulagé. Cette fois, au moins, il a pas quitté le terrain au galop.

Les Cougars n'ont pas beaucoup plus de chance avec notre lanceur, Joe Farnsworth. Ils n'obtiennent que quatre *coups-sûrs en* quatre manches, sans parvenir à placer un seul homme sur les buts. Deux sont des chandelles. L'une file dans le champ droit et le frappeur essaie bêtement de la transformer en double, mais Klint le devance après avoir récupéré une wild de Cody Brockway. Très belle action de Klint, sur ce coup-là. Le troisième est un roulant que mon frère rattrape encore et envoie à Tyler pour le faire sortir facilement de la première base.

Pourtant, la différence – dangereuse – entre nos lanceurs n'est pas là : c'est que Shane sort les frappeurs en quatre ou cinq pitchs, généralement, alors qu'il en faut beaucoup plus à Joe, si bien qu'à la fin de la quatrième manche son épuisement est visible.

Je passe la moitié du temps à me faire du mouron pour Klint, et l'autre à m'inquiéter en me demandant si Miss Jack s'ennuie. Elle ne se plaint pas, boit docilement son eau, s'évente comme une señorita et ne quitte pas des yeux Klint lorsqu'il est sur le terrain. Quand il est dans l'abri, elle est moins attentive et se distrait en observant la foule.

J'aurais voulu qu'elle assiste à un jeu époustouflant, qu'elle soit témoin de quelque chose d'aussi fort que ce qu'elle raconte de la corrida, et comme ce qui se déroule sous ses yeux n'a rien d'excitant je tente de réparer ça en lui expliquant ce qu'elle ne voit pas. Je cherche à lui faire comprendre que le base-ball n'est pas une activité de brutes qui restent stupidement debout à leur place pendant des plombes en se grattant l'entrejambe. Que c'est un jeu qui demande vivacité, réactivité et calculs complexes.

Je lui décris comment un frappeur doit se confronter à une balle qui lui arrive dessus à près de cent soixante kilomètres-heure, comment elle atteint le marbre en moins d'une demi-seconde à partir de l'instant où elle quitte la main du lanceur, et comment une moitié de cette demi-seconde est utilisée par le swing, de sorte que celui qui tient la batte doit avoir décidé de ce qu'il va faire bien avant que la balle soit sur lui.

J'essaie aussi d'expliquer l'astuce et l'agilité qu'il faut pour jouer deuxième-base, comme Klint, parce qu'il faut à chaque fois se trouver dans la bonne position, couvrir sa base tout en choisissant les actions de jeu adéquates, répondre instantanément aux différents types de balles qui lui parviennent, les rattraper et les renvoyer avec une main tellement souple qu'il ne les saisit jamais complètement, sur des pieds aussi légers que ceux d'un danseur.

Elle écoute attentivement tout ce que je raconte, mais je ne peux pas voir si ça lui fait un quelconque effet.

Pour tous ceux qui commençaient à douter de l'existence d'un dieu du base-ball assez miséricordieux pour accorder des secondes chances, la confirmation survient en pleine cinquième manche, au moment où Brent Richmond, l'âme damnée des éliminatoires de l'an dernier, sert une formidable balle haute entre le champ central et celui de gauche qu'il arrive à prolonger en double.

L'assistance devient super-excitée, non seulement parce que Richmond a obtenu un coup-sûr mais parce qu'il a prouvé que c'était faisable. Même les supporters des Cougars sont contents. Le revers de la médaille, quand on a le meilleur lanceur de l'État, c'est que les matchs ont tendance à être salement ennuyeux. Si personne n'obtient jamais un coup réussi, le base-ball n'est plus tout à fait le base-ball.

Shane Donner n'est pas du tout troublé et, comme pour le prouver, il fait retirer nos deux frappeurs suivants grâce à une demi-douzaine de balles rapides qui tapent dans le gant du receveur en faisant un tel potin que je vois des spectateurs grimacer en imaginant la douleur.

C'est au tour de Klint.

Il y a eu une époque de ma vie où j'aurais vibré à ce moment, où mon regard serait passé de Bill à Papa tandis que nous aurions souri de toutes nos dents tous les trois, parce que nous savions que la capacité de Klint à résister à la pression était ce qui le distinguait des très bons joueurs pour en faire quelqu'un d'absolument remarquable. Il pouvait tout réussir, mais ce qui amenait les gens à parler de lui des semaines après un match, c'était d'abord sa manière d'assurer au moment crucial. Maintenant, je sais que cette force héroïque était en réalité le signe extérieur d'une blessure interne ou, pour reprendre les termes de son psy, un mécanisme de compensation d'un dysfonctionnement profond qui l'a presque conduit à la mort. Il ne se laissait atteindre par rien parce qu'il était capable de s'interdire la moindre émotion.

À quoi il pense, maintenant ? C'est la question que je me pose en le regardant aller au marbre. À Papa ? Est-ce qu'il croit que notre père est au ciel et le regarde de là-haut ? Est-ce qu'il a besoin de se raconter ça, ou lui suffit-il de savoir qu'il a été avec nous un petit moment, juste assez longtemps pour faire de nous qui nous sommes ? Et maintenant, à nous de continuer à avancer et de devenir entièrement qui nous sommes censés être…

Le premier lancer est une balle extérieure et basse. La foule apprécie. Des « Bien vu, bien vu ! » s'élèvent un peu partout.

Le suivant est une balle en extérieur aussi. Ça commence à prendre une tournure intéressante, enfin. Les fans jusque-là rendus maussades par l'ennui posent leurs boissons et leurs sachets de popcorn, se redressent et ouvrent l'œil.

Intervenir sur un compte négatif est dangereux pour n'importe quel lanceur, même quelqu'un d'aussi bon que Shane Donner. Dans le cas – rare – où un frappeur met une balle au jeu avec un compte à 0-2, on a constaté qu'il parvient généralement à la base.

— Que se passe-t-il ? me demande Miss Jack.

— Il a deux balles, dis-je, lui ayant déjà expliqué la différence entre balles et prises.

— C'est bien, approuve-t-elle.

— Ouais. Maintenant, la pression est sur le lanceur. Il doit égaliser le compte pour obliger Klint à frapper de manière défensive et commettre des erreurs.

Klint laisse passer le lancer suivant, également. L'arbitre y voit une prise, provoquant des sifflets et des cris de protestation dans les gradins.

— T'es aveugle ou quoi, sacrénom ? gueule Bill de tous ses poumons.

Dressée sur la pointe des pieds à côté de lui, la mère de Shelby n'est pas moins bruyante :

— C'est quoi, ce merdier ? Elle était dehors de deux bornes, cette balle !

Miss Jack la regarde sévèrement.

— Rae Ann, voyons ! Vous êtes une mère de famille. Il y a des enfants, ici.

— Qu'ils aillent se faire ! tranche-t-elle avant de se remettre à hurler sur l'arbitre.

Le clan Mann s'est joint au chahut, maintenant, et l'arbitre se voit accusé de toutes les déficiences possibles et imaginables : il a un besoin urgent de lunettes, il s'est laissé graisser la patte, il a du mal à avoir une érection, et ainsi de suite.

Klint sort de la cage.

Mon cœur s'arrête un instant mais tout va bien, en fait. Plus que bien. Son bâton sous le bras, mon frère tire tranquillement sur son gant de frappe, lève la main et plie les doigts à plusieurs reprises comme pour s'assurer que le gant était bien en place.

Il prend son temps, évite soigneusement de regarder Donner ou n'importe quel autre joueur dans le champ intérieur. C'est un bras de fer psychologique. Il a suffisamment vu comment Donner s'y prenait, maintenant. Il est confiant.

La balle suivante, qu'il met hors champ, file derrière lui et va atterrir dans le public. Quelqu'un aura un souvenir sympa de cette journée.

452

Avec un lanceur comme Donner, qui expédie les balles rapides avec une puissance rarement vue en junior, l'arbitre sera tenté de lui accorder tous les lancers limite, non au frappeur. Klint ne peut pas se permettre d'attendre la meilleure occasion. Il doit taper dans tout ce qui passe près du marbre et continuer à faire des hors-champ jusqu'au moment où quelque chose de bon se présente.

Ils sont à 2-2, maintenant, et Donner ressent la pression. Le lancer suivant est une balle. La foule explose. Avec un compte complet à 2-3, les Cougars demandent un temps-mort. Leur coach et le receveur rejoignent Donner sur le monticule.

— Et maintenant, qu'est-ce qui se passe ? m'interroge Miss Jack.

— Les autres ont pris un temps-mort pour causer.

— Ils parlent de Klint, c'est cela ?

— Ouais. Il commence à les rendre nerveux.

— Bien !

Le lancer suivant de Donner est parfait, juste au centre de la plaque, exactement entre le genou et la ceinture. Klint rencontre super-bien la balle et l'envoie loin dans le champ intérieur. Tout le monde s'est levé mais il n'y a rien à acclamer, parce qu'elle dévie de sa course et finit fausse.

Klint s'en moque. L'assaut psychologique sur Donner est en bonne voie. Celui-ci l'a vu prendre contact avec la balle et il sait à quelle distance Klint peut l'envoyer. Un peu plus à l'intérieur, c'est tout ce qu'il faut.

Ensuite, c'est un ricochet. Le public grogne.

Shane Donner est forcé de lancer une huitième fois au même frappeur, une situation à laquelle il est peu habitué. Klint assure sa position sur ses jambes, observe fixement le lanceur, ramène les bras en arrière, batte levée, tendue à craquer comme une catapulte chargée, le corps entier prêt à l'attaque.

Donner lance. Klint swingue.

Un son sec et pur, celui que les amateurs de base-ball connaissent bien et qui est si doux à leurs oreilles : quand la balle atteint la batte à l'emplacement idéal.

Klint termine sa frappe mais il a déjà commencé à courir vers la première base. C'est l'élan de la batte qui a mis ses jambes en mouvement.

La balle vole très loin dans le champ droit, fuse dans la clôture, rebondit une fois et s'arrête sans personne aux environs. Les voltigeurs des Cougars ont péché par excès de confiance. Même s'ils savaient que Klint est un cogneur et que Donner a été obligé d'effectuer pas moins de huit lancers, ils ne s'attendaient pas à une balle longue. Ils étaient placés trop loin, et n'étaient pas assez concentrés.

Le voltigeur de droite court à la balle. Le temps qu'il la ramasse, Klint est parvenu à la deuxième base et Brent va arriver sur le marbre. Déployant son bras autant qu'il peut, il balance au deuxième-base dans le champ centre. La balle fait un mauvais rebond, mais le deuxième-base s'en saisit et pivote pour lancer.

Klint ne ralentit pas du tout aux abords de la troisième base. Il continue sur sa lancée démente, moulinant des bras et des jambes, le regard fixé devant lui, galopant comme si sa vie en dépendait, de la même façon que je l'ai vu faire il y a quelques semaines, sauf qu'alors il voulait s'enfuir aussi loin que possible, tandis que maintenant il veut à tout prix se rapprocher.

Comprenant la marche du jeu d'un seul coup d'œil, le deuxième-base décide de lancer au receveur accroupi derrière la plaque de but, en train d'attendre le toucher.

Klint s'élance dans le vide à la Superman, un saut de l'ange qui arrache un hurlement à la moitié des supporters, pendant que l'autre moitié retient son souffle.

De nos jours, on ne voit presque plus de glissades à plat ventre en base-ball junior. Même les pros en font beaucoup moins. Non seulement elles sont plus dangereuses, mais la plupart des joueurs sont persuadés qu'elles prennent plus de temps que de glisser les pieds en avant. C'est pas très logique, puisque la glissade à plat ventre est la continuation de l'élan de la course, et pourtant beaucoup de joueurs hésitent à faire une chose pareille. La crainte de se lancer tête la première sur une surface dure est difficile à surmonter.

Klint n'a pas le choix, d'après ce que je sens. C'est comme s'il avait décollé tel un avion qui a atteint la vitesse suffisante pour s'arracher du sol, et même s'il avait pu s'interrompre et réfléchir une fraction de seconde, je suis certain qu'il aurait fait pareil. Lui et moi, on sait au moins une chose : comment survivre quand on est jeté à terre.

Le receveur attrape la balle au-dessus de sa tête et abat sa main pour toucher le sol. La planète s'arrête de tourner, jusqu'à ce que l'arbitre jette les bras de côté et crie : « Sauf ! »

Je regarde Miss Jack, qui s'est levée avec tout le monde pour acclamer Klint. Ses joues ont pris une couleur vive et elle a le sourire extasié d'une petite fille qui vient d'avoir le plus beau des cadeaux. Pour moi tout seul je murmure :

— *Duende.*

30

LUIS

JE SUIS UN HOMME COMPLIQUÉ ET SURPRENANT. J'ai eu beaucoup d'histoires d'amour mais je n'ai jamais été amoureux. J'ai de la chance aux cartes et un vrai talent pour les mots croisés. J'ai des dents superbes. Je joue à la loterie chaque semaine. J'adore le basketball et les films d'Humphrey Bogart. Je suis abonné au *New Yorker* et je comprends tous leurs dessins humoristiques. J'ai tout le temps un sachet de M&M's dans ma chambre. J'ai la phobie du vide et du silence. Mes pieds ne sentent jamais. Je sais me servir d'un fusil. *Don Quichotte* n'est *pas* mon livre préféré, même si c'est un très bon livre. Je pleure à la fin du *Magicien d'Oz*, quand Dorothy revient à la maison, et que je l'aie vu plein de fois n'y change rien. Le 11 septembre, quand les terroristes ont attaqué le World Trade Center, j'étais en train de lever les filets d'une belle truite. Je suis un excellent cuisinier et un cavalier accompli. J'ai appris l'anglais tout seul en arrivant ici, puis le français de la même manière pour le cas où je voudrais aller goûter la gastronomie française sur place, parce que je n'ai pas envie d'être traité de haut et mal conseillé par des serveurs condescendants.

Si j'avais la possibilité de dissiper trois malentendus tenaces et fort répandus aux États-Unis à propos de mon pays, je choisirais ceux-ci : l'Espagne n'est pas du tout comme le Mexique, Antonio Banderas n'est pas du tout l'archétype de l'Espagnol, et Ernest Hemingway ne connaissait rien du tout à la corrida.

Parfois, un homme est amené à faire le bilan de sa vie et de lui-même. C'est ce qui m'est arrivé récemment, après que Candace a été hospitalisée.

Je ne pense pas qu'elle se rende compte qu'elle a failli mourir. Ce n'est pas seulement une affaire d'os fracturés : elle a également eu une crise cardiaque. Son médecin m'a expliqué que ce n'était pas un signe de mauvaise santé. Étant donné son âge, sans compter le traumatisme à la fois physique et émotionnel qu'elle a connu cette nuit-là, il n'est pas surprenant que son cœur ait lâché.

Je me rendais compte qu'elle vieillissait, bien sûr, mais jusqu'ici je n'avais jamais pensé que la conclusion inévitable du grand âge, pour elle comme pour tous, était la mort. Je veux dire... il semblait impensable qu'elle puisse mourir, du moins pas tant qu'elle n'en aurait pas pris elle-même la décision. Elle est trop entêtée pour se laisser entraîner dans quelque chose qu'elle n'a pas décidé. Même la mort n'aurait pas le dernier mot, avec Candace. Ou bien la mort a préféré ne pas argumenter avec elle et c'est la raison pour laquelle elle l'a évitée si longtemps.

J'ai pris particulièrement soin d'elle depuis qu'elle est rentrée de l'hôpital. Ce n'est pas une malade facile, mais à chaque fois que je suis sur le point de hurler de rage à cause de ses caprices je me reprends en me rappelant le sacrifice auquel elle a consenti, et la souffrance qui la tourmente.

Kyle m'a rapporté en détail les événements de cette nuit abominable. Il m'a décrit la force incroyable qu'une femme aussi âgée et fragile a pu déployer. Il m'a dit qu'en la voyant courir à toutes jambes sur la route derrière lui, elle lui avait fait penser à un fantôme terrifié plutôt que terrifiant.

La seule fois où j'ai vu Candace Jack courir, c'était sur le sable jaune de la *plaza de toros* à Villarica, pour rejoindre son amant blessé à mort. Ce jour-là, elle ressemblait à un ange effrayé.

Je suis allé au salon jeter un coup d'œil sur elle. Shelby et Kyle viennent de sortir après encore un autre après-midi où Candace les a captivés avec des histoires de Manuel. D'avoir frôlé la mort a été la clé qui a ouvert le coffret en verre dans lequel elle s'était enfermée avec tous ses souvenirs, des années durant, ou peut-être est-ce le choc d'avoir vu à nouveau un jeune homme plein d'énergie mourir – ou presque – sous ses yeux.

Elle paraît plus heureuse qu'elle ne l'a jamais été, et aussi lucide qu'à son habitude, mais elle n'a toujours pas retrouvé sa santé physique. Sur ce plan, le rétablissement est lent, très lent.

Miss Henry est venue retaper les coussins dont elle l'avait entourée dans son fauteuil. Cette fille est remarquablement douée pour s'occuper des gens qui ont les os en compote. Avant de quitter la pièce, elle reprend son plumeau pour épousseter au passage les bibelots qui étincellent déjà sur le manteau de la cheminée, au milieu desquels figure en bonne place le trophée du championnat de l'État remporté par Klint. Maintenant, le torero doré de son horloge a la compagnie d'un joueur de base-ball en bronze. Ils se font face, l'un levant sa muleta, l'autre brandissant sa batte.

Je demande à Candace :

— ¿ Qué estás haciendo ?

D'un geste de la main, elle me montre des dizaines de photographies étalées sur la table devant elle. De vieux clichés noir et blanc d'elle avec Manuel ; de Manuel et moi ; de Manuel entrant dans l'arène avec sa *cuadrilla* ; de Manuel avec Carmen del Pozo ; de nous tous attablés au restaurant d'un hôtel, Manuel souriant, un gros cigare entre les dents et enlaçant la taille de sa radieuse Candy ; de Manuel et Paco ; de Manuel seul ; de la campagne espagnole ; de petits villages en pierres blottis sur des collines rocheuses ; de lourdes portes d'église en bois massif sculptés ; de vitrines derrière lesquelles pendent des rangées de jambons fumés ; de taureaux.

Après l'avoir obligée à se rasseoir, j'attrape une photo, puis une autre, une autre encore, qui me ramènent à ma belle jeunesse saccagée par le destin.

Candace en prend une où nous sommes tous les trois ensemble, elle, Manuel et moi. C'est juste après une *lidia*, Manuel est encore dans son habit éclaboussé de sang, les cheveux collés par la sueur. Il adresse un sourire grandiose à l'objectif tout en serrant Candace contre lui, une Candace très élégante avec sa robe blanche à pois noirs, ses gants blancs et son petit chapeau. Son sourire à elle est destiné à son amant, qu'elle contemple avec adoration, indifférente au sang et à la boue.

Moi, je me tiens de l'autre côté de Manuel. J'ai vingt ans : un gamin qui pense qu'il est un homme, un homme qui pense encore comme un gamin.

Et je ne souris pas.

— Tu ne m'aimais pas, commente Candace d'un ton taquin.

— Qui a dit que ça avait changé ?

Elle repose la photo et en choisit une autre, où Manuel et elle sont assis dans un café à Madrid.

— L'Espagne te manque-t-elle ? m'interroge-t-elle.

— Des fois, oui.

— Je me disais à l'instant que si Manuel avait vécu et que je l'avais épousé, j'aurais passé le reste de ma vie en Espagne. Notre situation à tous les deux aurait été inversée.

— Pas exactement. Je ne crois pas que tu serais devenue mon esclave.

— Tu comprends très bien ce que je veux dire. C'est moi qui aurais été l'immigrée, pas toi. – Elle lâche la photo et regarde droit devant elle, pensive. – Je n'ai jamais vraiment essayé de comprendre pourquoi je m'accrochais autant à l'Espagne, pourquoi j'ai rempli ma maison de tableaux et d'objets espagnols, pourquoi je ne veux rien d'autre que de la cuisine espagnole, et te parler dans cette langue.

— Et pourquoi tu as le descendant de l'un des plus grands taureaux d'Espagne qui piétine dans ton jardin.

— La réponse qui va de soi, celle que je me suis toujours faite, c'est qu'il s'agissait d'une sorte d'hommage permanent à Manuel, mais je crois qu'il y a autre chose. Je crois que je me suis créé une Espagne à moi, parce que c'était dans ce pays que j'aurais dû vivre. Je me suis transformée en immigrée dans ma propre maison. – Elle marque une pause. Son regard revient sur moi. – Où te sens-tu chez toi, en Amérique ou en Espagne ?

— Les deux, et des fois ni l'un ni l'autre. J'aime penser que je suis une fleur, une fleur pleine de puissance et de beauté, évidemment, qui a été coupée et mise dans un vase pendant que mes racines donnaient naissance à une autre.

— C'est une très belle idée. Donc, tu veux dire qu'il y a deux Luis ?

— Oui, c'est sans doute ça.

— Mais le Luis du vase finira forcément par s'étioler et par mourir.

— Je suis une fleur très résistante.

— Tout de même, l'autre, avec les racines, vivra beaucoup plus longtemps.

— Pas s'il y a une vague de sécheresse.

— Ah, tu es impossible ! proteste-t-elle d'un air amusé. Tu as réponse à tout, décidément ! Dans ce cas, réponds à cette question : si je n'étais plus là, resterais-tu en Amérique ?

— Tu parles d'une question !

Elle soupire et soudain, l'espace d'un instant, son visage reflète ses soixante-dix-sept ans.

— Je ne vivrai pas éternellement, Luis, murmure-t-elle.

Elle recommence à piocher dans ses photos et moi je me laisse ramener par ma mémoire au jour où Manuel m'avait annoncé qu'il s'apprêtait à lui demander d'être sa femme.

C'était avant une corrida à Séville. Nous étions dans sa chambre d'hôtel, baignée d'ombre et de silence. Il venait de se réveiller de sa sieste et les rideaux étaient encore tirés, les persiennes fermées. Ce serait seulement quand il aurait fini de s'habiller et de faire sa prière qu'il me dirait de laisser entrer la lumière et le bruit du dehors, avant que nous descendions nous frayer un passage parmi les journalistes et les admirateurs jusqu'à la camionnette qui nous conduirait aux arènes.

Il avait déjà enfilé ses sous-vêtements, passé ses chaussettes rose saumon fixées au-dessus des genoux par des jarretières, boutonné le pantalon-culotte serré sur ses cuisses et son bas-ventre. Escarpins noirs aux pieds, il avait posé son chapeau sur son épaisse chevelure, ajusté sa chemise à jabot, noué une fine cravate noire à son cou et remonté les bretelles de sa culottte. Les bras levés, il attendait que je finisse d'enrouler la large ceinture qui lui gainait les reins quand il m'a déclaré de but en blanc :

— Je vais épouser Candy.

Le saisissement m'a fait abandonner momentanément ma tâche. Je savais que c'était une liaison sérieuse. Il n'avait jamais fréquenté la même femme aussi longtemps, et pourtant je trouvais qu'il était encore trop tôt pour qu'ils soient capables de prendre une décision aussi grave que le mariage. Et il y avait d'autres difficultés : premièrement, elle était américaine ; deuxièmement, il était « El Soltero ».

À cet instant, j'ai repensé au jour capital où il m'avait fait appeler à l'étage de l'auberge de mon père afin de me proposer de travailler pour lui. Il avait remarqué en plaisantant qu'il ne pourrait jamais se marier, car il deviendrait El Esposo. C'était toujours vrai. Comment le Célibataire pouvait-il prendre femme ? Et comment l'une des étoiles les plus brillantes dans le firmament des héros d'Espagne pouvait-elle seulement envisager de s'unir à une Américaine ? Tout cela était choquant, presque blasphématoire.

Surmontant ma stupéfaction, j'ai fini d'assujettir sa ceinture et je lui ai présenté son gilet.

— Vous lui avez déjà demandé ?

— Non.

J'ai laissé échappé un petit rire de soulagement.

— Dans ce cas, comment êtes-vous si sûr ? Elle va peut-être dire non.

J'ai instantanément compris mon erreur. Son visage s'est aussitôt assombri, une moue maussade a orné ses lèvres. Comment pensais-je être assez stupide pour oser suggérer à Manuel Obrador qu'une seule femme au monde pourrait le rejeter ?

— Elle serait folle de refuser, me suis-je empressé d'ajouter, dans une piètre tentative pour me rattraper, mais les femmes sont folles. Et elle n'est pas des nôtres. C'est une Américaine. Vous resteriez en Espagne ?

— Bien entendu ! s'est-il exclamé, irrité.

461

Je suis allé prendre sur le lit la pièce ultime et la plus spectaculaire de son costume, sa lourde veste couverte de broderies dorées. Ce soir-là, il porterait la couleur *sangre de toro*. Rouge comme le sang d'un *toro*. Je l'ai aidé à l'enfiler, tout en risquant :

— Peut-être qu'elle ne voudra pas vivre en Espagne…

Il a carré les épaules sous le poids du vêtement.

— Tu me surprends, Luis. Toi, plus que tout autre, tu devrais me souhaiter tout le bonheur possible.

— C'est ce que je fais.

— Tu devrais vouloir que j'obtienne ce que je désire.

— C'est ce que je veux…

Il est allé se placer devant le miroir pour vérifier son apparence. L'habitude n'y changeait rien : à chaque fois que je le voyais dans son habit de lumière, j'étais éberlué par sa beauté.

— Ah, je sais pourquoi ! a-t-il soudain lâché en pivotant sur ses talons et en m'observant avec un sourire narquois. Tous mes hommes admirent Candy. Ils la respectent. Ils la trouvent très belle. Mais ils disent que toi, tu ne l'aimes pas.

— C'est faux !

— J'ai l'impression que ça l'est, en effet. Tu te conduis comme si tu ne l'aimais pas mais je connais la raison qu'il y a derrière. – Il s'est contemplé une dernière fois dans la glace, sans que ce sourire entendu ne quitte ses lèvres. – C'est parce que tu la voudrais pour toi.

Parfois, je me demande ce que Manuel penserait de nous s'il nous voyait. Trouverait-il hilarant, ou tragique, que j'aie fini par l'avoir pour moi seulement pour découvrir que je ne pourrais jamais la posséder parce que nous deux, elle et moi, l'aimions trop, lui ?

Elle lève le menton, me fixe de ses yeux d'un vert électrique.

— Je pense que l'Amérique te manquerait, si tu partais, décrète-t-elle.

— Pas de la façon que tu crois.

La suite de ce que je voudrais dire se bouscule dans ma tête mais je ne m'autorise pas à l'exprimer : « Tu es mon Amérique, Candace. Tout comme Manuel était mon Espagne. Quand je vous aurai perdus l'un et l'autre, l'idée même de pays et d'appartenance n'aura plus de sens pour moi. Je serai un nomade cherchant un endroit sûr pour y dresser mon humble tente. »

IV

LA VIEJA COMPAÑERA

31

CANDACE JACK

RAFAEL A EU UNE MAGNIFIQUE *TEMPORADA*, CETTE ANNÉE. Je suis contente pour lui. Il semble qu'il ait finalement réussi à surmonter son manque de confiance et l'ombre écrasante que Manuel projetait sur lui.

Je viens de lire sa dernière lettre avant d'effectuer ma marche quotidienne. Il a encore deux corridas à la mi-octobre, le couronnement de la saison, mais il paraît déterminé à ce qu'elles soient une réussite.

En plus des coupures de presse le concernant, il a joint à son courrier un article résumant les résultats d'une recherche menée par des universitaires espagnols qui affirme que les taureaux ont des mécanismes de sécrétion hormonale particuliers, qui leur permettent de bloquer la douleur en produisant de grandes quantités de bêta-endorphines. Ainsi, à chaque coup de lance du picador ou d'épée du matador, le taureau serait saturé d'hormones qui neutralisent les récepteurs de la douleur et procurent une sensation de plaisir. En d'autres termes, il aurait du bon temps. Je me demande s'il a envoyé une copie de cette étude à son actrice américaine.

Je n'ai pas pu beaucoup marcher, cet été. Mes os se sont ressoudés, on m'a enlevé mon plâtre, mais j'ai encore mal partout et mes genoux n'ont jamais retrouvé leur flexibilité normale.

Je suis allée me promener seule, munie de ma canne et du téléphone portable que Luis et les garçons ont tenu à me faire acheter pour le cas où je devrais les contacter d'urgence. Je ne vois pas comment un appareil que j'arrive à peine à allumer toute seule pourrait m'être d'une utilité quelconque, mais puisque cela les rassure…

Kyle et Klint sont à l'école. Luis s'accorde une sieste, ou plutôt il n'admettra jamais qu'il pique un somme mais je sais, moi, que c'est ce qu'il est en train de faire.

J'ai résolu de sortir en catimini. Un coup de tête que je n'ai pas cherché à comprendre. Je suis consciente des risques que cela suppose. Au bout de cinq minutes, la souffrance ralentit mon pas mais je continue, obstinée.

Je n'ai pas eu l'occasion de passer beaucoup de temps avec les garçons depuis que l'équipe de Klint a remporté le championnat. Tout le reste de l'été, Kyle et lui ont constamment été en déplacement, allant d'un tournoi à l'autre.

Depuis son retour, Klint a été poursuivi par les « rabatteurs » d'équipes universitaires et même professionnelles, bien que Kyle m'ait expliqué le danger pour un joueur de « passer chez les pros » trop tôt. J'en ai reçu plusieurs pour le thé et j'ai été gratifiée d'invitations à des matchs que j'ai données à Jerry, ce qui l'a ému aux larmes. Je n'ignore plus rien des arcanes du sport universitaire, des primes à la signature jusqu'aux programmes de première année.

Alors que Klint semble trouver désopilant mon intérêt pour toutes ces affaires, Kyle m'a répété maintes fois qu'il m'était extrêmement reconnaissant pour mon aide. Lui-même a été remarquable, veillant à ce que Klint ait tous les éléments en main pour faire son choix sans négliger un seul aspect de ces offres d'une complexité sidérante. Pour ma part, j'ai eu plusieurs conversations avec Klint et je pense lui avoir clairement indiqué quels étaient selon moi les principaux critères qu'il devait retenir.

Ils ont repris l'école depuis maintenant près de deux mois et nous avons établi une routine plaisamment rassurante. J'ignore donc pourquoi je me suis sentie si nerveuse tous ces derniers jours. Quoique je doute que quiconque penserait à de la nervosité s'il me voyait à cet instant claudiquer à la vitesse d'une tortue sur ce chemin qui descend à travers les bois et débouche sur l'une de mes pâtures.

Je m'arrête un moment pour souffler, appuyée contre la barrière.

C'est un jour gris et venteux, mais cela ne m'empêche pas de goûter le tableau qui s'ouvre devant moi, ce vert citron de l'herbe mourante qui moutonne sur les collines et finit par se fondre dans les ombres bleutées projetées par les montagnes en arrière-plan. Le ciel est entièrement plombé, hormis un coin où les nuages paraissent avoir cédé à l'usure et s'effilochent lentement, laissant entrevoir derrière eux un bleu d'une douceur infinie, teinté de rose cuivré par un faible et lointain soleil.

J'ai la tête levée vers ce spectacle lorsque j'entends un craquement dans le sous-bois, assez près de moi. Le bruit cesse, reprend. J'attends, le cœur battant. Est-ce un chevreuil, une dinde sauvage ou même un ours noir ? Je retiens ma respiration au moment où Ventisco apparaît dans le champ.

Il est à une dizaine de mètres, pas plus. Je me dis que je suis en sécurité de l'autre côté de la barrière, tout en sachant qu'il pourrait facilement passer à travers s'il le voulait.

Je ne l'avais pas revu depuis un an. Je ne l'ai jamais vu aussi près de la maison.

Il s'engage dans la pâture d'un trot assuré, avec un maintien plein de noblesse, sans doute de la même manière qu'il serait entré dans l'arène s'il en avait eu l'opportunité.

Je me demande si j'ai eu raison de le priver de sa destinée.

Le taureau de combat espagnol provient d'un lignage différent de celui de tout autre bovidé, le rameau ibérique, issu d'espèces sauvages qui vivaient librement en Europe. Il est plus violent et plus aristocratique que ses cousins domestiqués. C'est peut-être l'animal le plus dangereux de la Création. En admirant la puissance que révèle sa démarche souple, la splendeur massive de son échine, la courbure miraculeuse de ses cornes mortelles, le lustre profond de sa peau d'un noir de jais, je suis presque sûre qu'il était promis à un sort bien plus grandiose que cette existence solitaire dans une vallée silencieuse de Pennsylvanie.

Il a détecté ma présence et il tourne la tête dans ma direction.

Je n'ai pas peur. J'ai même la sensation que je ne serais pas plus effrayée s'il n'y avait pas cette clôture entre nous. Déciderait-il de charger que je resterais à ma place, sans bouger, acceptant ce que le destin me réserve, sachant que mon heure est venue.

Immobile comme une statue maintenant, il me regarde intensément. Il y a de l'intelligence dans ces yeux noirs sans fond qui m'attirent de même qu'un puits aux souhaits incite un enfant à y jeter toutes ses pièces de monnaie jusqu'à ce que ses poches soient vides.

Je me rappelle la mise en garde de Manuel. Ce n'est pas une bête stupide. Un taureau pense, mais aucun homme n'est capable de lire dans ses pensées. Et une femme ? Est-ce qu'une femme le pourrait ?

— C'est ce que tu voulais, Ventisco ? lui dis-je calmement. – Il continue à m'observer sans broncher. – Ou bien tu aurais préféré l'extase et la gloire de l'arène ?

Une onde parcourt les muscles de ses flancs. Il renâcle.

— Je suppose que je t'ai privé de ce qui serait l'équivalent d'une crise cardiaque fatale pendant un orgasme pour un homme. Ils disent qu'ils ne peuvent pas imaginer une plus belle façon de s'en aller, les hommes...

Il renâcle encore, fait quelques pas décidés vers moi, s'arrête.

— Je t'ai condamné aux ravages de la vieillesse. À sentir ta force te quitter, ta beauté se faner. À mourir couché.

Il donne un coup de tête dans le vide et je me dis qu'il va peut-être charger mais il hésite, se détourne et s'en va, l'amble d'abord, puis en accélérant jusqu'à prendre un galop délié, chaloupé. Après s'être ainsi pavané, il fait halte, me lance un dernier regard et disparaît derrière un coteau.

« Vieille folle, avec tes grandes phrases », est-il sans doute en train de penser.

— Vieux taureau, avec tes grands airs, dis-je tout haut.

Je suis prise d'une étrange exaltation, après avoir vu Ventisco. En revenant à la maison, j'ai l'impression que les élancements qui m'avaient accablée avant notre rencontre se sont atténués, mais à peine suis-je arrivée devant le perron que mes vieux os crient grâce et qu'une terrible fatigue m'envahit.

Jerry est là, debout les bras croisés, les mâchoires travaillant méthodiquement sur la chique de tabac qu'il retient derrière sa lèvre inférieure, étudiant avec attention l'une des fenêtres du premier étage. J'ai reconnu de loin son éternelle chemise à carreaux rouges et noirs.

— Bonjour, Jerry.

Il se retourne, enlève sa casquette, la plie sur sa visière et la fourre dans sa poche.

— 'jour, Miss Jack. C'est OK qu'vous partiez par monts et par vaux comme ça, toute seule ?

— S'il vous plaît, Jerry. Je ne suis pas invalide !

— Je sais. C'est juste que Luis m'a…

Je le coupe :

— Ne me parlez pas de Luis. Si je l'écoutais, je serais enfermée dans une bulle en verre.

— Possible.

— Qu'est-ce que vous regardez si passionnément ?

Il tend son index vers la façade.

— C'te fenêtre-là. La peinture est tout écaillée sur l'encadrement. Comprends pas pourquoi. C'est la seule. J'me disais qu'il faudrait m'en occuper.

— Vous ? Ne dites pas de bêtises. Nous pouvons appeler une entreprise de peinture. Vous jucher sur une échelle à une pareille hauteur, ce ne serait pas raisonnable, à votre âge.

Il ne me regarde pas ni ne change d'expression, de sorte que je n'arrive pas à voir si je l'ai froissé.

— Y a plein de choses que je devrais plus faire, à mon âge. Par exemple me réveiller le matin. Mais je continue tout d'même… - Il mâche et remâche sa chique, contemple encore la fenêtre. - Enfin, si ça peut vous contenter, j'vais trouver quelqu'un d'autre pour réparer ça. C'est vous la patronne.

Je lui jette un autre coup d'œil. Son visage reste indéchiffrable. Nous poursuivons ensemble l'observation de la fenêtre défaillante.

— C'est une belle maison…

Il me regarde en plissant les paupières.

— Sûr qu'elle l'est.

— Je ne pourrais vous dire combien de temps j'ai passé à me torturer en me demandant ce qu'il adviendrait de ces terres et de cette maison s'il m'arrivait quelque chose. Je n'ai pas d'enfants pour en hériter, et je ne supporte pas l'idée de les donner à Cameron, parce qu'il serait absolument incapable de les apprécier. En même temps, la perspective que tout cela soit vendu à des inconnus m'est trop pénible. Ce n'est que très récemment que la solution m'est apparue, avec une telle clarté que j'ai été sidérée de ne pas y avoir pensé plus tôt.

Il hoche la tête, se détourne et crache sur le gravier.

— Ma mère, elle disait souvent qu'la vieillesse, c'est le moment où les liens de la chair se relâchent, ceux qui nous attachent aux espoirs trompeurs. Elle disait que vieillir, c'est pas le délabrement de notre enveloppe temporelle mais la délivrance de notre âme, son voyage jusqu'à un endroit d'où on peut enfin voir clairement c'qui nous préoccupait dans c'monde, et puis faire la paix avec ça avant de s'unir avec la nature.

Je suis plus qu'impressionnée.

— Elle disait cela, votre mère ?

— Ouaip.

— C'était une femme pleine de sagesse et d'éloquence.

— Ouaip.

Il sort sa casquette, la remet sur son crâne en tirant sur la visière.

— Bonne fin de journée, Miss Jack.

— Également, Jerry.

Une fois rentrée, j'ai l'idée d'aller m'asseoir au salon pour souffler un peu, mais je me force à me traîner dans l'escalier pour tenter de dormir une heure ou deux.

C'est seulement dans ma chambre que je m'en aperçois : j'ai oublié de retirer ma veste et mes bottes. Le foulard de Kyle est encore noué autour de ma tête.

Soudain, même ces gestes les plus simples deviennent irréalisables. Une vague d'épuisement me submerge, m'emporte. Dans un silence de profondeurs marines, je m'abandonne à des eaux placides dans lesquelles mon corps commence à se dissoudre tel un morceau de sucre.

Je tombe au ralenti, comme tout ce qui se passe sous la surface. Mes bras flottent de chaque côté de moi, et pourtant je ne les ai pas levés. Je leur lance un regard perplexe, étonné qu'ils soient si légers. Maintenant, ce sont mes jambes qui partent en apesanteur. Je vois la pointe de mes bottes arriver devant mes yeux.

Un choc sourd. J'ai touché le fond. Je remonte précipitamment vers l'air libre. J'émerge, suffoquée, perçant ce liquide hypnotisant qui explose autour de moi en une pluie de gouttelettes ouvragées.

Je suis assise au bord de mon lit. Mon cœur bat trop vite. Mes poumons me brûlent. Je me laisse aller sur le dos, tout doucement. Je me demande s'il faudrait que j'aie peur, mais je n'ai pas le temps d'explorer cette idée car mon cerveau est envahi d'un coup par un beau souvenir qui ne m'était pas revenu depuis des lustres.

Nous sommes à la *finca* de Carmen. Dans l'un des corrals, Manuel fait face à une vachette pour voir si elle mérite d'être lâchée dans les champs afin d'être saillie par un taureau et de donner naissance à des *novillos* d'exception, ou bien si elle sera envoyée à l'abattoir pour sa viande. C'est la façon ancestrale de vérifier les qualités d'un animal, mais aussi de permettre aux toreros de parfaire leur technique.

Derrière la barrière, il y a Carmen et El Gato, et encore la sœur de Manuel, Maria Antonia, accompagnée de son mari et de leur fils Juan Manuel, ainsi qu'un groupe de riches amis de l'éleveuse. Nous nous tenons d'un côté de l'enceinte passée à la chaux, vis-à-vis d'une enfilade d'hommes au visage brûlé par le soleil, aux yeux intenses sous leur casquette en tweed, vêtus de vestons usés et de culottes d'équitation qui dégagent une forte odeur de tabac, de fumée de feu de bois et de sueur animale. Ceux-là sont des employés de la *ganaderia* et des professionnels de la corrida qui ont la chance d'avoir gratuitement un aperçu de la magie dont les spectateurs payants de la prochaine corrida pourront s'enivrer dans quelques jours.

Manuel vient d'achever une série de passes élégantissimes qui déclenchent des applaudissements de connaisseurs et se dirige vers nous, tournant le dos à la bête immobilisée au milieu de l'enclos, hors d'haleine et conquise. Il porte sa tenue d'entraînement habituelle : un pantalon ajusté à taille haute, une chemise blanche sous un vieux pull marron et des bottes en cuir souple.

Il sourit, satisfait de sa prestation, détendu. Il arrive droit sur moi pour me donner un baiser. Je ferme les yeux et j'aspire son parfum corsé, pensant à l'agréable déjeuner et à la sieste délicieuse qui nous attendent.

Voyant son célèbre oncle si près de lui, le petit Juani tend les bras et le supplie d'une voix chantonnante : « *Tío, tío, quiero torear, tío...* »

Le sourire de Manuel s'élargit. Après avoir plié sa cape, il s'empare du garçon. Une expression paniquée passe sur les traits de Maria, mais que peut-elle faire ? Autour du corral, tous se sont mis à rire et à frapper dans leurs mains.

Soutenant sur sa hanche droite son minuscule sosie qui a les mêmes yeux en amande, la même chevelure drue et d'un noir de jais, Manuel retourne au centre de l'enclos pour exécuter quelques *faenas* très simples avec son bras libre. La vache charge et Juani pousse un cri émerveillé.

Je sens une présence contre moi, mais je n'ai pas la force de rouvrir les yeux. Je m'enfonce à nouveau dans la fraîcheur verte et calme. Cette fois, pourtant, l'immersion est oppressante, comme un étau sur ma poitrine.

Ma main vole sur le côté. Mes doigts atteignent la fourrure du chat, la caressent. J'ai encore assez du lucidité pour me rappeler que je ne lui permets pas d'entrer dans la maison. Mais pourquoi ? Cette règle me paraît absurde, maintenant. Il se pelotonne un peu plus contre moi et se met à ronronner.

Le fil des réminiscences ainsi interrompu, mon esprit dérive, revient sur les paroles de la mère de Jerry qu'il m'a rapportées tout à l'heure et c'est vrai, j'ai réellement l'impression que les liens de ma chair se sont relâchés. Toute la souffrance que j'ai pu connaître n'a plus d'importance, maintenant. L'amour est tout ce que je ressens.

Manuel pose son neveu à terre, mais ce n'est plus Juani, c'est Rafael. La vachette frôle ses petites jambes quand elle passe tout près d'eux, l'enfant glapit de ravissement et je souris.

Parmi la petite foule accoudée à la barrière, il y a Luis. Jeune, si jeune. Réservé, secret, et cependant immensément dévoué et généreux. Le garçon qui sera un jour mon sauveur.

Je vois la cape voltiger, moi aussi, et je me rue vers elle comme tout *toro bravo* le ferait. Avec joie.

32

KYLE

NOS AFFAIRES SONT PRÊTES. Ça n'a pas pris longtemps. Quelques valises et deux ou trois cartons sont posés le long du mur du hall d'entrée, à côté des défenses de chevreuil chromées toutes tordues du pick-up de Papa.

On va habiter chez Bill, pour l'instant. Cam Jack n'a pas perdu une minute pour nous flanquer dehors. Le jour même de la mort de sa tante, il nous a annoncé qu'on devait dégager.

Luis était furax. Je ne l'avais encore jamais vu tenir tête à M. Jack, mais malgré sa colère il est resté poli. Sans élever la voix, il lui a expliqué qu'il ne pouvait pas exiger de nous qu'on s'en aille sur-le-champ. Il fallait s'organiser, planifier les choses. La maison était grande, nous n'allions léser personne en restant quelques jours supplémentaires. En plus, il avait plein de questions d'intendance à régler. C'est seulement en l'écoutant parler que je me suis rendu compte d'un coup qu'il s'incluait, avec Kyle et moi, dans ce « nous », et que Cameron Jack l'avait éjecté aussi. À ses yeux, Luis n'était rien de plus qu'un domestique et il avait perdu son job à la minute où Miss Jack avait rendu son dernier soupir.

Au bout du compte, M. Jack a dit que nous pouvions rester jusqu'à l'enterrement et la lecture du testament. Ensuite, il serait le propriétaire légitime de la maison et nous devrions vider les lieux. Luis l'a remercié chaleureusement, mais il était à peine sorti de la pièce qu'il s'est mis à tempêter vers le ciel en espagnol, et puis ses yeux se sont remplis brusquement de larmes, et il a demandé pardon avant de se précipiter dans sa chambre.

Un point positif, au moins, c'est que j'ai appris que Maman n'a plus la possibilité de nous forcer à vivre avec elle. Miss Jack a été nommée notre tutrice légale, et elle a dit explicitement à Klint qu'on n'aurait pas à revoir une seule fois notre mère, si on ne voulait pas.

Ça fait presque cinq mois que Klint a essayé de se tuer et on a pas entendu un mot d'elle, ni de ses projets de revenir dans le coin. Aucune nouvelle de Krystal, non plus.

J'ai terminé le tableau des fées mais j'ai jamais eu l'occasion de le lui envoyer avant que toutes ces catastrophes nous tombent sur la tête. Maintenant, il est là, posé sur les cartons pas loin des cornes de Papa. Un jour, je la retrouverai et je le lui offrirai. C'est un de mes buts dans la vie.

Je me regarde dans l'un des miroirs de Miss Jack. Il a fallu que je m'achète un nouveau costume. En un an, celui que j'avais à l'enterrement de Papa était devenu trop petit. Il est noir, parce que c'est ce qui est convenable, mais j'ai absolument tenu à me choisir une cravate comme je voulais, pleine de couleurs, une mosaïque de petits carrés lumineux qui me rappelle les bougies de Miss Jack dans la véranda.

J'entends Klint descendre lourdement l'escalier. Il apparaît sur le dernier palier.

— T'es prêt ? Luis nous attend.

On se regarde et je devine qu'on pense tous les deux à la dernière fois où on portait un costume. Une année seulement sépare ces deux enterrements, mais j'ai grandi de toute une vie.

J'aimerais serrer Klint contre moi. Exactement comme la nuit où Papa est mort. En le voyant maintenant, j'éprouve le même besoin de passer mes bras autour de lui juste pour me convaincre qu'il est vraiment là, et de sentir ses bras autour de moi pour être sûr que je suis vraiment là, moi aussi. Beaucoup de ses blessures sont guéries, mais il ne supporte toujours pas le moindre contact physique. Maman l'a privé de ça.

Luis fait les cent pas devant la porte. Mister B est assis sur le sol près de lui, en train de frotter son museau avec sa grosse patte orangée. Il a toute la maison pour lui depuis que

Luis l'a trouvé blotti près de Miss Jack, sa main inanimée posée sur son pelage.

Les animaux ont paraît-il une perception plus aiguë des choses que nous, et c'est pourquoi je pense qu'il était le seul d'entre nous à savoir qu'elle allait mourir. Ce jour-là, il est allé vers elle pour lui donner du réconfort. Luis est d'accord avec mon interprétation. C'est la raison pour laquelle le chat est monté en grade.

Et Mister B a l'air de s'en rendre compte, en plus. Il va de pièce en pièce avec une dégaine plus hautaine que jamais, et une nuance de défi dans ses yeux dorés. Il ne veut presque plus jamais sortir, maintenant, préférant passer le plus clair de son temps sur le fauteuil préféré de Miss Jack dans le salon. Au point que Klint s'est demandé tout haut si l'âme de la morte ne s'était pas réincarnée en Mister B. Luis s'est écrié que c'était des balivernes mais j'ai remarqué que depuis il se signe à chaque fois qu'il passe à côté du chat.

— Il est temps de partir, nous dit-il en nous voyant approcher. Ça ne te dérange pas de conduire, Klint ? Je n'ai pas envie de prendre la Mercedes.

— Vous voulez qu'on y aille dans le pick-up ? s'étonne mon frère.

— Oui.

— Pas de problème.

Luis nous précède dehors. Il est tout en noir, y compris sa chemise et sa cravate, avec une seule touche de couleur vive, un mouchoir écarlate qui dépasse de sa poche de poitrine.

Je n'ai aucune idée de ce qu'il va faire, maintenant que Miss Jack n'est plus là. Retourner en Espagne, peut-être. Il me manquera, c'est sûr, mais je ne me ferai pas de souci pour lui. Même si ça peut paraître égoïste, mon propre sort m'inquiète trop pour que j'aie encore la force de penser aux autres.

L'été prochain, Klint partira à la fac. Il a eu plein de propositions. Il n'a pas encore signé sa lettre d'intention, mais tous les campus qu'il préfère sont très loin d'ici. Ce que je deviendrai alors, aucune idée.

On doit former un tableau plutôt marrant, entassés tous les trois dans la cabine du pick-up quand on s'arrête devant la plus grande église de Centresburg, où des tas de voitures de luxe sont déjà garées sur le parking et dans la rue.

Je ne sais pas d'où sortent tous ces gens. On a habité avec Miss Jack pendant un an, mais en dehors de sa famille et de Bert Shulman elle n'a jamais eu de visiteurs, et elle n'est jamais allée rendre visite à qui que ce soit, que je sache. Il faut croire qu'elle était célèbre, à sa manière, et puis j'ai entendu dire que les obsèques des personnes friquées attirent plein de gens qui les ont à peine connues. Ils viennent autant pour le spectacle que pour présenter leurs derniers respects. Quand j'interroge Luis à propos de cette affluence, il me dit que Candace Jack a connu plein de gens et influencé plein de vies.

Comme nous sommes un peu en retard, nous trouvons seulement une place à deux pâtés de maisons. En marchant vers l'église, je me demande à nouveau pourquoi elle a tenu à ce que la cérémonie ait lieu ici, et non au salon funéraire comme Papa. Elle n'était pas pratiquante, pas même croyante. Elle n'allait jamais à l'église. Pourtant, maintenant que je suis devant la grande bâtisse grise, avec ses portes rouges impressionnantes, ses vitraux aux couleurs de pierres précieuses et ses anges sculptés sur la façade, je crois que je peux comprendre. Il aurait été inimaginable que Miss Jack fasse ses adieux à la vie dans une salle à la moquette beige passe-partout, devant des chaises pliantes en plastique et sous la lumière déprimante des néons. Elle n'a pas choisi l'église pour ses avantages spirituels, mais pour sa solennité.

Tyler et ses parents sont les premières têtes que je reconnaisse dans la foule. Pendant les derniers matchs du championnat d'État, nous étions toujours assis devant le clan Mann et Miss Jack avait fini par être en termes très amicaux avec eux. Je crois qu'elle était fascinée par la taille de la famille et le fait qu'ils avaient l'air de ne pas du tout trouver que ça aurait dû leur poser un problème.

Tyler nous a vus, lui aussi. Il nous fait signe. Klint part le rejoindre et je m'apprête à lui emboîter le pas, mais Luis me prend par le bras.

— Il y a quelqu'un que je voudrais te faire rencontrer.

J'étudie les visages de la foule chuchotante et vêtue de couleurs sombres qui entre peu à peu dans la nef, cherchant à deviner qui ça pourrait être.

Certains s'attardent dehors et, dissimulés dans l'ombre des piliers, grillent une dernière cigarette avant le début du service. L'un de ces hommes attire mon regard. C'est un étranger, à l'évidence, mais je ne pourrais pas dire pourquoi j'en suis si sûr. Il n'est pas habillé très différemment, n'a pas de traits physiques vraiment particuliers. Notre voltigeur de gauche, Matt Martelli, a la peau tout aussi mate et les cheveux tout aussi foncés ; ils pourraient être frères, sauf que l'inconnu est beaucoup mieux de sa personne.

C'est peut-être la manière qu'il a de fumer. Quand ils tiennent une cigarette, les Américains le font comme s'ils en avaient honte ou comme si c'était un défi. Lui, il le fait naturellement et avec élégance, adossé à la balustrade en fer forgé qui borde les marches de pierre, goûtant les rayons d'un vif soleil d'automne qui passent entre les feuilles orangées d'un arbre pas encore complètement dépouillé.

Je ne me suis pas trompé. En apercevant Luis, il jette sa clope, l'écrase sous sa chaussure en cuir noir lustré et l'envoie d'un petit coup de pied derrière les buissons sur le côté du perron. Ensuite, il s'avance vers nous, très droit, le menton levé, les yeux fixés sur nous, et c'est là que je comprends ce qui le singularise de tous les autres : son maintien.

— Kyle, je te présente Rafael Carmona, dit Luis. C'est le petit-fils de la sœur de Manuel, Maria Antonia.

Rafael me tend la main.

— Très heureux de te connaître. J'ai beaucoup entendu parler de toi.

— De moi ?

— Tante Candy et moi, nous nous écrivions souvent.

Il s'exprime avec une recherche qui ajoute encore à son allure distinguée. Son accent est nettement plus prononcé que celui de Luis.

— Vous êtes torero, vous aussi, non ?

— Tout à fait.

De savoir qu'il se tient les mains nues devant des bêtes que leur puissance et leur sauvagerie ont élevées au rang de mythes et qu'il est apparenté à El Soltero me paralyse. C'est comme s'il sortait d'un livre de légendes. Je ne trouve pas de mots.

— Et toi, tu es un artiste aussi ? me demande-t-il.

— Je... Oui, si on peut dire.

Rafael sourit.

— Tu es encore très jeune. Bientôt, tu l'accepteras. J'espère que tu n'es pas trop affecté par le décès de Tante Candy.

— Je suis un peu triste.

Une boule se coince dans ma gorge, m'obligeant à me taire. J'ai cherché à faire comme si je n'étais pas trop touché. Je me suis répété qu'il était impossible que sa mort m'attriste à ce point, que je la connaissais depuis trop peu longtemps. En plus, c'était pas une tragédie comme Papa tombant dans le ravin ou Manuel transpercé par les cornes d'un taureau. Elle était âgée. Elle avait une longue vie derrière elle. Son heure était venue. Nous n'avions pas de raison de nous affliger. Ou en tout cas, c'est ce que tout le monde n'arrête pas de dire.

Je cligne des yeux pour retenir des larmes et je me dis encore une fois que ça n'a pas de sens d'être triste.

— Il faut essayer de penser comme un Espagnol, propose Rafael d'un ton encourageant. Nous autres, nous vivons seulement pour mourir. La mort ne nous effraie pas, ni ne nous fait horreur. Au contraire, nous pensons sans cesse à la nôtre. Nous espérons qu'elle sera belle et honorable.

— Comme de mourir dans l'arène ?

Un autre sourire.

— Oui. Il y a un poème que j'aime beaucoup, de l'un de nos très grands poètes, Jorge Manrique :

Nuestras vidas son los rios
Que van a dar en la mar
Que es el morir.

» Ça veut dire : "Nos vies sont les fleuves qui vont se jeter dans la mer, qui est la mort."

— C'est beau, lui dis-je, flippant mais beau.

Il rit de bon cœur.

481

— Je sais que c'est difficile à comprendre, pour vous autres. Les Américains ne pensent qu'à bien vivre. Nous, les Espagnols, nous tenons à bien mourir.

Je me demande si Miss Jack a eu une « bonne mort », selon les critères espagnols. Le médecin a dit qu'elle s'était éteinte rapidement. J'imagine que c'est encore mieux que de mourir « sur le coup ».

— Tu devrais venir en Espagne, Kyle.

— J'aimerais, oui.

— Et tu aimerais assister à une *fiesta de toros* ?

— Ouais. Ce serait cool.

— Est-ce que tu écris des lettres ?

— Ben, je peux, oui. Je l'ai jamais fait parce que je ne connaissais personne qui m'aurait répondu.

— Ma correspondance avec Tante Candy, voilà quelque chose qui va me manquer. Peut-être que l'on pourrait s'écrire, toi et moi ?

— OK.

— Il faut entrer, nous prévient Luis.

Rafael nous quitte. Luis appelle Klint d'un geste. Nous attendons qu'il nous rejoigne et nous pénétrons ensemble dans l'église.

La nef est comble. Nous inspectons du regard les rangées de dos aux têtes penchées pour bavarder à voix basse. Je ne vois pas une seul coin libre sur les bancs. Où on va s'asseoir, mystère.

— Je préfère rester derrière, nous annonce Luis. Klint, tu sais où est votre place.

Sans rien me dire, mon frère s'engage sur le tapis rouge de la travée, en direction de l'autel et du cercueil fermé de Miss Jack. Je savais que c'était ce qu'elle réclamerait. Pas de cercueil ouvert : elle n'aurait jamais toléré que des gens la regardent sans qu'elle puisse soutenir leur regard.

Si je n'ai pas encore aperçu Bert Shulman, sa présence est manifeste dans la marée de roses jaunes qui a envahi l'église. Il y en a partout, dans des dizaines de vases, en couronnes et en guirlandes, plus les centaines qui sont entassées sur le couvercle du cercueil. Il a dû acheter jusqu'à la dernière rose jaune disponible de l'État.

En approchant du premier banc face à l'autel, j'identifie les membres de la famille Jack à leur crâne : le casque argenté que forment les cheveux du patron de J&P, la crinière blonde de sa femme, les reflets cuivrés de la chevelure de Shelby, la couleur fauve de l'indomptable Starr, les mèches dorées de la princesse Sky et la nuque de l'homme assis à côté d'elle, qui doit être son prince.

Il y a aussi un type accroupi sur les talons dans la travée, en train de s'entretenir tout bas avec M. Jack. Je le reconnais tout de suite : Chip Edgars, l'avocat dont les spots publicitaires passent tout le temps à la télé et dont j'ai vu la bouille sur les panneaux au bord de la route, sur des flancs d'immeuble, sur des affichettes collées à des poteaux téléphoniques et même sur des granges en pleine cambrousse. Il faut avoir un ego sacrément développé, pour avoir envie de retrouver sa tronche devant soi à chaque fois qu'on fait un pas dehors.

Il se redresse, assène une tape sur l'épaule de Cameron Jack et redescend l'allée vers la porte. Quand il nous croise, il nous lance un drôle de regard, et j'ai l'impression qu'il est sur le point de me dire quelque chose mais il continue sur sa lancée.

On s'arrête à l'entrée du banc de la famille.

C'est Starr qui paraît la plus mal en point de tous. Fatiguée, abattue, vidée. J'ai de la peine pour elle, ce qui n'a pas trop de sens : après tout, c'est sur mon compte que je devrais m'apitoyer et me faire un sang d'encre, non ? N'empêche, j'aimerais pouvoir la consoler, là, mais je ne pense pas en avoir la capacité. Peut-être que je lui ferai le tableau dont nous avions parlé un jour. Elle n'aura pas besoin de poser toute nue pour moi. Un peintre travaille non seulement à partir d'images visuelles mais aussi d'émotions stockées dans sa mémoire, et moi je n'oublierai jamais ce qu'elle m'a fait ressentir ce jour-là.

Skylar, qui est en train de murmurer dans son portable, porte une robe noire très courte et plein de bijoux, ce qui me fait penser qu'elle et son fiancé vont foncer à la grande ville la plus proche dès que l'enterrement sera fini, pour un dîner dans un restau chic et une nuit en boîte.

Rae Ann Jack est dans un état pas possible. Le mascara coule de ses yeux rouges et enflés, et des kleenex roulés en boule s'entassent sur ses genoux. Mon regard se pose sur son sac, entre Shelby et elle, et d'abord je peux pas y croire mais si, c'est bien ça : le museau de rat de Baby pointe en dehors.

Shelby renifle dans un mouchoir en papier. Elle lève son visage strié de larmes vers moi, et j'y lis une série d'émotions diverses : le soulagement de découvrir que je suis là, le chagrin persistant que lui cause la mort de sa tante et une expression surprenante qui ressemble à de la peur.

En un éclair, j'en comprends la raison.

Son père vient de se lever d'un bond, avec un but très clair : nous barrer la route.

Klint reste campé sur ses pieds. Ils se font face, pratiquement nez contre nez. Un silence complet s'installe dans l'église, seulement rompu par les accords moroses que l'organiste plaque sur son instrument.

Cam Jack grimace de rage. Ses poings se serrent. Des gouttes de sueur perlent à la racine de ses cheveux. Il crispe ses lèvres tremblantes, s'efforce de les sceller pour retenir le venin qu'il brûle de nous cracher dessus.

Klint reste d'un calme exemplaire en comparaison. Je suis sans doute le seul à avoir conscience de la tension effrayante qui vibre dans tout son corps. J'ignore s'il essaie de dominer sa colère et son dégoût, ou s'il est réellement assailli par la peur.

Ils restent comme ça une éternité qui dure une minute. Et puis Cameron Jack, l'homme le plus riche et le plus influent que je ne connaîtrai jamais, capitaine d'industrie et unique héritier de l'empire laissé par un fumier total, se décompose sous le regard incandescent de mon frère, fils d'un balayeur et légataire de rien de plus que la désolation de secrets de famille et de morts subites.

Nous passons devant lui et nous faufilons jusqu'à l'autre bout du banc, où nous prenons place aux côtés des autres proches de Miss Jack.

Je cherche la main de Shelby et je la prends dans la mienne.

Miss Jack va reposer près de son frère et de la femme de ce dernier. Le service à l'église terminé, nous partons tous en voiture au cimetière.

Au début, je suis plutôt surpris que Stan Jack soit enterré sur ce flanc de colline qui n'a rien de remarquable, entouré d'employés de banque, de camionneurs et de mineurs forcés au chômage, et puis je me rappelle que malgré tout l'argent qu'il avait amassé, il a voulu bâtir ses maisons et élever son fils ici.

Sa stèle est un simple bloc de pierre carré, de bonne taille mais plutôt discrète à côté de la croix de marbre qui s'élève au-dessus de la tombe d'un concessionnaire de voitures connu dans la région, ou de l'ange qui brandit une épée vengeresse et monte la garde devant la dernière demeure de notre « roi du matelas » local.

J'aperçois enfin Bert Shulman. En complet croisé anthracite, il arbore un nœud papillon du même jaune que la rose dont il tient la tige entre ses doigts. En nous découvrant, Klint et moi, il esquisse un sourire et nous adresse un signe de tête.

C'est aussi la première fois de la journée que je vois Jerry et j'ai d'abord du mal à le reconnaître. Quand il s'activait sur la propriété de Miss Jack en pantalon de travail, chemise à carreaux et casquette, il avait toujours l'air ultra-compétent, capable de résoudre tous les problèmes, indestructible. Là, engoncé dans son costume et sa cravate, il ne ressemble plus qu'à un vieux endimanché. Et il se tient à l'écart du reste de l'assistance, presque comme s'il se disait qu'il n'est pas à sa place, ici.

Alors que je me prépare à aller le saluer, quelqu'un me tape sur l'épaule.

— Eh, Kyle.

C'est Bill, encore un type qui n'est plus lui-même dès qu'il se sape un peu.

— Bill !

— Comment ça va ?

— OK. Et toi ?

— Ça va. C'était quelqu'un de bien.

— Ouais…

À nouveau, ma gorge se bloque et je peine à avaler ma salive, à retrouver l'usage de ma voix.

— Tu as une minute ? me demande-t-il.

— On est au même enterrement, Bill ! Qu'est-ce que tu veux dire, si j'ai une minute ?

— Viens un peu par là.

Tournant le dos à la foule, il part en boitant vers la route bordée de bagnoles en stationnement à perte de vue.

— Je lui ai dit que c'était pas le meilleur endroit pour te causer mais elle a rien voulu savoir, commence-t-il à m'expliquer. Et aussi, j'ai eu comme l'impression qu'elle voulait saluer une dernière fois Miss Jack.

Plus loin, au milieu de la chaussée, une femme solitaire qui nous tourne le dos va et vient nerveusement en tirant sur une cigarette. Ses mouvements brusques, sa manière de se dévisser le cou d'un côté et de l'autre suffisent à m'informer de son identité.

— Bonjour, Tante Jen.

Quand Klint est sorti de l'hosto, elle est venue le voir une fois. Elle lui a apporté un jeu de cartes et un gâteau glacé. Elle était incapable de nous regarder dans les yeux, lui ou moi. Elle est repartie presque tout de suite. Depuis, nous n'avons eu aucun contact avec elle.

— Pardon pour tout ça, dit-elle.

Je suis assez près d'elle pour constater qu'elle porte un jean déchiré aux genoux et un vieux blouson en cuir. Pas une tenue d'enterrement, c'est sûr. Je reste sur mes gardes.

— OK.

— Il paraît que vous allez habiter chez Bill, Klint et toi…

— Ouais.

— Et Klint a plein d'offres d'universités, on m'a dit ?

— Ouais.

— Il a décidé où il veut aller ?

— Non. Peut-être le Kansas, la Floride, ou même Hawaï. C'est égal, pour moi.

Les mains plongées dans les poches, je me balance sur mes talons en attendant de voir si elle a quoi que ce soit à ajouter. Qu'elle soit venue aux obsèques de Miss Jack rien que pour faire la causette avec moi, c'est un peu surprenant. Elle rompt le silence brusquement :

— Je voulais que tu saches : j'étais au courant de rien, moi...

Elle s'arrête, butant sur un sanglot totalement inattendu, mais elle reprend son sang-froid très vite. Je tente de déchiffrer son expression à travers la fumée de cigarette qui flotte comme du brouillard entre nous. Elle a l'air réellement stupéfaite par ce qu'elle vient d'admettre.

— Ça va, dis-je, évasif. Tu veux te joindre à nous ?

— Oh, non, non ! – Elle secoue la tête obstinément. – Je déteste les enterrements. Je suis allée à celui de Maman et après, j'ai juré que ce serait le dernier. En plus, je suis presque sûre que Miss Jack pouvait pas m'encadrer...

— C'est plutôt qu'elle était déçue, je crois. Il m'a fallu longtemps pour piger qu'il existe une grande différence entre la haine et la déception. Je pense pas qu'elle ait jamais détesté qui que ce soit.

Elle a l'air de méditer ce que je viens de dire. Elle prend les dernières bouffées de sa clope et l'envoie dans l'herbe.

— Bon, je vais te laisser retourner là-bas. Mais avant, il y a quelqu'un qui veut te voir.

Je regarde partout à la ronde. Je ne vois que la campagne enflammée par les couleurs d'octobre et une route encombrée de voitures arrêtées. Tante Jen s'en va dans la direction opposée à la tombe de Miss Jack. Je me résigne à la suivre.

Bientôt, je reconnais son auto et je distingue une petite silhouette assise sur le siège passager. Qui lève la tête à notre approche.

Je cours vers elle. Elle n'ouvre pas la porte, mais elle a sa vitre baissée. Je me penche à l'intérieur.

— Krystal ! Qu'est-ce que tu fais là ?

— Eh, Kyle ! Je suis venue rendre visite à Tante Jen.

C'est sa voix de toujours, sa voix normale de petite fille, semblable au pépiement d'un oiseau fragile et libre.

Elle est en jean et tee-shirt, avec les cheveux en queue-de-cheval et des ongles tout sales, comme si elle venait de jouer dehors. Elle tient dans ses mains un livre avec une ado et un cheval sur la jaquette. Je trouve aucun signe de la petite femme aigrie qu'elle était à l'enterrement de Papa. Même ses taches de rousseur commencent à réapparaître. C'est presque trop beau pour être vrai. Je me sens soulagé.

— Krystal va rester avec moi pendant un temps, m'explique Tante Jen. Je voulais que tu le saches. Comme ça, vous pourrez vous organiser pour vous voir, tous les deux.

Ma petite sœur m'étudie un instant.

— C'est triste que ta vieille dame est morte. Tu l'aimais bien ?

— Ouais. Oui, je l'aimais bien.

— Tante Jen, elle dit qu'on pourrait aller dîner ensemble, tout à l'heure. Et aussi avec Klint.

Je jette un coup d'œil à Jen, qui semble s'être calmée un peu entre-temps, s'il faut en croire la cadence moins démente avec laquelle elle aspire ses bouffées de cigarette.

— OK. Je savais pas si vous seriez libres ou pas, tous les deux, précise-t-elle, presque comme si elle s'excusait.

— On peut faire ça.

Je sors de ma poche le minuscule escarpin argenté et je le montre à Krystal.

— Tu te rappelles ? Je te l'ai donné quand Papa est mort. Tu as dit que tu t'en fichais et tu l'as jeté dans la rue.

— Pourquoi tu l'as gardé ?

— Parce que.

— Parce que quoi ?

— Parce que c'était un souvenir de toi.

— Tu es fou, Kyle !

Elle s'énerve juste un peu, comme si elle me trouvait impossible. Exactement la réaction d'une petite sœur. Je remets la chaussure de Barbie dans ma poche, dissimulant un sourire. Jen vient interrompre ces retrouvailles :

— OK, ma puce, laisse-moi juste une minute de plus pour parler à ton frère, d'accord ?

Elle m'entraîne un peu plus loin.

— Écoute, Kyle. Je l'ai pas encore dit à Krystal, mais elle est pas venue passer seulement un moment avec moi. Ta mère me l'a refilée dans les pattes. Peut-être pour toujours. Ma dingue de sœur s'est encore barrée avec un mec.

— Je peux pas y croire !

— Tu dois.

— Tu vas pouvoir t'occuper de Krystal ?

— J'en sais rien ! Je vais essayer. Ce serait bien que vous me donniez un coup de main, Klint et toi. Tu comprends ? Venir la voir, passer du temps avec elle, tout ça...

— Bien sûr. – Je m'approche d'elle. Instinctivement, je lui donne une rapide accolade. Maladroite, je le sens. – Tout ira bien, Jen...

Elle n'a pas l'air convaincue. Je prends la décision de ne pas parler de Krystal à Klint. Pas tout de suite.

Je le rejoins là où il attend la suite de la cérémonie, entouré de Tyler et de ses parents, de Bill et, à ma grande surprise, de Coach. La famille Jack est assise sur des chaises pliantes installées à droite du cercueil et de la fosse où il va être descendu.

Klint et moi, on va se placer de l'autre côté de la tombe.

Pendant que le pasteur gagne sa place pour accomplir les derniers rites, je cherche Luis des yeux. Il se tient à la périphérie du cercle des endeuillés, à côté de Jerry. Je vois qu'ils échangent une poignée de main, ou plutôt que Luis le retient de cette façon, son autre bras passé autour des épaules de Jerry qui vacille un peu, tête baissée

Je suppose qu'il y aura toujours une légère hostilité sans conséquence entre eux, comme entre deux chevaliers servants attachés à la même reine mais maintenant qu'elle n'est plus là, en tout cas aujourd'hui, leur devoir est de se soutenir l'un l'autre.

Le prêtre se limite à un bref éloge funèbre, puis prononce une prière. Bert s'avance et dépose sa dernière rose jaune sur le cercueil.

Rafael se signe avant d'offrir à la morte un collier de perles – non, un rosaire. Luis sort le mouchoir écarlate de sa pochette, le passe rapidement sur ses yeux et l'étale sur elle.

C'est au tour de Klint de s'approcher. Une feuille de papier pliée surgit de la poche de sa veste de costume. Il la place soigneusement sur la surface en bois poli.

Ce qu'il faut faire et ne pas faire à un enterrement, je l'ignore. C'est la première fois que je vois ça. Quand ils ont enterré Papa, personne n'a ajouté je ne sais quels précieux souvenirs à la caisse dans laquelle ses restes étaient enfermés. Maintenant que j'y pense, c'est dommage : j'aurais bien vu son cercueil couvert de cartes de base-ball et de canettes vides.

Je suis sur des charbons ardents. J'hésite, de crainte de commettre une erreur – un sacrilège ? –, mais il y a aussi une force en moi qui me pousse en avant, vers le cercueil sur lequel je reprends le papier de Klint.

Il faut que je sache.

Je déplie la feuille. Au dessus du texte tapé à l'ordinateur, il y a un en-tête officiel. Mes mains se mettent à trembler quand je commence à lire :

Cher Klint,

Au nom du département sportif de la Western Pennsylvania University, je suis heureux d'accepter votre lettre d'intention et j'ai hâte de vous accueillir dans la sélection universitaire de base-ball pour la saison 2009-2010. Comme prévu, vos frais de scolarité seront entièrement couverts par…

Je ne continue pas jusqu'au bout. Je laisse tomber la lettre par terre et je me mets à courir. Je n'ai que trois ou quatre mètres à franchir mais je pique quand même un sprint.

Je lance mes bras autour de Klint et je le serre de toutes mes forces en balbutiant « Merci, merci, merci », trente fois ou plus. Ce n'est pas juste à lui que je le dis : c'est à Miss Jack, aussi. Je l'ai remerciée d'avoir sauvé la vie de mon frère, oui, mais je n'ai jamais eu le temps de la remercier d'avoir sauvé la mienne.

Klint reste raide comme une planche, mais il ne se dégage pas. Il me laisse m'accrocher à lui et chialer sur son épaule jusqu'à ce qu'il cède, soudain.

Mon frère m'enlace. Je l'entends se mettre à pleurer à son tour et je sais alors qu'il vient de reprendre vie. Subitement.

ÉPILOGUE

Le Tempêtueux

— C'EST DÉCIDÉ, ALORS ? ME DIT CAMERON.

— Je suppose que oui.

Ensemble, nous parcourons d'un regard circulaire les tableaux de Candace qui ornent le hall de réception. Mes yeux s'arrêtent sur le seuil de son salon. À l'intérieur, je surprends le chat de Kyle installé sur le fauteuil préféré de la morte.

Cam l'a remarqué, lui aussi, et il s'apprête à faire une remarque, puis se ravise. À la place, il insiste :

— Vous êtes sûr de ce que vous faites ?

— Je vous suis reconnaissant de vous en préoccuper, monsieur Jack, mais oui : tout à fait sûr.

À ma réponse, ses traits s'assombrissent encore. D'un commun accord, nous commençons à nous diriger vers la porte d'entrée. Arrivé le premier, je l'ouvre et la tiens pour lui. Il sort sur le perron. Je le suis.

Kyle et Klint sont en train de décharger des cartons de la voiture de leur tante. Assise dans l'autre fauteuil favori de Candace sur la véranda, Krystal, leur sœur, s'évente avec l'un des éventails espagnols qui appartenaient à Miss Jack et que je lui ai donné.

Elle nous adresse un sourire. Je la salue avec une componction théâtrale :

— *Buenos días, señorita.*

— *Buenos días*, réplique-t-elle en gloussant.

Cameron fait comme si elle n'existait pas.

— Est-ce que je vous raccompagne à votre auto, monsieur Jack ?

— Non, merci.

Il s'engage sur les marches du perron, s'arrête à mi-chemin et se retourne pour m'apostropher d'un ton coupant, le visage crispé par la malveillance :

— Je ne compte pas en rester là. Je vais me battre !

— Vous perdrez, je vous assure. Il y a ici des forces à l'œuvre qui nous dépassent, vous et moi.

J'attends qu'il soit parti et que les garçons passent la porte avec leurs caisses pour aller rejoindre Tante Jen. De façon assez prévisible…, elle est occupée à allumer une cigarette. Elle porte un jean taillé en short et un haut sans manches. Ses bras et jambes ainsi exposés sont d'une maigreur pénible à voir.

— Vous devriez rester déjeuner, lui dis-je.

Elle me jauge d'un œil soupçonneux.

— Pourquoi ça ?

— Pourquoi ? Mais parce que je vous le propose, et parce que ce sera le meilleur repas de votre vie. Nous allons avoir des *croquetas de pollo*… – J'ai choisi ce plat délibérément, car je me rappelle combien elle l'avait apprécié la première fois qu'elle y avait goûté. – .. Et ensuite, *ensalada de codorniz escabechada con vinagreta de piñones*.

— Qu'est-ce que c'est, ce charabia ?

— Une salade de caille marinée, la chair la plus tendre qui soit, relevée d'une vinaigrette aux pignons de pin.

— Un des trucs les plus loufoques que j'aie jamais entendus ! s'exclame-t-elle en lâchant un rire moqueur, mais je note la lueur affamée dans ses yeux.

— Et ensuite, un flan.

— C'est quoi, ça ?

— Une crème renversée nappée de caramel et, si vous le désirez, de quelques cuillerées de rhum.

Le bout de sa cigarette, qu'elle a oublié de porter à sa bouche, se consume entre ses doigts.

— Vous… vous êtes certain que vous voulez que je reste ?

Je lui montre Kyle et Klint, qui retournent vers sa voiture.

— Ils sont votre famille. Ils ont besoin de vous.

Candace m'a laissé tous ses biens, à la condition qu'ils aillent à Shelby après mon décès. Je me demande si je surmonterai un jour la stupéfaction que sa décision m'a causée. Je n'avais même pas l'intention d'assister à la lecture du testament, et c'est Bert qui a insisté pour que j'y sois présent.

Son neveu n'a pas pris les choses avec philosophie. Je crois que mes connaissances linguistiques sont plus que satisfaisantes mais il m'a exposé à des termes et expressions que j'ignorais entièrement.

En plus de la maison, j'ai hérité de la tutelle des deux garçons. Comme nous avons tellement d'espace, maintenant, j'ai pensé que ce serait une bonne idée d'inviter Krystal à venir vivre ici, avec l'approbation de sa tante, cela va de soi.

Il est certes inexact de dire que Candace m'a « tout » légué. Elle a aussi prévu de confortables pensions pour ses trois petites-nièces, ainsi que pour Kyle, Klint et Rafael. Elle a également laissé de l'argent à Bill Fowler et à la famille Mann. À Jerry, qui se retrouve avec un plan de retraite très généreux, elle a donné le chalet dans lequel il vit depuis toujours et cinq hectares de terre attenants. Malgré cela, il a manifesté le désir de continuer à travailler ici. C'est le genre de bonhomme qui trimera jusqu'à sa dernière heure. Je suis prêt à parier que son idée du paradis comporte nombre de brouettées de paillage céleste qu'il aura pour tâche de répandre.

Miss Henry a accepté de rester, elle aussi, mais je l'ai priée de se trouver un uniforme plus seyant.

Je suis heureux de ma bonne fortune, et j'espère un jour être en mesure d'en profiter, mais pour l'heure je suis encore assommé par le choc de cette perte. Chaque jour sans Candace se traîne interminablement. C'est une consolation d'avoir les garçons et leur sœur près de moi, au moins. Leur présence m'oblige à m'activer et à occuper mon esprit. Mais rien ni personne ne pourra jamais la remplacer.

Ces derniers jours, j'ai passé tout le temps dont je disposais à chercher Ventisco. C'est une quête absurde, je le sais. Son domaine couvre des lieues et des lieues de prés, de montagnes et de forêts. Les chances de le localiser sont quasiment nulles et pourtant je continue, poussé par le besoin aussi inexplicable que désespéré de le revoir.

J'ai lâché les vaches dans presque tous nos pâturages, escomptant que leur odeur finirait par l'attirer, mais il reste caché.

Sait-il qu'elle n'est plus là ? C'est une question que je me pose.

Ventisco, le Tempêtueux, est le dernier descendant de Calladito qu'il me sera donné de connaître. L'idée ne m'attriste pas. Comme toutes les grandes histoires, la leur devait se terminer un jour. Mais en pratique, seulement : leur légende, elle, continuera à jamais.

J'espère qu'elle a retrouvé Manuel, là où elle est. J'espère qu'ils ont fait la paix.

Quant à moi, j'appartiens encore au pays des vivants. Il faut que j'y aille. J'ai des nuggets à préparer.

Remerciements

Écrire un roman est une expérience solitaire où l'insatisfaction et la perplexité se mêlent à l'entêtant soupçon que l'on devrait sans doute être en train de faire autre chose. Chaque jour, seul ou seule dans sa tête, on se bat pour développer une histoire inventée de toutes pièces en se servant de mots qui, espère-t-on, sauront toucher un tas de gens voués à rester des inconnus à jamais, et cela sans vraiment comprendre pourquoi on s'est fixé un tel but. C'est la quatrième fois que je prends ma plume pour composer des remerciements à la fin d'un roman, et en ces quatre occasions j'ai toujours été initialement tentée d'écrire : « Je voudrais me remercier moi-même d'avoir écrit un livre sans raison valable. » En réfléchissant plus soigneusement à ma vie, pourtant, je finis chaque fois par me rendre compte que si l'effort a été exclusivement personnel, c'est grâce à l'amour et au soutien de ceux qui m'entourent que j'ai été capable de le mener à bien. Et donc, aujourd'hui encore, je rassemble ici les suspects habituels qui méritent ma gratitude.

L'un des plus grands privilèges dont un écrivain puisse être gratifié est de compter sur un bon agent littéraire, quelqu'un en qui vous ayez spontanément confiance, qui comprenne votre travail et, quand on a beaucoup de chance, qui soit aussi une personne avisée et chaleureuse avec laquelle il est toujours plaisant de bavarder. J'ai trouvé toutes ces qualités en Liza Dawson, et je chéris la relation qui nous unit.

Un grand merci à mon éditrice, Shaye Areheart, qui a manifesté un respect et un enthousiasme incommensurables

495

envers mes livres. Elle joint à ses solides capacités professionnelles un fantastique appétit pour la vie et ses bons moments, ce
qui représente une combinaison aussi rare que merveilleuse.

À Molly, tendre et volontaire, qui m'aime de cet amour que
seule une petite sœur peut éprouver pour sa grande sœur, merci
d'avoir été toujours là pour moi et de me permettre d'être là
pour elle. À ma mère, qui est tout simplement ma meilleure
amie – est-ce assez guimauve pour toi, Maman ? –, et sans
laquelle je ne sais pas ce que je deviendrais. Enfin, merci à mes
enfants, Tirzah et Connor, qui sont tout pour moi, et merci *al
amor de mi vida*, Bernard, qui m'a tant donné, l'Espagne entre
autres. *Te quiero, Nardo.*

Collection « Littérature étrangère »

OWENS Damien
Les Trottoirs de Dublin

PARLAND Henry
Déconstructions

PAYNE David
*Le Dragon et le Tigre :
confessions d'un taoïste
à Wall Street
Le Monde perdu de Joey Madden
Le Phare d'un monde flottant
Wando Passo*

PEARS Iain
*Le Cercle de la Croix
Le Songe de Scipion
Le Portrait
La Chute de John Stone*

PENNEY Stef
La Tendresse des loups

RADULESCU Domnica
Un train pour Trieste

RAVEL Edeet
*Dix mille amants
Un mur de lumière*

RAYMO Chet
*Le Nain astronome
Valentin, une histoire d'amour*

ROBERTIS Carolina De
La Montagne invisible

ROSEN Jonathan
La Pomme d'Ève

SANSOM C. J.
*Dissolution
Les Larmes du diable
Sang royal
Un hiver à Madrid
Prophétie*

SAVAGE Thomas
*Le Pouvoir du chien
La Reine de l'Idaho
Rue du Pacifique*

SCHWARTZ Leslie
Perdu dans les bois

SEWELL Kitty
Fleur de glace

SHARPE Tom
*Fumiers et Cie
Panique à Porterhouse
Wilt 4
Le Gang des mégères inapprivoisées
ou Comment kidnapper un mari
quand on n'a rien pour plaire*

SHREVE Anita
*Le Poids de l'eau
Un seul amour
La Femme du pilote
Nostalgie d'amour
Ultime rencontre
La Maison du bord de mer
L'Objet de son désir
Une lumière sur la neige
Un amour volé
Un mariage en décembre
Le Tumulte des vagues*

SHRIVER Lionel
*Il faut qu'on parle de Kevin
La Double Vie d'Irina*

SMITH Tom Rob
Enfant 44

SOLER Jordi
*Les Exilés de la mémoire
La Dernière Heure
du dernier jour*

SWARUP Vikas
*Les Fabuleuses Aventures
d'un Indien malchanceux
qui devint milliardaire
Meurtre dans un jardin indien*

TOLTZ Steve
Une partie du tout

Cet ouvrage a été imprimé en France par

à Saint-Amand-Montrond (Cher)
en avril 2010

Composé par Nord Compo Multimédia
7, rue de Fives, 59650 Villeneuve-d'Ascq

N° d'édition : 4303. — N° d'impression : 101180/1.
Dépôt légal : mai 2010.